LESLEY PEARSE

NUNCA ME ESQUEÇAS

TRADUZIDO DO INGLÊS POR

ISABEL ALVES

Título: **NUNCA ME ESQUEÇAS**
Título original: **REMEMBER ME**
© 2003, Lesley Pearse
© 2008, Edições ASA II, S.A.

Tradução: Isabel Alves

Capa: José Manuel Reis
Imagem da capa: Lisa Spindler Photography Inc./Getty Images
Fotografia da autora: Charlotte Murphy
Paginação: GSamagaio
Impressão e acabamentos: Multitipo

1.ª edição: Novembro de 2008
17.ª edição: julho de 2020 (reimpressão)
ISBN 978-989-23-0317-8
Depósito legal n.º 420328/17

Edições ASA II, S.A.
Uma editora do Grupo Leya
Rua Cidade de Córdova, n.º 2
2610-038 Alfragide – Portugal
www.leya.com

A John Roberts, o meu Boswell pessoal.
Não há palavras que transmitam plenamente a minha gratidão.

AGRADECIMENTOS

A Pam Quick, em Sydney, Nova Gales do Sul, não só por toda a informação, livros e imagens que me passaste a respeito da Primeira Frota, mas pelo teu apoio constante. Sem o teu estusiástico interesse, o teu tempo, a tua ajuda e apoio incansáveis, nunca teria acabado este livro. Quando voltar a Sydney, devo-te pelo menos um belo jantar. Deus te abençoe.

Li dezenas de livros durante a minha pesquisa para *Nunca Me Esqueças*, mas os que seguidamente menciono foram os mais importantes:

To Brave Every Danger, de Judith Cook. A verdade é por vezes mais estranha e mais heróica do que a ficção e o livro meticuloso sobre Mary Bryant de Fowey é verdadeiramente inspirador e uma leitura obrigatória para os apaixonados da História.

Fatal Shore, de Robert Hughes. Um livro fascinante e fabuloso sobre os primeiros tempos da Austrália.

The First Twelve Years, de Peter Taylor. Extraordinariamente informativo sem ser pesado nem desinteressante. Inclui também óptimas fotografias.

Orphans of History, de Robert Holden. Um relato comovente das crianças esquecidas da Primeira Frota.

The Floating Brothel, de Sîan Rees. A histórias das mulheres deportadas que viajaram no *Juliana*. Chocante e informativo.

Boswell's Presumptuous Task, de Adam Sisman. Uma obra maravilhosa sobre James Boswell.

Dr. Johnson's London, de Liza Picard. Uma leitura esplêndida, uma imagem incrivelmente vívida de Londres no século XVIII.

English Society in the Eighteenth Century, de Roy Porter.

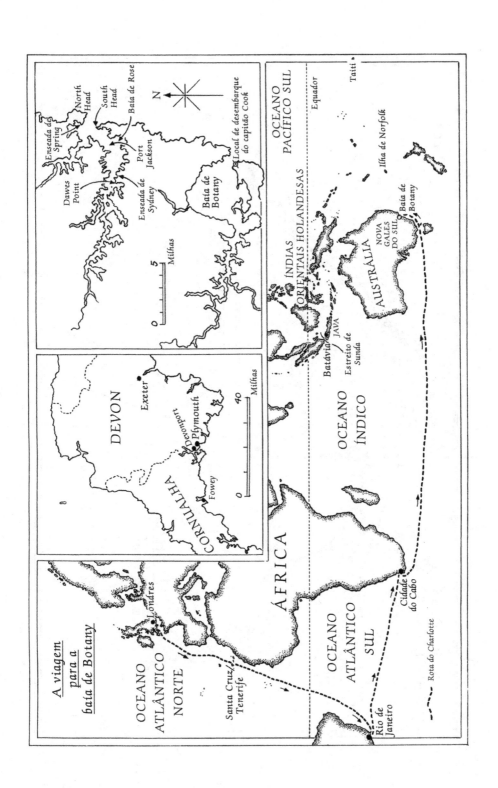

A viagem
para a
baía de Botany

OCEANO
ATLÂNTICO
NORTE

Londres

Santa Cruz/
Tenerife

OCEANO
ATLÂNTICO
SUL

Rio de
Janeiro

ÁFRICA

Cidade
do Cabo

OCEANO
ÍNDICO

ÍNDIAS
ORIENTAIS HOLANDESAS

Batávia
JAVA
Estreito de
Sunda

AUSTRÁLIA

NOVA
GALES
DO SUL

Baía de
Botany

OCEANO
PACÍFICO SUL

Equador

Taiti

Ilha de Norfolk

Rota do Charlotte

DEVON

Exeter

CORNUALHA

Devonport
Plymouth

Fowey

40

Milhas

0

Enseada de
Spring

North
Head

South
Head

Baía de Rose

N

Dawes
Point

Port
Jackson

Enseada de
Sydney

Baía de
Botany

Local de desembarque
do capitão Cook

5

Milhas

0

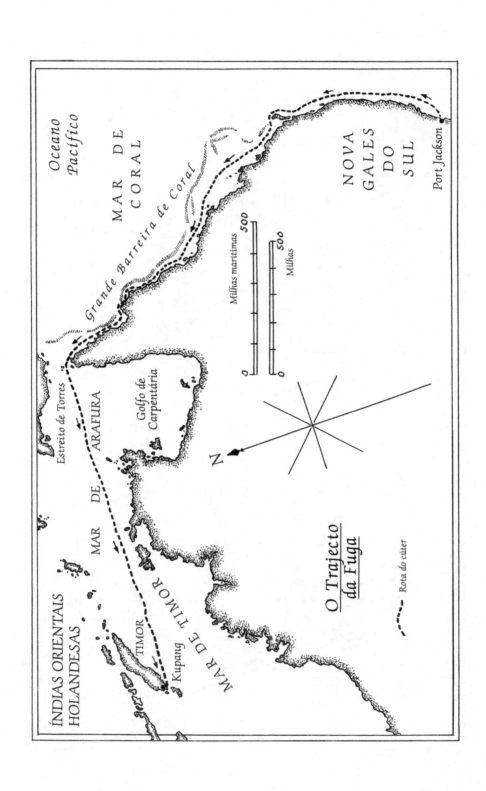

Oceano
Pacífico

MAR DE
CORAL

Grande Barreira de Coral

Estreito de Torres

MAR DE
ARAFURA

Golfo de
Carpentária

ÍNDIAS ORIENTAIS
HOLANDESAS

TIMOR

Kupang

MAR DE TIMOR

NOVA
GALES
DO
SUL

Port Jackson

N

Milhas marítimas

500

Milhas

500

0

0

O Trajecto
da Fuga

- - - Rota do cúter

CAPÍTULO 1

1786

Mary apertou com força o corrimão do banco dos réus quando o juiz entrou na sala do tribunal. As janelas eram pequenas e sujas, deixando entrar apenas uma luz débil, mas o chapéu preto sobre a sua peruca amarelada e o silêncio expectante da galeria eram inconfundíveis.

— Mary Broad. Serás levada daqui de volta para onde vieste e aí serás enforcada até morreres — entoou ele, não se dignando sequer olhar para ela de frente. — Que Deus tenha piedade da tua alma.

Mary sentiu uma reviravolta no estômago e as pernas a ceder. Sabia perfeitamente que a forca era a pena habitual para o assalto de estrada, mas uma pequena parte de si ativera-se à convicção de que o juiz seria clemente por ela ser muito nova. Devia ter adivinhado.

Era o dia 20 de Março de 1786 e faltavam poucas semanas para Mary Broad fazer vinte anos. Era em tudo uma rapariga normal, nem particularmente alta nem baixa, nem extraordinariamente bonita nem feia. A única coisa que a distinguia das outras pessoas em julgamento nesse dia, no tribunal criminal de Lenten, era a sua aparência de rapariga do campo. Possuía uma tez luminosa que, mesmo depois de semanas de encarceramento em Exeter Castle, ainda mantinha um ligeiro brilho. O seu cabelo escuro encaracolado estava impecavelmente atado com uma fita e o seu vestido cinzento de estambre, embora sujo da prisão, era simples e prático.

11

Instalou-se à sua volta um burburinho, pois a sala do tribunal em Exeter estava superlotada. Alguns dos presentes eram amigos e familiares de outros prisioneiros que seriam julgados nesse dia, mas na maioria eram simples espectadores.

Contudo, o ruído não era de simpatia nem de indignação perante uma pena tão severa. Mary não tinha um só amigo em toda a sala. Um mar de rostos encardidos virou-se para ela, os olhos incendiados por um brilho maldoso, o breve movimento desprendendo o odor dos corpos mal lavados que lhe invadiu as narinas. Queriam que ela reagisse, que rompesse em lágrimas, que manifestasse fúria ou implorasse misericórdia.

Ela tinha vontade de gritar, implorar pela vida, mas o traço provocador do seu carácter que a levara desde logo a roubar alguém incitava-a a manter pelo menos a dignidade.

A mão de um guarda caiu-lhe sobre o ombro. Agora era demasiado tarde para outra coisa que não a oração.

Mary mal teve consciência da viagem de carroça de volta a Exeter Castle, a prisão onde fora encarcerada desde que a haviam levado de Plymouth, após a sua detenção. Mal reparou no ruído dos grilhões de ferro que lhe prendiam os tornozelos, ligados a outro cinto pesado em torno da cintura, nas outras sete prisioneiras na carroça ou nos apupos da multidão nas ruas. A única coisa que lhe ia no pensamento era que a próxima vez que visse o céu sobre ela seria o dia em que a conduziriam à forca.

Levantou o rosto para o sol débil da tarde. Nessa manhã, ao ser levada para comparecer no tribunal criminal, o sol primaveril quase a cegara depois da escuridão das celas. Olhara ansiosamente à sua volta, vira novas folhas a despontar nas árvores, ouvira pombos arrulhar em rituais de acasalamento, insensata, interpretara todos esses sinais como bons augúrios.

Como se enganara! Jamais veria a sua adorada Cornualha. Jamais veria os pais ou a irmã Dolly. Só lhe restava a esperança de que nunca viessem a descobrir o que fizera. Era preferível que pensassem que os tinha abandonado para seguir uma nova vida em Plymouth ou até em Londres a terem de suportar a desonra de saber que a sua vida terminara às mãos do carrasco.

Mary ouviu alguém a soluçar e olhou para a mulher sentada à sua esquerda. A sua idade era impossível de determinar pois tinha o

12

rosto crivado de bexigas e apertava contra a cabeça uma capa castanha esfarrapada para tentar escondê-lo.

— Chorar não serve de nada — disse Mary, presumindo que a
mulher também fora condenada à forca. — Pelo menos agora sabemos o que nos espera.

— Eu não roubei nada — sussurrou a mulher. — Juro que não
roubei. Foi outra pessoa que fugiu e me deixou a arcar com as culpas.

Mary já ouvira aquela história muitas vezes da boca de outras
prisioneiras desde a sua detenção em Janeiro. Inicialmente, acreditara em quase todas, mas agora estava mais calejada.

— Disseste-lhes isso hoje? — perguntou.

A mulher indicou que sim, as lágrimas correndo ainda mais
abundantes. — Mas disseram que tinham uma testemunha.

Mary não teve alento para lhe pedir que contasse toda a história. Queria encher os pulmões de ar puro, encher o espírito das imagens e dos sons da movimentada cidade de Exeter para ter, quando
chegasse à cela imunda e sombria, recordações para evocar. Ouvir a
triste história daquela mulher só a alquebraria ainda mais. No entanto, a sua compaixão natural não a deixava ignorar a pobre criatura.

— Também vais ser enforcada? — perguntou.

A mulher virou bruscamente a cabeça para olhar para Mary, a
surpresa estampando-se no seu rosto devastado. — Não. Foi só
uma empada de carneiro que me acusaram de roubar.

— Então tens mais sorte do que eu — suspirou Mary.

Uma vez regressada à prisão, lançada para uma cela com mais
vinte prisioneiros de ambos os sexos, Mary arranjou um espaço
contra a parede, sentou-se, ajustou as correntes dos grilhões para
poder levantar os joelhos, aconchegou-se bem à capa e recostou-se
para avaliar a situação em que se encontrava.

A cela era diferente daquela de onde saíra nessa manhã, melhor
no sentido em que entrava ar fresco por uma grade no alto da parede, a palha no chão tinha um aspecto ligeiramente mais limpo e os
baldes ainda não estavam cheios. Mas o ar continuava empestado,
pairava nele uma fetidez de sujidade, fluidos corporais, vómito,
bolor e sofrimento humano que ela inalava a cada inspiração.

Reinava um silêncio de mau agoiro. Ninguém falava em voz alta, praguejava ou insultava os carcereiros como acontecera na cela anterior. Na verdade, estavam todos sentados como ela, submersos em reflexões ou desespero. Mary deduziu que queria dizer que estavam todos condenados à morte e tão aturdidos com o facto como ela.

Não via Catherine Fryer nem Mary Haydon, as raparigas com quem fora apanhada, embora tivessem sido levadas juntas para o tribunal criminal nessa manhã. Não fazia ideia se ainda lá estavam à espera do julgamento ou se haviam escapado com uma pena mais leve do que a sua.

Fosse qual fosse a razão, alegrava-a que não estivessem ali. Não queria recordar o sucedido mas, se não tivessem sido elas, nunca lhe teria passado pela cabeça roubar ninguém.

A obscuridade era demasiado forte para distinguir claramente os outros ocupantes da cela, a única luz entrando por um postigo no corredor, do outro lado da porta gradeada. Mas, num relance, além do facto de também ali estarem homens (na cela anterior só havia mulheres), não pareciam muito diferentes das suas companheiras de prisão dos últimos dois meses.

Havia gente de todas as idades, desde uma rapariga de dezasseis anos, que estava a soluçar no ombro de uma mulher mais velha, até um homem com cinquenta anos, talvez, ou até mais. Três das mulheres teriam possivelmente sido prostitutas, a julgar pelos seus vestidos compridos de cores garridas, elegantes até, mas os restantes eram mulheres muito andrajosas com rostos duros, dentes podres e cabelo emaranhado e homens de rostos macilentos, fixando o vazio em silêncio.

Havia duas mulheres da sua cela anterior. Bridie, com um vestido vermelho de gola de renda esfarrapada, confiara a Mary que tinha roubado um marinheiro enquanto ele dormia. Peg era muito mais velha, uma das mulheres muito andrajosas, mas recusara-se categoricamente a falar sobre o seu crime.

Mary imaginava, pela sua experiência da cela anterior, que por mais caladas que estivessem agora, dentro de poucas horas, as personalidades naturalmente dominantes, como Bridie, recuperariam o moral para assumir o controlo. Em grande parte, era conversa — era necessário transmitir uma imagem de força para sobreviver na prisão. Dar luta, gritar e exigir comida ou água aos carcereiros era uma forma de transmitir aos companheiros de cela que ninguém lhes pisava os calos.

Mary pensou se serviria de alguma coisa agora ter esse tipo de atitude. Pelo seu lado, não se sentia minimamente inclinada a isso; só queria saber quantos dias lhe restavam de vida.

Ao ver Mary, Bridie levantou as correntes e dirigiu-se para ela a coxear. — Forca? — perguntou.

Mary assentiu com a cabeça. — Tu também?

Bridie acocorou-se na palha, confirmando com uma expressão abatida. — Cabrão do juiz — disse com desdém. — Não sabe o que nós passamos. De que é que adianta enforcar-me? Quem há-de olhar agora pelos meus pais?

Pouco depois de ter sido levada para Exeter, Bridie dissera a Mary que se dedicara à prostituição para poupar os pais à caridade da paróquia. Mas havia qualquer coisa nas suas roupas garridas e na sua natureza ainda mais garrida que sugeria que não fora uma decisão muito penosa. Contudo, desde a primeira noite de Mary na prisão, Bridie mostrara-se bondosa e protectora para com ela e Mary considerava-a uma mulher de bom coração.

— Mas pensei que te safavas com esse teu ar de inocente — disse Bridie, estendendo a mão suja para acariciar ao de leve a cara de Mary. — Que aconteceu?

— A senhora que roubámos estava no tribunal — disse Mary com tristeza. — Apontou para mim.

Bridie suspirou com piedade. — Bem, esperemos que arrumem depressa com o assunto. Não há nada pior que esperar pela morte.

Muito mais tarde nessa noite, deitada no chão imundo coberto de palha, entre os companheiros de prisão que pareciam estar a dormir profundamente, Mary deu por si a recordar a sua casa e família em Fowey, na Cornualha. Sabia agora que nascera em condições mais afortunadas do que muitas das mulheres que conhecera desde que abandonara a sua terra.

O pai, William Broad, era marinheiro e, embora tivessem passado por tempos difíceis quando ele não tinha trabalho, ele sempre arranjara maneira de garantir que não faltava comida nem lenha à família. Mary recordava-se de ser aconchegada na cama com a irmã Dolly, ouvindo o mar bater contra o paredão do porto mas sentindo-se em segurança porque, por mais tempo que o pai andasse no mar, deixava sempre dinheiro suficiente para se desenvencilharem até voltar.

Só de pensar em Fowey, com as suas casinhas e ruas empedradas, sentiu um nó na garganta. O porto e a cidade, vibrantes de actividade, nunca eram monótonos porque ela conhecia toda a gente e os Broad eram uma família respeitada. Grace, a mãe de Mary, dava muito valor à respeitabilidade; mantinha a pequena casa imaculadamente limpa e procurava instilar nas filhas os seus dotes para a culinária, governo da casa e costura. Dolly, a irmã mais velha de Mary, era a filha cumpridora e obediente, que gostava de seguir o exemplo da mãe, e os seus sonhos resumiam-se a arranjar marido e ter filhos e uma casa sua.

Mary não partilhava os sonhos de Dolly. Os amigos e vizinhos diziam com frequência que ela devia ter nascido rapaz. Não tinha jeito para coser e as lides domésticas entediavam-na. Os seus momentos mais felizes eram quando o pai a levava a andar de barco e a pescar pois sentia uma comunhão com o mar e era capaz de governar um barco quase tão bem como ele. Preferia também a companhia masculina, pois os homens e os rapazes falavam de coisas emocionantes, de terras distantes, da guerra, de contrabando e do trabalho nas minas de estanho. Não tinha paciência para raparigas tontas e choramingas que só se interessavam pela bisbilhotice e pelo preço das fitas para o cabelo.

Foi uma sede de aventura que a levou a querer sair de Fowey e estava firmemente convicta de que seria capaz de grandes feitos se estivesse noutro lado. Quando Mary partiu, Dolly disse com alguma crueldade que era por nunca ter arranjado um namorado e ter medo de não ser desejada por ninguém.

Não era verdade. Mary não aspirava ao casamento. Aliás, sentia pena e não inveja das raparigas com quem crescera que já tinham dois ou três filhos nos braços. Sabia que as suas vidas se tornariam mais duras com cada nova boca a alimentar, que viviam com medo de perder os maridos, afogados no mar ou num acidente nas minas. Mas nesse tempo a vida na Cornualha era dura para toda a gente excepto para a fidalguia. O trabalho consistia na pesca, na mineração ou no serviço doméstico.

Dolly servia em casa dos Treffrys de Fowey, com o posto de segunda criada para todo o serviço mas Mary recusara-se obstinadamente a seguir-lhe o exemplo. Não queria passar os dias a despejar baldes de dejectos e a acender lareiras, sempre a mando de uma governanta mal-encarada. Não via qualquer futuro nisso. Mas a alternativa era amanhar e salgar peixe e, embora o fizesse desde criança e apreciasse a liberdade de conversar enquanto trabalhava e a camaradagem das suas companheiras de trabalho, ninguém enriquecia a amanhar peixe. Entranhava-se um cheiro horrível na pele e era um gelo no Inverno. Mary olhava para as costas vergadas e para os dedos nodosos das mulheres que passavam uma vida inteira nisso e sabia que significava uma morte prematura.

Ouvira os marinheiros falar de Plymouth. Diziam que lá havia óptimas lojas e grandes casas e oportunidades para quem fosse determinado. Pensou que talvez arranjasse trabalho numa das lojas, pois, ainda que não soubesse ler nem escrever, era capaz de somar mais depressa do que o pai.

Os pais tinham opiniões contraditórias a respeito da sua partida. Por um lado, queriam que ela ficasse em casa em Fowey mas viviam-se tempos difíceis e eles debatiam-se com problemas para a sustentar. Talvez também esperassem que alguns anos longe deles, numa actividade respeitável, a fizessem assentar, arranjar namorado e finalmente casar-se.

Mary estava desejosa de partir mas agora, deitada no chão duro e frio da cela de prisão, recordando o dia em que partiu de casa, foi inundada de remorsos.

Foi de manhã muito cedo, num belo dia de Julho, sem uma nuvem no céu azul, e sol já estava quente. O pai zarpara para França alguns dias antes e Mary insistira para que somente Dolly a acompanhasse ao porto para se despedir. Não queria mais sermões da mãe, aconselhando-a a comportar-se como uma senhora no barco e a não dar conversa a estranhos.

A mãe nunca fora dada a manifestações emotivas e, por isso, Mary ficou um pouco desconcertada quando, ao preparar-se para a beijar na face à porta, ela a abraçou subitamente com toda a força.

17

— Porta-te bem — disse a mãe, a voz embargada. — Reza as tuas orações e não te metas em sarilhos.

Mary recordou que se apressara a afastar-se com Dolly, rindo de excitação. Só quando chegou ao fundo da rua estreita e olhou para trás é que reparou que a mãe ainda se encontrava à porta a observá-las. Estava com um ar envelhecido, pequena e estranhamente vulnerável, pois ainda não arranjara o cabelo em tranças nessa manhã. Era tão cinzento como o seu vestido, e Mary quase não a distinguia da pedra da casa. Mesmo sem conseguir ver claramente a sua cara, Mary sabia que ela estava a chorar. Ainda assim, Grace foi capaz de acenar alegremente.

— Não sei porque é que achas que a vida em Plymouth vai ser melhor que aqui — disse Dolly com azedume, quando chegaram ao porto e viram o barco à espera. — Aposto que podias dar a volta ao mundo e não encontravas nenhuma terra tão bonita.

— Não sejas assim — respondeu Mary, pensando que Dolly tinha ciúmes. A irmã era muito mais bonita do que ela, os olhos azuis como o céu, a tez clara e rosada, e possuía um nariz encantador, pequeno e arrebitado. Mas Mary tinha a impressão de que Dolly desejava muitas vezes ser mais arrojada e talvez sentisse alguma amargura por ter a vida já traçada diante de si.

— É mais forte que eu — respondeu Dolly, num fio de voz. — Vou ter tantas saudades tuas. Não fiques muito tempo longe.

Mary recordou como abraçara então a irmã e lhe dissera que ia fazer fortuna e a mandaria ir ter com ela. Se soubesse que era a última vez que a veria, ter-lhe-ia dito que a amava. Mas, nessa manhã ensolarada, estava morta por embarcar. Não lhe passou sequer pela cabeça que pudesse não singrar em Plymouth.

O que Mary não previu foi que centenas de raparigas desembarcavam em Plymouth todas as semanas à procura de trabalho e que eram as que sabiam ler e escrever, as mais bonitas e as que estavam munidas de boas referências que obtinham as melhores posições. O melhor que conseguiu foi um emprego numa cervejaria de marinheiros, a lavar tachos e a esfregar o chão. Dormia num monte de serapilheiras na cave.

Foi por volta do dia de São Miguel Arcanjo, a 29 de Setembro, que o taberneiro a pôs na rua. Alegou que ela roubara dinheiro mas não era verdade. A única coisa que ela fizera fora rejeitar os seus avanços. Sem referências, não podia arranjar outro emprego e era demasiado orgulhosa para voltar para Fowey e ouvir a família dizer-lhe: «Eu bem te disse.»

No momento em que travou conhecimento com Thomas Coogan no porto percebeu que estava a caminho do inferno a passos de gigante. Uma rapariga decente nunca deixaria que um perfeito estranho lhe pagasse o jantar e lhe pegasse na mão, e fugiria com quantas pernas tinha quando ele lhe oferecesse guarida em sua casa até arranjar trabalho. Mas sucumbiu ao fascínio do seu rosto magro e anguloso, do brilho dos seus olhos azuis e das histórias que ele lhe contou de viagens a França e a Espanha.

Thomas não seguia nenhuma das regras segundo as quais Mary fora criada. O rei, a igreja e, aliás, qualquer tipo de autoridade eram-lhe completamente indiferentes. Possuía modos distintos, era meticuloso em termos da sua aparência e era a companhia mais divertida que ela já conhecera.

Talvez, em parte, fosse por ele parecer desejá-la tanto, desejar abraçá-la e beijá-la. Nunca até então nenhum homem a desejara dessa maneira, consideravam-na apenas uma amiga. Thomas dizia que ela era bela, que os seus olhos cinzentos eram como uma ameaça de tempestade e os seus lábios tinham sido feitos para serem beijados.

Esse primeiro dia com ele foi absolutamente mágico. Chovia torrencialmente e Thomas levou-a a uma taberna, junto do porto, e secou-lhe a capa diante da lareira. Também lhe deu a provar rum. Ela não gostou do sabor nem da forma como lhe queimava a garganta mas gostou da maneira como ele se inclinava para ela e lhe lambia levemente os lábios com a ponta da língua. — Em ti tem o sabor do néctar — sussurrava. — Bebe, minha linda, hás-de ficar bem quentinha.

Fê-la sentir-se desinibida, todo o seu corpo parecia arder, e não era só do rum. Era o humor inteligente dele, a sensação da mão dele na sua, a sugestão de que estava no limiar de algo perigoso mas também fantástico.

Olhando para trás, devia ter suspeitado de que havia qualquer coisa que não batia certo porque ele nunca tentava ir com ela para a cama. Beijava-a apaixonadamente e dizia-lhe que a amava mas nunca passava disso. Na altura, Mary acreditara, na sua insensatez, que a sua prudência se devia ao amor e respeito por ela, mas só mais tarde descobriu a verdade.

Thomas Coogan não queria saber de ninguém a não ser de si mesmo. Era carteirista e, quando a tinha avistado a chorar no porto, percebeu que a sua aparência asseada e inocente de rapariga do campo faria dela uma cúmplice ideal. Bastaram umas quantas palavras de compaixão para ganhar a confiança dela.

Nunca passou pela cabeça de Mary, nas primeiras semanas depois de o conhecer, que enquanto admiravam montras de lojas de braço dado ou deambulavam pelo mercado, ele estava com frequência ocupado, com a mão livre, a roubar a carteira, o relógio de bolso ou qualquer outro objecto de valor de alguém. Estava demasiado enfeitiçada pelo seu charme, entusiasmada com os amigos e conhecidos dele, tão interessantes, e embevecida com a sua generosidade para com ela para estudá-lo com atenção.

Quando se apercebeu, estava de tal modo envolvida nesse estilo de vida fácil e divertido que, se ele lhe dissesse que era profanador de túmulos, teria ficado na mesma. Quando ele desapareceu, logo a seguir ao Natal, deixando-a na pensão para onde a levara, ela ficou inconsolável.

O mais provável era ele ter sido apanhado pela polícia e foi por essa razão que começou a dar-se com Mary Haydon e Catherine Fryer. Não queria perder a face junto daquelas duas carteiristas que Thomas tinha em alta conta. Pareciam raparigas experientes e arrojadas e ela precisava de dinheiro para pagar a renda do quarto de Thomas para quando ele voltasse.

Inicialmente, fez apenas o papel de vigia enquanto as outras duas roubavam carteiras nas ruas e mercados apinhados. Por vezes, orquestrava uma manobra de diversão, fingindo desmaiar ou invocando que alguém lhe roubara a carteira. Mas chegou o dia em que Catherine declarou que eram horas de ela também correr riscos e, quando viram a mulher pequena e bem vestida a ir para casa com os braços cheios de embrulhos, acharam que era a iniciação perfeita.

Se não tivesse estado tão ansiosa por provar a sua coragem, talvez Mary tivesse simplesmente passado uma rasteira à mulher e escapado com um dos embrulhos. Mas, pelo contrário, agarrou no bonito chapéu de seda da mulher com uma mão e apanhou tudo o que ela deixou cair com o susto, atirando os embrulhos à outra Mary e a Catherine antes de largar a correr. Para azar delas, houve pessoas que foram no seu encalço, as encurralaram numa viela e chamaram a polícia.

Quase todos os pormenores da detenção e encarceramento de Mary em Plymouth não passavam agora de uma recordação turva porque a viagem subsequente para Exeter eclipsou tudo o resto. Demorou quatro dias numa carroça aberta, onde ia acorrentada a mais três mulheres, duas das quais eram supostamente suas amigas mas passaram a viagem a censurá-la por ter provocado a sua detenção. Estavam em Janeiro e o vento gelado soprava sobre as charnecas desoladas com tal ferocidade que parecia rasgá-las a meio. Se precisassem de fazer as suas necessidades, as mulheres tinham de descer juntas da carroça sob o olhar lúbrico do guarda. Cada passo era uma tortura pois os grilhões enterravam-se-lhes na pele delicada e ainda não tinham prática de se deslocar juntas. À noite, eram atiradas para um estábulo numa estalagem, alimentadas apenas a pão e água. Mary pensou que ia morrer de frio, esperava aliás ardentemente que assim fosse, quanto mais não fosse para acabar com o desprezo e o escárnio das suas companheiras e a certeza de que o seu crime, assalto de estrada, era punível com a forca.

Na primeira noite que passou em Exeter Castle, foi Bridie quem a reconfortou e lhe assegurou que acabaria por se habituar às ratazanas, aos piolhos, à sujidade, ao pão seco e a usar um balde de dejectos à vista de toda a gente. Mary supunha que agora já se habituara na medida em que fazia parte integrante da vida da prisão e ela merecia ser castigada pelo que fizera. Mas não conseguia resignar-se à ideia de que morreria dentro de poucos dias e nunca mais teria a liberdade de percorrer as pequenas estradas rurais, de observar o mar a rebentar na praia e de voltar a assistir ao pôr-do-sol.

Nesse momento, rompeu a chorar por ter desiludido os pais e trazido desgraça à família e por não ter dado ouvidos à sua consciência quando sabia que roubar era pecado.

Era um facto conhecido que metade das pessoas condenadas à morte era de uma ou de outra forma agraciada. Durante os três dias seguintes, as companheiras de prisão de Mary não falaram de outra coisa, todas esperando encontrar-se entre os contemplados.

Mas Mary não era parva. Sabia que era necessário ter amigos no exterior, um patrão ou patroa interessados e benevolentes, um membro do clérigo ou até um amigo endinheirado que defendesse a sua causa. À medida que as horas e os dias passavam lentamente, começou a tornar-se claro quais das suas companheiras teriam essa sorte. Eram as que recebiam comida, bebida, dinheiro e até roupa lavada na prisão.

Mary olhou com inveja para a jovem e para a mulher, que sabia agora ser tia dela, que estavam a comer empadas de carne quentes trazidas por um dos carcereiros. Tinham sido acusadas de furto de uma pensão mas desde a sua detenção que proclamavam a sua inocência. Agora, a julgar pelas empadas e pelos cobertores que lhes tinham sido dados, talvez estivessem a dizer a verdade, pois havia alguém lá fora a lutar pela sua libertação.

Alguns prisioneiros, porém, mesmo aqueles sem qualquer esperança de perdão, andavam muito joviais nos últimos dois dias. Talvez fosse porque consideravam uma morte rápida preferível à infelicidade de uma longa pena de prisão ou de uma morte lenta causada pela febre tifóide. A forca acarretava igualmente um certo estatuto, pois juntavam-se multidões numerosas a assistir. Se pudessem enfrentar a morte com dignidade e granjear a admiração da populaça, talvez viessem a tornar-se figuras heróicas e mesmo, quem sabe, lendas.

Dick Sullion era um homem que perfilhava esta opinião e conseguira animar Mary com o seu humor e filosofia de vida. Como ela, fora condenado por *esteira*, o nome vulgar dado ao assalto de estrada. Mas o crime de Dick correspondia mais correctamente à descrição do que o de Mary porque era seu costume ficar à espreita, em estradas solitárias, de viajantes incautos, roubando-lhes não apenas os objectos de valor mas também os cavalos.

Era um homem alto, com perto de um metro e oitenta, espadaúdo, um rosto vermelho, e com um sentido de humor irreprimível.

Na primeira manhã depois do julgamento, Mary acordara, ouvindo-o cantar uma obscena canção de taberna que falava de ir para o cadafalso embriagado. Ela tinha naturalmente presumido que ele estava bêbado na altura, porque quem tinha dinheiro ou posses para subornar os carcereiros podia passar o dia e a noite inebriado. Mas quando se sentou, ele sorriu-lhe e os seus olhos azuis estavam límpidos e brilhantes.

— Não vale a pena ficar para aqui a maldizer a sorte — disse ele como que a justificar-se. — Tive uma boa vida e acho melhor morrer na forca do que perder o juízo e a figura num sítio destes.

— Alguns de nós preferem dormir a pensar nisso — ripostou ela.

Mary aprendera, nos primeiros dias de prisão em Janeiro, que era aconselhável fazer amizade com alguém duro e manhoso que pudesse protegê-la e, como Dick parecia encaixar às mil maravilhas no perfil, deixou que ele se aproximasse dela e conversou com ele.

Não tardou a descobrir que Dick já não tinha dinheiro para comprar bebidas ou comida a mais. Ele contou-lhe que tinha estourado tudo o que tinha nas primeiras semanas antes do julgamento. Mas, apesar de Dick não poder tornar os últimos dias de Mary mais confortáveis, do ponto de vista físico, era forte e rijo, sabia como se desenvencilhar e a sua conversa e bom humor levantavam-lhe o moral.

Dick também era da Cornualha. Era bom poder falar com ele sobre a sua terra e não demorou muito tempo a contar-lhe o que sentia a respeito do seu crime e do desgosto que causara à família.

— Não vale a pena preocupares-te com isso — disse ele, num sotaque tão forte e reconfortante como o do pai. — Toda a gente faz o que faz para sobreviver. Se chegámos a isto, a culpa é do governo. Os impostos altos, as Leis dos Enclosures, espremem-nos constantemente até ao tutano e vivem em palácios enquanto nós passamos fome. Eu roubei a quem o tinha e tu a mesma coisa. Cá para mim, é muito bem feito.

Mary, que fora educada na honestidade e no temor a Deus, não concordava inteiramente com ele mas não tencionava dizer-lho.

— Mas não tens medo de morrer? — perguntou simplesmente.

Dick encolheu os ombros. — Já estive à beira da morte tantas vezes que não tem significado nenhum para mim. O que é a forca comparada com um açoitamento na Marinha? Apanhei o primeiro ainda só tinha dezasseis anos... isso é que mete medo, a dor é tão violenta que um tipo grita até perder a voz. A forca é rápida. Não te aflijas, pequenina, eu fico ao teu lado até ao fim.

Mary sentiu algum consolo com as palavras de Dick. Decidiu que, se estava condenada a morrer, o faria com coragem.

Quatro dias depois do julgamento, por volta das dez da manhã, o carcereiro apareceu à porta da cela e chamou por Nancy e Anne Brown. Eram a tia e a sobrinha acusadas de roubar uma pensão. Informou-as que tinham sido absolvidas com base em novas provas e podiam sair em liberdade.

Apesar da sua própria situação, Mary ficou contente por elas e levantou-se para as abraçar e beijar. Conversara bastante com as duas mulheres nos dois dias anteriores e tinha a certeza de que estavam inocentes como afirmavam. Mal tinham saído da cela quando o carcereiro chamou mais quatro nomes, os de três homens e o de Mary.

— Vocês vêm comigo.

Mary virou-se para Dick, consternada, pensando que ia ser imediatamente conduzida ao cadafalso.

Dick pousou a mão grande no ombro dela e apertou-o. — Não te convenças disso — disse ele com confiança. — No fim de cada sessão do tribunal criminal, examinam a lista e seleccionam pessoas que lhes parecem ideais para deportação. Desconfio que é para isso que te chamam.

O carcereiro gritou-lhes para o seguirem sem dar tempo a Mary para se despedir em condições de Dick e Bridie.

Enquanto se arrastava pelo corredor escuro atrás de William, Able e John, seus companheiros de cela, as correntes a retinir no chão de pedra áspero, ouviu a voz de Dick a atroar atrás dela. — Sete anos, daqui a sete anos estás livre, pequenina. Sê corajosa e forte que aguentas até ao fim.

Able, um homem de aspecto enfermiço na casa dos trinta, virou-se para olhar para Mary. — Que é que ele sabe? — perguntou mal-humorado. — Ouvi dizer que não vão mandar mais gente para as Américas agora que a guerra acabou.

24

Mary ouvira dizer o mesmo quando estava em Plymouth. Se fosse verdade, seria um alívio pois tinha crescido a ouvir histórias assustadoras transmitidas por marinheiros sobre os terrores que aguardavam os deportados nessa terra longínqua. Os condenados recebiam o mesmo tratamento dos escravos negros, passavam fome, eram espancados e obrigados a trabalhar na terra até caírem mortos de exaustão. Mas, se não fosse para a América, para onde seriam mandados? E seria melhor?

Uma vez no pátio, Mary viu outros prisioneiros perfilados, incluindo Mary Haydon e Catherine Fryer, as suas antigas companheiras de crime. Eram ao todo cinco mulheres e cerca de quinze ou dezasseis homens. Mary Haydon lançou a cabeça para trás e desviou os olhos quando viu Mary mas Catherine fulminou-a com o olhar, não deixando quaisquer dúvidas de que ainda a consideravam responsável pela sua situação desesperada.

Um juiz, ou pelo menos Mary presumiu que fosse graças à peruca e à toga, desceu os poucos degraus para o pátio, ladeado de outros dois homens, e começou a ler em voz alta uma folha de pergaminho.

Mary não compreendeu o que ele estava a ler. Ouviu: «Em sessão do tribunal criminal que deu ordem de libertação de prisioneiros da prisão de Sua Majestade, o rei», e depois o que soou como uma sucessão de *Sirs*, todos eles desconhecidos dela. Só quando ouviu a menção ao seu próprio nome é que começou a escutar com mais atenção. Às palavras: «Sua Majestade teve a benévola satisfação de lhes aplicar o perdão real», Mary sentiu um aperto de alegria no coração. Mas, à medida que o juiz continuava, o desalento voltou a instalar-se pois era como Dick dissera, o perdão sob condição de serem deportados por sete anos.

Depois de o juiz abandonar o pátio da prisão, deixando os prisioneiros sozinhos com os guardas, viraram-se uns para os outros, a sua exultação por terem escapado à forca misturando-se com um grande medo ao pensar no que significaria a deportação.

— Não sei de ninguém que alguma vez tenha voltado — disse um homem num tom sombrio. — Devem ter morrido todos.

— Eu sei de um homem que voltou — retorquiu em voz alta outro homem. — E veio com os bolsos recheados.

Mary tentou compreender a confusão de opiniões contraditórias à sua volta. Embora pessoalmente sentisse que uma pena de sete anos, por mais dura que fosse, era certamente melhor do que a forca, achou que, já que todas as pessoas no pátio pareciam ser mais entendidas sobre o assunto do que ela, não valia a pena exprimir a sua opinião. Mas quando a mulher ao seu lado começou a chorar, passou-lhe o braço pelo ombro e tentou consolá-la.

— É com certeza melhor do que morrer — disse num tom meigo. — Estaremos ao ar livre, até é possível que consigamos escapar.

Able, que estava à sua frente, deve ter ouvido o que ela disse pois virou-se para ela com uma expressão de desdém no rosto. — Isso é se não morrermos na viagem — declarou.

Secretamente, Mary pensou que, de qualquer modo, ele não andaria neste mundo por muito tempo. Tinha uma tosse profunda, era extremamente magro e o único na cela que não manifestava entusiasmo quando distribuíram o pão diário, cheio de bolor.

— Enquanto respirar, não perco a esperança — retorquiu ela veementemente.

Menos de uma hora mais tarde, as portas do pátio da prisão abriram-se para dar entrada a duas grandes carroças puxadas por cavalos.

Todos os prisioneiros se haviam interrogado por que razão os deixaram no pátio; ninguém previra que seriam levados de Exeter Castle nesse mesmo dia. Mas o plano era esse e, sem mais delongas, foram acorrentados em grupos de cinco e instruídos a subir para as carroças. Mais uma vez, Mary achou-se ao lado de Catherine e Mary. Do outro lado estava a mulher que ela consolara antes, de nome Elizabeth Cole, e uma outra chamada Elizabeth Baker. No banco de trás seguiam cinco homens, entre os quais Able.

Durante a primeira hora, enquanto a carroça rolava lentamente através de Exeter, Catherine Fryer e Mary Haydon não pararam de proferir insultos contra Mary.

— A culpa é tua — repetia Catherine insistentemente. — Foste tu que nos meteste nisto.

Elizabeth Cole, que todos tratavam por Bessie, apertou a mão de Mary, num gesto de solidariedade, e pôs fim à conversa.

— Calem a boca, vocês as duas — ordenou-lhes rispidamente. — Agora estamos todas no mesmo barco, quer queiram quer não. Não faz sentido deitarem as culpas à Mary, de qualquer maneira não teriam demorado muito a serem apanhadas. Além disso, ninguém aqui quer ouvir essas coisas.

Mary ficou tocada com a intervenção de Bessie. Era uma mulher de aparência estranha, gorda, com cabelo ruivo e um olho vesgo, a quem faltavam vários dentes, mas o facto de ter tido a coragem de falar sugeria que não era tão miserável como parecia.

Ouviu-se um eco de concordância dos homens sentados atrás e talvez tivesse sido isso que finalmente convenceu as duas mulheres a calar-se, pois remeteram-se ao silêncio.

Ao fim de algum tempo, um dos homens atrás deu uma pontada a Mary. — Vê se arrancas o nosso destino aos guardas com falinhas mansas — sussurrou ele.

— Porquê eu? — respondeu Mary noutro sussurro.

— Porque és a mais jeitosa — redarguiu ele.

Até esse momento, Mary estava absolutamente convicta de que não possuía qualquer encanto: nem dinheiro, nem bens com que pudesse subornar quem quer que fosse, nem amigos influentes. A única coisa que tinha era a roupa que levava no corpo, usada e suja. Mas, ao lançar um olhar à fila de mulheres, notou que era mais jovem, mais saudável e mais forte do que todas elas.

Mary e Catherine viviam da gatunagem há anos quando as conheceu. Nessa altura, deixara-se enganar pelas suas roupas vistosas, pensando que eram em tudo superiores a ela. Mas a seda barata era de pouca dura, sobretudo na prisão, e as suas feições chupadas e pele macilenta, a expressão vazia dos seus olhos e a sua linguagem carroceira revelavam quem eram realmente. Quanto a Bessie e Elizabeth, embora ainda não soubesse que crimes tinham cometido nem quais os seus antecedentes familiares, ambas possuíam essa aparência desgastada que tantas vezes observara em Fowey, entre os mais indigentes.

Entreviu imediatamente uma oportunidade. Era jovem e forte, não estava corrompida por nenhum homem, sabia que tinha um raciocínio mais rápido do que a maior parte das pessoas e era determinada.

Esperou que Bessie pedisse para fazer as suas necessidades e, assim que as mulheres se apearam da carroça, Mary posicionou-se de maneira a encobrir com a saia a amiga acocorada, e sorriu calorosamente ao guarda.

— Para onde é nos vai levar? — perguntou. — Outra vez para a prisão de Plymouth ou directamente para um barco para as Américas?

Ele era um homem de expressão dura, com dentes castanhos e partidos e um chapéu amassado, descido sobre os olhos rasgados.

— Vão todos para o navio-prisão de Devonport — disse ele com um sorriso maléfico. — Não me parece que vão muito mais longe do que isso.

Mary soltou um suspiro involuntário. Podia nunca ter visto um navio-prisão mas conhecia a sua reputação funesta. Eram velhos barcos de guerra, atracados em estuários e enseadas, a resposta do governo à sobrelotação das prisões. A responsabilidade pela sua gestão passara para as mãos de particulares cujo único interesse era ganhar o máximo dinheiro possível com cada prisioneiro. Constava que, no primeiro ano, os criminosos que tinham a infelicidade de ser mandados para esses locais morriam de fome ou de excesso de trabalho. É que a ocupação secundária destas famigeradas espeluncas consistia em submeter os prisioneiros a trabalhos forçados em terra, normalmente a construir desembarcadouros ao longo da margem dos rios.

— Pensei que não mandavam mulheres para lá — disse ela numa voz trémula.

— Os tempos mudam — disse o guarda com um sorriso. — É melhor aprimorares-te se queres sair de lá com vida.

Mary engoliu em seco e encarou-o. Sabia que os carcereiros e os guardas eram severamente castigados se se atrevessem a deixar alguém escapar, por mais «simpático» que um prisioneiro fosse com eles. Mas ele provavelmente achava-a suficientemente estúpida para ignorar isto e esperava que ela tentasse cair nas suas boas graças, imaginando que ele a ajudaria em troca.

— Mas o juiz disse que íamos ser deportados. — Esforçou-se por derramar algumas lágrimas.

— É a ideia deles — respondeu o homem, numa voz mais suave. — Mas desde que a guerra acabou não podem mandar ninguém

28

para as Américas. Tentaram a África, mas não deu resultado. Fala-
-se num sítio chamado baía de Botany, mas fica no outro extremo
do mundo.

Mary recordava-se vagamente de os marinheiros na cervejaria
onde tinha trabalhado falarem de um homem chamado capitão
Cook que tinha reivindicado, em nome da Inglaterra, um país que
ficava no outro extremo do mundo. Agora desejou ter ouvido com
atenção mas, na altura, era tão pouco importante como saber se o
rei Jorge era verdadeiramente louco ou o que as grandes senhoras
vestiam para os bailes de Londres.

— Acha então que é para lá que nos vão mandar? — perguntou.

O guarda encolheu os ombros e fez má cara às outras mulheres
que se haviam juntado à volta de Mary para ouvir que ele estava a
dizer. — Toca a voltar para a carroça — disse num tom seco. — Ainda temos uns bons quilómetros para fazer antes que anoiteça.

De novo na carroça, Mary decidiu que não valia a pena pensar
em mais nada senão no presente. A carroça podia ser desconfortá-
vel mas era melhor estar ao ar livre, sob o sol primaveril, do que
numa cadeia malcheirosa. Manter-se-ia vigilante à espera de uma
oportunidade para escapar.

Duvidava que houvesse qualquer esperança de fuga antes de
Devonport. Se, naquela viagem, os guardas seguissem a mesma rotina do percurso entre Plymouth e Exeter, ela e os companheiros
estariam permanentemente acorrentados uns aos outros.

Mas havia uma vaga possibilidade de as correntes serem removidas quando tivessem de entrar no pequeno barco a remos que os
transportaria para o navio-prisão. Se assim fosse, poderia saltar
para a água e escapar a nado. Sorriu secretamente. Era uma esperança muito remota porque certamente que um guarda que se pre-
zasse preveria esse tipo de tentativa, embora por outro lado poucas
pessoas soubessem nadar, incluindo marinheiros como o pai. A ideia
da água era agradável, poder libertar-se da pestilência da prisão e
dirigir-se para uma extensão de costa que conhecia bem. Valia a
pena o risco e, mesmo que não fosse capaz de fugir nessa altura, talvez pudesse saltar do navio-prisão à noite.

Mas, à medida que as sombras do fim da tarde se alongavam e
se tornava mais frio, Mary começou a perder o alento. Mesmo que
conseguisse escapar, para onde se dirigiria? Não podia regressar à

Cornualha, apanhá-la-iam rapidamente. E para que outro lugar podia ir sem dinheiro, vestida com roupa imunda e com botas cheias de buracos?

Quando caiu o crepúsculo, já Mary estava com demasiadas dores para pensar noutra coisa que não fosse deitar-se. Ao mais leve movimento seu ou de uma companheira os grilhões de ferro enterravam-se-lhe nos tornozelos. Tinha rasgado uma tira do saiote para fazer uma ligadura por baixo do ferro mas o tecido já estava teso do sangue seco e roçava contra as feridas em vez de as proteger. Sentia pontadas de fome no estômago, as costas estavam tão rígidas que duvidava que conseguisse andar e tiritava de frio.

Quatro dias mais tarde, quando a carroça finalmente chegou a Devonport, os companheiros de Mary estavam profundamente desmoralizados ao ponto de não reagirem sequer quando avistaram pela primeira vez o navio-prisão atracado no rio. Chovera torrencialmente nos últimos dois dias e estavam completamente encharcados até aos ossos. Muitos estavam com febre e todos se sentiam exaustos por falta de sono nos celeiros e barracões frios onde eram trancados durante a noite.

Nesse dia, ninguém conversara na carroça. Os únicos sons eram gemidos, espirros, tosse, fungadelas e o tinido das correntes quando tentavam em vão arranjar posições mais confortáveis. Able estava agora gravemente doente, incapaz de se sentar direito e sempre que tossia cuspia sangue.

— Aí está a vossa nova casa, o *Dunkirk* — disse o guarda, virando-se no assento para sorrir maldosamente, apontando para o velho casco fundeado no rio. — Não é um navio muito bonito, lá isso não, mas vocês também não são muito bonitos.

Mary sofrera tanto como os companheiros mas, quer fosse por ser a mais nova e mais saudável à partida ou apenas por se ter mantido ocupada pensando na fuga, parecia ser a única afectada pela visão do navio.

Com os mastros cortados em simples tocos e rodeado por um nevoeiro marítimo fino, possuía o aspecto fantasmagórico de um velho destroço à espera de uma boa tempestade para se desmembrar.

Mas pior ainda do que a sua aparência era o cheiro pútrido que emanava dele, transportado pelo vento.

Mary já estava a tiritar tão violentamente que batia os dentes mas sentiu um calafrio ainda mais gélido percorrer-lhe a espinha e o seu estômago vazio revolveu-se de náusea. Pressentiu que aquilo ia ser um autêntico inferno, cem vezes pior que Exeter Castle.

Pensara que já tinha estado no inferno e inicialmente ficara contente por partirem, comprazendo-se no ar fresco e na luz do sol. Mas não tardou a desejar estar de volta a Exeter. No dia anterior, ao fim da noite, enregelada, molhada e faminta, todos os ossos do seu corpo gritando de dor, teria até aceitado que lhe enfiassem um laço ao pescoço para pôr fim ao martírio. Agora parecia que lhe estavam reservados horrores ainda piores.

— Não adianta pores esse ar — disse o guarda, reclinando-se no assento para dar uma pontada a Mary com o varapau. Já tinha batido em vários prisioneiros, quando se demoravam a entrar ou a sair da carroça. — Aí têm a recompensa pelos vossos pecados. Bem a merecem.

Alguns dias antes, Mary tê-lo-ia insultado, ter-lhe-ia cuspido na cara ou ter-se-ia mesmo atirado a ele, mas já não lhe restavam energias para lutar.

— Vamos ser levados para lá agora? — perguntou, raciocinando rapidamente que lhe convinha estar nas boas graças dele.

— Não, é tarde de mais — disse o guarda, chicoteando os cavalos para eles andarem. — Ainda têm uma noite num armazém.

Não foram apenas os ocupantes das duas carroças de Exeter que passaram a noite no armazém. Mal tinham entrado e caído no chão de terra batida quando as portas voltaram a abrir e mais duas dezenas de pessoas vieram fazer-lhes companhia.

Estas estavam num estado ainda pior do que o grupo de Mary, pois tinham viajado de Bristol. As roupas não passavam de andrajos, estavam todos a arder em febre e a perna de um dos homens tinha claramente gangrenado, revelando uma chaga aberta cujo cheiro era inconfundível.

Houve uma débil tentativa de conversa, as pessoas trocando perguntas sobre amigos encarcerados em Exeter Castle e em Bridewell, em Bristol, mas a maior preocupação de todos era quanto tempo ficariam no navio-prisão antes de serem deportados.

— Ouvi dizer que um grupo escapou de Gravesend — disse um homem de Bristol, de aparência feroz. — Os guardas abriram fogo e mataram dois mas os restantes escaparam. Desde aí têm sempre as pessoas acorrentadas.

Bessie, sentada ao lado de Mary, começou a chorar. — Mais valia termos sido enforcados — soluçou. — Não aguento mais.

Mary estava a pensar o mesmo mas, confrontada com o profundo desalento de Bessie, afastou o pensamento. — Vai correr tudo bem — insistiu ela, pondo os braços à volta da mulher e abraçando-a com força. — Estamos simplesmente molhadas, com frio e com fome, e não conseguimos pensar direito. Daqui a um ou dois dias, tudo vai parecer diferente.

— És tão corajosa — segredou Bessie. — Não tens medo como nós?

— Não — respondeu Mary sem hesitar. — Agora que sei que não vou ser enforcada, não.

Mais tarde nessa noite, Mary, apertada contra as outras mulheres, procurando desesperadamente aquecer-se nos seus corpos, apercebeu-se de que no fundo não tinha medo. Estava revoltada por haver pessoas capazes de tratar os outros com tanta crueldade e sentia vergonha do crime graças ao qual se encontrava naquela situação e apreensão pelo que viria a seguir, mas não medo. Aliás, pensando bem, nunca tivera medo de nada. Aos seis anos, aprendera a nadar sozinha, atirando-se simplesmente para o mar. Assim que descobriu que conseguia manter-se à tona, o mar deixou de a aterrorizar. Como tudo o resto. Era sempre ela que aceitava os desafios, que considerava o perigo empolgante. Mesmo quando descobriu pela primeira vez de que modo Thomas ganhava a vida, não ficou horrorizada — achou simplesmente que era arrojado, uma espécie de brincadeira.

Lembrou-se então que o pai sempre elogiara a sua esperteza. Sempre fora muito mais inteligente do que Dolly e as amigas da mesma idade. Apreendia depressa as coisas, tinha curiosidade em saber como tudo funcionava e memorizava a informação. Quase ouvia o pai gabar-se junto dos vizinhos de que Mary nunca suportaria o marasmo de Fowey e que não tinha dúvidas de que ela havia de voltar um dia para casa com fortuna feita.

Como é que ia andar de cabeça erguida quando a notícia do seu crime e pena aparecesse no *Western Flyer*? Apesar de não saber ler, não faltava em Fowey quem soubesse e tivesse todo o prazer em transmitir a chocante novidade.

Sabendo que estava a pouco mais de sessenta quilómetros de casa, invadiu-a uma insuportável ponta de saudade. Imaginou a mãe sentada num banco, diante da lareira, a costurar. Mary era fisicamente parecida com ela, o mesmo cabelo forte e encaracolado, que arranjava em tranças em redor da cabeça, e os mesmos olhos cinzentos. Quando era pequena, Mary recordava-se da mãe a desfazer as tranças à noite, passando os dedos por elas até o cabelo lhe cair numa tempestade escura e brilhante sobre os ombros. A mulher vulgar que era transformava-se então numa beldade e Mary e Dolly perguntavam muitas vezes por que razão não usava o cabelo solto para que toda a gente a admirasse.

— A vaidade é um pecado mortal — respondia ela, mas sorria sempre como se lhe agradasse possuir um belo segredo que só revelava à família. Fazia igualmente segredo dos seus sentimentos e as raparigas tinham aprendido desde tenra idade a desvendá-los puramente a partir dos seus actos. Quando estava zangada, batia com as panelas e atiçava vigorosamente o fogo; quando estava preocupada, remetia-se ao silêncio. A sua forma de manifestar afecto não era mais que uma terna carícia na face ou um apertão no ombro. No entanto, sabendo agora que nunca mais a veria, esses pequenos gestos pareciam extremamente preciosos e importantes.

Recordou como a mãe a abraçara ao sair de casa nessa última manhã em Fowey. No fundo, não retribuíra esse abraço porque estava ansiosa por partir. Seria essa a última lembrança que a mãe guardaria dela. Uma filha que partiu descuidadamente a rir. Para nunca mais voltar.

CAPÍTULO 2

Felizmente, a chuva parara quando os prisioneiros receberam ordem para sair do armazém na manhã seguinte. Mas o céu continuava cinzento e soprava do rio um vento cortante que os levou a apertarem-se uns contra os outros para se aquecerem.

O pequeno-almoço consistira simplesmente em água e num naco de pão seco e, quando Mary olhou para o navio-prisão *Dunkirk*, confirmando que era tão decrépito como lhe parecera à luz do crepúsculo do dia anterior, calculou que a comida aí não seria muito melhor.

Contudo, sentia-se mais animada do que na véspera. Apesar da roupa molhada, dormira bastante bem e, pelo menos, não viajariam mais hoje. Considerou que de momento estava fora de questão fugir. À parte os grilhões, que duvidava agora que fossem removidos, o cais estava a transbordar de guardas portuários, vigilantes e munidos de mosquetes.

Dezenas de embarcações de todos os tamanhos baloiçavam na água, transportando passageiros entre as margens do rio e levando mercadorias para os navios de maior porte, fundeados ao largo. Hoje, Mary não sentia o cheiro do navio-prisão mas não sabia se era porque o vento mudara de direcção ou por ter imaginado o cheiro na noite anterior. Sabia bem inalar o ar salgado e, se ignorasse os companheiros de prisão e a fome e se limitasse a absorver a vista, os sons e os odores, era quase como estar de volta a Fowey.

*

Ao meio-dia, Mary ainda estava à espera no cais, acorrentada às quatro companheiras. Até então, haviam sido transportados vários pequenos grupos de reclusos num barco a remos até ao *Dunkirk* e elas tinham-nos visto a subir a escada para o convés e a desaparecer de vista. Mas há muito que o interesse das mulheres por aquelas andanças se extinguira. Na sua maioria, estavam a tentar melhorar a aparência, penteando ou fazendo tranças no cabelo, tratando das feridas causadas pelos grilhões nos tornozelos e as que possuíam haveres estavam a vasculhá-los para escolher outro vestido ou saiote.

Mary tinha apenas um pente que lhe fora dado por outra prisioneira em Exeter e, como tal, os seus cuidados não passavam da tentativa de eliminar o mais possível os piolhos do cabelo. Tinham-lhes dado um balde de água para lavar a cara e as mãos nessa manhã, mas ela estava desejosa de despir a roupa suja e lavar o corpo todo. Não se lavava assim desde que fora detida e achava que devia feder.

Nenhuma das outras mulheres parecia muito preocupada com o estado de sujidade em que se encontrava mas Mary descobrira, praticamente mal saiu de casa, que os altos padrões de higiene que a mãe lhe incutira eram raros. Quando confidenciou a Bessie como se sentia, a outra mulher lançou-lhe um olhar de lado. — Não estamos assim com tão mau aspecto — disse ela. — Esses aí estão a fazer-nos olhinhos.

Mary olhou furtivamente para o grupo de homens da Marinha e reparou que estavam a dar-lhe atenção especial. Pensou que casacas vermelhas, calções brancos de bom corte e botas bem engraxadas davam a quase todos os homens, por mais feios que fossem, uma vantagem desleal sobre os civis. Mas não tencionava alimentar a ilusão de que estavam a olhar para ela por ser especialmente atraente.

Mary passara toda a sua vida na companhia de marinheiros e sabia que a primeira coisa que faziam ao desembarcar era procurar uma mulher. Quase todos acabavam com prostitutas, o que era quase inevitavelmente acompanhado de doenças.

Aqueles homens da Marinha tinham uma posição ligeiramente diferente dos marinheiros. A sua função era vigiar os prisioneiros, homens e mulheres, tanto ali como no barco de transporte mais tarde. Mary calculou que sabiam que teriam pouco tempo de licença em terra, se é que algum. Era lógico que todos esperassem que, entre aquele punhado de mulheres andrajosas e desmoralizadas, houvesse alguma disposta a satisfazer as suas necessidades sexuais. Uma rapariga do campo nova, de boas cores e sem doenças seria ideal. Mary pensou que preferia atirar-se do *Dunkirk* acorrentada a ser usada dessa forma.

Mary e o grupo dela só a meio da tarde foram transportados para o navio-prisão. As correntes que as prendiam umas às outras foram removidas mas continuavam agrilhoadas dos tornozelos à cintura. À medida que se acercavam do navio, Mary reparou que os flancos estavam verdes e cobertos de lodo das algas e o odor a dejectos humanos foi gradualmente aumentando até as mulheres ficarem com vómitos.

Depois de subirem a escada escorregadia, foram alinhadas para serem examinadas e medidas e o seu crime registado.

— Mary Broad — chamou um jovem guarda, ordenando-lhe que se posicionasse diante de uma régua marcada no mastro partido. — Um metro e sessenta — gritou a outro homem que tomava notas. — Olhos cinzentos, cabelo preto, sem cicatrizes visíveis. Crime, assalto de estrada. Sete anos de deportação.

Depois de todo o grupo receber o mesmo tratamento e de ser entregue a cada pessoa um cobertor gasto e malcheiroso, foi aberta uma escotilha por cuja escada foram brutalmente empurradas por marinheiros. Bessie tropeçou nos grilhões e caiu nos últimos degraus, soltando um grito de dor. Encontravam-se numa área estreita que parecia conduzir aos alojamentos dos guardas quando foi aberta outra escotilha.

A pestilência que irrompeu lá de dentro atingiu as mulheres como se tivessem colidido com uma parede de tijolo e todas recuaram involuntariamente, o horror estampado na cara. Nas últimas semanas, todas elas se haviam habituado à imundície sob todas as suas formas, mas isto era pior do que tudo o que já haviam experimentado.

— Toca a entrar — gritou o guarda, batendo-lhes com um varapau para obrigá-las a descer as escadas. — Daqui a nada habituam-se. Nós já nos habituámos.

Mary resistiu mas o guarda atingiu-a no ombro e forçou-a a passar pela escotilha para o que devia ter sido o porão quando o navio ainda estava em uso. A primeira coisa que ela vislumbrou foi um mar de rostos brancos e espectrais e, quando os seus olhos se adaptaram um pouco mais à escuridão, reparou numa série de prateleiras de madeira que seriam as suas camas, uma para cada quatro mulheres. Mas entrava algum ar e luz por escotilhas abertas do lado do navio virado ao mar e por mais uma grade na outra ponta, através da qual Mary distinguiu vagamente os alojamentos dos homens. O cheiro nauseabundo emanava do chão, por onde o conteúdo de baldes a transbordar de dejectos se espalhara. Era evidente que o local nunca era limpo.

Mary compreendeu então que viviam ali centenas de ratazanas, vermes e piolhos juntamente com as mulheres. Bastava olhar para os seus rostos macilentos e desgastados, para o cabelo ralo e para os corpos ossudos para ter a prova de que eram sujeitas a uma dieta de fome. A febre podia estalar uma noite e, naquelas condições, levá-las a todas.

Pensou que teria sorte se sobrevivesse o suficiente para ser deportada.

Mais ou menos uma hora depois, Mary sentia-se desesperada como todas as outras. Estava rodeada de gemidos, lamentos, choro e por um ou outro grito alucinado de uma mulher que parecia ter perdido o juízo. Outra mulher estava a dar de mamar a um recém-nascido e alguém disse a Mary que o bebé tinha nascido ali com a ajuda das outras mulheres.

As vigas eram demasiado baixas para se porem de pé e por isso não havia alternativa senão sentarem-se ou deitarem-se nas prateleiras de madeira. Quando foi servida a refeição da noite, uma sopa aguada e farinhenta e um naco de pão seco, as mulheres atropelaram-se para lhe chegar e, quando Mary conseguiu aproximar-se da panela, tinha desaparecido tudo. As ratazanas nem sequer esperaram pela escuridão total, correram ao longo das vigas e por baixo das prateleiras, saltando mesmo por cima dos corpos.

Mas para Mary a perspectiva mais aterradora era não poder esperar nada de melhor. Soubera que nunca as deixavam subir ao convés, os seus alojamentos nunca eram limpos, não podiam lavar a roupa e os baldes de dejectos só eram esvaziados uma vez por dia.

Acabou por adormecer, aninhada entre Bessie, do lado de dentro, encostada ao casco do navio, e uma rapariga chamada Nancy que só tinha catorze anos. A posição do lado de fora da prateleira era ocupada por Anne, uma mulher com mais de cinquenta anos.

O último pensamento de Mary antes de adormecer foi que tinha de haver alguma maneira de escapar. As outras mulheres tinham insistido que não havia mas, pelo que ela observara delas, não pareciam dever muito à inteligência.

Descobriria uma maneira.

Durante os dias seguintes, Mary observou e escutou as suas companheiras de prisão. Embora desejasse com toda a força pôr-se às pancadas à porta, gritar para que a libertassem, insistir até que preferia a forca àquele suplício, sabia que tinha de se controlar. Permanecendo calada, ouvindo relatar o funcionamento do navio e observando as outras mulheres, munir-se-ia de conhecimentos.

Reparou que muitas das mulheres estavam tão profundamente submersas na sua infelicidade que mal se afastavam das enxergas e pouco falavam, e concluiu que esperavam que a morte viesse rapidamente libertá-las.

A princípio Mary sentiu compaixão delas mas, à medida que se foi gradualmente resignando à prisão e foi conhecendo melhor as mulheres que ainda alimentavam uma centelha de vida e de esperança, os seus sentimentos para com as outras transformaram-se em desprezo e irritação.

Quase todas as mulheres que falavam e até achavam, de tempos a tempos, motivos para rir haviam sido condenadas por roubo. Nancy, a rapariga de catorze anos, levara comida para a família da casa onde era copeira, em Bodmin. Anne roubara um vestido na lavandaria onde trabalhava, em Truro. Havia uma mulher que tinha servido de vigia a um carteirista e outra apropriara-se de um cobertor deixado num estendal a arejar. Outra ainda roubara um par de colheres de prata. Nenhuma das mulheres era uma criminosa calejada, todas haviam cometido crimes de oportunidade por necessidade.

Quando Mary admitiu que fora condenada por assalto de estrada, viu respeito nas expressões das suas ouvintes. Em Exeter Castle, aprendera a conhecer a hierarquia do crime e um assaltante de estrada figurava à cabeça da lista. Mary considerava um pouco absurdo que roubar um chapéu e alguns embrulhos tivesse o mesmo estatuto de uma emboscada a uma diligência. Mas supunha que, do ponto de vista técnico, roubara na estrada por oposição ao interior de uma loja ou de uma pensão.

Embora soubesse que, na realidade, era exactamente igual à maioria daquelas mulheres, apenas mais uma rapariga provinciana que enveredara pelo mau caminho, compreendeu de imediato que seria mais inteligente não partilhar essa ideia com ninguém. O estatuto era tão crucial à sobrevivência como a comida e a bebida.

Uma outra coisa que observou foi que nem todas as mulheres estavam imundas e andrajosas. Quatro delas estavam com roupas relativamente decentes, o cabelo tinha ar de ter sido lavado recentemente e possuíam uma aparência fisicamente mais saudável, menos fatigadas e com olhos menos encovados. Graças ao seu aspecto e ao facto de algumas das prisioneiras não lhes prestarem atenção, Mary não tardou a compreender que aquelas mulheres tinham amigos entre os guardas da prisão e do porto. Era evidente que vendiam o corpo a troco de confortos suplementares.

— Deviam ter vergonha — exclamou uma velha comadre, franzindo os lábios num gesto de repugnância. Pela forma como tossia, era impossível que não tivesse tuberculose. — Putas nojentas!

Mary sempre acreditara que uma mulher que vendesse o corpo não tinha salvação. Em Plymouth, vira prostitutas agarradas a marinheiros nas vielas e ouvira falar das doenças terríveis que transmitiam, e sentiu-se quase desfalecer de repulsa.

Contudo, à medida que os dias iam passando no *Dunkirk* e os horrores pareciam aumentar e não diminuir, deu por si a considerar o problema de um ponto de vista um pouco diferente. Embora continuasse a pensar que vender o corpo a troco de comida e de um vestido lavado seria o caminho certo para o inferno e para a perdição, não era verdade que já estava no inferno? Tencionava sobreviver a todo o custo e se, com o sacrifício da sua castidade, se salvasse de uma morte lenta por inanição, estava disposta a fazê-lo.

Não era simplesmente o desejo de mais comida e de uma oportunidade para sair daquele buraco nauseabundo e respirar ar puro de vez em quando. A fuga era a ideia que dominava o espírito de Mary e, para isso, precisava que lhe fossem retirados os grilhões. Embora não fosse garantido que um amante lhos removesse, tinha esperança de conseguir persuadi-lo. Talvez se viesse a gostar dela o suficiente até a ajudasse a escapar.

Infelizmente, não fazia ideia de como arranjar um «amigo» nas cobertas superiores. Os brutamontes feios que recolhiam os baldes de dejectos e traziam as rações eram certamente os mais ignóbeis entre a tripulação e eram os únicos com quem tinha algum contacto, mesmo assim breve.

No fim da terceira semana, estava a ficar desesperada. No final de Abril, fez vinte anos e o Primeiro de Maio, com todas as recordações felizes que trazia dos festejos da aldeia, acabrunhara-a ainda mais. Passava o dia junto da escotilha aberta, a olhar na direcção do mar, observando os reflexos do sol na água e ansiando tão desesperadamente por sair que pensava que ia perder o juízo.

Sabia os nomes das quarenta mulheres, de onde vinham, que crimes tinham cometido e quem eram as suas famílias. Assistira mesmo a uma mudança na atitude de Catherine Fryer e de Mary Haydon para com ela, talvez por verem que ela era mais forte e mais rápida a raciocinar do que qualquer uma das outras e considerarem preferível estar do lado dos vencedores do que dos derrotados.

Mary também falara com alguns dos homens, ou antes gritara através da grade. Como eram muitas vezes levados para trabalhar em terra, soubera por eles os nomes dos poucos oficiais compassivos a bordo.

Fora o capitão-tenente Watkin Tench que captara o interesse de Mary. Os homens diziam que era jovem e que o consideravam justo e razoável, um homem inteligente que estivera também preso durante a guerra americana. Parecia perfeito para o plano de Mary, mas por enquanto ainda não sabia como atrair a sua atenção.

Esforçara-se muito por fazer amizade com todas as mulheres rotuladas de prostitutas. Não foi difícil, pois elas sentiam-se mais que satisfeitas quando alguém se interessava por elas e Mary descobriu que, no fundo, não eram muito diferentes de si própria, um pouco ousadas, mais divertidas do que as outras mulheres e de bom coração.

Mas, embora por vezes lhe dessem bocados de comida ou uma fita nova para o cabelo e lhe passassem trapos quando estava menstruada, fechavam-se em copas em relação aos amantes e à maneira como tinham sido escolhidas. Mary compreendia a razão. Não iam correr o risco de perder esses homens e as regalias daí resultantes para outra prisioneira.

Tinha-se lembrado de começar uma discussão com outra mulher para criar tal distúrbio que a tirassem do porão. Mas era provável que fosse chicoteada por isso e, mesmo que conseguisse falar com Tench, nessas circunstâncias, era pouco provável que ele a visse com bons olhos.

Uma noite, a panela de sopa e o pão foram trazidos como de costume e, como sempre, as mais fortes abriram caminho à força para se apoderarem da fatia de leão. Era simplesmente o medo de morrer à fome que levava as mulheres a lutar para chegar à sopa. Esta estava invariavelmente fria e era aguada, feita sobretudo de cevada com uns farrapos de legumes e lascas de carne rançosa. Mary demorara vários dias a vencer a náusea antes de conseguir furar para pegar no seu quinhão.

Nessa noite, estava em pé junto à porta a conversar com Lucy Perkins, uma rapariga de St. Austell, quando os homens a abriram para entrar. Desta vez, encontrava-se numa boa posição para se servir de uma dose melhor mas, quando tomou o seu lugar na fila e as mulheres atrás dela começaram a empurrá-la e a acotovelá-la, olhou para trás.

Sentiu um choque ao ver os rostos queixosos das que estavam demasiado doentes e fracas para sair da cama e servir-se de comida. Algumas tinham as tigelas estendidas, os seus gritos débeis de ajuda abafados pelo clamor, e só ela reparou na sua angústia.

Mary odiava a injustiça. Mesmo em pequena, desprezara as crianças mais velhas que intimidavam as mais novas e mais fracas. Sabendo que as mulheres saudáveis capazes de abrir caminho à força estavam a condenar as doentes à morte, privando-as de comida, sentiu uma onda de fúria invadi-la subitamente.

Virando-se na fila, abriu completamente os braços, bloqueando a passagem para a panela da sopa. — Deixem as doentes servir-se primeiro — ordenou.

Fez-se silêncio e a surpresa estampou-se nos rostos sujos. — Temos de olhar pelas doentes — disse ela, numa voz forte e distinta. — Podem tratar-nos como animais mas nós somos mulheres, não somos selvagens. — Vendo Bessie no fim da fila, gritou-lhe: — Pega nas tigelas delas e trá-las aqui, Bessie. Quando forem servidas, as outras podem comer.

O burburinho de discordância que se seguiu assustou Mary. Mas não tencionava agora recuar. Tinha consciência de que os guardas estavam a espreitar pela grade na porta e esperava que, caso as mulheres mais fortes a atropelassem, eles interferissem.

— Quem é que te julgas? A rainha do Sabá? — gritou Aggie Crew, uma das mulheres mais andrajosas e imundas.

Mary já havia discutido com aquela mulher em várias ocasiões anteriores. Estava, na opinião de Mary, absolutamente embrutecida. Roubava as outras e não fazia a mais pequena tentativa de lavar a cara e as mãos quando traziam o balde de água da manhã. Rebaixava todas as que ainda tivessem um vestígio de decência. Troçara de Mary por lavar os trapos que usava quando estava com a menstruação e por ter instigado algumas das outras mulheres a pedirem baldes de água e esfregonas para limpar o chão. Agora, o rosto encovado de Aggie estava aceso de maldade, claramente a pedir uma briga.

— Não me julgo mais que uma mulher que não se quer comportar como um animal — retorquiu Mary, lançando-lhe um olhar duro. — Não é correcto procedermos assim. A comida deve ser dividida igualmente e eu vou fazer tudo para que seja.

Bessie furou por entre as mulheres com as tigelas das doentes. — Enche-as, Jane — ordenou Mary à jovem rapariga grávida que estava ao lado da panela da sopa com a mão na concha. Mary conversara muito com Jane pois, como se não bastasse ser deportada por ter roubado um castiçal, o pastor que apresentara queixa dela também a violara.

Jane começou obedientemente a encher as tigelas e Mary ordenou às mais próximas que as levassem às doentes. — Vocês servem-se a seguir — disse ela, em jeito de incentivo.

Por um momento, pareceu que Mary saíra vitoriosa. As doentes receberam as suas rações e as outras mulheres formaram uma fila ordeira para se servirem das suas mas, quando Mary se virou para olhar para a panela da sopa certificando-se de que havia o suficiente para todas, foi subitamente atingida na cabeça com uma tigela. Caiu para a frente, derrubando outra mulher, e Aggie Crew desatou aos berros, tentando instigar as outras mulheres a agredir Mary.

A porta abriu de rompante e os guardas entraram, distribuindo bordoadas. Puseram Mary de pé e sem cerimónias arrastaram-na para fora.

Sabia que eles deviam ter assistido à cena através da grade mas também não tinha ilusões de que iriam tomar o seu partido. Em Exeter Castle, Dick Sullion explicara-lhe que a administração das prisões fora entregue a privados por concurso para poupar dinheiro ao governo. Como ele sublinhou, era um óptimo negócio para as pessoas sem escrúpulos; contratavam os homens mais brutais como carcereiros, gente que não hesitava em reduzir às rações. E, por seu turno, os proprietários faziam vista grossa aos subornos que os homens recebiam e à extrema brutalidade com que tratavam os reclusos.

Os dois que a agarravam agora pelos braços eram espécimes típicos da sua raça, com caras feias e matreiras e dentes partidos. Os seus olhos eram turvos.

— Porquê eu? — perguntou-lhes quando recobrou o fôlego. — Eu não bati em ninguém.

— Incitaste ao motim — disse um deles. — És uma maldita arruaceira.

— Levem-me ao capitão-tenente Tench — disse ela, destemida. — Eu explico-lhe o que se passou.

Eles não responderam, limitando-se a arrastá-la pelo corredor e pela escada de escotilha acima, para o convés. Mary estava convicta de que a iam amarrar em qualquer lado para a açoitar mas, nesse momento, sentindo os pulmões encherem-se de ar doce e fresco depois de ter inalado o odor a dejectos durante tanto tempo, não quis saber.

Viu o céu nocturno, salpicado de estrelas, e a lua a rasgar um trilho prateado através das águas escuras do rio até à margem, e tomou-o como um sinal de que era o seu momento, a oportunidade de que estava à espera.

— Quero falar com o Tench — gritou a plenos pulmões. — Vão chamá-lo já.

Um dos guardas bateu-lhe, atirando-a para o chão do convés.

— Cala-te — sibilou ele, acrescentando uma torrente de obscenidades.

Mary percebeu imediatamente o que eles pretendiam. Não a tinham arrancado à cela para a castigar. Tencionavam divertir-se com ela e mandá-la para o porão mais tarde sem ninguém dar conta.

A determinação era um dos atributos mais fortes de Mary. Embora estivesse disposta a dormir com alguém que lhe desse de comer, que a deixasse lavar-se e talvez lhe demonstrasse algum afecto, não tencionava deixar-se violar por um par de animais com cio. Calculou também, pela maneira como tentaram calá-la, que havia homens no *Dunkirk* que não aprovavam a violação de prisioneiras. Assim, desatou aos gritos e, quando um deles tentou tapar-lhe a boca, mordeu-lhe a mão e assentou-lhe um murro, gritando ainda mais alto por Tench.

— Que é que se passa? — atroou uma voz e, quando os dois homens a largaram, ela viu a silhueta magra de um homem recortada no vão de uma porta aberta, numa das muitas barracas construídas no convés.

— Mr. Tench? — gritou Mary. — Estes homens arrastaram-me cá para fora, não fiz nada de mal. Ajude-me, por favor.

— Pára com esses gritos e chega aqui — disse ele. — E vocês também — acrescentou para os homens.

A barraca era em parte sala de oficiais e em parte escritório. No centro havia uma mesa coberta de papéis e iluminada por velas. Deu a Mary a impressão de que ele estava a escrever porque havia um caderno aberto e um tinteiro à frente do banco de onde ele claramente se levantara.

Mary não tinha maneira de saber se aquele homem era Watkin Tench. Mas o galão dourado na casaca vermelha de bom corte e os calções brancos imaculados provavam que era um oficial e falava como um cavalheiro. Possuía uma constituição esbelta, com cabelo escuro frisado e olhos castanhos, e pareceu a Mary que ele tivesse vinte e quatro ou vinte e cinco anos. As suas feições eram banais,

45

com traços pequenos e perfeitos e uma pele lisa e brilhante. Embora parecesse irritado por ter sido incomodado, não transmitia minimamente a impressão de ter mau feitio por natureza.

— Como te chamas? — perguntou ele num tom seco.

— Mary Broad, *sir* — respondeu ela. — Estava a tentar obrigar as mulheres a deixar que as doentes comessem sopa — apressou-se a acrescentar. — Algumas ficaram furiosas e uma bateu-me e depois estes dois arrastaram-me para aqui.

— Ela estava a dar origem a uma briga — alegou um dos guardas. — Tivemos de as separar.

— Esperem os dois lá fora — ordenou o jovem oficial.

Eles saíram, um deles murmurando qualquer coisa entre dentes. Assim que a porta se fechou, o oficial sentou-se no banco e lançou a Mary um olhar penetrante.

— Porque é que te puseste a chamar pelo meu nome? — perguntou.

Mary sentiu uma onda de alívio por ter encontrado o homem certo. — Disseram-me que era uma pessoa justa — respondeu.

Tench assentiu evasivamente com a cabeça e pediu a Mary que explicasse o que se passara.

Agora que tinha uma plataforma onde expressar as suas queixas, não o poupou a nada. Contou que as mulheres mais fortes se apropriavam da comida toda enquanto as mais fracas passavam fome e declarou que, na sua opinião, a comida não chegava para manter vivas tantas mulheres.

— A nossa pena é supostamente a deportação — disse ela num tom acalorado. — É com certeza errado tentarem matar-nos antes de nos porem sequer num barco.

Tench já ficara surpreendido ao ouvir chamar o seu nome e agora estava ainda mais com a evidente inteligência daquela mulher. Mas, acima de tudo, estava sensibilizado por ela demonstrar a coragem de levantar a voz em nome das companheiras de prisão mais fracas.

Ele próprio fora prisioneiro de guerra na América e temera morrer em resultado das condições sub-humanas que suportara. Quando assumiu aquele posto no *Dunkirk*, ficou horrorizado ao descobrir que os seus conterrâneos eram capazes de barbaridades ainda piores. Para sua consternação, descobriu que não havia nada que um oficial da Marinha pudesse fazer para impedi-las. Os navios-prisão eram geridos por empresas privadas e os soldados da Marinha estavam simplesmente ali para manter a ordem, sem qualquer controlo sobre a gestão.

Quando exprimira as suas fortes convicções sobre a matéria, fora severamente repreendido e, sendo apenas um oficial subalterno que não tinha a concordância de nenhum superior, as suas mãos estavam atadas e a verdade era que se desinteressara. Quando levava prisioneiros para trabalharem em terra, tratava-os bem; procurava assegurar que os guardas distribuíam a quota integral de rações aos reclusos e, quando alguém era levado à sua presença para receber um castigo, era sempre justo. Mas sabia que não era suficiente.

O sotaque de Mary despertou-o da sua apatia. Passara a infância em Penzance e guardava boas recordações dos seus habitantes. Sentiu-se impelido a descobrir um pouco mais sobre aquela mulher antes de a mandar embora. Apercebendo-se de que ela devia ter ficado sem comida durante a zaragata, enfiou a cabeça pela frincha da porta e ordenou a um dos homens que fosse buscar qualquer coisa à cozinha.

— Vou ser açoitada? — Mary perguntou, assim que ele fechou novamente a porta. Não tinha ouvido o que ele dissera aos homens e presumiu que mandara um deles chamar um superior.

— Não — disse ele. — E de futuro vou dar ordens aos guardas para que se assegurem de que as rações são bem divididas.

— Já que é assim, não nos pode dar mais? — perguntou ela com atrevimento.

Tench sentiu um desejo irresistível de rir. A mulher fazia-lhe lembrar inúmeros mineiros que conhecera na Cornualha, obstinados, rijos e destemidos. Recordava que o seu cadastro dizia que ela atacara a mulher que roubara mas os seus olhos calmos e cinzentos e modos dóceis desmentiam uma natureza maldosa. Do mesmo modo, a inocência da sua expressão não se harmonizava com as suas impudentes exigências. Uma mulher a ter debaixo de olho, pensou. Mas apesar disso alguém admirável.

O guarda trouxe um prato de pão, queijo e sardinhas. Tench aproximou outro banco da mesa e ordenou a Mary que comesse.

Há tanto tempo que Mary não comia queijo ou sardinhas que teve dificuldade em reprimir as lágrimas. Devorou a comida, segurando no prato com uma mão, receosa que Tench pudesse arrancar-lho antes de terminar.

Ele serviu-lhe também um pouco de rum, acrescentando-lhe água, e servindo um puro para si próprio. Ao vê-la debruçada sobre o prato, reparou que, embora o seu cabelo estivesse a fervilhar de piolhos, tinha o pescoço lavado, o que era pouco habitual num prisioneiro.

— Vou chamar alguém para te levar de volta agora — disse ele quando ela acabou.

Mary sempre considerara mais fácil falar com os homens mas não fazia ideia de como se atirar a eles, do mesmo modo que não sabia se um homem a achava atraente. Ao contemplar os doces olhos castanhos de Tench, pareceu-lhe entrever neles curiosidade, e desejou do fundo do coração estar com um vestido limpo e o cabelo lavado, pelo menos para poder ter uma hipótese.

— Posso ficar mais um bocadinho? — pediu num impulso.

Ele sorriu e surgiu-lhe um brilho nos olhos. — Não, Mary, não podes — disse ele. — Tenho de trabalhar. Mas porque é que queres ficar? Já te dei de comer e não te vou mandar açoitar.

— Porque... — começou ela mas, horrorizada, sentiu os olhos marejarem-se de lágrimas. Não encontrava palavras para explicar como era estar fora daquele buraco fétido, ter a barriga cheia. E muito menos podia dizer que a sua intenção fora oferecer-lhe a virgindade na esperança de obter alguns privilégios.

Talvez ele tivesse compreendido pelo menos uma parte pois pousou-lhe a mão no ombro. — Tens de voltar — disse suavemente. — Mas havemos de falar novamente.

A bondade de Watkin Tench confortou Mary nessa noite. Deitada entre Bessie e Nancy, não atentou tanto nos gemidos e queixumes, na tosse e nos soluços das outras mulheres. E também não teve tanta consciência da pestilência e das ratazanas que passarinhavam pelo espaço. Conseguiu, pelo contrário, mergulhar em reflexões sobre o divertimento que vira nos olhos dele, o brilho do seu cabelo e os seus modos brandos. Por breves minutos, sentira-se lavada, esquecera que era uma criminosa. Era uma forma de evasão que acolhia de braços abertos.

Mary não sabia se fora consequência da influência de Tench ou não mas, dois dias mais tarde, ela, Bessie e mais duas mulheres, Sarah Giles e Hannah Brown, foram levadas do porão para trabalhar. Já houvera melhorias notórias na partilha da comida, porque os guardas permaneciam dentro do porão a verificar que todas comiam porções iguais, quer estivessem doentes ou não. Para Mary, isso era o suficiente. E ser chamada para trabalhar ao ar livre foi um bónus inesperado.

A tarefa de que foram incumbidas foi lavar roupa, sobretudo camisas. Não era um trabalho leve pois tinham de carregar com as quatro tinas de madeira pesadas entre uma arrecadação e o convés, o que era difícil com os grilhões, e descer seguidamente baldes numa corda para o rio para os encher com água. Mas sabia bem estar ao sol, poder olhar a margem e contemplar os campos luxuriantes e bosques verdejantes e, apesar de os guardas não as largarem de vista, olhando para elas de um modo lascivo e intimidante, era um milhão de vezes melhor do que estarem trancadas no porão.

— Achas que podemos lavar-nos quando terminarmos? — sussurrou Mary a Sarah, esfregando as camisas sujas com barras de sabão duro.

Sarah era uma das mulheres a quem as outras chamavam prostitutas. Pequena e bonita, com cabelo ruivo de reflexos dourados, era uma viúva com vinte e cinco anos e dois filhos pequenos. O marido pescador desaparecera no mar quando o seu barco naufragara numa tempestade e Sarah deixara os filhos com a mãe em St. Ives e partira para Plymouth. A sua história era semelhante à de Mary — recorrera ao roubo porque não conseguia arranjar trabalho — e já estava no *Dunkirk* há oito meses.

— Se quiseres, podes — disse Sarah, rindo como se tivesse graça. — Mas espero que não estejas a pensar em lavar-te nua.

— Claro que não. — Mary corou. — Meto-me na tina de vestido e também aproveito para o lavar.

— Com os grilhões? — Sarah levantou uma sobrancelha.

— Não posso tirá-los — respondeu Mary com desenvoltura, olhando para Bessie. — E tu? Queres tomar banho?

Bessie começou a rir e o riso foi contagioso. Sarah ensaboou as mãos e começou a soprar bolinhas de sabão, Hannah atirou água a Mary e Mary retaliou dando-lhe um safanão com uma camisa molhada. Se os guardas repararam, não intervieram nem as mandaram sossegar e de repente foi como se fossem simplesmente raparigas num piquenique de catequese. Riram-se, palraram e cantaram. Bessie chegou mesmo a executar uma pequena dança, fazendo chocalhar os grilhões ao ritmo dos passos.

Assim que puseram as camisas lavadas a secar em cordas, as mulheres ficaram completamente escondidas dos guardas. — Anda lá então se queres — Sarah instigou Mary. — Antes que a gente despeje as tinas.

Sob o olhar de Bessie e Hannah, tentadas a seguir-lhe o exemplo mas receosas de serem apanhadas, Mary entrou para a tina, arquejando com o frio. Exultando com o contacto quase sensual da água na pele, começou a rir. — É fantástico — exclamou, ofegante, acocorando-se para a água lhe chegar à cintura e olhando para as outras para que fizessem o mesmo nas tinas delas. — Se é para ir, despachem-se, antes que nos apanhem.

Bessie e Hannah entraram nas tinas sem hesitações; só Sarah se recusou a entrar, alegando que estava de vigia. As três mulheres esfregaram-se vigorosamente, assim como a roupa, cientes de que não dispunham de muito tempo mas sorrindo de alegria ao verem-se livres da sujidade.

Depois de ensaboar o cabelo, Mary mergulhou várias vezes na água. Quando emergiu pela última vez, viu horrorizada dois guardas e um oficial a observá-la. Uma olhadela de relance revelou que Bessie e Hannah já tinham saído das tinas e estavam a tentar em vão espremer a água dos vestidos. Sarah estava branca e agitada.

— Não fizemos nada de mal — disse Mary, dirigindo-se ao oficial, que era um homem robusto com um nariz grande e estava atónito. — Foi só para aproveitar a água antes de a despejar no rio. Já acabámos de lavar a roupa.

Mary não via qualquer razão para que um banho fosse uma acção merecedora de castigo. Mas um olhar para as duas amigas molhadas assustou-a. Os seus vestidos estavam-lhes colados ao corpo, revelando claramente as curvas dos seios e das ancas, e os guardas estavam a mirá-las com lascívia evidente. Consciente de que o seu próprio corpo devia estar igualmente exposto, apoderou-se dela uma sensação de embaraço.

— Peço desculpa — disse, debatendo-se para sair da tina. — Mas não nos pode censurar, nunca nos dão água suficiente para nos lavarmos em condições.

— Porque é que vocês, mulheres, se aproveitam sempre das situações? — perguntou o oficial.

Mary olhou de relance para as companheiras e reparou que o medo as impedia de falar. O oficial era mais velho do que Tench, talvez com trinta anos ou mais, e possuía uma voz aguda e entre-cortada. Mas ela não viu crueldade nos seus olhos, apenas perplexi-dade.

— O senhor não faria o mesmo? — retorquiu. — Que alterna-tiva é que nós temos? O porão em que nos puseram não cheiraria tão mal se nos deixassem tomar banho e vir cá acima fazer exercício e se fosse lavado de vez em quando. Se fechassem animais num sítio assim, não tardavam muito a amotinar-se.

Um dos guardas soltou uma gargalhada e o oficial calou-o com um olhar severo. — Levem essas três embora — disse ele, indican-do Bessie, Sarah e Hannah. — Eu trato desta.

Os guardas empurraram as outras mulheres pelo meio das cor-das da roupa, deixando Mary sozinha com o oficial. Ela tentou em vão espremer a água da saia enquanto esperava que ele falasse.

— O teu nome? — perguntou ele.

— Mary Broad — respondeu ela. — Posso saber o seu?

Pareceu-lhe ver a sombra de um sorriso e passou os dedos pelo cabelo, sorrindo também com provocação. A mãe e a irmã tinham muitas vezes observado que o seu cabelo era bonito quando estava molhado, porque formava anéis, e ela esperou que fosse verdade pois o vento era frio, agora que estava molhada, e faria uma figura patética se começasse a tiritar.

— Tenente Graham — disse ele. — Quer-me parecer, Mary, que não percebeste muito bem a gravidade da tua situação.

Ouvira também os homens mencionar o nome de Graham. Ti-nha a reputação de ser perigoso quando se enfurecia mas, de resto, razoavelmente decente.

— Percebi, sim — disse ela com atrevimento. — Sei que não hei-de estar viva, quando chegar o dia de ser deportada, se não me derem uma oportunidade de tomar banho e alguma comida a mais de tempos a tempos.

Ele contemplou-a demoradamente com um olhar avaliador que pareceu trespassá-la até aos ossos e, nesse momento, ela compreendeu que ele a desejava.

Tinha elegido Tench como potencial salvador e o tenente Graham seria um substituto bastante inferior. Tinha uma cara gorda e flácida e ela desconfiava que tinha muito pouco cabelo debaixo da peruca bem cuidada. Mas não havia mal nenhum em ter alguém de reserva para o caso de Tench não se sentir tentado. E Graham não era inteiramente repugnante, pois tinha bons dentes e uma boa pele. Além disso, não andava à procura de amor verdadeiro, desejava somente sobreviver para poder escapar.

— Estás a tentar sugerir alguma coisa? — perguntou ele, semicerrando os olhos de um tom castanho lamacento e não do género que a deslumbrava, como os de Tench.

— Não me compete sugerir nada — disse ela, esboçando uma veniazinha e sorrindo impudentemente. — Limitei-me a explicar o que se passava comigo.

Naquele momento, ordenou que a levassem de volta ao porão mas, quando o guarda a empurrou com brutalidade pela escada da escotilha, ela sentiu Graham a observá-la com interesse.

Lá em baixo no porão, as mulheres ainda com energia para se interessarem pelas outras estavam a discutir o banho da tarde. Quando Mary foi impelida para dentro, calaram-se para olhar para ela.

— O que é que te aconteceu? — perguntou Bessie, apertando as mãos de ansiedade. — Estávamos com medo que fosses castigada ou… — Calou-se, não querendo acrescentar a palavra «violada».

— Disse-lhe que precisávamos de mais comida, ar fresco e de ter esta espelunca limpa — disse Mary. Não lhe apetecia discutir mais o assunto porque estava cheia de frio da roupa molhada e queria falar em privado com Sarah.

Só teve essa oportunidade muito mais tarde nessa noite. Tirou a roupa molhada, pendurou-a num prego na viga a secar e aconchegou-se no cobertor mas, sempre que olhava para Sarah, esta estava a conversar com Hannah.

Estava quase escuro como breu quando Mary viu Sarah a aproximar-se do balde. Por essa altura, já a maioria das mulheres estava deitada, preparando-se para dormir. Mary levantou-se e arrastou-se até junto dela, segurando o cobertor à volta do corpo.

— Quando acabares, podemos falar? — sussurrou.

Na obscuridade, viu Sarah assentir com a cabeça.

O balde era o melhor sítio, pois estava distante das outras mulheres, embora não houvesse espaço para estar de pé. Quando Sarah acabou, empoleiraram-se numa viga. — O que foi? — quis saber Sarah.

— Quem é o teu amante? — perguntou Mary. Achou que não a valia a pena pôr-se com subtilezas.

Sarah hesitou. Estava demasiado escuro para Mary ver se ela ficara zangada com a pergunta.

— É o Tench ou o Graham? — insistiu Mary.

— Não, não é nenhum desses — murmurou Sarah. — Mas não deves fazer perguntas dessas, Mary.

— Porquê? Tenho de fazer, quanto mais não seja para saber a quem não me posso atirar — respondeu Mary também num sussurro.

— O Tench não cai nessas tentações — disse Sarah com um suspiro. — Quase todas nós tentámos. E desejo-te sorte se tencionas tentar a tua sorte com o Graham. É um homem duro.

— Como é que hei-de fazer? — perguntou Mary.

Sentiu, mais do que viu, o encolher de ombros de Sarah. — Faz-lhe olhinhos sempre que o vires; normalmente é o suficiente para te mandarem chamar sob um pretexto qualquer. Mas não esperes muito. Só vais ficar desapontada.

— O teu homem tira-te os grilhões?

— Às vezes, não muitas — disse ela, num tom fatigado. — Agora vai deitar-te, Mary, não te quero contar estas coisas, não é bom.

Mary detectou a tristeza na voz de Sarah e instintivamente compreendeu que só o desespero a levara a tal situação e que ela não queria ser responsável pelo facto de outra rapariga lhe seguir o exemplo.

— Temos de fazer o que for preciso para sobrevivermos — disse Mary, pegando na mão de Sarah e apertando-a. — Não passa disso, Sarah. Não é nada de que devas envergonhar-te.

— Mas vais ver como te envergonhas quando as outras te virarem as costas — disse Sarah, quebrando-se-lhe a voz.

— Melhor que nos virem as costas a morrer à fome — insistiu Mary.

Aguardou durante mais de uma semana, esperando todos os dias ser novamente chamada para trabalhar. O tempo tinha aquecido bastante e sufocava-se no porão. Uma noite, uma mulher chamada Elizabeth Soames morreu e só a descobriram morta ao nascer do sol, mas o que mais chocou Mary foi ninguém ter nada para dizer a seu respeito. Estava ali encarcerada havia meses mas não tinha feito uma única amiga verdadeira e ninguém parecia saber nada sobre ela.

— Já cá estava quando eu cheguei — disse Sarah quando Mary chamou a atenção para o facto. — Já estava doente, praticamente não falava. Não te preocupes, era velha.

Mas Mary preocupava-se. Interrogou-se onde os guardas enterrariam o corpo de Elizabeth, se a mulher teria parentes e se estes seriam informados. Além disso, fortaleceu ainda mais o seu desejo de escapar.

A única consolação que conseguiu encontrar foi reviver as suas recordações de casa. Descobriu que, se se deixasse submergir completamente nelas, era capaz de esquecer o calor, a fome, os odores e as outras mulheres. Por vezes, imaginava-se a percorrer o caminho até Bodinnick com Dolly e a mãe para apanhar o barco para Lostwithiel. Mary só se lembrava de lá ter ido duas vezes, da última vez quando tinha mais ou menos doze anos e Dolly catorze, mas em ambas as ocasiões o tempo estava quente e ensolarado e ela recordava-se de ir sentada no barco com a mão metida na água fresca e transparente.

Durante grande parte da viagem de barco, o rio corria entre margens íngremes e cheias de árvores que chegavam à borda, as suas raízes projectando-se na água como dedos nodosos de pescador. Era uma viagem repleta de encantamento, com libélulas a pairar sobre a água, garças a deambular pacientemente nos baixios e por vezes tímidos veados a espreitar por entre as árvores. Havia guarda-rios empoleirados nas raízes das árvores, à espera que algum peixe incauto passasse para então mergulharem, num clarão glorioso de azul-turquesa, e emergirem com o seu troféu prateado no bico.

Antes de partir para Plymouth, Mary nunca viajara mais longe do que Lostwithiel. Podia não ser maior do que Fowey mas, aos seus olhos, era empolgante porque chegavam carruagens de locais distantes como Bristol e Londres. Observava de olhos arregalados os passageiros a apear-se, maravilhando-se com as bonitas roupas e os lindos chapéus das mulheres e interrogando-se por que razão, se eram pessoas endinheiradas e suficientemente importantes para fazerem grandes viagens, não tinham um ar mais feliz.

Da última vez que lá tinham ido, o pai tinha dado dois *pence* tanto a ela como a Dolly para gastarem. Enquanto a mãe foi comprar tecido para roupas novas, entraram em todas as lojas e inspeccionaram todas as barracas do mercado antes de decidirem em que gastar o dinheiro. Dolly comprou margaridas artificiais para aplicar no seu chapéu de fitas de domingo e Mary comprou um papagaio de papel. Dolly disse que ela era estúpida por esbanjar dois *pence* numa coisa que podia fazer em casa de graça e, além disso, as raparigas não gostavam de papagaios de papel.

Mary não se importava de ser a única rapariga que lançava um papagaio de papel e achou que Dolly era parva por querer pôr margaridas no chapéu. Além disso, os papagaios de papel feitos em casa eram demasiado pesados para voarem bem; o dela era de papel vermelho, com fitas amarelas, e o cordel encerado deslizava-lhe suavemente entre os dedos.

No dia seguinte, depois da missa, Mary foi lançar o papagaio para a colina sobre a vila. Dolly acompanhou-a, mas só porque queria exibir o chapéu com os novos adornos. Como sempre num dia bonito com uma brisa forte, andavam por ali muitos rapazes a lançar papagaios de papel e todos olharam com inveja para o de Mary quando ele levantou voo sem dificuldades, elevando-se no céu muito acima dos deles, que eram feitos em casa.

Dolly não tardou a esquecer o seu preconceito de que era uma brincadeira de rapazes, sobretudo porque estavam lá vários rapazes que lhe agradavam, entre eles Albert Mowles, por quem tinha um fraquinho. Mary devia ter adivinhado que não podia deixar que Dolly a convencesse a segurar no papagaio de papel. Ela só o quis fazer para atrair a atenção de Albert.

Soprou uma forte rabanada de vento e, perante o horror de Mary, Dolly não agarrou com força no fio, deixando-a escapar-se-lhe por entre os dedos. O papagaio fugiu, levado pelo vento na direcção da praia de Menabilly.

Toda a gente foi atrás dele, alguns abandonando os seus próprios papagaios para salvar o melhor. Mary recordava-se de ter corrido como o vento, determinada em passar à frente de todos os rapazes, entre gritos e vivas perante a aventura inesperada.

De súbito, o papagaio caiu a pique, quando o vento amainou, aterrando nuns penedos na ponta da pequena praia. Estava maré vaza e Mary não parou para pensar na roupa e nos sapatos de domingo, correndo a toda a velocidade por cima do sargaço, da areia e da lama, obcecada em salvar o papagaio.

Tropeçou numa rocha semi-submersa e caiu de cabeça. Foi Albert quem alcançou o papagaio de papel e voltou depois para a ajudar.

— Corres mais depressa que a maioria dos rapazes — disse ele com admiração.

Agora, deitada e alagada em suor no porão malcheiroso, Mary pensou que devia recordar a tarefa que a mãe lhe deu, quando regressou a casa encharcada e coberta de lama. Talvez também devesse recordar a expressão malévola de Dolly quando Mary recebeu o elogio de Albert. Talvez tivesse sido prudente se tivesse dado ouvidos às admoestações do pai que dizia que as raparigas que se comportavam como rapazes acabavam mal.

No entanto, então como agora nenhuma dessas coisas era importante para ela. Nada podia diminuir a emoção de ver o papagaio de papel vermelho elevar-se no céu, de sentir o calor do sol na cara e a relva macia debaixo dos pés, experimentando a alegria de correr, livre e selvagem, a beleza daquela praiazinha onde tantas vezes apanhava caranguejos e mexilhões. Era ainda mais importante agora agarrar-se a essas memórias, pensar que ela própria era esse papagaio de papel, lutando pela liberdade. Não lhe tinham ensinado na catequese que, se rezasse com fervor suficiente para que qualquer coisa acontecesse, ela acontecia?

Mas custava a crer que Deus ouvisse as suas orações. Ele saberia ou interessar-se-ia sequer pelo facto de ela se sentir aterrada com a ideia de nunca mais ver Fowey? Seria de mais pedir para voltar, subir à colina e olhar para a bonita vilazinha em baixo ao pôr-do-sol? Observar os barcos de pesca a chegar, carregados de sardinhas prateadas ainda a estremecer ou ouvir os homens cantar na taberna ao pé do porto?

As lágrimas vieram-lhe aos olhos ao recordar a si mesma que desperdiçara a oportunidade de encher a mãe e o pai de orgulho. Ao recordar que nunca iria dançar no casamento de Dolly. Mary sabia que os levava ao desespero por ser uma maria-rapaz mas sempre soubera que a amavam. Que seria deles quando soubessem que nunca mais voltaria a casa?

Quando Mary começava a acreditar que o tempo quente nunca mais ia passar e que ia ficar eternamente fechada no porão, foi mais uma vez chamada para trabalhar. Desta feita, foi só ela e Sarah.

Ocorreu a Mary que Sarah devia ter tido algum papel nisso pois passara duas noites fora do porão desde o dia da lavagem mas, se teve, não o deu a entender. Mais uma vez, foram instruídas a lavar camisas e, quando estavam a descer baldes pela borda do navio, viram um grupo de homens prisioneiros ser também conduzido para trabalhar.

Embora Mary falasse muitas vezes com os homens através da grade e conseguisse dar nomes às diferentes vozes, não fazia ideia de como eles eram. Mas no momento em que viu um homem alto, com mais de um metro e oitenta, cabelo áspero e louro, uma barba espessa e olhos azuis-claros, teve a certeza de que era Will Bryant, o homem de quem quase todas as outras mulheres mais gostavam.

Mary também gostava dele, sobretudo porque era da Cornualha e conhecia bem Fowey. Haviam conversado em várias ocasiões mas, quando o prazer inicial de descobrir alguém com quem partilhar as suas recordações de casa se esgotara, tinha-o achado uma espécie de fanfarrão. Vangloriava-se de ser um dos poucos homens condenados por contrabando.

Mary achava isso estranho já que se tratava de um crime que era normalmente ignorado porque todos na Cornualha, desde as pessoas mais pobres aos fidalgos, de algum modo o praticavam. Sendo ele pescador de profissão, com barco próprio, conheceria bem a acidentada linha da costa e teria decerto as aptidões necessárias para transportar contrabando para terra, mas Mary não acreditava que o seu crime se resumisse a isso. Nem lhe agradava que ele se considerasse o prisioneiro mais inteligente e mais rijo no *Dunkirk*.

Mas ao vê-lo em carne e osso, teve de admitir que era atraente. Nem a sujidade lhe apagava as feições poderosas e a camisa larga não lhe escondia o corpo musculado. O cabelo louro brilhava à luz do sol, os olhos azuis transmitiam vida e a pele estava bronzeada de trabalhar ao ar livre. Devia ser uns dois anos mais velho do que ela, ainda saudável e em forma, apesar de estar no navio-prisão há mais de um ano. Era evidente que arranjara maneira de conseguir rações extra, o que provava que era um homem cheio de recursos.

— Quem são vocês as duas? — gritou ele, como se estivessem no mercado e não acorrentados numa prisão.

— Eu sou a Sarah e esta é a Mary Broad — respondeu Sarah. — Está um belo dia para trabalhar cá fora.

— Vale a pena dar cabo das costas para ver duas beldades — respondeu ele descaradamente, provocando as gargalhadas dos outros homens. — Se conseguirem escapar mais tarde, encontramo-nos na taberna que eu convido-as para uma bebida.

Mary não pôde deixar de sorrir. Um homem que ainda era capaz de dizer piadas, quando estava prestes a começar um período de trabalho de dez horas a carregar pedras, era digno de admiração.

— Eu pago-lhes duas a cada, minhas lindas — disse outro homem. Tinha um sotaque irlandês e Mary percebeu logo que devia ser James Martin, o homem que fazia rir todas as mulheres com elogios extravagantes e muitas vezes sugestivos. Mas, enquanto Will era melhor ao vivo, James era uma decepção. O seu grande nariz dominava um rosto descarnado, o cabelo castanho era escorrido e tinha orelhas salientes. Os seus ombros eram descaídos e tinha os dentes muito castanhos.

— Pensei que um ladrão de cavalos tivesse um ar mais vistoso — observou Mary a Sarah quando os homens desceram a escada para o barco que os esperava.

Sarah riu-se. — Aquele é um atrevidote de primeira — disse. — Não me parece que precise de boa figura para atrair as mulheres.

— Quem eram os outros dois com o Will? — perguntou Mary. Um tinha cabelo muito ruivo e sardas e parecia ser da sua idade. O outro era ainda mais novo, talvez apenas com dezasseis anos. Era muito pequeno e tinha um ar nervoso com feições angulosas, quase como um pássaro. — O mais novo tinha um sorriso bonito.

— Chegaram mais ou menos ao mesmo tempo que eu. O do cabelo ruivo é o Samuel Bird. É um bocado tristonho, não tem jeito para alegrar o dia a uma rapariga, como o Will e o James — disse Sarah com um sorriso. — O pequenote é o Jamie Cox. Não fala muito, deve ser tímido. Tem sorte porque o Will e o James Martin o protegem, nem quero pensar no que alguns dos brutos nesse porão lhe fariam de outra maneira.

Mary perguntou o que ela queria dizer.

Sarah abanou a cabeça. — Se não sabes, então não hei-de ser eu a dizer-te — respondeu. — Há coisas que os homens fazem que é melhor não saber.

O convés ficou calmo depois de os homens serem transportados para terra. O sol queimava os braços e as cabeças das mulheres e uma bruma de calor pairava sobre a água. Esfregaram a roupa num silêncio amigável e não pareciam sentir necessidade de conversar enquanto saboreavam a leve brisa, o som das gaivotas e o suave movimento do casco na água.

Mais tarde, depois de enxaguarem a primeira carga de camisas com água limpa, as duas mulheres tomaram banho na água, rindo deliciadas e ajudando-se uma à outra a lavar o cabelo. Os dois guardas, que estavam mais atrás no convés, refastelados em cima de uns caixotes a fumar cachimbo, não fizeram comentários. Talvez o sol quente os tivesse também amolecido.

A roupa das mulheres secou rapidamente enquanto içavam baldes com água fresca para a segunda carga de camisas, mas Mary ficou horrorizada ao ver como o seu vestido estava a ficar desbotado e frágil — mais uma ou duas lavagens e desfazia-se.

— Que vamos fazer quando a nossa roupa estiver em farrapos? — perguntou a Sarah. Muitas das outras mulheres já andavam seminuas, apertando os últimos farrapos dos seus andrajos contra o corpo para o esconder.

— O meu homem deu-me este vestido — respondeu Sarah, de olhos baixos. — Reivindica roupa e comida, Mary, não o deixes possuir-te a troco de nada.

Por momentos, Mary olhou pensativamente para a amiga. O vestido dela era de algodão azul, nada de especial, e demasiado grande para a sua figura franzina. Mas era de longe o melhor do porão. Deduziu que Sarah fazia virar cabeças em Penzance, pois o seu cabelo ruivo com reflexos dourados era bonito e os seus olhos escuros eram ardentes.

— É horrível? — sussurrou ela. — Nunca fiz uma coisa dessas.

Sarah suspirou. — Achava que dormir com o meu marido era maravilhoso — disse, num fio de voz. — Da primeira vez, doeu um pouco mas ele foi muito meigo e eu amava-o. Infelizmente, não há--de ser assim contigo, os homens aqui que querem uma mulher não querem saber o que ela sente. Não hás-de passar de um corpo quente para eles usarem como quiserem.

— Há alguma maneira de eu tornar a situação mais suportável? — perguntou Mary nervosamente.

— Não ofereças resistência, tenta fingir que gostas — Sarah suspirou. — Mas não julgues que ele te há-de amar, afinal de contas não passamos de reclusas.

CAPÍTULO 3

Por volta do meio-dia, Watkin Tench voltou ao navio-prisão num pequeno barco. Mary sentiu um aperto no coração quando ouviu a voz dele a chamar de baixo. Mas continuou a despejar a bacia de água pela borda, esperando que ele aparecesse.

Quando ele subiu para o convés, ela sorriu. Ele trazia uma camisa branca e calções e o seu rosto brilhava da transpiração. Parecia acalorado e exausto mas, aos olhos de Mary, isso só o tornava mais desejável.

Ele acenou com a cabeça quando viu as duas mulheres. — Bom-dia, Sarah, Mary. Espero que estejam a portar-se bem hoje.

Era claro pela ligeireza do seu tom e pela ponta de divertimento na sua voz que ouvira falar do banho nas tinas de água. Mary pensou no que diria se soubesse que o tinham repetido hoje. Mas a roupa delas estava agora quase seca e estavam a torcer o resto das camisas para atrasar o momento em que tinham de regressar ao porão.

— Portávamo-nos ainda melhor se comêssemos qualquer coisa — disse Mary com atrevimento. — Seria possível?

Viu Sarah desviar a cabeça e imaginou que a amiga achava que ela estava a ser demasiado impudente.

— Não chega terem saído do porão por algumas horas? — perguntou Tench, dando alguns passos na direcção delas. A sua voz não denotava irritação e Mary decidiu que tinha de o cativar nesse momento, sob pena de perder a oportunidade de uma vez por todas.

— Oh, sim, é claro que apreciamos a oportunidade de vir até cá fora, de olhar para a mata e para os campos, de ouvir as aves cantar e sentir o sol na cara — disse ela, tentando não rir ao aperceber-se da falsidade do seu tom. — Nunca mais me queixava de mais nada se tivéssemos este trabalho todos os dias.

Nesse momento, ele sorriu, os dentes muito brancos contrastando com o rosto bronzeado. — Fala-me de ti, Mary — pediu ele, acrescentando. — E tu também, Sarah.

Mary achou que a sorte lhe estava finalmente a sorrir, pois Tench sentou-se num caixote e pareceu relaxado ao conversar com elas. Nenhum dos guardas se aproximou e não houve qualquer tipo de distracção; era como se fossem duas raparigas normais a conversar com um amigo depois do trabalho.

Mary deixou Sarah falar primeiro. Ela relatou a morte do marido e disse que receava nunca mais ver os filhos. Explicou que os pais já não tinham idade para criar crianças e que, se morressem, os filhos seriam levados para um asilo.

Tench escutava atentamente. Mary viu-o comprimir os lábios como se o enfurecesse que a situação familiar de Sarah não tivesse sido tida em conta quando a condenaram.

A história de Mary foi muito curta. Falou-lhe da família em Fowey e da sua partida para Plymouth para arranjar trabalho.

— Agora só queria ter ficado em casa — disse ela tristemente quando Sarah, prudentemente, se afastou para verificar a roupa no estendal. — Dói-me pensar que nunca mais vou pôr os pés na Cornualha nem voltar a ver a minha família nesta vida.

De certo modo, esperava que Tench insistisse que veria, que sete anos não era assim muito tempo, mas percebeu pela sua expressão grave que ele não podia transmitir-lhe qualquer esperança.

— É mais difícil para uma mulher deportada regressar — declarou. — Um homem pode arranjar transporte num navio, a troco de trabalho, para voltar depois de cumprir a pena.

Não precisou de acrescentar que essa oportunidade não se abria às mulheres e que por isso eram obrigadas a ficar. Mary percebeu-o na sua voz.

— Hei-de voltar — disse ela com determinação. — Hei-de arranjar maneira. Mas sabe para onde nos vão mandar?

Ele encolheu os ombros. — Fala-se na baía de Botany, na Nova Gales do Sul, o país que o capitão Cook descobriu. Mas ninguém lá esteve para confirmar ou negar a viabilidade da ideia. A América está fora de questão desde que obteve a independência. Tentaram a África, mas sem sucesso.

— Se ficarmos aqui no *Dunkirk*, vamos morrer todos — disse Mary, desalentada.

Tench suspirou. — Concordo que é terrível, mas o que é que o governo pode fazer? As prisões estão superlotadas.

Mary sentiu-se tentada a comentar que, se não encarcerassem pessoas por delitos menores como roubar uma empada, não haveria problemas de sobrelotação. Mas queria manter o interesse de Tench e não afugentá-lo.

— Fale-me de si, tenente — pediu. — Ouvi dizer que combateu na guerra nas Américas.

— Combati — disse ele com um sorriso triste. — E também fui feito prisioneiro de guerra. Talvez seja por isso que compreendo melhor os prisioneiros aqui do que a maioria dos soldados da Marinha. Além disso, cresci em Penzance e sei como é dura a vida na Cornualha para a maioria das pessoas.

Mary sentou-se no convés ao lado da tina da roupa, ouvindo, extasiada, o relato de Tench sobre as boas recordações que guardava da sua infância em Penzance. Ele era naturalmente oriundo de um mundo muito diferente do seu — uma casa grande com criados, o internato no País de Gales, uma boa família endinheirada. Mas havia sentimentos partilhados: o amor pela Cornualha, o interesse e a afeição dele pelo homem comum. Em poucas palavras, pintou quadros vívidos da sua vida na Marinha, da América e de Londres.

— Agora tenho de me ir embora — disse ele subitamente, talvez consciente de que se demorara de mais a conversar com ela. — Despejem essa tina e arrumem as coisas. Já lhes trago qualquer coisa para comerem.

— Ele não é do género de ter amantes — disse Sarah abruptamente assim que Tench se afastou. Tinha permanecido em silêncio enquanto Mary conversara com ele, limitando-se a acenar com a cabeça e a sorrir de vez em quando. — Não vais conseguir o que queres com ele, Mary.

— Como é que sabes? — perguntou Mary, magoada porque pensou que a mulher mais velha estava a ridicularizá-la.

— Conheço os homens — disse Sarah simplesmente. — Ele é do tipo que se poupa para a mulher com quem casar. É uma espécie rara.

Mary achou que Sarah estava enganada quando Tench regressou para lhes dar um naco de pão, queijo e uma laranja. Mas enquanto ele se afastava apressadamente, incitando-as a acabar e a voltar para o porão, Sarah olhou para a sua figura esbelta a desaparecer ao longo do convés e suspirou.

— É um homem bom e simpático — disse. — Se conseguires manter o interesse dele, não há dúvida que te há-de ajudar sempre, Mary. Mas não contes com amor nem penses em partilhar a cama dele. É do tipo que não vai com mulheres condenadas.

O pão e o queijo estavam um pouco bolorentos mas não teve importância, afinal era comida sólida. Foi a laranja que as entusiasmou porque sempre fora uma fruta rara, mesmo antes da prisão. Comeram-na sofregamente, incluindo a casca, lambendo a última gota de sumo do queixo e rindo-se uma da outra.

Tinham acabado de despejar o resto da água de lavagem pela borda quando apareceu o tenente Graham. Estava de uniforme completo e com um ar extremamente acalorado e irascível.

— São horas de voltarem para o porão — disse ele num tom seco.

— Íamos agora mesmo tirar a roupa seca do estendal e dobrá-la — disse Mary.

Apanhara sol na cara e nos braços, sentia a ardência familiar e sabia que a pele estaria sensível durante vários dias. Mas ali sentia-se livre e até feliz e não queria descer já ao porão.

— Os meus homens fazem isso — disse ele, lançando-lhe um olhar penetrante. — Já conheço as da vossa laia, provavelmente tencionam roubar uma ou duas camisas.

— Está enganado, tenente — ripostou Mary, indignada. — Só queríamos acabar o trabalho como deve ser.

Ele encostou-se ao mastro cortado e soltou uma risadinha trocista. — Não me digas. Pois eu acho mais provável que vendessem a alma por um vestido novo, por comida ou por uma pinga de rum.

Mary olhou de relance para Sarah, viu a sua expressão ansiosa e deduziu que ela já passara uma mensagem de que Mary talvez se sentisse tentada a ir com ele para a cama. Depois de conversar com Tench, Mary já não se sentia verdadeiramente interessada por Graham mas o seu bom senso disse-lhe que não devia eliminá--lo tão depressa.

— Eu nunca venderia a alma — disse ela, contundente. — E também não pensei em vender o corpo, pelo menos para já.

— Vocês mulheres são todas prostitutas — disse Graham num tom desagradável. — Vá, agora acabem e voltem para baixo.

Mary sentiu-se ofendida com as palavras dele mas, ao levantarem a tina para a esvaziarem completamente, sentiu os olhos de Graham nas suas pernas. Prendera os lados do vestido nos grilhões em redor da cintura e esquecera-se de que ainda lá estava.

Virou-se para olhar para ele e piscou atrevidamente o olho. Não tinha dúvidas de que ele se deixaria seduzir, mesmo que Tench não deixasse.

Durante as semanas seguintes, Mary foi chamada para trabalhar com regularidade. Por vezes, era só com Sarah, muitas vezes com outras mulheres. Mas não tardou a reparar que era sempre seleccionada, quer fosse para lavar, pontear ou descascar legumes. Infelizmente, não tinha forma de saber se era Tench ou Graham quem a punha na lista.

Em quase todas as ocasiões, cruzou-se com os dois homens e, embora Tench não se tivesse detido novamente a conversar tanto tempo como da primeira vez, quase sempre lhe metia na mão qualquer coisa para comer. Graham, por outro lado, demorava-se mais de cada vez, chamando Mary à parte com frequência a pretexto de a repreender por um motivo qualquer.

O homem intrigava-a. Podia ser brusco e até desagradável mas de vez em quando tinha gestos de verdadeira bondade, como na ocasião em que uma farpa das tábuas do convés se lhe espetou no pé. Algumas das mulheres tinham tentado em vão arrancar-lha. Ao fim do dia ela mal aguentava e, quando Graham a viu coxear, chamou-a à parte.

— Que é que tens no pé? — perguntou.

Ela explicou e ele pediu-lhe para ver. Ela virou-se de costas e, com alguma dificuldade por causa dos grilhões, levantou o pé, dobrando o joelho.

— Está enterrada — disse ele. — Vou buscar uma agulha para ta tirar. — Mandou então as outras mulheres de volta para o porão e disse a Mary para ficar onde estava.

— Senta-te — disse com brusquidão quando voltou com uma agulha e um pequeno frasco com um líquido.

Mary obedeceu e Graham sentou-se num caixote à frente dela e pousou-lhe o pé no joelho. A picada da agulha causou-lhe dor mas ele acabou por tirar a farpa e depois esfregou um pouco do líquido na pele, que ardeu muito. Mary guinchou de dor.

— É para evitar qualquer infecção — disse ele. — Vá, põe qualquer coisa à volta disso e não pises esterco enquanto não sarar.

— É difícil não pisar, lá em baixo no porão — respondeu ela.

— Nunca te cansas de protestar? — perguntou ele, embora ainda lhe segurasse no pé.

Nesse momento, Mary não teve dúvidas de que ele se interessava verdadeiramente por ela. — Se acha que isto é protestar, vai ver quando eu ganhar balanço — disse com um sorriso rasgado. — De que é que quer que eu fale? Da sujeira, do fedor ou da falta de comida decente? — Soltou uma gargalhada para suavizar as palavras. — Mas não quero tirar-lhe o apetite para o jantar. Estou-lhe muito grata por me ter tratado do pé.

Ele não disse nada mas a sua mão demorou-se na perna dela, logo acima dos grilhões, afagando a pele. — Andas mais limpa do que as outras — disse ele, numa voz subitamente mais baixa e íntima. — Gosto disso em ti. Não me agradaria ver-te com uma ferida infectada.

— Andar limpa é uma maneira de sobreviver neste navio — retorquiu ela. — E eu faço tenções de sobreviver, custe o que custar.

Nesse momento ele sorriu, uma expressão calorosa estampando-se na sua cara roliça e, por breves segundos, quase pareceu atraente. — Custe o que custar? — perguntou, erguendo uma sobrancelha.

Mary não foi capaz de olhar para ele. Sentiu que Graham queria que lhe dissesse com todas as letras que estava disponível. Sabendo que ele podia, se quisesse, possuí-la à força, sentiu-se mais tolerante para com ele.

— Nunca estive com um homem — disse ela em surdina, mantendo os olhos baixos. — A minha intenção sempre foi esperar pelo casamento. Mas isso agora já não vai acontecer. Mais depressa morro à fome antes de ver o país para onde tencionam mandar-me. Por isso, se houvesse um homem que me oferecesse comida e um vestido novo, acho que em troca faria o que ele me pedisse, desde que ele fosse bondoso.

— Não te importas que não seja amor?

A pergunta pareceu a Mary estranhamente sensível. Não o que esperaria de um homem da classe dele.

— O amor não acontece a mulheres como eu — disse ela. — Contento-me com a bondade.

Ele mandou-a então de volta para o porão mas, quando ela se levantou, ele deu-lhe uma tira de pano para ligar o pé. — Mantém-no limpo — foi o seu único comentário embora os olhos expressassem muito mais.

Nessa noite, Mary vivia um grande dilema. Quem ela queria era Watkin Tench: por ele era capaz de sentir muito mais do que mera gratidão. Mas achava que Sarah tinha razão ao dizer que ele nunca se ligaria a uma mulher com quem não fosse casado. Mas, se deixasse Graham levá-la para a cama e Tench descobrisse, era mais que certo que passaria a desprezá-la.

Durante a semana seguinte não foi capaz de pensar em mais nada, consumindo-se a tentar decidir se seria mais nobre deixar-se morrer à fome do que perder o respeito por si própria ou lutar pela sobrevivência com as únicas armas de que dispunha.

A longa vaga de calor foi interrompida por uma tremenda tempestade. O velho casco abanava e estremecia, as tábuas rangendo como se estivessem prestes a partir-se. As escotilhas tiveram de ser fechadas e assim ficaram dias a fio sob uma chuva torrencial. Enquanto as mulheres permaneciam deitadas numa escuridão total, ouvindo os gritos das que haviam entretanto adoecido, o ar já fétido era tão denso e pesado que se tornava difícil respirar.

A bebé Rose, que era enfermiça de nascença, foi a primeira a morrer, seguida um dia mais tarde pela mãe e pela mulher que partilhava a mesma cama. Num período de vinte e quatro horas, mais oito mulheres foram atacadas pela febre e mais doze, incluindo Mary, começaram a vomitar e ter diarreias. Estavam quase todas tão fracas que não conseguiam deslocar-se sequer aos baldes, limitando-se a ficar deitadas no meio dos seus próprios dejectos.

Mary constatou então que as mulheres que menos sofriam eram as chamadas prostitutas. Eram as únicas ainda suficientemente saudáveis para limpar a fronte febril das outras mulheres, para oferecer algumas palavras de conforto. Mesmo Mary, que se considerava forte, mal tinha energias para rastejar até ao balde.

Nesse momento, decidiu que a sobrevivência era muito mais importante do que a moralidade.

Por fim, a chuva amainou e as escotilhas foram novamente abertas, revelando trinta centímetros de água suja, por baixo das camas, com vomitado e excrementos a boiar nela. A doença entre as prisioneiras persistia, ceifando mais duas vidas. Os homens falavam com as mulheres através da grade mas estavam a passar pelos mesmos tormentos. Mary soube que Able, o seu companheiro de cela de Exeter, morrera, juntamente com um rapaz novo, com quinze anos acabados de fazer, e dois dos homens mais velhos.

Uma manhã, Mary falou com Will Bryant. Já nem ele soava impetuoso e cheio de confiança como antes.

— Se for tifo, vamos morrer todos — disse, sombrio. — Temos de arranjar maneira de lavarem estes porões. Há mais ratazanas que nunca e receio bem que ninguém escape.

— Vou tentar fazer alguma coisa — disse ela.

— O que é que uma coisinha como tu pode fazer? — retorquiu ele com arrogância.

— Posso tentar implorar em nome de todos — disse ela, com mais determinação ainda perante o cepticismo dele.

— Podes tentar mas não hás-de ir a lado nenhum — disse ele. — Eles querem-nos mortos para encherem o navio com novos prisioneiros que também hão-de morrer. Poupam uma fortuna, é o que é.

— És a vergonha dos homens da Cornualha — gritou-lhe ela. — Esse tipo de conversa não ajuda ninguém.

— Se conseguires que lavem os porões, caso-me contigo — respondeu ele, com uma gargalhada estrondosa.

— Tem cuidado que ainda te obrigo a cumprir a promessa — berrou-lhe Mary em resposta.

Sarah sorriu debilmente quando Mary lhe confiou o que tencionava fazer.

— Os guardas não vão trazer aqui o Tench nem o Graham — disse ela. — Vão simplesmente ignorar-te.

— Tenho de tentar — insistiu Mary.

Não adiantava pôr-se às pancadas à porta, nunca ninguém respondia. Assim, Mary esperou que o guarda descesse para mandar duas das mulheres levar os baldes dos dejectos para despejar e, assim que ele destrancou a porta, precipitou-se sobre ele.

— Preciso de falar com o capitão-tenente Tench ou com o tenente Graham — insistiu ela.

— Vai dar uma curva — disse o homem, afastando-a com o varapau. — Não falas com ninguém.

— Falo, sim — disse ela, agarrando-o pelo braço. — Se não levar uma mensagem a um deles da minha parte, hei-de fazer com que seja castigado.

— *Tu* fazeres com que *eu* seja castigado? — Os seus olhos estreitos estreitaram-se ainda mais. — Achas que alguém lá em cima ia acreditar na palavra de uma maldita criminosa?

— A responsabilidade é sua, se me ignorar — respondeu Mary num tom ameaçador. — Ouça bem, transmita-lhes a mensagem ou sofre as consequências.

— Vai dar uma curva — repetiu ele, mas desta vez com menos convicção. Mandou duas das mulheres levar os baldes, barrando o caminho a Mary com o varapau.

— Diga-lhes — gritou ela quando ele bateu com a porta e a trancou. — Diga-lhes se não quer pagá-las… é importante.

Mary tentou novamente quando as mulheres voltaram com os baldes mas obteve a mesma resposta. À medida que as horas iam passando sem que ninguém aparecesse, ela olhava através da escotilha para o céu escuro e cinzento e chorava. Mais mulheres adoeceram com febre e ela temia que, se fossem deixadas assim, não durariam mais de uma semana.

— Fizeste o que podias — disse Sarah, tentando confortá-la. — É como o Will disse, eles não querem saber que a gente morra.

69

— Pode ser assim com a maioria deles mas não acredito que o Tench ou o Graham sejam capazes disso — disse Mary. — Não acredito.

Não fazia ideia nenhuma das horas, pois não havia sol para se orientar, mas tinha a sensação de que foi ao final da tarde que um guarda entrou e chamou pelo nome dela.

— Lá para cima, tu — disse ele.

Não era o mesmo homem que ela ameaçara antes mas pareceu-lhe que este estava ao corrente porque, desta vez, não lhe bateu com o varapau. Quando chegou ao cimo da escada de escotilha, Mary inalou uma golfada de ar fresco que lhe causou tonturas.

O tenente Graham estava no convés. — Querias falar comigo? — perguntou.

Num desabafo, Mary explicou o problema. — Os porões têm de ser lavados — suplicou. — Se não forem, vamos morrer todos com febre.

Ele permaneceu impassível, o que a enfureceu. — Se ficarmos todos com febre, há-de propagar-se cá acima — disse ela acaloradamente. — Por amor de Deus, faça qualquer coisa, não há-de querer ficar com a morte da tripulação de um barco inteiro na consciência.

Ele lançou-lhe um olhar demorado e penetrante. — E que é me dás em troca, se eu fizer o que tu queres?

Mary engoliu em seco. Não tinha contado que ele regateasse com ela.

— O que quiser, tenente — respondeu.

— Não te quero contra vontade — disse ele e, pela primeira vez, Mary vislumbrou uma sombra de nervosismo no seu rosto.

— Também não quero que ajude os prisioneiros no porão contra vontade — disse ela.

Ele desviou os olhos em direcção ao mar e Mary notou que ele se debatia com a sua consciência. Não tanto se era correcto deixar os prisioneiros morrer por falta de ar puro mas se era correcto ceder às exigências de Mary porque a desejava.

Após o que pareceu um silêncio interminável, o tenente virou-se para ela. — Vou dar ordem para lavarem os porões — disse num tom austero. — Tu vens ter comigo quando as outras mulheres forem reconduzidas para baixo.

Já tinha anoitecido quando acabaram de lavar o porão das mulheres. Estas haviam sido trazidas para o convés e a sopa e o pão da noite foram distribuídos enquanto os guardas executavam a sua tarefa em baixo. Para algumas das mulheres que nunca tinham saído do porão desde a sua chegada, foi quase superior às suas forças. Acocoraram-se no convés, cheias de medo, tremendo na brisa fresca, os olhos mortiços como que parcialmente encandeados pela luz do dia.

Mary ficou chocada com o estado de algumas. Na obscuridade do porão, não conseguira aperceber-se do pleno horror da situação. Algumas não passavam de pele e osso e todas estavam pálidas, descarnadas e apáticas, a sujidade de tal modo entranhada na pele e cabelo que seriam precisos vários banhos para ficarem limpas. Viu feridas ulceradas nos pontos em que os grilhões lhes roçavam contra a pele, os piolhos a rastejar sobre elas, as mordidas nos braços e pernas escanzelados que só podiam ser das ratazanas. Com tristeza, concluiu que a lavagem do porão não as ajudaria a não ser que houvesse uma melhoria na comida. Duvidava que todas sobrevivessem até ao dia da deportação.

Quando os guardas voltaram ao convés, a transpirar abundantemente do esforço, um forte odor a vinagre no ar, Mary começou a tremer de medo à ideia do que a esperava.

Sabia o que uma relação sexual implicava. Na pequena casa de Fowey, não havia privacidade e ela ouvira os pais a fazer amor na escuridão. Durante a sua estadia em Plymouth, assistira a inúmeras cenas de sexo à sua volta e o acto propriamente dito não a assustava. Thomas costumava beijá-la apaixonadamente e ela tê-lo-ia de bom grado deixado ir mais longe se ele tivesse insistido. Mas havia uma grande diferença entre ser seduzida e ser obrigada a sujeitar-se.

Para além do medo de ser possuída por um homem que mal conhecia, havia a informação que Sarah transmitira. Disse ela que, embora os oficiais fizessem vista grossa quando um dos seus ia para a cama com uma reclusa, isso nem sempre os impedia de se unirem para açoitar mais tarde a mulher se tivessem alguma razão de queixa dela. Mary calculava que seria agora uma mulher marcada por ousar protestar a respeito dos porões.

O tenente Graham apareceu no momento em que os guardas ordenavam às mulheres que voltassem para baixo. Fez-lhe sinal para que o seguisse para a popa do navio e desapareceu dentro de uma das cabinas aí existentes.

Fechou a porta e trancou-a assim que Mary entrou. Era muito semelhante à sala para onde Tench a levara antes, exígua, com um beliche, uma secretária e um par de bancos. Graham acendeu uma vela na secretária e foi então que Mary viu a pequena banheira com água no chão.

— Para mim? — perguntou.

— Sim. Tresandas — disse ele, com um ar vagamente embaraçado. — Lava-te bem, incluindo o cabelo. Eu volto depois.

— Pode tirar isto? — Mary indicou as correntes.

Ele hesitou por um momento, o que lhe sugeriu que ele nunca o fizera antes, mas depois, tirando uma chave do bolso, libertou-lhe os dois tornozelos e retirou-lhe a corrente da cintura. Deixou-a sem dizer mais nada.

Por um momento, Mary não foi capaz de pensar em mais nada senão na pura felicidade de estar sem grilhões. Poder mover-se livremente sem ouvir o detestável chocalhar com que vivia há tanto tempo era uma bênção. Mas não tardou a recompor-se e a precipitar-se para a porta para a experimentar. Estava naturalmente trancada, como esperava, e como as duas vigias eram demasiado pequenas para ela passar, despiu-se e enfiou-se na banheira.

Para seu deleite, a água estava morna e o sabão que ele deixara não era o áspero que usavam para lavar a roupa. A banheira era tão apertada que só lhe permitia acocorar-se dentro dela mas era uma sensação agradável, especialmente sem as odiadas correntes que a oprimiam.

Estava a secar-se com a toalha que ele deixara quando se apercebeu de um espelho na parede e olhou para a sua imagem, quase caindo para trás de choque perante o que viu. Em lugar das maçãs do rosto cheias e rosadas, tinha duas covas e os olhos pareciam saltar-lhe das órbitas. Baixando os olhos para o corpo, viu que também estava descarnado, as costelas salientes por baixo dos seios. Mais estranho ainda era o tom moreno dos braços e da cara quando o resto da pele exibia uma brancura espectral.

Mas o cabelo acabado de lavar estava bonito, caindo-lhe em anéis escuros e brilhantes sobre os ombros. Esfregou-o vigorosamente com a toalha e usou o pente de Graham para penteá-lo e remover os piolhos, lavando depois o pente e colocando-o no sítio.

Quando ouviu os passos de Graham a regressar, atirou-se para o beliche, tapando-se rapidamente com o cobertor.

Graham entrou num passo lento. Trazia um pequeno tabuleiro que pousou, trancando novamente a porta. Mary sentia-se demasiado tímida para falar mas, ao sentir o aroma da comida, não resistiu a sentar-se.

— É para mim? — exclamou, mal acreditando na sorte, porque era uma espécie de empada, a massa dourada como a mãe costumava fazer, regada com um molho de carne espesso.

— Imaginei que ainda estivesses com fome — disse ele com aspereza, sem olhar para ela, como que embaraçado.

— Foi muito amável, tenente — disse ela.

— Não precisas de me chamar tenente aqui — disse Graham, passando-lhe o tabuleiro e sentando-se na borda do beliche. — Chamo-me Spencer. Agora come antes que arrefeça.

Mary não precisou que ele a mandasse segunda vez e atirou-se à comida alegremente. Era empada de coelho e legumes, a melhor que comera desde que saíra de Fowey, e embora a comida significasse mais do que o homem que lha trouxera, não pôde deixar de reparar que ele parecia satisfeito com a sua evidente exultação.

O tenente ficou surpreendido com as suas próprias emoções ao ver Mary comer. Esperara sentir-se culpado, por estar a trair a confiança que a sua própria mulher depositava nele, ou tão concupiscente, mal entrasse na cabina, que não conseguiria dar a Mary tempo de comer. Mas sentiu-se, pelo contrário, capaz de esquecer a culpa e a concupiscência porque a forma como ela comia o enchia de prazer. Enquanto comia, Mary não notara que os seus seios haviam ficado a descoberto, dois pequenos montículos perfeitos com mamilos rosa-claros. Um fio de molho tinha escorrido sobre um deles e ele teve dificuldade em reprimir o desejo de se debruçar e o lamber.

Casara-se com Alicia, uma prima em segundo grau, dez anos antes quando tinha vinte anos. Em crianças, haviam brincado juntos, aprendido a dançar e a montar juntos, na sua aldeia natal perto de Portsmouth, e sempre existira um entendimento de que se casariam um dia. Alicia fora viver para casa dos pais dele e era como se fosse a filha da casa. Pintava, costurava e tocava piano, era cordial para com todos os seus convidados e nunca se queixava das longas ausências do marido. Deu-lhe inclusivamente um filho, primeiro, e uma filha, mais tarde, sem perder a figura elegante.

Graham considerava que era um casamento feliz. Reinava a harmonia entre ambos e sabia que os outros homens lhe invejavam a bonita e jovial mulher. Não compreendia porque é que se sentia por vezes desiludido.

No entanto, ao observar Mary a comer, apercebeu-se da razão. Alicia era como dar uma dentada numa peça de fruta, deliciosa e boa para ele, mas não satisfatória como uma empada de carne. Alicia nunca discutia com ele, para ela tudo o que ele dizia estava certo. Estava sempre bonita quando o recebia em casa de licença mas nunca havia paixão nem emoção verdadeira.

Mary não era, nem de perto nem de longe, tão bonita como Alicia. Mesmo com o vestido de seda mais caro, o cabelo arranjado num penteado elegante, continuaria a ter o aspecto que tinha, o de uma simples rapariga do campo sem qualquer graciosidade.

Contudo, era extremamente desejável, sobretudo agora, lavada e com o cabelo escuro a cair-lhe pelos ombros. Possuía um ar provocador que ele nunca vira em Alicia; era orgulhosa, atrevida, voluntariosa e frontal. Seria um desafio levar aquela reclusa a amá-lo e achava que, se conseguisse, descobriria algo de maravilhoso e restaurador. Sentia-se mesmo empolgado por estar a arriscar a sua carreira na Marinha, levando-a para a sua cabina. Nunca fizera uma coisa tão ousada na vida.

— Foi estupendo — disse Mary, surpreendendo-o com a sua gratidão. — E o banho também foi estupendo.

Sentia-se agora pronta a dormir com ele. Quente e lavada depois do banho, com a barriga cheia de comida, estava pronta quase para tudo. Por qualquer razão, achava que ele não seria muito bruto com ela, não depois de a presentear com um petisco tão saboroso.

— Queres beber rum? — perguntou Graham.

— Umas gotinhas — disse ela. No fundo, não apreciava o gosto mas agradava-lhe o calor que lhe causava. Além disso, Sarah aconselhara-a a beber o que lhe fosse oferecido porque teria um efeito entorpecedor.

Graham deu-lhe um pouco de rum num copo e começou a despir-se. Mary engoliu a bebida de um trago ao ver as suas pernas brancas e peludas, subitamente receosa de não ser capaz de continuar. O medo aumentou ainda mais quando ele se libertou da camisa: era entroncado e tinha uma barriga gorda e branca que abanava quando ele se mexia.

Toda a vida se habituara a ver corpos masculinos meio vestidos. Os pescadores e os marinheiros andavam frequentemente de tronco nu quando o tempo estava quente e possuíam corpos rijos e enxutos com músculos salientes. Era assim que imaginava todos os homens e a carne inesperadamente branca e flácida de Graham causou-lhe súbitas náuseas. Mas não havia maneira de voltar atrás agora e assim encolheu-se debaixo do cobertor, deixando-lhe espaço ao seu lado, e desviou o olhar.

Ele saltou para cima dela assim que se meteu na cama, pressionando-a contra o colchão, percorrendo-lhe o corpo com as mãos, num movimento alucinado, e colando os lábios aos dela como uma lapa. Mary não fazia ideia de como reagir; a sua única experiência fora com Thomas, que lhe dera beijos ternos e sensuais que a deixavam desesperada por mais.

A boca de Graham passou dos seus lábios para os seios, chupando-os com tanta violência que a magoou e a sua respiração era ofegante e pesada como a de um cavalo após um longo galope. Sentia o pénis dele contra a sua barriga, duro e quente, mas felizmente dava a ideia de ser pequeno. Segundos depois, com a cabeça enterrada no pescoço dela, abriu-lhe as coxas e penetrou-a à força.

Não lhe doeu mas também não foi agradável, nada mais que a sensação de um pau a ser enfiado num tubo seco onde mal cabia. Não gostou da maneira como ele se agarrou às suas nádegas, grunhindo como um porco.

Mas por sorte não durou muito. Os grunhidos aumentaram gradualmente de volume, o corpo dele tornou-se mais quente e suado, e depois, de repente, ele soltou um profundo suspiro e imobilizou-se, com a cabeça enterrada no pescoço dela.

Só nesse momento é que ela sentiu uma leve ternura por ele. Depois de tudo por que passara nos últimos seis ou sete meses, era bom ser abraçada e estar deitada numa cama quente e confortável.

Levantou uma mão e afagou-lhe o pescoço e os ombros, perguntando-se se devia dizer alguma coisa.

Mas que podia dizer? Não que o amava nem que ele a excitava. Tão-pouco podia perguntar se ele fazia tenções de repetir o acto, nessa ou em qualquer outra noite. Era mais uma lembrança do seu estatuto, uma reclusa infeliz sem direitos que aos olhos dos outros não tinha sentimentos nem necessidades. Estava convencida de que a maioria das pessoas imaginava tais mulheres incapazes até de raciocinar.

Ele desceu um pouco no beliche, encostou a cabeça aos seios dela e adormeceu quase instantaneamente com o braço apertado à sua volta.

Mary permaneceu assim durante algum tempo. O ar que entrava pela vigia era puro e fresco, o silêncio absoluto apenas quebrado pela respiração suave de Graham. Era bom saber que não era provável que passassem ratazanas sobre o seu corpo enquanto dormia nem que a fome a acordasse. No entanto, não era capaz de dormir, pois subitamente ocorreu-lhe que talvez pudesse escapar.

Graham trancara a porta ao entrar e Mary tinha a certeza de que ele havia metido a chave no bolso da casaca. Seria capaz de sair do beliche, encontrar a sua roupa e a chave dele sem o acordar? Estaria um guarda de vigia lá fora?

A última pergunta foi respondida quando ouviu o som de botas pesadas a passar à porta. Escutou atentamente durante algum tempo, imaginando o trajecto que o guarda seguia no convés. Quando ele se aproximou da porta da cabina pela segunda vez, contou os segundos que ele demorava a realizar uma volta completa. Noventa segundos, mas à terceira volta o guarda parou num ponto qualquer, talvez para fumar cachimbo ou para descansar.

Apercebeu-se então de que eram demasiadas as incógnitas com que tinha de lidar para escapar nessa noite. Não sabia se Graham tinha o sono pesado, não tinha a certeza do bolso em que a chave estava nem tinha inspeccionado os costados do navio para determinar qual o melhor ponto para descer para a água. Saltar pela borda seria arriscado; o chape alertaria o guarda num segundo. Restava-lhe esperar que Graham a desejasse novamente, que ela fosse capaz de ganhar a sua confiança e, entretanto, estudar bem o desenho do navio e o melhor trajecto de fuga.

Mary sonhou que estava em casa, na cama com a irmã Dolly e, ao acordar verificou que a mão que lhe acariciava a barriga era a de Graham e não a da irmã. Fingiu-se adormecida, esperando que ele voltasse a adormecer, mas para sua surpresa ouviu-o acender uma vela.

Sentiu-se tentada a abrir os olhos para ver o que ele estava a fazer mas corria o risco de ele a enviar novamente para o porão e estava demasiado aconchegada e confortável para desejar voltar. Sentiu-o puxar o cobertor para baixo e sentiu o leve calor da vela junto de si.

De súbito, tomou consciência de que ele estava sentado, com o castiçal na mão, a estudar o seu corpo. Era perturbador mas não abriu os olhos. Suavemente, ele inspeccionou as suas partes íntimas com um dedo, separando os pêlos, e depois, com dois dedos, abriu--lhe os lábios.

Era ainda mais difícil fingir-se adormecida, sabendo que o te-nente estava a olhar para uma parte de si que até então só ela vira. Interrogou-se por que razão ele quereria olhar? Nunca tinha visto os órgãos genitais femininos? Ou estaria a verificar se ela teria uma doença?

Mas, à medida que o seu dedo foi deslizando sobre esse ponto, acometeram-na as mais estranhas sensações. Era bom, como ti-nham sido os beijos de Thomas, e involuntariamente abriu as per-nas um pouco mais. O massajar hesitante tornou-se um pouco mais vigoroso e ela sabia que ele estava a olhar para essa parte de si, e não para a sua cara, porque sentia o seu bafo quente na barriga. Entrea-briu os olhos e viu que ele não estava com o castiçal na mão como supôs; tinha-o pousado ao lado do beliche. Estava a massajar o pé-nis com uma mão enquanto a acariciava intimamente com a outra.

Fechou os olhos com força. Não queria que a imagem da sua barriga gorda estragasse o prazer que ele lhe estava a dar. Embora parecesse estranho que um homem preferisse fazer-lhe aquelas coi-sas enquanto estava a dormir, e não acordada e capaz de reagir, a verdade é que não fazia ideia do que os amantes faziam um ao outro.

O dedo dele penetrava-a repetidamente e era a custo que Mary continuava imóvel e sem gritar. Ouviu a respiração dele tornar-se mais ofegante, a sua mão mover-se cada vez mais rapidamente no pénis e, no momento em que se preparava para lhe deitar a mão para que ele a penetrasse, ele soltou um gemido e imobilizou-se.

Alguns segundos mais tarde, enfiou-se na cama ao lado dela e mais uma vez adormeceu profundamente. Mary permaneceu acordada, perturbada com as sensações que Graham despertara nela e mais desconcertada ainda com as suas acções. Teria sido o cuidado em não a acordar que o levara a fazer o que fez? Ou seria algum desvio do comportamento masculino normal?

Deve ter acabado por adormecer porque só teve consciência de ele a ter sacudido. — Acorda, Mary — disse. — São horas de voltares.

O sol ainda mal nascera, uma vaga claridade a leste, quando ela atravessou o convés, novamente acorrentada. Graham ia à frente e, quando chegou à primeira das duas portas para o porão, virou-se para trás, encarando-a.

— Não fales disto a ninguém — disse, o rosto crispado de tensão. — Se te pedirem para explicares a tua ausência, diz que ficaste de castigo no convés. Da próxima vez, vou tentar arranjar-te um vestido.

Não disse mais nada, limitando-se a abrir a primeira porta, e em seguida avançou para a segunda que também abriu, empurrando-a suavemente para dentro sem uma palavra de despedida.

Se alguém a ouviu ou viu entrar, não disse nada. Mary dirigiu-se à sua cama, empurrou Anne com o cotovelo, pois ela ocupara o seu lugar, e deitou-se. Depois do calor e maciez do beliche de Graham, as tábuas pareciam extremamente duras e frias. Mas reparou que pairava um odor muito mais agradável no porão e sentiu-se satisfeita com isso. Contudo, as últimas palavras de Graham causavam-lhe uma certa inquietude pois era evidente que ele não sabia como as outras mulheres reagiam quando uma delas desaparecia por uma noite. Não lhe perguntariam onde tinha estado, limitar-se-iam a ignorá-la.

Para grande surpresa de Mary, ninguém manifestou qualquer animosidade quando acordou mais tarde. Aliás, o seu estatuto parecia ter-se catapultado ao de uma heroína. — Foste açoitada? — Anne foi a primeira a perguntar e logo todas as outras mulheres, incluindo as doentes, se levantaram para agradecer a Mary a coragem de exigir falar com Graham. Somente Sarah lhe lançou um olhar cúmplice e sorriu quando Mary lhes contou a história de que fora acorrentada no convés até de madrugada.

As mulheres pareciam menos apáticas, agora que o porão estava mais limpo, e durante todo o dia Mary não conseguiu falar com Sarah, pois todas a queriam felicitar, fazer-lhe perguntas e observar que mais ninguém se atrevera a fazer tal coisa. Nessa manhã, também os homens foram evacuados do seu porão para limpeza e, mais tarde, quando voltaram, Mary foi igualmente alvo dos seus elogios gritados através da grade.

Will Bryant disse: — És uma rapariga corajosa. Tiro-te o chapéu.

— Agora tens de casar com ela — gritou James Martin e Mary riu-se com os homens, igualmente divertida com os seus comentários grosseiros e com os seus louvores.

— Não te hei-de obrigar a cumprir a promessa, Will Bryant — respondeu ela. — Já conheço a tua lábia e, além disso, não trouxe comigo o vestido de noiva.

Embora soubesse bem receber toda aquela admiração, Mary também se sentia culpada. Da vez seguinte que Graham a chamasse, não só perderia todo aquele respeito como a detestariam por tê-los enganado.

Depois de anoitecer, conseguiu enfiar-se na cama de Sarah para conversar com ela. — Estive com o Graham — sussurrou. — Que hei-de fazer a respeito de tudo isto?

— Se não fosses tu, muitas mais morreriam — respondeu Sarah também num sussurro. — Além disso, desatavam todas a levantar as saias se pensassem que alguém lá em cima as queria. Mas deixa lá isso, como é que foi?

— Menos mal — redarguiu Mary. Por mais vontade que tivesse de confidenciar as suas experiências à amiga, não podia por lealdade para com Graham. Afinal de contas, ele fora bom para com ela.

Quatro dias mais tarde, o tenente Graham chamou Mary novamente. Desta vez, ela fora incumbida de limpar sozinha a cozinha e, quando terminou a tarefa nojenta, Graham apareceu e mandou-a apresentar-se na sua cabina. Era o fim da tarde e, segundos depois de a porta ser trancada atrás dela, Mary ouviu os reclusos masculinos regressar do trabalho exterior.

Mais uma vez Graham removeu-lhe os grilhões e mais uma vez havia água para ela se lavar. Mas ele não perdeu tempo a despir-se, apressando-se a possuí-la antes de ela se secar, e quando acabou atirou-lhe um vestido e um saiote, ambos lavados.

— Não podes ficar aqui — disse ele. — Dava nas vistas. Veste isto e desaparece.

— Posso comer alguma coisa? — perguntou ela, vestindo o saiote. Estava muito puído mas era macio e limpo. O vestido cinzento estava igualmente gasto mas ela achou-o esplêndido, pois o antigo estava em farrapos.

— Pensei que fosses roubar comida enquanto estiveste na cozinha — disse ele com um sorriso escarninho.

— O nosso acordo não passa por eu roubar aquilo de que preciso — disse ela rispidamente. Um dos guardas tinha-a vigiado durante quase todo o tempo que ela passara na cozinha e, para seu desapontamento, a única coisa a que conseguira deitar a mão fora um pedaço de queijo. — Cumpri a minha parte do acordo, agora cumpra a sua.

Ao enfiar o vestido novo, ele virou-se e abriu uma caixa de latão. — Muito bem — disse, de costas para ela. — Mas nada de dar à língua. Se vier a saber-se, mando-te açoitar.

Entregou-lhe uma empada fria e uma maçã.

— Obrigada — disse Mary, fazendo insolentemente uma vénia. — Não me vou pôr a gabar junto de ninguém. Também não me orgulho de ter descido tão baixo.

Quando ele se baixou para lhe apertar os grilhões, ela sentiu que ele ficara magoado. Podia ter acrescentado palavras mais simpáticas mas estava demasiado atarefada a comer a empada.

As semanas e os meses passaram muito lentamente até chegar o Outono e finalmente o Inverno, e com este a perspetiva de morrer de frio. Com apenas um cobertor por pessoa, as mulheres apertavam-se ainda mais umas contra as outras à noite. Ocorreram mais algumas mortes entre as mais velhas mas uma nova fornada tomou o lugar delas e continuava a não haver notícias a respeito da deportação.

Will Bryant já estava no *Dunkirk* há dois anos e muitas vezes brincava com Mary, através da grade, dizendo que a sua pena de sete anos estaria cumprida antes de partirem.

Mary continuava a alimentar a mesma determinação em escapar. Conhecia a configuração das cobertas superiores como a palma das suas mãos: quem patrulhava e a que horas do dia; em que momentos havia menos guardas de serviço. Mas ainda não se apresentara qualquer oportunidade viável de fuga, por mais vigilante que se mantivesse. Não tencionava tentá-la de um modo irreflectido pois podia contar com uma centena de açoites, pelo menos, se fosse apanhada.

Assim, tal como Will, aprendera a suportar a prisão, concentrando as suas energias em descobrir maneiras de mitigar o sofrimento e permanecer viva e saudável. Embora a sua boa saúde permanente, o seu trabalho no convés e as noites passadas fora suscitassem alguma inveja entre as outras mulheres, continuava a merecer o respeito delas por ser a sua porta-voz sempre que necessário. Apoderava-se igualmente de tudo com que se deparava e que lhe parecesse ser útil — trapos para a menstruação das mulheres, sabão e pequenas doses de comida quando as conseguia — para dar às que mais necessidade tinham.

Mary Haydon e Catherine Fryer, juntamente com Aggie, que fazia o papel de sua agitada porta-voz, faziam os possíveis por virar as outras mulheres contra Mary, mas a única verdadeira acusação contra ela era o facto de ser distante e orgulhosa. Mary não se importava que dissessem isso dela — aos seus olhos, o orgulho não era um defeito — e, quanto a ser distante, supunha que era no sentido em que guardava para si as suas opiniões e procurava elevar-se acima das pegas mesquinhas em que algumas das outras se envolviam. Mas nunca ninguém lhe chamou prostituta, embora tivesse consciência de que era no que se tornara, ainda que fosse apenas com o tenente Graham.

Uma vez por semana, por vezes duas, dormia na cabina dele. Graham dava-lhe comida, roupa lavada de tempos a tempos, e demonstrava-lhe alguma afeição. Mas Mary continuava a não compreender o homem.

Umas vezes, parecia apaixonado por ela, outras vezes parecia detestá-la. Sabia agora que ele era casado e tinha dois filhos e, quando falava da mulher, Alicia, era quase com medo reverente. No entanto, persistia em dormir com Mary e parecia desesperado em ouvi-la dizer que o amava. Havia alturas em que ele lhe dava um certo prazer mas, grande parte das vezes, a relação sexual era como na primeira noite, apressada, furiosa e sem emoção.

Os sentimentos de Mary para com Graham baseavam-se mais na piedade do que em qualquer outra coisa, pois pressentia que ele era um homem complexo que não parecia ter amigos verdadeiros. No fundo, não gostava da Marinha e dissera-lhe muitas vezes que desejava demitir-se do seu posto. Mary sentia que ele era um cobarde e que vivia com medo de receber novas ordens para ir para um lugar perigoso. No entanto, apreciava o poder que detinha como oficial e sabia que não encontraria lugar na vida civil.

Mary desconfiava que mesmo o casamento que ele alegava ser feliz perdurava porque marido e mulher estavam separados por tão longos períodos de tempo. O capitão-tenente Watkin Tench, que Graham rebaixava à mais leve oportunidade, era um homem muito mais feliz.

Tench era o outro problema de Mary, pois achava que se apaixonara por ele. Apesar de duvidar que alguma vez tivesse olhado para ele se o tivesse conhecido quando era livre, ficara fascinada por ele desde a primeira noite em que haviam conversado. Não era pela sua figura, que não era nada de especial, nem por poder sempre contar com ele para receber comida. Era porque ele se preocupava com as pessoas, mesmo os condenados. Emitia ordens sem brutalidade e possuía igualmente sentido de humor.

Adorava o seu sorriso espontâneo, o entusiasmo pela vida, a sua generosidade natural e falta de preconceitos. Há muito que perdera a esperança de ser sua amante mas considerava-o um amigo.

Sabia agora que era ele, e não Graham, que a incluía na lista de trabalho no convés. Falava sempre com ela cordialmente e ouvia com compreensão quando ela se lhe dirigia com queixas. Embora, de um modo geral, não pudesse diminuir os tormentos que os prisioneiros tinham de suportar, pois as decisões eram tomadas muito acima na cadeia hierárquica, fazia tudo o que estava ao seu alcance.

Tench tinha conhecimento da relação de Mary com Graham mas não parecia desprezá-la por isso. Era um homem inteligente e aventureiro que já vira mais do mundo do que qualquer pessoa que Mary conhecera. Apreciava a ordem e a calma mas também era corajoso, leal e cumpridor para com o rei e a pátria. Mary duvidava que ele alguma vez mentisse ou aceitasse um suborno e, contudo, revelava compaixão para com aqueles que o faziam.

Adorava ler e dissera a Mary que escrevia meticulosamente um diário que esperava que fosse um dia publicado. Mary interrogava-se muitas vezes se ele falaria dela nos seus escritos pois sentia que ele lhe tinha afeição. Uma vez, Tench tinha dito que escrevia muito sobre a sua visão do sistema penal porque seria, no futuro, de interesse para os historiadores.

Um dia, pouco antes do Natal, Mary foi chamada para serviço de lavagem com Bessie. Estava um dia muitíssimo frio e, excepcionalmente, Mary desejou não ter sido chamada. Estar debruçada sobre uma tina de roupa, com os braços em água gelada até às axilas, não era propriamente algo que desejasse. Só a perspectiva de poder falar com Tench a ajudava a suportar o tormento.

Era ainda pior do que ela temia. O vento do mar trespassava as mulheres mal agasalhadas como uma lâmina. Bessie começou a chorar minutos depois de enfiar as mãos na água fria e, por mais que Mary tentasse fazê-la pensar noutras coisas, não havia maneira de a animar.

Não lavaram a roupa com o mesmo rigor com que lavaram durante o Verão e ao meio-dia já o trabalho estava concluído, o convés enfeitado com camisas molhadas que gelariam nas cordas.

Quando se encaminhavam de novo para o porão, Tench apareceu. — Quero falar com a Mary Broad — disse ele ao guarda. — Eu próprio a levo dentro de minutos.

Para surpresa e alegria de Mary, Tench conduziu-a para a cabina dele no convés e ofereceu-lhe uma chávena de chá. Ela segurou na chávena com as duas mãos para as aquecer.

— Deus o abençoe — disse, com gratidão. — Estou tão enregelada que pensei que mais uns minutos e morria.

— Não te trouxe aqui só para te aqueceres — disse ele. — Tenho novidades para ti. A tua deportação já está decidida.

— Quando e para onde? — perguntou, esperando que fosse em breve e para um lugar mais quente.

— Vamos para a Nova Gales do Sul — disse Tench.

Mary só foi capaz de olhar para ele, atónita, por um momento. Ele contara-lhe o que sabia sobre essa terra do outro lado do mundo numa conversa anterior. O capitão Cook dera notícias de um local a que dera o nome de baía de Botany, que se considerava conveniente para uma colónia penal. Mas quando lhe dissera isto, Tench considerara a Nova Gales do Sul como um destino final improvável para os reclusos do *Dunkirk*.

— «Vamos»? — perguntou ela. — Quer dizer que também vai? — Achava que não se importaria de ser desterrada no inferno se Tench estivesse ao seu lado.

Ele sorriu. — Também vou. Precisam de soldados da Marinha para manter a ordem. A ideia entusiasma-me. É um lugar novo que desejo imenso conhecer. A Inglaterra precisa de uma presença nessa parte do mundo e, se este lugar for de facto como se tem noticiado, pode tornar-se importante para nós.

O entusiasmo de Tench deu muito mais alento a Mary do que o chá fumegante. À medida que ele ia falando da frota de onze navios que seria despachada, dos presidiários que construiriam cidades, do cultivo da terra, das terras que lhes seriam atribuídas gratuitamente quando cumprissem as penas, Mary começou a sentir-se contagiada pela sua excitação. Sempre desejara viajar, uma longa viagem por mar não a intimidava e, se iam ser as primeiras pessoas a desembarcar na baía de Botany, era muito possível que surgissem boas oportunidades para uma rapariga de raciocínio vivo como ela.

— Jura que não dizes nada às outras mulheres — advertiu Tench. — Só te estou a contar porque tenho esperança que te anime. Observei-te há pouco lá fora ao frio e tive pena de ti.

Em seguida, disse-lhe que viviam na baía de Botany pessoas de pele negra, que o governo pensava que havia lá linho e madeira e que o clima era bom, muito mais quente do que em Inglaterra. Disse que o capitão Cook trouxera novas de muitos animais e aves estranhos, incluindo um animal peludo de grande porte que saltava sobre as patas traseiras e uma enorme ave que não voava. Mas, embora Mary estivesse interessada em saber mais sobre aquela nova terra distante, eram as palavras de Tench, «tive pena de ti», que ecoavam no seu espírito.

— Quando partimos? — foi tudo o que conseguiu perguntar.

Tench suspirou. — Temos ordens para conduzi-los aos navios a 7 de Janeiro mas suspeito que ainda passará algum tempo antes de nos fazermos ao mar. O capitão Phillip, que vai comandar esta operação, ainda não está satisfeito com as provisões de mercadoria e mantimentos que vamos levar connosco.

— Eu vou viajar no seu navio? — perguntou Mary.

— Gostavas de viajar? — perguntou ele, os seus olhos escuros fitando-a intensamente.

— Gostava — respondeu com frontalidade, não vendo necessidade de timidez.

— Acho que posso conseguir isso — disse ele, sorrindo. — Agora nem uma palavra a ninguém, especialmente ao tenente Graham.

— Ele também vai? — perguntou ela.

Tench abanou a cabeça. — Ficas triste?

Mary sorriu. — Não, de maneira nenhuma. Não me parece que ele seja homem para aventuras.

Tench soltou uma gargalhada e Mary perguntou-se se significava que Graham tinha efectivamente recusado ir. — Não, não é homem para aventuras, Mary. Mas tu e eu somos e talvez venhamos a ver coisas com que nunca sonhámos.

CAPÍTULO 4

Os prisioneiros só foram informados sobre a data da sua deportação na manhã do dia 7 de Janeiro, altura em que foram transferidos para o *Charlotte*.

Desde que Tench comunicara a Mary o dia da partida, ela tinha andado numa agitação, ainda mais agravada por não poder partilhar a informação com ninguém. Ora sorria de contentamento perante o fim do seu tempo no *Dunkirk*, ora se sentia aterrorizada com a possibilidade de a viagem por mar e o destino serem ainda piores.

À medida que os dias se iam arrastando e ela continuava sem ter qualquer informação oficial, começou a pensar que talvez Tench se tivesse enganado. Não podia sequer pedir a Graham que verificasse porque não tardaria a punir Tench por lhe ter contado.

Mas ultimamente o tenente Graham dava mostras de um comportamento bastante estranho. Cada vez mais oscilava desaustinadamente entre a ternura e a maldade. Só por si, esse facto parecia confirmar que Mary estava realmente de partida.

— Não passas de uma puta — disse ele, uma noite, agressivo. — Podes pensar que és diferente das outras mulheres do porão mas não és, não passas de uma maldita puta como as outras.

No entanto, noutra ocasião, quando ela estava a vestir-se para voltar para o porão, ele caiu de joelhos diante dela e agarrou-se a ela com o rosto enterrado no seu peito. — Oh, Mary — suspirou —, devia ter feito mais por ti, não te devia ter usado como usei.

Na noite de Natal, estava muito bêbado e disse-lhe que a amava. Nessa noite, fez amor com ela com meiguice e ternura; beijou-lhe as marcas nos tornozelos deixadas pelos grilhões e, com lágrimas nos olhos, implorou-lhe que lhe perdoasse os seus momentos de crueldade para com ela.

— Não há nada a perdoar — disse ela. Os seus insultos anteriores, no fundo, não a tinham magoado, pelo menos comparados com as coisas boas que ele fizera por ela.

— Então diz-me que me amas — suplicou-lhe ele. — Deixa-me acreditar que vieste ter comigo por alguma coisa mais do que comida e roupa lavada.

— Claro que vim — mentiu, sentindo pena por ele não ser capaz, como ela, de aceitar a relação que tinham. — Mas tu não tens a liberdade de me amar, Spencer, por isso não me dês falsas esperanças dizendo essas coisas, peço-te.

Não o amava, não tinha a certeza de gostar dele sequer, mas nessa noite ele comovera-a, tocara-lhe no íntimo. Ao regressar ao porão na manhã seguinte, com outro vestido cinzento em melhor estado, interrogou-se se as coisas teriam sido diferentes se se tivessem conhecido noutras circunstâncias.

Na noite de 6 de Janeiro, ele voltou a chamá-la e ela esperou que fosse para lhe falar da transferência no dia seguinte. Mas ele não mencionou o facto, não ofereceu palavras meigas, nem mais desculpas ou votos de felicidade para o seu futuro. Limitou-se a possuí-la com brutalidade e, seco, mandou-a regressar ao porão. Se não soubesse, Mary poderia ter pensado que ele não fazia ideia do que a esperava em breve.

Mal tinha amanhecido quando os guardas abriram a porta do porão e leram os nomes das mulheres que deviam subir ao convés. Mary não ficou surpreendida com a brusquidão da ordem, mas ficou espantada quando ouviu chamar apenas vinte nomes, entre os quais os de velhas e enfermas.

A reacção das mulheres chamadas ao convés durante uma queda de granizo foi compreensível. Estavam desconfiadas, desconcertadas e consternadas, agarradas às roupas andrajosas e apertando-se umas contra as outras para se aquecerem. Mary teve de reagir como elas pois, se alguém deduzisse que ela sabia para onde iam, teria problemas por não lhes ter contado. Contudo, ali em cima no convés a tiritar, sentiu-se pelo menos contente por Sarah e Bessie terem sido chamadas e Aggie, a sua velha inimiga, ter sido deixada para trás.

Mary Haydon e Catherine Fryer também figuravam na lista, uma situação que Mary via com sentimentos contraditórios. De tempos em tempos, manifestavam-lhe amizade fingida mas ela sentia que estariam sempre à espera que se desgraçasse. Entre quarenta mulheres, Mary conseguira manter uma certa distância, mas agora que o número baixara para vinte seria mais difícil.

Foram também chamados trinta homens, seis dos quais tinham um ar tão doente e frágil que mal se tinham de pé e muito menos seriam capazes de aguentar tão longa viagem. Mas Mary sentiu-se animada ao ver Will Bryant e Jamie Cox entre eles, embora desapontada por não ver James Martin nem Samuel Bird. Ganhara afeição aos quatro homens durante as suas conversas com eles através da grade: Will e James faziam-na rir e Jamie tornara-se uma espécie de irmão mais novo. O seu crime fora o roubo de um pedaço de renda avaliado apenas em cinco xelins e vivia amargurado por não saber como a mãe viúva estaria a desenvencilhar-se sem ele. Era tão brando e terno que ela se sentiu extremamente aliviada por ele poder continuar sob a protecção do grande Will. Esperou que James e Samuel olhassem um pelo outro depois da partida dos amigos.

A notícia de que iam ser imediatamente transferidos para o *Charlotte* foi dada por um homem que Mary nunca vira. Envergava traje civil, envolto numa capa grossa, e tinha um tricórnio debruado com galão dourado, parecendo pouco à vontade ao dirigir-se a criminosos. Talvez o seu nervosismo se devesse ao facto de temer uma reacção de fúria ao seu anúncio. E foi o que aconteceu: a maioria dos prisioneiros soltou um gemido de indignação, pois muitos já tinham cumprido mais de metade da sua pena inicial e tinham maridos, mulheres ou filhos que agora temiam nunca mais voltar a ver.

Como sempre, os protestos foram ignorados e os guardas aproximaram-se, ameaçadores. Só Mary ousou levantar a voz com uma pergunta.

— Vão dar-nos roupas para esta viagem? Alguns não têm mais do que farrapos no corpo e receio que morram de frio antes de chegarmos a climas mais quentes.

O homem baixou os óculos e perscrutou-a por cima deles.

— Como te chamas?

— Mary Broad — respondeu ela. — E algumas mulheres já estão doentes. Vão ser examinadas por um médico antes de partirmos?

— Toda a gente vai ser examinada — disse ele mas o seu tom não transmitia qualquer segurança. Não se dignou responder à pergunta sobre a roupa.

Tinha caído o crepúsculo quando os prisioneiros do *Dunkirk* foram transportados para o *Charlotte* no estreito de Plymouth. A única reacção de Mary, ao ver o navio, foi de surpresa por ser tão pequeno, um simples barco de três mastros, talvez com trinta metros de comprimento. Mas tinha um ar robusto e ela estava tão transida de frio que não foi capaz de registar mais nada.

A convicção de que partiriam dentro de poucos dias foi rapidamente destruída. Aparentemente, nem toda a frota estava pronta e havia um problema com os salários dos marinheiros. As condições no *Charlotte* eram melhores do que no *Dunkirk* na medida em que as rações eram mais abundantes e, não se tendo juntado mais nenhuma prisioneira às vinte mulheres, havia mais espaço. Os homens não tiveram tanta sorte porque o seu número foi engrossado por prisioneiros de outras partes de Inglaterra, perfazendo um total de oitenta e oito. Mas, como o *Charlotte* estava fundeado no estreito e as escotilhas dos porões estavam fechadas devido ao mau tempo, muitas das mulheres começaram logo a sofrer de enjoos. Poucos dias depois, as condições eram quase tão más como no *Dunkirk*.

Decorreram semanas sem notícias da partida. Como ainda estavam acorrentadas e fechadas às escuras durante quase todo o dia, com o navio a baloiçar nas águas, qualquer optimismo que tivessem sentido inicialmente não tardou a dar lugar ao desespero. Muitas confinaram-se aos beliches e procuraram refúgio no sono. As que não conseguiam dormir começaram a pegar-se umas com as outras.

Havia momentos em que Mary desejava ardentemente estar ainda no *Dunkirk*. Tinha muitas saudades das suas conversas com Tench e com os homens e até das suas visitas a Graham. Tench estava de licença e, nas raras ocasiões em que deixavam as mulheres subir ao convés, os poucos soldados da Marinha e marinheiros a bordo ignoravam-nas.

Os breves períodos no convés eram um tormento para Mary. Embora fosse maravilhoso respirar ar puro e salgado, poder estar de pé e caminhar, a vista da Cornualha no horizonte era quase penosa de mais para suportar. E era ainda pior ser obrigada a regressar ao porão nauseabundo sem saber quando voltaria a sair.

Deu por si a recordar as coisas mais inconsequentes a respeito de casa e da família, deitada a tremer de frio no beliche. Ela e Dolly a pentear o cabelo uma da outra à noite, rindo-se quando ele estalava com a electricidade estática. O pai a rachar lenha para o fogão, gritando pela janela que devia ter tido filhos para o ajudar. A mãe a esforçar os olhos ao enfiar uma agulha à luz da vela. Não costurava nem ponteava de dia quando a luz era boa porque achava pecado passar horas do dia a fazer uma coisa de que gostava.

Quase todas essas recordações eram ternas mas de vez em quando ocorria a Mary uma recordação amarga. Como a altura em que a mãe deu uma tareia às duas irmãs porque tinham ido tomar banho nuas no mar.

No dia em que isso aconteceu, Mary não compreendeu por que razão a mãe ficou tão furiosa. Pareceu-lhe completamente ilógico. Foi depois de um dia muito quente e, se ela e Dolly tivessem dado cabo da roupa nova com água salgada, teria sido certamente muito mais grave.

Claro que a ideia não foi de Dolly: ela não sabia nadar e não queria mais do que patinhar na água. Foi Mary que a obrigou.

Mary visualizou as duas agora. Dolly tinha cerca de dezasseis anos e, como tinha tido a tarde de domingo de folga do trabalho de empregada, tinham ido passear até à praia em Menabilly. As duas raparigas envergavam vestidos novos cor-de-rosa. O tio, Peter Broad, que era marinheiro e ganhava muito dinheiro, segundo constava na família, trouxera o tecido de seda de uma das suas viagens ao estrangeiro e a mãe passara semanas a confeccioná-los.

Dolly estava absolutamente encantada com o vestido novo. Adorava a cor rosa e o estilo estava muito em voga, com uma cintura pinçada e ligeiramente armado. Mary não apreciava muito o rosa nem gostava de andar vestida como a irmã. Como se já não bastasse o facto de Dolly conseguir ter sempre uma aparência perfeita, vestisse o que vestisse, porque era naturalmente bonita, quando se vestiam de maneira igual, Mary achava que os seus próprios defeitos sobressaíam mais. Eram muito parecidas pois ambas possuíam o mesmo cabelo escuro e encaracolado mas Dolly era muito mais delicada, com uma cintura fina, um andar elegante e grandes olhos azuis que encantavam toda a gente. Ao seu lado, Mary achava-se feia e desajeitada.

Quando chegaram à praia, já estavam cheias de calor e Dolly ficou desapontada quando reparou que não estava lá ninguém para a ver na sua nova fatiota.

— Foi uma estupidez vir aqui — disse, irritada. — Agora temos de fazer o caminho todo de volta com este calor.

— Então vamos refrescar-nos no mar — sugeriu Mary.

Dolly, naturalmente, ficou aflita por causa dos vestidos mas, com algum esforço, Mary convenceu-a de que podiam passar para o outro lado da praia, atravessar a mata e voltar a aparecer à beira--mar, tirar os vestidos e chapinhar na água.

Uma coisa levou a outra. Assim que chegaram a um sítio onde não podiam ser vistas, Dolly achou que não valia a pena molhar também o saiote e a combinação porque tinha a certeza de que Mary lhe ia atirar água. Talvez dessa vez pelo menos quisesse ser tão arrojada como a irmã mais nova e, quando Mary se despiu completamente e mergulhou, Dolly seguiu-a de bom grado.

Nunca se tinham divertido tanto juntas. Mary amparou Dolly por baixo da barriga e tentou ensiná-la a nadar. Como ela não lhe apanhava o jeito, Mary puxou-a na água pelas mãos. Estavam tão absorvidas a brincar que se esqueceram de estar atentas para ver se aparecia alguém.

Mais tarde, novamente vestidas, não pararam de rir até chegar a casa e Dolly contou a Mary histórias engraçadas sobre algumas das outras criadas da casa onde trabalhava.

A mãe estava à porta de casa quando chegaram e, mesmo à distância, perceberam que ela estava numa fúria. Tinha os lábios comprimidos num traço fino e os braços cruzados sobre o peito.

— Suas desavergonhadas — gritou-lhes, aproximando-se. — Já lá para dentro para se explicarem.

Pelos vistos, um pescador no seu barco tinha-as visto a tomar banho e passou a informação a alguém que não perdeu tempo a dizer à mãe.

— Que vergonha — disse ela repetidamente, correndo com elas pelas escadas acima aos sopapos e mandando-as tirar a roupa.

Bateu-lhes com um pau nas nádegas e nas costas, fazendo Dolly sangrar. Depois mandou Mary deitar-se sem comer nada e Dolly de volta para casa dos patrões.

Nesse momento, Mary tinha pensado que a mãe era uma desmancha-prazeres insensível. Não via onde estava o mal de nadar nua. E continuou a censurar a mãe quando Dolly deixou de querer acompanhá-la onde quer que fosse.

Mary suspirou ao recordar esse dia. Era tão inocente nesse tempo, mal tinha consciência dos seus seios que começavam a despontar e muito menos da figura apetecível de Dolly. E muito menos fazia ideia de que a mãe receava o que podia ter acontecido se as filhas tivessem sido surpreendidas por alguns marinheiros.

Mas agora sabia e compreendia como os homens podiam ser animais. Parecia-lhe que quase tudo aquilo sobre o qual a mãe a tinha avisado acontecera. Até a ausência da menstruação.

A mãe sempre fora vaga a respeito do que acontecia entre os homens e as mulheres mas advertira-as contra o que chamava «poucas-vergonhas» e disse que, quando a menstruação não chegava, significava que uma rapariga ia ter um bebé.

Mary tentou convencer-se de que não podia ser esse o caso, que talvez fosse simplesmente resultado da ansiedade de esperar que o navio se fizesse ao mar. Mas em Março viu-se obrigada a encarar a possibilidade de estar grávida de Graham e consultou Sarah.

— Deves estar — disse ela, olhando pensativamente para Mary. — Pobrezinha, se fosse eu, atirava-me à água com os grilhões. Ouvi dizer que se pode obter o perdão da forca quando se está de esperanças mas nunca ouvi falar de ninguém que tenha escapado à deportação por isso.

Nesse momento, Mary sentiu um desalento ainda maior pois esperara que Sarah se risse dos seus receios. — Bem, se vou tê-lo, prefiro que seja aqui e não no *Dunkirk* — disse, provocadora. Tinha assistido ao parto de Lucy Perkins e ainda não esquecera o horror que fora. Não tiraram os grilhões a Lucy e, ao fim de umas vinte horas de trabalho de parto, ela dera à luz um nado-morto. Lucy morreu alguns dias mais tarde. Ninguém chamou um médico, a única ajuda que ela tivera fora das outras mulheres. Sarah fora uma delas.

— Além disso, tu ajudas-me, não ajudas?

— Claro que ajudo — Sarah apressou-se a dizer, talvez recordando também esse parto. — Tu és forte e saudável, há-de correr tudo bem.

Mary passou toda essa noite acordada, inquieta. Não tanto por causa do parto mas a imaginar o que Tench pensaria dela quando descobrisse. Agora nunca mais teria qualquer hipótese com ele.

Foi no princípio de Maio, pouco depois do vigésimo primeiro aniversário de Mary, que souberam finalmente que partiriam no domingo, dia 13, para se juntarem ao resto da frota. Seriam onze navios ao todo, quatro deles transportando quase seiscentos condenados e uma unidade inteira de soldados da Marinha, alguns com as mulheres e os filhos, e os restantes levando mantimentos e provisões para os primeiros dois anos.

Durante a longa espera, a maioria dos outros prisioneiros escrevera para casa. Quando não sabiam escrever, pediam a outros que escrevessem cartas em seu nome. Num dia de Abril, quando Mary e as outras mulheres foram autorizadas a subir ao convés para fazer exercício, Tench oferecera-se para escrever em nome de Mary mas ela declinou a oferta.

— É melhor não saberem para onde vou — disse, olhando tristemente na direcção da Cornualha, do outro lado do mar encapelado. Nos últimos dias, a paisagem havia-se subitamente coberto de um manto verde primaveril e ela pensou com nostalgia em prímulas nas margens verdejantes, nos pássaros a fazer os ninhos e nos cordeirinhos recém-nascidos nas charnecas. Parecia inacreditável que estivesse para ser arrancada à terra que tanto amava. — É melhor pensarem que já não quero saber deles do que imaginarem-me acorrentada.

Tench baixou os olhos para os grilhões e suspirou. — Talvez tenhas razão. Mas acho que a minha mãe preferiria saber que eu estava vivo e a pensar nela mesmo estando num navio-prisão.

Mary sentiu-se ainda mais triste com as suas palavras. Não tardaria que o seu ventre começasse a crescer e ele percebesse que ela estava grávida. Duvidava que continuasse a querer ser seu amigo.

Já era difícil suportar a ideia de nunca mais ver a família mas a rejeição de Tench era algo que não parecia ser capaz de aguentar.

Quando finalmente o *Charlotte* levantou âncora e saiu do estreito de Plymouth, muitas das mulheres choraram e disseram adeus a Inglaterra para sempre.

— Hei-de voltar — disse Mary veementemente. — Juro.

Embora muitas mulheres se queixassem ainda mais dos enjoos, do som do vento nas velas e dos cortes e pisaduras causados por quedas em tempo mau, Mary sentiu-se exultante assim que o navio se pôs em andamento. Para ela, o som do vento na lona era como música e deleitava-se a observar a proa fender as águas transparentes.

O comandante do navio, um oficial da Marinha Real chamado Gilbert, era um homem compassivo e ordenou que as correntes fossem removidas aos prisioneiros e somente repostas como castigo por mau comportamento ou quando entrassem nos portos de escala. À medida que o navio navegava ao longo da costa francesa e o tempo ia melhorando, as escotilhas foram novamente abertas e gradualmente a pestilência nos porões dispersou-se.

Mary sempre adorara andar de barco mas nunca tinha viajado em nada maior do que um pesqueiro e, mesmo assim, só por algumas horas de cada vez. Era muito diferente num grande navio, pois uma pessoa podia deambular à vontade e até descobrir esconderijos sossegados entre rolos de cordas e armários para escapar às outras pessoas.

Não tardou a compreender a razão pela qual o pai sempre aguardara ansiosamente a viagem seguinte. Era entusiasmante sentir o convés oscilar sob os pés e sentia uma enorme admiração e respeito ao ver o vento ser dominado para impelir o navio e a forma como todos, desde o mais insignificante marinheiro ao comandante, trabalhavam em uníssono para manter a velocidade e o rumo. O *Charlotte* era um dos navios mais lentos da frota e os homens viam-se obrigados a trabalhar com afinco para avançarem. Mas o esforço para manter a posição era um desafio e Mary via o orgulho nos seus rostos sempre que conseguiam ultrapassar o *Scarborough* ou o *Lady Penryn*.

Mas era a liberdade de estar no convés durante longos períodos que Mary apreciava acima de tudo. Era capaz de aguentar o porão à noite, embrulhada num cobertor entre Bessie e Sarah; não era tão terrível quando tinha estado ao ar livre quase todo o dia.

No convés estava longe do choro e das quezílias das outras mulheres. Sentia o vento no cabelo e esquecia-se da imundície e dos cheiros em baixo. Os receios do futuro dissipavam-se como uma pena lançada ao vento. Sentia-se livre como as aves marinhas que seguiam a esteira do navio.

Os sons no convés eram quase tão clamorosos como os de baixo: o rugido do mar, os gritos dos marinheiros, os sons ásperos das cordas a serem puxadas e o rangido das velas. Mas eram sons agradáveis e o vento e os salpicos da água eram tão frescos e puros que ela se sentia inebriada.

Era bom que a maioria das mulheres tivesse medo do mar e achasse o vento demasiado frio para permanecer em cima muito tempo. Sozinha, agarrada à amurada do convés, podia imaginar-se uma herdeira rica a fazer uma viagem a Espanha ou mesmo à América. Podia dizer a si mesma e com razão que estava a realizar um velho desejo, o de viajar pelo mundo.

Assim que se fizeram ao mar, Mary achou os marinheiros muito parecidos com os homens de Fowey, criaturas fortes, rijas e cordiais que lhe sorriam alegremente. Sem a companhia de outras mulheres, tinha por vezes a oportunidade de conversar com eles e fazer-lhes perguntas sobre a rota para a baía de Botany. Alguns falavam-lhe de bom grado dos portos ao longo da viagem que já haviam visitado e explicavam que teriam de atravessar o oceano Atlântico até ao Rio, em lugar de descer ao longo da costa africana, para aproveitar os ventos alísios. Mary interrogava-se quantos deles teriam inicialmente sido forçados a trabalhar na Marinha pois pareciam nutrir alguma compaixão pelos prisioneiros e ressentimento contra a maioria dos soldados da Marinha que pouco ou nada tinham que fazer durante a viagem.

Muitos dos soldados haviam levado as mulheres e os filhos consigo. As mulheres exibiam um ar assustado, sempre que passeavam pelo convés, e Mary tinha pena delas, mesmo que fossem demasiado peneirentas para sorrir. Eram tão reclusas como ela mas, enquanto ela sabia que os restantes prisioneiros eram perfeitamente inofensivos, aquelas mulheres provavelmente imaginavam que não passavam de fora-da-lei empedernidos à espera de uma oportunidade para se apoderarem do navio e matarem toda a gente a bordo.

Mary estava contente por raramente se cruzar com Tench no convés pois sentia que o seu corpo estava a alterar-se, ainda que não fosse visível a mais ninguém. Os seios estavam mais cheios e o ventre começava a aumentar. Sentia-se consternada por a sua relação com Graham ter resultado naquela situação difícil, uma coisa que nunca pensara verdadeiramente que pudesse acontecer-lhe, mas começava a resignar-se. Parte dessa aceitação devia-se ao facto de ter sido criada a acreditar que os bebés eram uma dádiva de Deus e, por isso, deviam ser recebidos de braços abertos. Embora alimentasse alguns receios a respeito do parto e da sua própria capacidade para ser uma boa mãe, sentia-se estranhamente reconfortada com a perspectiva de ter alguém seu para amar e acarinhar. Em dias de bom tempo, arranjava um lugar abrigado no convés onde se sentava e se entregava a devaneios sobre a criança. Esperava que fosse um rapaz e imaginava-o como um pequeno Luke, o filho de um dos soldados da Marinha.

Luke tinha sete anos, era um rapaz robusto de cabelo escuro e olhos azuis, que lhe sorria quando a mãe não estava a olhar. Mary gostava de observá-lo a tentar ajudar os marinheiros — era claro que o seu entusiasmo pelos barcos era semelhante ao seu em rapariga. Quando o navio chegou ao extremo da costa francesa, dirigindo-se para Espanha, e o tempo se tornou mais quente, a mãe de Luke sentava-se muitas vezes com ele no convés, ajudando-o a ler e a escrever. Mary desejava, nesses momentos, possuir essas competências para ensiná-las ao filho.

Foi o medo a respeito da segurança da criança que finalmente a convenceu a abordar o médico de bordo, o Dr. White. O pai sempre dissera que os médicos de bordo eram carniceiros ou bêbados mas ela nunca vira White embriagado. O seu rosto jovial e os seus modos brandos, quando a examinou pouco antes da partida, também não pareciam próprios de um carniceiro.

Não falara a ninguém, além de Sarah, sobre o seu problema e tinha a certeza de que ninguém, e muito menos Tench, adivinhara. Mas, por mais embaraçoso que fosse admiti-lo ao médico, sabia que tinha de enfrentar a situação.

— Acho que estou de esperanças — disse ela num impulso, depois de lhe ter perguntado se ele lhe podia dar qualquer coisa para um golpe no pé que teimava em não sarar.

O médico ergueu uma farta sobrancelha grisalha, dirigindo-lhe então algumas perguntas e pedindo-lhe que se deitasse para lhe apalpar a barriga.

— Vai correr tudo bem? — perguntou Mary quando ele não fez nenhum comentário.

— Claro que vai, um parto no mar não é diferente de um parto noutro lado qualquer — afirmou com uma certa brusquidão. — Diria que será no princípio de Setembro, altura em que estaremos num lugar mais quente e agradável. Tu és forte e saudável, Mary, vai correr tudo bem.

Mary concluiu que provavelmente devia ter concebido no Natal, na noite em que Spencer Graham a amara com mais ternura.

— Quem é o pai? — perguntou o médico, os seus olhos penetrantes e escuros trespassando-a como se lhe tivesse lido o pensamento. — Tens de falar, Mary, porque o pai tem de ser responsabilizado. Se for outro condenado, podes casar-te e um soldado pode ser obrigado a perfilhar a criança.

Mary ficou surpreendida por alguém querer saber quem a engravidara e, mais ainda, propor-se responsabilizar essa pessoa por isso. Mas não estava preparada para indicar o nome de Graham. Sem ele, não teria sobrevivido ao *Dunkirk* e tinha de pensar na mulher e nos filhos dele, que não mereciam a dor de saber que ele lhes fora infiel.

— Qual é o nome dele, Mary? — perguntou White com mais firmeza.

— Não sei quem é o pai — respondeu, cruzando os braços num gesto de provocação.

— Não acredito que sejas desse género — disse ele, num tom de censura. — Outras mulheres poderão ser mas tu não. Vá, diz-me que eu trato do resto.

— Não digo — disse ela teimosamente.

White emitiu um ruído de reprovação. — A tua lealdade é admirável mas descabida, Mary. Queres que o teu filho tenha o epíteto de «bastardo» na certidão de nascimento?

— Não é pior do que ter uma reclusa como mãe — retorquiu.

White abanou a cabeça e depois mandou-a embora, limitando-se a adverti-la de que devia reflectir sobre o assunto e voltar à sua presença, se mudasse de ideias.

No dia seguinte à sua visita ao médico, rebentou uma tempestade e, mais uma vez, as escotilhas foram fechadas e Mary viu-se confinada ao porão. Depois da liberdade do convés, era abominável estar novamente presa na escuridão com as mulheres, quase todas elas com enjoos. Com o balançar e oscilar do navio, os baldes de dejectos entornaram-se e a água do mar gelada inundou o porão, encharcando-as. A única coisa que Mary podia fazer era aconchegar-se o mais possível no cobertor, tapar o nariz contra o mau cheiro e rezar para que a borrasca passasse depressa.

Demoraram três semanas a alcançar Santa Cruz em Tenerife, o primeiro porto de escala do navio, altura em que Mary já conhecia bastante bem alguns marinheiros do Devonshire. Foi por eles que soube que, num dos outros navios de deportados, os homens presos tinham arrombado as anteparas para chegar às mulheres ainda antes de se terem feito ao mar. Eles disseram ainda que as mulheres que haviam sido transferidas das prisões londrinas eram criminosas violentas e empedernidas, sempre envolvidas em brigas, prontas a venderem-se a qualquer um por uma pinga de rum.

A informação deixou Mary assustada pois nunca imaginara que os prisioneiros dos outros navios fossem diferentes dos do *Charlotte*. Alguns deles eram ruins, ela sabia que não tinham qualquer escrúpulo em roubar moedas dos olhos de um morto. Mas pelo menos sabia quem eram e sentia-se segura na certeza de que o comandante Gilbert nunca permitiria que os homens do seu navio ameaçassem as mulheres.

Embora fosse um homem clemente, era muito severo. Nas raras ocasiões em que os homens subiam ao convés ao mesmo tempo que as mulheres, eram vigiados com todo o cuidado pelos soldados para não saírem da linha. E a ameaça de serem novamente acorrentados ou açoitados bastava para dissuadir homens e mulheres de correr riscos.

No entanto, como no *Dunkirk*, havia relações ilícitas, não com os oficiais, mas com os soldados da Marinha e com os marinheiros. Mary Haydon e Catherine Fryer eram duas das piores transgressoras, indo com qualquer homem que as quisesse. Nem Mary nem Sarah optaram por esse caminho; riam-se disso e diziam que, se não conseguissem ter um oficial, então não queriam ninguém. A verdade era que já não precisavam de lutar pela sobrevivência. Agora a comida não era escassa, não faltava água para se lavarem e, depois de um dia ao sol no convés, era preferível voltar para o porão à noite do que serem humilhadas e maltratadas por um marinheiro encharcado em rum.

O único recluso que Mary encontrava com frequência era Will Bryant e, às vezes, Jamie Cox estava com ele. Os restantes homens não tinham autorização para se demorarem muito tempo no convés. Se era por excederem a tripulação em número ou porque o comandante Gilbert considerava que as mulheres prisioneiras e as famílias dos soldados precisavam mais de ar fresco, Mary não sabia, mas Will beneficiava de regalias especiais. Dava ideia que conseguira autorização para pescar, a fim de complementar as rações de bordo, e assim passava uma boa parte do dia no convés. Mary admirava a sua desenvoltura e achava que tinham muito em comum.

Quando o navio fundeou em Santa Cruz para se abastecer de água potável e mais provisões, a tripulação teve autorização para ir a terra e, mais uma vez, os prisioneiros foram agrilhoados e as escotilhas fechadas. Estava-se em Junho e o calor era asfixiante e serem obrigados a estar deitados a transpirar na escuridão, depois da relativa liberdade que haviam gozado até aí, era intolerável. Para Mary era ainda mais insuportável porque, agora que a sua barriga estava a crescer, não conseguia encontrar conforto na cama dura e a falta de ar fresco provocava-lhe náuseas.

Mas, quando zarparam novamente rumo ao Rio, na América do Sul, os grilhões foram removidos e foram de novo autorizadas a subir ao convés. Uma tarde, Mary estava sentada a dormitar ao sol quando ouviu Will Bryant a praguejar porque a sua rede de pesca estava rasgada. Levantou-se, encaminhou-se para a popa, onde ele estava sentado, e ofereceu-se para a remendar.

Ele tornara-se ainda mais atraente durante a viagem. As rações mais nutritivas haviam-lhe restituído a carne ao corpo, os olhos eram tão azuis como o céu em cima, o sol aloirara-lhe ainda mais o cabelo e a barba e a pele cobrira-se de um tom castanho dourado. Ostentava um sorriso impudente e uma grande dose de insolência.

— Sabes remendar uma rede? — perguntou ele, mostrando-se surpreendido.

— Como é que uma rapariga de Fowey pode não saber? — disse ela com uma gargalhada.

Mary achou que era por estar a executar uma tarefa útil a remendar a rede que ninguém se aproximou para os separar. Passou a tarde toda a conversar com Will, sobretudo acerca da Cornualha.

— Estás com um ar muito bonito — disse Will subitamente. — Quando é que nasce o pequenito?

Mary sentiu um embaraço súbito. Não se apercebera de que mais ninguém, além do Dr. White e de Sarah, sabia. Se Will tinha adivinhado, era possível que Tench também.

— Setembro — murmurou, corando até à raiz dos cabelos. — Como é que soubeste?

— Tenho olhos — respondeu Will a rir. — Não é coisa que possas esconder eternamente, e muito menos quando o vento te cola o vestido ao corpo.

Mary sentiu-se um pouco enjoada. — Toda a gente sabe?

Will encolheu os ombros. — Não sei. Porquê? Tens medo?

— Um pouco — admitiu. — Não quero que as pessoas pensem mal de mim e não entendo muito de bebés.

— Não te rales com o que as pessoas pensam — disse ele com um sorriso. — Há-de haver muitas mulheres a dar à luz antes de lá chegarmos. Quanto a não entenderes muito de bebés, imagino que é uma coisa que se aprende naturalmente. As outras mulheres ajudam-te, não tens de te preocupar.

Mary ficou tocada com a sua sensibilidade, pois sempre pensara nele como um homem duro. Pouco depois, Will disse-lhe que tinha ouvido dizer que um prisioneiro do *Alexander*, outro navio da frota, se escondera no convés em Tenerife e mais tarde descera para o mar, depois de escurecer, roubando o barco a remos amarrado à popa.

— O diabo do pateta traiu-se, dirigindo-se a um barco holandês e pedindo para subir a bordo. — Will soltou uma gargalhada. — Se fosse eu, tinha remado até à cidade e tinha-me escondido até a frota partir.

— No *Dunkirk*, passava a vida a pensar em fugir — admitiu Mary. — Agora neste estado não vale a pena pensar nisso. Mas, assim que o bebé nascer, vou pôr-me outra vez à coca de uma oportunidade.

— Eu vou esperar para ver primeiro como é a baía de Botany — disse Will. — Se puder pescar, construir uma casa decente onde viver, cultivar algumas hortaliças, talvez não seja assim tão mau.

— Mas não sabemos como são os prisioneiros dos outros barcos — frisou Mary. — Nós aqui somos todos do Devon e da Cornualha. No fundo, não somos más pessoas. Mas ouvi dizer que as mulheres do *Friendship* são terríveis, quase todas de Londres. Foram todas acorrentadas por brigarem umas com as outras. Quando desembarcarmos na baía de Botany, vamos ter de as aturar.

— Acho que se consegue viver com gente de todo o género — disse Will. — Eu consigo. Havemos de nos desenvencilhar.

Foi só alguns dias mais tarde que Tench falou com Mary no convés. Perguntou-lhe se ela estava a gostar da viagem e explicou que não tinha tido muitas oportunidades para sair ao convés pois tinha muitas outras tarefas entre mãos. — Estás a sentir-te bem? — perguntou, olhando atentamente para ela. — O médico disse-me que estás à espera de bebé.

Mary apenas conseguiu assentir com a cabeça. Embora, em certa medida, se sentisse aliviada por o assunto ter finalmente vindo à luz, receava que ele a interrogasse como White.

— Eu não faço juízos sobre as pessoas — disse ele com brandura, como se adivinhasse o que Mary estava a pensar. — Estou simplesmente preocupado contigo. Tens sorte que o White seja o médico de bordo, é um bom médico. Tens comido o suficiente?

Mary indicou que sim. Não se sentia capaz de falar.

— Se precisares de alguma coisa, vem ter comigo — disse ele, dando-lhe uma palmadinha no ombro. — Vou ver se te arranjo alguma fruta no Rio. O escorbuto é uma ameaça nestas viagens longas. Mas o comandante Gilbert parece mais consciente das nossas necessidades do que a maior parte dos comandantes.

Tench afastou-se então e, observando a sua figura magra, o cabelo escuro bem penteado e os seus calções de um branco imaculado, Mary desejou que o filho que trazia no ventre fosse dele.

*

Houve algumas tempestades violentas a caminho do Rio. O navio balançava e sacudia no mar violento e a água inundou os porões, arrancando as mulheres aos seus beliches. Pensaram vezes sem conta que iam morrer — todas as fendas na madeira pareciam prova de que o navio ia desintegrar-se. Até Mary, que ainda não sofrera de enjoos, sucumbiu, vomitando até não ter mais nada para deitar para fora, e apoderou-se dela uma fraqueza tal que mal se podia mexer.

Mas as tempestades passaram e seguiram-se períodos de acalmia em que o navio mal se mexia. Foi num desses dias, quando Mary estava na amurada do convés a contemplar o resto da frota e atenta aos golfinhos e toninhas, que Tench sugeriu que ela procurasse um marido entre os homens prisioneiros.

Tench não tinha muitas oportunidades para falar com ela e, mesmo quando tinha, nunca era por mais de alguns minutos, mas desde o dia em que lhe dera a saber que estava a par da sua gravidez que lhe enfiava na mão qualquer coisa para comer quando a via. Por vezes era um naco de queijo duro ou uns biscoitos; em duas ocasiões, tinha sido um ovo cozido. Para Mary, era suficiente saber que ele se preocupava com a sua saúde. Não queria que apanhasse uma reprimenda do comandante.

— Já pensaste como vai ser quando chegarmos à baía de Botany? — começou Tench, não olhando para ela mas para o mar e para o resto da frota quase parada nas águas calmas. — Quero dizer, já te apercebeste de que serão muitos mais homens do que mulheres?

Ela abanou a cabeça.

— Serão três homens para cada mulher — continuou ele, franzindo a testa como se aquele facto lhe causasse profunda apreensão. — Desconfio que vai trazer dificuldades às mulheres.

Mary apercebeu-se, com um certo choque, que ele se referia à probabilidade de violações. — Os soldados da Marinha não vão olhar por nós? — perguntou.

— Faremos os possíveis — disse ele com seriedade. — Mas mesmo com a maior boa vontade do mundo, não vamos poder estar sempre em todo o lado.

Mary estremeceu. Sabia por Will que muitos dos homens eram indivíduos desesperados mas a verdade é que muitas das mulheres o eram também. Tinha pensado que o problema principal seria o roubo de comida e objectos pessoais mas Tench fizera-a ver agora que não seria o único.

— Fazias bem se pensasses em casar-te — disse ele.

Por um breve segundo, ela pensou que era um pedido de casamento e sentiu um baque no coração.

— Casar-me? — repetiu.

— Com um dos prisioneiros, claro — apressou-se ele a dizer. — O teu bebé precisa de um pai.

Mary sabia que estava corada e esperou que ele não percebesse porquê. — Mal os conheço — disse, indignada.

Tench olhou por cima do ombro, para ver quem estava a observá-los. — Tenho de ir agora — disse ele. — Mas pensa no que te disse, está bem?

Afastou-se antes de Mary poder dizer mais nada.

Mary pensou seriamente no que Tench dissera. Quanto mais pensava, mais sentido as suas palavras faziam. Homens que tinham passado tanto tempo separados de mulheres eram potencialmente perigosos, como o eram também algumas das mulheres.

Era Tench quem ela desejava, achava que o amaria eternamente e que nenhum outro homem seria capaz de lhe inspirar esse sentimento. Mas era realista; ele podia gostar dela, talvez nutrir até sentimentos românticos por ela, mas levaria mais tempo do que aquele de que dispunha a conseguir que ele a amasse o suficiente para ultrapassar as barreiras e aceitar uma mulher condenada. Além disso, ele voltaria a Inglaterra ao fim de três anos e ela ainda teria quatro anos de pena para cumprir.

Só havia um prisioneiro, dos que conhecia, por quem sentia admiração — Will Bryant. Era forte e competente, sabia ler e escrever, podia exercer o ofício de pescador e partilhava o amor dela por barcos e pelo mar. Era ainda atraente e um líder nato.

Quanto mais pensava em Will, mais se convencia de que ele seria o marido ideal. Era evidente que ele nunca a consideraria um bom partido, para começar ela teria um filho que não era dele. E tão-pouco era muito bonita. Mas devia haver alguma maneira de levá-lo a considerá-la como uma opção vantajosa.

Durante as oito semanas de viagem até ao Rio, Mary em pouco mais pensou do que na forma como iria persuadir Will a aceitar casar-se com ela. Por causa do seu estado, o Dr. White autorizou-a a passar todo o dia no convés, em dias de bom tempo e a receber uma porção maior de alimentos. Isso queria dizer que estava com Will quase todos os dias, remendando-lhe as redes, amanhando-lhe o peixe, dando-lhe muitas vezes parte da comida a mais que recebia e lisonjeando-o.

Quase diariamente, descobria uma nova faceta em Will. A sua prosápia podia ser cansativa, pois achava-se capaz de fazer quase tudo melhor do que os outros, mas era forte, prático e conhecedor. Possuía também um lado terno. Perguntava sempre como ela estava e uma vez pedira-lhe para pousar a mão na barriga dela para sentir os pontapés do bebé, tendo ficado espantado quando aconteceu. Evidenciava um instinto protector para com os mais fracos e era um homem alegre que raramente se deixava abater com o que quer que fosse.

Quando o navio atracou no Rio, os grilhões foram novamente colocados e a tripulação desembarcou. De tempos a tempos, os prisioneiros eram autorizados a subir ao convés, durante curtos períodos, e os que tinham dinheiro podiam comprar frutas e legumes aos homens de pele morena que apareciam ao lado do navio em pequenos barcos para regatear com eles.

Alguns dos prisioneiros mais afortunados tinham familiares próximo de Devonport que lhes levaram roupa nova, comida, dinheiro e outros objectos antes de o navio ter partido. Alguns tinham dinheiro que haviam guardado com todo o cuidado durante o tempo de detenção e no navio-prisão. Will era um desses — disse a Mary que o guardava numa bolsa escondida por baixo da camisa. Comprou laranjas e deu metade a Mary. Comprou ainda uma peça de algodão branco que lhe ofereceu. — Para fazeres roupa para o bebé — disse ele, com um sorriso estranhamente tímido.

Quando Tench regressou a bordo, um tanto frágil dos copos e folias com os outros homens em terra, também lhe trazia um presente. Um cobertor para o bebé.

— O Will comprou-me algodão para fazer roupa — acrescentou ela, depois de lhe ter agradecido, reprimindo lágrimas de gratidão. — Tenho sorte por ter dois amigos tão bons.

— É com o Will que deves casar — disse Tench abruptamente, apanhando-a completamente de surpresa.

— Ele casar-se comigo? — exclamou, como se tal coisa nunca lhe tivesse passado pela cabeça. — Porque é que ele havia de me querer quando há mulheres mais bonitas que não estão de esperanças?

— Porque tu és inteligente, boa companheira e leal — disse ele, com um brilho nos olhos castanhos. — Seriam esses os atributos que eu procuraria numa esposa.

— E o amor? — perguntou ela, desejando saber namoriscar da maneira que vira outras mulheres fazer para conquistar o homem que queriam.

— Creio que o amor nasce quando duas pessoas estão completamente em sintonia uma com a outra — disse Tench com seriedade. — Acho que muitas pessoas confundem o desejo carnal com amor. São duas coisas muito diferentes.

— Mas não andam lado a lado? — perguntou ela.

— Por vezes, quando se tem sorte — disse ele com um sorriso. — Infelizmente, quase todos nós temos um ou o outro e não os dois. Ou pior ainda, sentimos tudo isso pela pessoa errada.

Mary teve a sensação de que ele estava a tentar dizer-lhe que era isso que sentia por ela.

— Mas se uma pessoa experimenta esses sentimentos por alguém, é impossível que a pessoa seja errada — disse com atrevimento.

— Talvez. — Ele encolheu os ombros e contemplou o porto até ao Rio. — Se se pudesse levar essa pessoa para um novo lugar onde as histórias pessoais não importassem.

A subida a bordo do comandante Gilbert interrompeu abruptamente a conversa. Tench teve de ir cumprimentá-lo e Mary voltou para a popa do navio para contemplar o Rio de janeiro, do outro lado da baía, e pensar se Tench teria desejado poder levá-la lá.

Mas se tinha, porque é que estava a encorajá-la a pensar em Will? Os homens não procediam assim. Mas Mary compreendera há muito que Tench não era como os outros homens.

Zarparam do porto do Rio a 4 de Setembro e, três dias mais tarde, pela noite, Mary entrou em trabalho de parto.

A princípio, não foi muito doloroso. Ficou calmamente deitada ao lado de Bessie e até conseguiu dormitar. Mas, às primeiras horas da manhã, as dores já eram lancinantes e ela teve de se levantar e agarrar-se a uma das vigas do navio para as mitigar. O Dr. White foi chamado a meio da manhã mas declarou que estava tudo a correr normalmente, acrescentando que um primeiro filho demorava sempre muito tempo. Os seus únicos preparativos consistiram em ordenar que duas mulheres, que por coincidência eram Mary Haydon e Catherine Fryer, fossem buscar palha para Mary se deitar.

O navio navegava numa forte ondulação e Mary e Catherine mostraram-se absolutamente insensíveis para com Mary. Para agravar a situação, as escotilhas foram fechadas, mercê de uma forte ventania, deixando o porão às escuras e mergulhado num ambiente asfixiante.

— Gozaste — disse, maldosa, Mary Haydon. — Agora sofres.

Mary sempre tivera consciência de que as duas mulheres a consideravam responsável pela sua sorte, por mais que tivessem insistido no passado que o que lá vai, lá vai. Sempre que Mary fora alvo de gestos de gratidão e de elogios das outras mulheres, apercebera-se dos ciúmes delas. Imaginou que viam no seu parto uma oportunidade para se vingarem, esperando que ela desse espectáculo e perdesse alguma da admiração que granjeara entre as outras.

Mas Mary não tencionava dar-lhes essa satisfação. Quando a dor seguinte chegou, cerrou os dentes e suportou-a em silêncio.

As horas foram passando, cada contracção um pouco mais forte até se ver obrigada a deitar-se e a agarrar-se à corda com nós que uma das outras mulheres se lembrara de atar a uma viga para ela puxar. Sarah sentou-se ao seu lado, humedecendo-lhe a testa e obrigando-a a beber goles da água salobra.

— Já não falta muito agora — sussurrou ela para a encorajar. — E se quiseres gritar, grita, não ligues a essas duas bruxas.

Mary pensou que ia morrer do suplício e, por um breve momento entre contracções, interrogou-se como era possível que as mulheres tivessem a coragem de ter mais do que um filho. Mas depois, sentindo-se incapaz de aguentar mais, experimentou uma nova sensação, a de fazer pressão.

Ouvira outras mulheres, incluindo a mãe, falar dessa parte e sabia que implicava que o bebé estava a debater-se para sair. De súbito, sentiu uma onda de ternura pela criança dentro de si e a determinação de a expulsar o mais rapidamente possível.

— Está a sair agora — segredou a Sarah e, quando a contracção seguinte se formou, cerrou os dentes, levantou as pernas, puxou pela corda e empurrou com toda a força.

Teve vagamente consciência de que as outras mulheres estavam a tomar a refeição da noite do outro lado do cobertor que Sarah se lembrara de pendurar para lhe dar privacidade — sentia o aroma do estufado e ouvia-as mastigar. As oscilações do barco pareciam replicar o que estava a passar-se com o seu corpo e ficou contente que a escuridão ocultasse o que sabia ser um espectáculo pouco agradável.

Ouviu Sarah pedir a alguém que fosse chamar o médico mas este demorou algum tempo a chegar e saiu quase imediatamente depois de dar a Sarah algumas instruções lacónicas e uma candeia para se alumiar.

— Não se vá embora — gritou Mary quando ele se afastou.

— As mulheres ocupam-se de ti — disse ele bruscamente. — Eu não consigo pôr-me de pé aqui dentro.

— Cabrão — lançou Sarah nas costas dele. Mas debruçou-se para limpar a cara de Mary com ternura. — Ainda me tens a mim — disse, num tom reconfortante. — Eu sei o que fazer, linda, vai correr tudo bem.

A dor era terrível e Mary parecia senti-la até na pele enquanto Sarah lhe lavava as nádegas e as coxas com água fria. Ao dar um forte e longo empurrão, sentiu o bebé a sair e ouviu Sarah gritar que já lhe via a cabeça.

Mary teve a sensação de que estava a ser-lhe puxado do corpo um peixe enorme e viscoso. As dores haviam parado e ela ouviu vozes atrás da cortina.

— Tens uma menina — exclamou Sarah, encantada. — E é grande como tudo.

A luz da candeia era fraca mas Mary viu Sarah segurar no que parecia um coelho esfolado. A menina rompeu então a chorar, um grito furioso e provocante, como que consternada por se encontrar no porão escuro de um navio.

— Vai viver — disse Sarah, com alívio na voz, pousando a bebé nos braços de Mary. — E agora, que nome lhe vais pôr?

Mary não foi capaz de responder imediatamente. Não conseguia tirar os olhos da filha, que tinha uma trunfa de cabelo preto, parecia roxa à luz fraca da candeia e os seus pequenos pulsos socavam o ar. Parecia inacreditável que aquela criaturinha furiosa tivesse crescido dentro de si.

— Vou chamar-lhe Charlotte — acabou por dizer. — Como o navio. — Depois, recordando o rosto de Graham a olhar ternamente para ela, na noite em que provavelmente conceberam a criança, acrescentou: — Charlotte Spence.

— Spence? — perguntou Sarah. — Que diabo de nome é esse?

Mary não foi capaz de responder a esta pergunta. — Podes dar-me de beber agora? Estou cheia de sede.

Era muito tarde, nessa noite, quando Charles White voltou para a sua cabina, depois de ter descido ao porão para verificar se o bebé de Mary chegara bem ao mundo. Serviu-se de um copo de *whisky* e depois sentou-se a escrever o seu diário.

«8 de Setembro», começou. «Mary Broad. Deu à luz uma menina perfeita.»

Permaneceu sentado por um momento, incapaz de pensar em mais nada que tivesse acontecido nesse dia. A imagem de Mary, a embalar a filha naquele porão imundo e malcheiroso, era a única coisa que ocupava o seu espírito. Ao longo dos anos, assistira a muitos partos, desde mulheres distintas em belas casas a camponesas em casebres, tendo-as ajudado a todas, emocionado com o milagre de uma vida nova. Sentia-se um pouco envergonhado por ter deixado Mary por conta dela, pois ela era inquestionavelmente boa pessoa, superior às companheiras pela sua inteligência e modos calmos e reservados.

Talvez fosse por saber que era pouco provável que a criança sobrevivesse mais do que algumas semanas. A mortalidade infantil já era alta em terra firme, mas num navio com ratazanas, piolhos, água insalubre e todo o tipo de doenças potenciais, à espreita de alguém vulnerável, um recém-nascido tinha poucas hipóteses. Até agora, haviam-se registado surpreendentemente poucas mortes, na maioria causadas por doenças trazidas dos navios-prisão pelos prisioneiros. Mas ainda faltava muito tempo para chegarem à baía de Botany.

E quando chegassem as coisas tornar-se-iam muito mais difíceis. Seria necessário construir casas, lavrar e semear a terra. Os nativos podiam ser hostis, o tempo inclemente. Não era propriamente um ambiente ideal para criar crianças pequenas.

Mas pensou que Mary daria uma óptima mãe pois possuía muitas qualidades extraordinárias. Mais uma vez, interrogou-se sobre quem seria o pai da criança e considerou a possibilidade de ser Tench, que estivera no *Dunkirk* com Mary. Ele estivera claramente a aguardar notícias dela e os seus olhos haviam-se iluminado quando White o informou do nascimento. Fora com ansiedade que quisera saber o sexo e nome do bebé e se Mary se encontrava bem.

Mas, apesar de tudo isso, não considerava Tench o género de homem que dormisse com uma reclusa. Era um jovem íntegro e honesto, com uma profunda dignidade natural, mais interessado em endireitar o mundo do que em correr atrás de saias. Mas nutria sentimentos a respeito de Mary Broad, isso pelo menos era evidente. E era compreensível, aliás, quando até um médico velho e rabugento como ele a achava intrigante.

Charles soltou um profundo suspiro. Havia demasiadas incógnitas nessa louvável ideia de esvaziar os navios-prisão e de mandar os indesejáveis para o outro lado do mundo. No fundo, ninguém sabia nada a respeito do clima da região e do seu povo indígena, nem se a terra era cultivável. Era um risco enorme, não apenas com as vidas dos prisioneiros, já que seriam poucas as pessoas em Inglaterra que se importavam com eles, mas com aqueles que eram despachados para mantê-los na linha.

Até o capitão Arthur Phillip, o oficial no comando de toda a frota, expressara a sua preocupação com a insuficiência de provisões, ferramentas e vestuário nos navios de abastecimento e com a má qualidade daquilo que havia. E também não havia muitos artífices especializados entre os prisioneiros.

Charles olhou sombriamente para a folha em branco do diário. Se todos os prisioneiros fossem como Mary Broad e Will Bryant, pessoas inteligentes e com recursos, talvez o projecto tivesse hipóteses de sucesso. Infelizmente, uma enorme proporção deles consistia em perfeitos canalhas, o lodo do fundo do barril de Inglaterra. Na verdade, a ideia estava condenada à nascença.

À medida que o navio rumava para o porto da Cidade do Cabo, cinco semanas mais tarde, Mary estava na amurada com Charlotte nos braços, maravilhada com a beleza do cenário diante de si.

O sol estava a pôr-se, o céu tingido de rosa e malva, e os onze navios viajavam agora próximos uns dos outros, as velas enfunando ao vento. O mar era azul-turquesa e um grupo de golfinhos saltava e mergulhava à sua volta como que a apresentar um espectáculo. Há vários dias que vinham vendo golfinhos e baleias também, uma visão de que Mary nunca se cansava.

— E tu nem sequer estás a olhar — disse ela ternamente a Charlotte, profundamente adormecida e embrulhada no cobertor que Tench lhe dera.

O calvário do nascimento da filha fora já esquecido. Mary não tinha falta de leite e Charlotte crescia a olhos vistos. Mas a verdade era que Mary dedicava toda a sua atenção à filha.

Nunca teria imaginado que pudesse sentir tanto pela sua menina. Raramente a pousava, pois não confiava que as outras mulheres não lhe enfiassem os dedos sujos na boca ou não a deixassem cair se pegassem nela ao colo. Um dos marinheiros fizera-lhe um pequeno berço para ela dormir mas, apesar de Mary a pôr nele no convés durante o dia, com um pano por cima para a proteger do sol, à noite tinha tanto medo das ratazanas que dormia com Charlotte firmemente aninhada nos seus braços.

O comandante Gilbert dissera que ela poderia ser baptizada quando chegassem à Cidade do Cabo. O clérigo da frota subiria a bordo. Mary ficara sensibilizada: esperara que o filho de um prisioneiro fosse tratado com desdém, como se não fosse inteiramente humano.

— Devemos poder ver Table Mountain amanhã de manhã — disse Tench, surgindo de súbito ao lado dela. Mary não o vira nem o ouvira aproximar-se. — E realmente lembra uma mesa — continuou. — Plana em cima e, quando está coberta de nevoeiro, dá ideia que é uma toalha de mesa, pelo menos pelo que me dizem. Nunca estive na Cidade do Cabo.[1]

---

[1] Table Mountain (literalmente Monte da Mesa) é uma montanha que domina a paisagem da Cidade do Cabo, na África do Sul. *(N. da T.)*

— Há-de poder explorá-la — disse Mary melancolicamente. — Ver todos esses animais selvagens e o resto.

Sabia que Tench gostava de explorar e de escrever no seu diário sobre os lugares que visitava e sobre o que via. Nunca conhecera um homem tão entusiástico a respeito de novas terras e coisas estranhas.

— Não vais ser prisioneira toda a vida, Mary — disse ele, num tom terno de simpatia. — Quando a colónia na baía de Botany começar a prosperar e a tua pena chegar ao fim, haverá oportunidades para uma mulher como tu vencer.

— Nessa altura, já terá voltado para casa — disse ela, tentando soar despreocupada.

— Imagino que sim — disse ele. — Mas tu farás parte de uma nova comunidade e não tenho dúvidas de que também te casarás. Talvez a pequena Charlotte venha a ter um irmão ou uma irmã. — Inclinou a cabeça para a bebé ao colo de Mary e beijou-a na testa. — Decide-te pelo Will Bryant, Mary, é o melhor homem para ti.

Tench nunca mais falara em Will desde que Charlotte nascera mas o facto de não se ter esquecido mostrava a Mary que encarava o assunto com muita seriedade.

— Como é que eu procedia, supondo que achava boa ideia? — perguntou.

Tench pensou por um momento. — Se fosse a ti, punha as cartas na mesa. Enumerava as vantagens de ele ter uma mulher. Sobretudo alguém como tu.

Mary sorriu levemente. — Em Inglaterra, seria considerada a pior escolha possível para um homem. Não tenho jeito para cozinhar e costurar nem para essas coisas próprias de uma mulher.

— Não há-de haver grande necessidade de talentos domésticos na baía de Botany — disse Tench com um sorriso irónico. — Serão os mais rijos e os mais adaptáveis que hão-de lá singrar. Tu tens firmeza de carácter, Mary, e não te falta determinação. O Will sabe disso e admira-te. Não me parece que seja muito difícil convencê-lo.

— No seu caso, que é que achava de uma mulher que o pedisse em casamento? — perguntou ela, sorrindo, como se não passasse de um gracejo.

— Isso dependia de quem fosse a mulher — respondeu Tench, a rir. — Se fosse rica e bela, só me sentiria lisonjeado.

112

— Portanto, uma condenada pobre e feia nunca teria hipótese? — disse ela, tentando imprimir um tom de brincadeira à voz mas detectando um registo queixoso.

Ele não respondeu e Mary sentiu-se envergonhada.

— Peço desculpa, causei-lhe embaraço — disse.

Para sua surpresa, ele virou-se para a encarar e pousou-lhe a palma da mão suavemente na cara. — O que eu disse foi que me sentiria lisonjeado se uma mulher rica e bela me pedisse em casamento. Sentir-me-ia igualmente lisonjeado se fosse uma condenada de quem eu gostasse verdadeiramente. Mas não aceitaria o pedido de nenhuma — disse ele, olhando-a nos olhos. — Não por não gostar dela o suficiente ou por pensar que não estava à minha altura mas porque não sou do género de casar, Mary. Há muitos lugares que quero conhecer antes de assentar com uma mulher.

— Corre o risco de acabar um velho solitário — disse Mary, engolindo em seco e reprimindo as lágrimas.

— É verdade, mas pelo menos não teria deixado uma mulher sozinha sem mim enquanto explorava o mundo — disse ele, sorrindo. — Nem filhos sem um pai presente.

O baptismo de Charlotte teve lugar depois de fundearem na Cidade do Cabo para uma escala de três dias. O reverendo Richard Johnson subiu a bordo, no domingo de manhã, celebrando um serviço religioso para toda a tripulação do navio e para os prisioneiros.

Mary era a única prisioneira que não estava acorrentada. Os seus grilhões haviam sido removidos para a cerimónia mas seriam repostos assim que terminasse. Esforçara-se por melhorar a sua aparência, lavando o cabelo até brilhar e envergando o vestido de algodão cinzento que Graham lhe oferecera no *Dunkirk*. Desejou que não estivesse tão amarrotado pois tivera de o esconder no porão quando lhe foi distribuído o vestido grosseiro e sem formas das mulheres prisioneiras.

O reverendo Johnson dirigiu o sermão aos prisioneiros, afirmando que a baía de Botany era uma oportunidade de ouro para todos eles, se abandonassem o caminho do Mal graças ao qual tinham sido deportados. Instigou os homens a escolherem uma mulher, pois só no matrimónio encontrariam a verdadeira felicidade e contentamento.

Mary tomou consciência dos olhos de Will fixos nela ao avançar com Charlotte nos braços para a cerimónia de baptismo. Quando o reverendo Johnson deitou água na cabeça da bebé e esta começou a gritar a plenos pulmões, abafando as palavras dele, Mary rezou uma oração silenciosa, não apenas pela segurança de Charlotte mas para que Will a aceitasse como mulher.

Passou uma semana antes de Mary ter oportunidade de falar com Will, pois o mau tempo obrigara-os a permanecer no porão. A subida pela escada de escotilha com um bebé nos braços continuava a ser perigosa, porque os degraus eram escorregadios, mas ela estava desesperada por sair para o ar fresco.

Will estava mais uma vez a pescar no convés. Ao ouvir passos atrás de si, virou-se e sorriu. — É bom estar cá fora, não é?

— Não aguentava nem mais um minuto lá em baixo — disse Mary, rindo. — É como respirar sopa com uma semana.

— Tu e eu somos feitos da mesma fibra — disse Will, olhando-a, aprovador. — Como está a pequenita?

— Óptima — disse Mary, olhando para a menina adormecida que prendera à sua volta num xaile, por segurança. — Gostava de saber se há bebés nos outros navios.

— Vários, ouvi dizer — respondeu Will. — Assim pelo menos a Charlotte há-de ter com quem brincar quando for maiorzinha.

— E se as pessoas se casarem como o reverendo sugeriu, não há-de tardar a haver mais — acrescentou Mary.

Will soltou uma gargalhada. — Há muitos que não hão-de esperar pela cerimónia. Desconfio que vamos ter bebés para dar e vender antes de o primeiro ano chegar ao fim.

— Mas há três homens para cada mulher — disse Mary sem rodeios. — Imagino que as mulheres vão ter muita procura.

Sentia-se nervosa, certa de que agora era o momento, mas receosa de exprimir o que lhe ia na mente.

— Eu não vou ter problemas, vais ver — disse Will. — Hão-de fazer bicha para me ter.

Mary sentiu uma ponta de irritação perante a arrogância dele.
— Então é melhor escolheres com cuidado — disse ela rispidamente. — Pelo que tenho visto no porão, são poucas as mulheres com bom senso e as dos outros navios são capazes de ainda ser mais estúpidas.

— Tu não eras mau partido para um homem — disse Will inesperadamente. — Tens uma cabeça sã e não és desmazelada como a maioria das outras.

Mary respirou fundo para se acalmar. — Era um bom partido para ti — disse num impulso. — Entendo de barcos e de pesca. Somos da mesma terra e os oficiais gostam dos dois.

Will pareceu espantado com a sugestão. Olhou para ela boquiaberto.

— Queres que eu me case contigo, é isso? — perguntou por fim com uma certa tensão na voz.

— Podia calhar-te pior — disse ela, corando até à raiz dos cabelos. — Sou forte e saudável e trabalho no duro para conseguir o que quero. Sei que tenho a Charlotte e às tantas um homem não quer a criança de outro... — Calou-se subitamente, incapaz de pensar noutra boa razão para ele a escolher e envergonhada por ter de implorar.

— Nunca me passaria pela cabeça que... — exclamou Will mas abriu-se num sorriso. — Pensei que eras demasiado orgulhosa para te vergares perante quem quer que fosse.

— Não me estou a vergar — apressou-se a dizer. — Gosto de ti e é um arranjo prático.

— Eu não quero uma mulher que só goste de mim — disse ele. — Quero que ela arda de desejo por mim.

Mary estava preparada para se esforçar para que Will concordasse com a sua proposta mas não se sentia capaz de fingir uma grande paixão por ele. Confrontada com o seu sorriso convencido, sentiu-se tonta e incapaz.

— Há mais de um ano que somos bons amigos — disse depois de reflectir uns momentos. — Queres que uma amiga te minta?

— Claro que não — respondeu Will, embora continuasse com um sorriso convencido. — Mas continuo a preferir uma mulher que arda de desejo por mim.

115

— Talvez com o tempo isso venha a acontecer — disse ela irre-flectidamente, ficando vermelha como um tomate porque tinha a certeza de que ele havia de ir a correr contar aquela conversa aos outros homens. — Ainda não tivemos a oportunidade de nos co-nhecer dessa maneira. — Mas antes que pudesse dizer mais, um dos soldados soltou um súbito grito de alarme: estavam claramente demasiado próximos para o gosto dele.

— Tenho de ir — disse Mary apressadamente. — Pensa nisso.

As semanas que se seguiram custaram a passar, com tempesta-des e vendavais violentos, contrastando com períodos de acalmia em que o barco mal se movia. A ração de água doce foi diminuída para economizar e a comida estava a começar a apodrecer. Mary vivia momentos de extrema ansiedade em que parecia que o seu leite ia secar e sentia-se assustada com o que lhe reservava o futuro.

Na sua maioria, as outras mulheres andavam tão aparvalhadas que pareciam convencidas de iam para um lugar preparado para as receber. Mary sabia que iam viver em tendas e que era provável que parte dos alimentos que tinham levado se deteriorassem durante a viagem, como acontecera a alguns dos animais, que haviam pereci-do. Antes de Charlotte nascer, nunca pensara na possibilidade de o navio naufragar mas agora, sempre que rebentava uma tempestade, o medo não a abandonava. As águas que sulcavam eram pratica-mente inexploradas, nenhum dos tripulantes as havia alguma vez cruzado. Tanto quanto se sabia, os indígenas da baía de Botany po-diam ser canibais, podiam cair todos nas garras de animais selvagens.

Mas, num certo sentido, o pior era que Will nunca mais lhe dis-sera nada a respeito da sua proposta. Não sabia se isso queria dizer que continuava a pensar sobre ela ou se a achava demasiado absur-da para a considerar.

CAPÍTULO 5

1788

Mary estava a subir a escada de escotilha com Charlotte ao colo quando ouviu o grito: «Terra à vista!» Sentiu uma onda de entusiasmo louco e subiu a correr os últimos degraus, atravessando o convés para se juntar aos membros da tripulação e a outros prisioneiros na amurada.

O que viu não parecia exactamente terra, unicamente uma linha mais escura no horizonte distante que podia perfeitamente ser uma nuvem, mas ela sabia que não era provável que o marinheiro empoleirado no cordame que a avistara se tivesse enganado.

Era Janeiro, um ano inteiro desde que Mary fora transferida do *Dunkirk* para o *Charlotte*, oito desses doze meses passados no mar. Charlotte tinha agora cinco meses. Cinco homens prisioneiros e a mulher de um soldado da Marinha tinham morrido no *Charlotte* mas as suas mortes foram atribuídas a doenças trazidas de Inglaterra e não à falta de cuidados na viagem. No geral, os prisioneiros gozavam de melhor saúde do que quando tinham embarcado, graças ao ar fresco e à melhoria das rações. No entanto, eram poucas as pessoas que não haviam sofrido um acidente qualquer, fosse ele uma perna ou um braço partido ou simples cortes e pisaduras, porque o convés e os degraus do navio eram perigosamente escorregadios em dias de mau tempo.

No geral, Mary considerara a viagem uma experiência agradável. Embora muitas vezes se tivesse sentido aterrorizada no auge das piores tempestades e desesperada perante o rancor e perversidade

117

de algumas das suas companheiras de cárcere, a felicidade que Charlotte lhe trouxera contrabalançara esses aspectos negativos. Ao contrário de todas as previsões sombrias, a criança crescia. Parecia deslumbrar toda a gente, desde os oficiais, soldados e marinheiros até aos outros prisioneiros, com os seus sorrisos espontâneos e gorgolejos pacatos. Instilara em Mary uma genuína esperança no futuro mas, agora que estavam prestes a chegar ao destino, a sua excitação estava também contaminada pela ansiedade.

Tench dissera-lhe, na Cidade do Cabo, que a frota seria dividida, os navios mais rápidos avançando à frente para preparar a colónia, mas ela sabia que isso não acontecera. O mau tempo e ventos desfavoráveis tinham atrasado os primeiros navios e os restantes, incluindo o *Charlotte*, tinham-nos apanhado. Mary via agora todos os navios e era aterrador saber que não havia nada preparado para os receber e que, tanto quanto sabiam, os indígenas podiam ser hostis.

Will Bryant e o pequeno Jamie Cox estavam na amurada e Mary foi ter com eles. — É uma vista fantástica — disse Will com entusiasmo, fazendo um gesto amplo com as mãos na direcção dos outros navios. — Tive medo que perdêssemos pelo menos um mas chegaram todos.

A perspectiva de um naufrágio estivera presente no espírito de todos durante as violentas borrascas e mais ainda no de Mary com Charlotte para proteger. Sempre lhe dera algum conforto ver, depois de uma noite tempestuosa, pelo menos um dos outros navios ali perto de manhã. O comentário de Will sugeria que havia tido os mesmos receios.

— Não tens medo do que nos espera? — perguntou ela.

Ele encolheu os ombros. — Só de não haver comida suficiente para todos enquanto não cultivarmos a terra — admitiu ele com uma certa relutância.

— E tu, Jamie? — perguntou Mary.

Ele sorriu timidamente. — Dos nativos, sobretudo. E se são canibais?

— Não és grande repasto para eles — disse Mary, rindo e dando-lhe uma cotovelada. Jamie tinha engordado um pouco durante a viagem mas ainda lhe parecia uma criança escanzelada.

— E tu, de que é que tens medo? — Will perguntou a Mary.

118

— Principalmente dos outros prisioneiros que não conhecemos — respondeu ela. — E de não poder proteger a Charlotte.

— Eu olho por ti — disse ele, dando-lhe uma palmadinha no braço com a sua grande mão.

Mary interrogou-se sobre o que significaria exactamente aquela observação. Embora tivesse retomado aos poucos a antiga amizade que sentia por ele antes de o ter pedido em casamento, nunca mais falara no assunto e ele também não. Tinha de concluir que ele não a desejava como mulher e que o silêncio era a sua maneira de não a envergonhar mais.

— Espero que estejas a ser sincero — disse ela com um sorriso. — Mas imagino que hás-de andar ocupado a escolher entre tantas mulheres. Não vou alimentar muitas esperanças.

Passaram mais três dias antes de o *Charlotte* entrar na baía de Botany, pois apanharam ventos desfavoráveis. Mas não se ouviram aclamações, sorrisos ou gargalhadas dos marinheiros, soldados ou prisioneiros quando tiveram a sua primeira visão da nova terra que vinham de tão longe povoar. Por uma vez, todos reagiram do mesmo modo, num silêncio chocado.

A terra tinha um ar absolutamente desolado e ressequido sob o calor tórrido do sol. Não havia as esperadas pastagens verdejantes e as poucas árvores eram rasteiras e enfezadas. Mas ainda mais assustadora foi a visão dos indígenas muito negros e completamente nus que brandiam, ameaçadores, as suas lanças aos navios. Era perfeitamente claro que não lhes agradava ver estrangeiros brancos a invadir o seu território.

A maior parte dos navios da frota chegara antes do *Charlotte* e um grupo de oficiais e soldados já desembarcara para tentar arranjar um local conveniente para acamparem. Mas os prisioneiros não foram autorizados a permanecer no convés, assistindo ao desenrolar dos acontecimentos; mais uma vez, foram obrigados a regressar aos porões onde foram trancados.

Só semanas mais tarde é que Mary soube o que se passara durante os dias intermináveis em que, juntamente com as companheiras, ficou encarcerada no porão, sob um calor sufocante. Uma das histórias que as teria divertido era que os indígenas, não sabendo distinguir o sexo dos oficiais, pediram a um deles que descesse os calções para lhes mostrar.

Parecia que o capitão Arthur Phillip conseguira contornar a hostilidade dos nativos com presentes de missangas e quinquilharias mas ficara assustado ao descobrir que era impossível mais de mil pessoas e todos os animais subsistirem na baía de Botany. O solo não era fértil e a fonte de água encontrava-se no sítio errado. Assim, com um pequeno grupo, partiu nos botes do navio para tentar localizar um lugar mais conveniente mais à frente na costa, deixando o resto da companhia a abater árvores para o caso de não encontrarem nada melhor.

Chegou a um local chamado Port Jackson que, a partir da leitura do relatório do capitão Cook, entendia tratar-se de uma simples enseada. Como a tarde ia adiantada, ordenou aos seus homens que penetrassem entre os dois promontórios gigantes para inspeccionar e, uma vez lá, descobriu que não era enseada nenhuma mas um imenso porto natural, o melhor que já vira em todo o mundo.

Deliciado por descobrir tal tesouro com muitas baías abrigadas, árvores e água doce, continuou e chegou a um lugar onde a água era suficientemente profunda para os navios se aproximarem da costa. Deu-lhe o nome de Enseada de Sydney, em honra do ministro Lord Sydney, a quem enviava os seus relatórios. Parecia igualmente que os indígenas ali eram mais amigáveis. Seria então na Enseada de Sydney que se estabeleceria a primeira colónia na Nova Gales do Sul.

Mary e os outros prisioneiros nada sabiam sobre o que se estava a passar. Suando, ofegantes, no calor dos porões, a única coisa que sabiam era que haviam chegado a um lugar infernal e estéril, povoado por temíveis selvagens. Não era de admirar que muitos deles se convencessem de que a longa viagem fora inútil e que estavam agora condenados à morte.

Só a 26 de Janeiro, quando os prisioneiros ouviram o levantar da âncora e o som das velas a serem içadas, sentiram uma esperança renovada no futuro. Quando o *Charlotte* aportou na enseada de Sydney era noite e demasiado escuro para distinguir o que quer que fosse. Ninguém informou os prisioneiros que a capitânia *Sirius* chegara muito antes nesse dia e que os seus oficiais haviam desembarcado, hasteado a bandeira inglesa e realizado uma simples cerimónia em que dispararam uma salva e brindaram à saúde da família real e ao sucesso da nova colónia. Mas era óbvio para todos os prisioneiros, pelos gritos de júbilo que se ouviam das tripulações dos navios fundeados na baía, que era ali que se fixariam.

Na abafada e fétida escuridão dos porões, não podiam participar nos festejos. Sentiam-se aliviados, pois em breve pisariam terra firme e dormiriam em tendas, mas também receosos, pois aquela nova prisão que ainda tinham de construir era tão remota que sabiam que era pouco provável que alguma vez voltassem a ver a Inglaterra e os entes queridos lá deixados.

Ao raiar do sol, na manhã seguinte, o som de machados a abater árvores encheu o ar e as mulheres precipitaram-se para as vigias para ver.

— Tem melhor aspecto que o sítio anterior — disse Bessie alegremente.

— Realmente tem — concordou Mary. O sol matinal reflectia-se no mar azul-turquesa e a costa estava povoada de árvores, algumas bastante grandes crescendo nos montes atrás da baía. Embora não se visse nada a que pudesse chamar-se pastagens, era verdade que aquele lugar não apresentava a mesma aparência desolada da baía de Botany.

Enquanto observavam, viram botes a ser descidos dos outros navios e homens prisioneiros do *Friendship* a embarcar neles.

— Só queria saber quando desembarcamos — disse Bessie melancolicamente.

— Espero que seja em breve — suspirou Mary — Aqui em baixo está demasiado quente para a Charlotte.

Passara mais de uma semana quando as mulheres saíram dos navios. Foram autorizadas a subir ao convés durante esse tempo, enquanto os homens montavam tendas, cortavam árvores e construíam barracões e uma serração, mas foi-lhes dito que tinham de permanecer a bordo até a ordem ser restabelecida em terra.

A excitação aumentava de dia para dia. Recordava a Mary a expectativa que precedia o Primeiro de Maio em casa. As mulheres que tinham roupa de reserva pegaram nela e procuraram algo de mais atraente para vestir mas a maioria embarcara no *Charlotte* apenas com a roupa que trazia no corpo.

No entanto, pairava no ar um novo espírito de generosidade e as que nada tinham receberam a oferta de fitas, rendas e pequenas bugigangas. Ajudaram-se mutuamente a lavar e a encaracolar o cabelo e as que sabiam coser prestaram-se de bom grado a auxiliar as que não sabiam.

Ouviam as mulheres no *Lady Penryn* ocupadas em actividades semelhantes. As suas gargalhadas e comentários obscenos chegavam ao *Charlotte* e o cordame estava enfeitado com roupa de todas as cores do arco-íris a secar.

Apesar de se sentir tão entusiasmada como as outras mulheres, Mary também estava apreensiva. Bastava um relance para o *Lady Penryn* para perceber que todas aquelas mulheres londrinas iam mostrar-se muito mais experientes do que ela e sem dúvida mais atraentes. A bordo do *Charlotte*, gozava de uma certa distinção e era admirada pela sua capacidade de levantar a voz em nome das prisioneiras, pelo seu sentido de justiça e pelo facto de ser mãe. A sua amizade com Will iria decerto protegê-la contra quaisquer perigos entre o seu numeroso grupo de amigos. A maioria dos oficiais e soldados também a respeitava. Ganhara inclusivamente a confiança das mulheres e dos filhos destes.

Mas em terra teria de recomeçar do zero. Teria de estar permanentemente na defensiva. Receava que Mary Haydon e Catherine Fryer tentassem denegri-la junto de quem quisesse ouvi-las e se deleitassem em vê-la humilhada. Os oficiais dos outros navios não lhe demonstrariam a confiança nem lhe dariam a liberdade a que se habituara. Não passaria de um pequeno peixe num grande lago sem ninguém para a proteger a ela e à filha.

No domingo, 3 de Fevereiro, o reverendo Richard Johnson celebrou uma missa para os homens, à sombra de uma árvore enorme. Como todas as mulheres, Mary assistiu no convés do navio, um pouco apavorada com a visão de setecentos homens, prisioneiros, oficiais, soldados e marinheiros reunidos a orar. Will era mais alto e entroncado do que a maioria dos outros homens, o seu cabelo louro brilhando, quase branco, ao sol. Ao seu lado, estava Jamie Cox, tão pequeno que, comparado com ele, parecia uma criança.

Uma cabeleira ruiva na multidão levou Mary a olhar com mais atenção, descobrindo para sua surpresa que era Samuel Bird. Reparando melhor, distinguiu James Martin ao seu lado, os ombros encurvados e o grande nariz inconfundíveis.

Ficou felicíssima pois era quase como reencontrar pessoas de família e presumiu que tinham viajado num dos outros navios de deportados, talvez até separados de Will para impedi-los de, juntos, instigarem algum tipo de motim.

Tench encontrava-se com os outros oficiais, o chapéu enfiado debaixo do braço, e a simples distância entre os prisioneiros e os oficiais serviu para lembrar mais uma vez a Mary que, agora que a viagem chegara ao fim, era pouco provável que a sua amizade com Tench perdurasse.

Três dias mais tarde, as mulheres desembarcaram. A excitação aumentara, ao longo da última semana, e ao serem transportadas de bote para terra, Mary sentiu-se tão tonta e alegre como as companheiras. Era fantástico ver toda a gente assim feliz depois das adversidades da viagem, com as faces coradas e os olhos brilhantes, como um grupo de damas de honor num casamento.

Para Mary, bastou a ideia de voltar a pisar terra firme, de estar longe do mau cheiro dos baldes de dejectos e de escapar à ameaça nocturna das ratazanas para o seu coração começar a pulsar aceleradamente. Mas tinha consciência de que, no caso das outras mulheres, eram principalmente os homens na praia que as alvoroçavam.

À medida que se aproximavam de terra e Mary distinguia os homens à espera delas, sentiu um medo súbito e apertou Charlotte com mais força contra o peito. A expressão na cara dos homens fazia-lhe lembrar uma ocasião em que um barco atracara no porto de Fowey ao fim de semanas no mar. Tinha observado então essa mesma expressão esfomeada e, embora na altura não tivesse compreendido por que razão a mãe a chamava sempre, a ela e a Dolly, para dentro de casa, agora compreendia.

Os marinheiros possuíam uma espécie de charme rude, eram fortes e saudáveis, arranjavam-se o melhor que podiam sempre que iam a terra. Mas aqueles homens, à espera das prisioneiras, eram andrajosos e imundos, mais como uma imensa matilha de cães selvagens do que seres humanos.

Algumas mulheres começaram a gritar-lhes obscenidades, baixando os decotes e soprando beijos. Noutro bote, vindo do *Lady Penryn*, uma mulher chegou mesmo a pôr-se de pé e a levantar o vestido para mostrar as partes pudendas.

Os soldados da Marinha empurraram os homens para trás quando os botes foram arrastados para a praia e as mulheres saíram mas Mary achou que os soldados eram quase tão maus como os condenados. Estavam a rir, a piscar os olhos, a agarrar nas mãos das mulheres e não transmitiam minimamente a impressão de estarem ali para ajudar o sexo mais fraco.

Mary abriu caminho à cotovelada, com o berço de Charlotte num braço, o outro envolvendo defensivamente a filha, quase ensurdecida pelas vaias, pelos comentários grosseiros e pedidos de beijos. Era emocionante, quase um somatório de todas as festas e feiras em que já estivera, mas ao mesmo tempo aterrador. Parecia-lhe estranho que os oficiais se limitassem a assistir, depois de todos os esforços que haviam feito para os manter separados durante a viagem.

Chegaram mais botes, depositando mais e mais mulheres na praia e a confusão aumentou, os empurrões e as cotoveladas tornando-se mais agressivos. Mas isso acontecia tanto do lado dos homens como das mulheres — algumas corriam mesmo para os homens para os beijar e abraçar.

Mary queria tirar as botas, correr descalça pela areia, admirar as aves exóticas que os miravam das árvores, comprazer-se na sua nova liberdade. Mas compreendeu que não era possível por agora, tinha de se proteger na segurança de um grupo.

Vendo um pequeno grupo de mulheres à parte com crianças, Mary correu na sua direcção.

— Deus tenha misericórdia de nós — disse, esbaforida. — Isto está a ficar descontrolado!

Uma mulher alta, com um vestido castanho-escuro e um chapéu de fitas e com uma criança pequena ao colo, respondeu: — Há algum tempo pedimos para nos levarem para um lugar seguro — disse. — Mas os nossos maridos parecem distraídos.

Mary apercebeu-se então de que aquelas mulheres eram esposas e parentes de soldados e, como fora tratada com bondade pelas que viajaram no *Charlotte*, presumiu que aquele grupo seria idêntico.

— Posso ficar na vossa companhia? — perguntou. — Tenho medo pela minha pequenina.

A expressão da mulher tornou-se tensa. — Vai ter com as outras do teu navio — disse ela com secura. — É o teu lugar.

Humilhada, Mary virou-se e afastou-se, apercebendo-se de que o breve encontro havia demonstrado como seria a vida ali.

Mais tarde, estabeleceu-se um pouco mais de ordem quando os soldados dispararam uma salva de aviso por cima das cabeças dos prisioneiros e as mulheres foram conduzidas às tendas que lhes estavam destinadas. Mas mesmo pelo caminho, Mary ouviu comentários e risadas que sugeriam que, na sua maioria, as mulheres estavam demasiado excitadas para ser possível controlá-las durante muito tempo.

Mary, Bessie e Sarah conseguiram ficar juntas mas as outras três mulheres com quem tinham de partilhar a tenda eram estranhas. A líder das três, que anunciou chamar-se Cheapside Poll, era alta e escanzelada com olhos azuis duros e um vestido às riscas, complementado com um chapéu vermelho amassado. Pousou um saco de viagem em pano junto da estaca da tenda e olhou para Mary e para as amigas com animosidade.

— Se alguma de vocês pensar sequer em mexer aqui, corto-lhe as narinas — disse. Olhou em volta para as companheiras e incitou-as a explicar aquilo de que era capaz.

— Foi o que ela fez a uma mulher em Newgate — disse, deliciada, uma gorda, com uma cara bexigosa. — Nunca ouvi gritos daqueles na vida.

— Não somos ladras — disse Mary, se bem que supusesse que o eram. Agora estava assustada; as três mulheres tinham vozes ásperas e uma maneira de falar muito diferente da sua. Sabendo que Newgate era a famigerada prisão londrina, deduziu que era de onde elas vinham.

— Mantém essa fedelha bem longe de mim — atirou-lhe Poll, apontando para Charlotte. — Não tenho pachorra para gritaria.

Talvez fosse uma sorte que as três londrinas estivessem ansiosas por sair da tenda o mais depressa possível. Depois de estenderem os cobertores, desapareceram.

Mary sentou-se a dar de mamar a Charlotte mas era claro, pela irrequietude de Sarah e Bessie, que também ansiavam por sair. O aspecto das duas amigas era agora muito melhor do que em Inglaterra. Sarah estava mais cheia, com faces rosadas e cabelo brilhante, ao passo que Bessie, que era gorda quando chegaram ao *Dunkirk*, perdera doze quilos e a sua pele outrora macilenta apresentava um saudável tom de pêssego.

— Vamos dar uma vista de olhos — disse Bessie, ajeitando o cabelo. — Voltamos quando descobrirmos onde se obtêm as rações.

Mary desejara desembarcar tanto como as outras mas agora sentia-se à beira das lágrimas. Estava demasiado calor, já tinha o vestido ensopado em suor, precisava de arranjar água para beber e para refrescar Charlotte. À sua volta, ouvia vozes estridentes e grosseiras mas a língua que falavam não era o inglês que conhecia. Imaginou que seria a gíria da prisão de Newgate de que ouvira falar em Exeter pois havia certas palavras que lhe eram familiares. Não contava ter de aprender uma nova língua para além de tudo o resto.

No navio, sabia exactamente o que se esperava dela, uma rotina quotidiana que raramente mudava. Era uma entre apenas vinte mulheres, uma pessoa individual com nome e personalidade. Agora seria uma entre duzentas mulheres, misturadas ao acaso, sem regras de comportamento definidas. Se Cheapside Poll era um exemplo do que podia esperar do resto das mulheres, sabia que teria de encontrar novas forças para sobreviver.

As lágrimas corriam-lhe pelas faces enquanto segurava Charlotte contra o peito e as palavras que tantas vezes ouvira na igreja, por altura da Páscoa, vieram-lhe à memória: «Meu Deus, porque me abandonaste?»

Anoiteceu bruscamente, apanhando Mary de surpresa. Parecia não haver um período de crepúsculo como em Inglaterra. O ruído que tinha vindo a aumentar durante a tarde atingiu um apogeu frenético.

Mary enchera-se de coragem para explorar a fila de tendas das mulheres à procura das antigas companheiras e arranjar comida e água. Tinha detectado James Martin com Samuel Bird mas, embora eles tivessem acenado e gritado saudações, Mary não foi falar com eles pois estavam na companhia de homens com um ar mais desesperado. Tentou juntar-se às celebrações por algum tempo mas a ameaça subjacente levou-a a juntar-se a algumas das mulheres mais velhas que estavam tão nervosas como ela.

Os soldados da Marinha tentavam repetidamente separar os homens das mulheres, em vão, mas com o cair da noite as tentativas para controlar os prisioneiros foram abandonadas e viram-se casais a correr furtivamente para trás dos arbustos.

Mary estava a deitar Charlotte no berço, na tenda, quando um relâmpago iluminou a baía inteira. Seguiu-se um trovão, tão estrondoso que parecia um canhão, e Charlotte começou a berrar. Sucederam-se mais relâmpagos e trovões e depois chuva, a mais torrencial que Mary alguma vez vira. Em poucos minutos, o solo duro ficou alagado, a água escorrendo através da tenda como um rio.

Mary esperou que a tempestade acalmasse pelo menos o espírito dos foliões, pois apagou as muitas fogueiras acesas ao longo da praia. Contudo, acocorada na segurança da tenda a espreitar lá para fora, viu com horror que a tempestade só estava a atiçar ainda mais as pessoas. Cada relâmpago iluminava actos de obscenidade, mulheres a tirar a roupa, homens a precipitar-se para as agarrar e a possuí-las ali mesmo na lama. Mas, se aqueles actos eram horripilantes, pelo menos eram mútuos; noutros sítios, ela viu homens a atirar-se como bestas vorazes contra mulheres que fugiam deles desesperadas, os seus gritos reverberando em todo o acampamento. E não eram apenas os presidiários, alguns dos homens eram soldados, e enquanto observava, tapando a boca com a mão, viu mulheres idosas, demasiado frágeis e curvadas para correr, a serem derrubadas e violadas.

Parecia uma cena do inferno do qual vira uma vez uma imagem na catequese em Fowey, os homens dominados por uma luxúria demoníaca, algumas mulheres incitando-os com gritos de júbilo, outras gritando de terror. Viu uma mulher levantar-se a cambalear do chão quando o homem que a estava a violar a largou, tão absolutamente coberta de lama que era impossível distinguir-lhe os traços, e a ser de imediato atacada por outro homem enquanto outro esperava ao lado a sua vez.

Mary não sabia o que fazer. Fugir da tenda seria uma loucura, pois seria de certeza apanhada por alguém e, se levasse Charlotte com ela, podiam arrancar-lha dos braços e matá-la. Mas a tenda não lhe proporcionava qualquer protecção. Enquanto hesitava, outro relâmpago revelou um grupo de homens a percorrer a fila de tendas à procura de novas vítimas.

Tirando Charlotte do berço, passou a custo por baixo da parte de trás da tenda e escondeu-se aí por momentos, tentando decidir que direcção seria mais segura. Escapar para o interior parecia ser a melhor opção, com sorte haveria arbustos onde se esconder, e assim, segurando em Charlotte debaixo de um braço e levantando o vestido com o outro, correu com quantas pernas tinha para o abrigo das árvores.

Bateu com os pés descalços contra os tocos das árvores abatidas e tropeçou em ramos mortos mas, sem saber como, conseguiu não deixar cair a filha. Mas, quando se julgava a salvo do tumulto na praia, deparou-se com dois homens.

— Olha aqui — bradou um deles. — Carne fresca.

— Não me façam mal — gritou Mary, aterrorizada, sabendo que, para onde quer que fugisse, um deles a apanharia. — Tenho aqui um bebé.

— Nós não queremos fazer mal a bebés — disse um deles. — Pousa-o no chão e sê simpática connosco.

Mary gritou e apertou Charlotte ainda mais contra o peito. Mas um dos homens agarrou-a pelo ombro e empurrou-a para o chão.

Estendida de costas, sempre a segurar em Charlotte, que agora também berrava, Mary lutou com as únicas armas que tinha, as pernas e os pés. Estava demasiado escuro para ver mas sentiu o calcanhar acertar numa coisa mole e o grito que se seguiu sugeriu que atingira a barriga do homem.

— Saiam de cima de mim, seus brutos — gritou. — Não faltam aí atrás mulheres dispostas a isso.

Um dos homens prendeu-a pelos ombros e o segundo agarrou-a pelos joelhos e abriu-lhe as pernas à força. Mary sentiu-lhes o cheiro a suor e o hálito nauseabundo.

— Malditos sejam! — gritou, sempre a espernear freneticamente. — Socorro, ajudem-me!

O homem que lhe segurava nas pernas abertas estava a puxá-la para ele, ajoelhando-se à sua frente, enquanto o outro lhe imobilizava os ombros com uma força assombrosa. Ouviu alguém a avançar pelo mato, mesmo por cima dos berros de Charlotte, o que aumentou ainda mais o seu terror pois pensou que seria outro homem a querer juntar-se.

— Larguem-na — bramiu uma voz masculina e, chocada, Mary reconheceu a voz de Will. Não viu mais do que um vulto escuro e depois ouviu uma pancada e o homem que estava prestes a violá-la caiu para trás no chão.

Soou outra forte pancada e as mãos que lhe prendiam os ombros largaram-na. — Esta é a minha mulher — rugiu Will, levantando-a e apertando-a nos braços. — Pronto, pronto — disse, afastando-se ligeiramente dela para não esmagar Charlotte. — Está tudo bem agora.

Pegando-lhe no braço, levou-a dali. Mary concluiu que ele tinha derrubado os dois homens com uma moca qualquer, mas não se virou para ver.

— Violaram-te? — perguntou ele, sem fôlego.

— Não — sussurrou. — Chegaste a tempo.

Will levou-a mais para o meio das árvores e, quando chegaram a uma que oferecia abrigo da chuva torrencial, parou e obrigou-a a sentar-se.

— Magoaram-te a ti ou à bebé? — perguntou, sentando-se ao lado dela e passando-lhe o braço pelos ombros.

— Acho que não — respondeu Mary, embalando Charlotte para a serenar.

Nesse momento, rompeu em lágrimas, como já não lhe acontecia desde o julgamento. Todas as adversidades, privações, crueldade e humilhações que suportara durante tanto tempo pareceram vir à superfície só porque um homem se preocupava o suficiente para a consolar.

— Estás em segurança agora — sussurrou ele, apertando-a com força e embalando-a. — Não vou deixar que ninguém te volte a pôr as mãos em cima.

Pouco depois, parou de chover tão subitamente como começara e a lua apareceu por detrás das nuvens. Will continuou a abraçar Mary enquanto esta dava de mamar a Charlotte para acalmá-la. Estavam encharcados e cobertos de lama mas pelo menos não estava frio.

— Fui à tua procura quando as coisas começaram a ficar feias — explicou Will. — Tinha-me cruzado com a Sarah e a Bessie antes e elas disseram que estavas na tenda a pôr a Charlotte a dormir. Devia ter ido logo ter contigo.

— Comecei a ter medo praticamente assim que desembarcámos — admitiu Mary. — As pessoas não pareciam estar em si.

— Pareciam loucas — disse Will, em voz baixa, num tom chocado. — Nunca vi nada igual.

— Como é que me encontraste?

Ele ficou calado por um momento e ela deduziu que ele também não estava de consciência inteiramente tranquila.

— Vi um grupo a passar revista às tendas das mulheres — acabou ele por dizer. — Calculei que, se lá estivesses, saías por trás e fugias. Fui nessa direcção e ouvi o choro da bebé.

— Achas que vai ser sempre assim? — murmurou Mary. Estava a tremer de choque, as imagens vívidas do que vira na praia ainda a dançar-lhe diante dos olhos.

— Acho que não — disse ele com um suspiro. — Amanhã os oficiais vão assumir o controlo, há-de haver açoites para alguns, grilhões para outros, mas há-de serenar.

— Espero que tenhas razão — disse ela. — Mas não me agrada a ideia de viver com essas londrinas, metem-me um medo de morte.

— Tu, com medo? — perguntou ele, provocador. — Uma rapariga que tem o desplante de pedir um homem em casamento?

— Já estou arrependida — admitiu ela. — Deves ter achado um atrevimento. Foi só porque parecíamos ter tanta coisa em comum e eu gosto mesmo de ti; como ficou provado esta noite, as mulheres aqui precisam de protecção.

— Isso é verdade — disse Will pensativamente. — Mas acho que nós, os homens, também precisamos de uma boa mulher ao nosso lado. Portanto, vamos casar-nos.

— Queres casar comigo? — Mary ficou tão surpreendida que as suas lágrimas pararam de correr.

— Bem, não quero casar com uma dessas megeras londrinas cheias de bexigas — disse ele com uma gargalhada. — Tinhas razão, Mary. Tu e eu fazemos uma boa equipa. Hão-de precisar de quem saiba pescar, muitos dos víveres que vieram connosco estão putrefactos. Acho que consigo convencê-los de que precisamos de uma casa nossa, sou mais fino que a maioria.

Mary teve perfeita consciência de que ele não estava a fazer-lhe nenhuma declaração de amor mas apenas a dizer-lhe que a considerava limpa e útil para ele. No entanto, tinha afastado os dois homens por ela e confortou-a quando precisou. Aquele lugar ia tornar-se num verdadeiro inferno e ela duvidava que fosse capaz de aguentá-lo sozinha. Não esperava amor nem precisava dele, contentar-se-ia com protecção.

Quatro dias depois da terrível noite, o reverendo Johnson casou Will e Mary à sombra da grande árvore onde celebrara a primeira missa. Não estavam sozinhos, pois foi celebrada a união entre outros casais, talvez pelas mesmas razões de Mary e Will.

Mary não tinha roupa bonita para vestir, apenas o mesmo vestido cinzento, velho e enxovalhado, que tinha lavado e uma flor artificial no cabelo, que Cheapside Poll lhe emprestara num gesto estranhamente generoso.

Mary não alimentava grandes expectativas em relação ao casamento e ao novo território. Nos quatro dias desde o desembarque, observara que, na sua grande maioria, os condenados eram preguiçosos e matreiros. Eram capazes de roubar o que quer que fosse, desdenhavam da ideia de trabalhar para o bem comum e muitos já haviam começado a negociar rações ou objectos pessoais com os soldados a troco de bebida. Os soldados não eram melhores e imperava uma falta de organização por parte dos oficiais e do poder instituído que os deportara de Inglaterra.

Will não se enganara quando disse que parte dos alimentos estava putrefacta. Mary tivera de comer arroz a pulular de larvas e a carne de vaca salgada era quase intragável. As ferramentas eram de má qualidade, as roupas femininas demasiado escassas e havia uma grande falta de homens especializados.

Interrogou-se como seria possível cultivar naquele lugar desolado quando só havia dois homens, entre centenas, que entendiam alguma coisa de agricultura ou criação de animais. Como podiam construir uma cidade sem carpinteiros ou pedreiros especializados? O capitão Arthur Phillip mandara construir a sua casa usando lona de qualidade superior, um armazém para guardar os mantimentos e algumas tendas mais afastadas que constituiriam o hospital.

Mas a saúde dos animais que trouxeram não era a melhor e surgira um surto de disenteria entre os mais enfraquecidos pela viagem. O capitão Phillip podia sentir-se orgulhoso por só terem morrido quarenta e oito pessoas durante a viagem, mas quantas mais pereceriam antes do fim do ano?

Uma mulher de oitenta anos enforcou-se numa árvore na primeira noite em terra. Muitas mulheres ainda exibiam olhos negros e uma expressão atormentada. Havia cobras, aranhas e muitas moscas e insectos que podiam ser perigosos. Quanto aos indígenas, os oficiais pareciam apostados em obter a sua cooperação quando até uma rapariga analfabeta como ela percebia o seu azedo ressentimento contra a maré de brancos que pretendia expulsá-los da sua própria terra. Muitos interrogavam-se quanto tempo passaria antes de a curiosidade deles se transformar em fúria e começarem a matar.

Mas Will fora fiel à sua palavra. Não só prometera casar-se com ela como já chegara a acordo para ser o responsável pela pesca e conseguira autorização para construir uma cabana.

Mary olhou de relance para ele, em pé ao seu lado, e sorriu. A sua figura era atraente, com uma camisa e calções lavados; tinha mesmo rapado a barba farta e o cabelo louro brilhava como milho maduro. Ela sabia que a maioria das mulheres a invejava pois ele era, sem dúvida, o mais atraente e capaz dos homens prisioneiros. Era bem possível que viesse a ter uma trabalheira para garantir a sua fidelidade e talvez se viesse a cansar da prosápia dele, mas a verdade era que gostava dele e confiava nele. Isso bastava.

Quando as celebrações matrimoniais terminaram e todos se dispersaram, voltando às tendas ou às cabanas que estavam a construir, o tenente Tench demorou-se um pouco a observar Mary e Will a afastar-se pela praia.

Sentia-se confuso a respeito de tudo. Nada era como esperara, nem o território, nem a organização, nem os oficiais dos outros navios. Até as provisões que haviam trazido eram insuficientes. No fundo, um perfeito desastre. E pelo que vira até então dos prisioneiros, ia ser uma luta tremenda para conseguir que trabalhassem.

Tanto quanto lhe era dado ver, só um punhado de oficiais partilhava a sua vontade de tornar aquele lugar num sucesso. Quanto aos seus homens, a maioria estava a comportar-se de modo abominável, em tudo tão manhosos e mandriões como os condenados.

Tinha pensado que se sentiria mais optimista depois dos casamentos do dia. Eram, afinal, uma forma de incutir alguma alegria numa nova comunidade, uma demonstração de esperança no futuro. Contudo, não experimentara qualquer alegria ao ver aqueles casais unidos pelo matrimónio. Sentira apenas pura tristeza.

A mãe chorava sempre nos casamentos. Achava que, quanto mais chorasse, mais feliz o casal seria. Sabia que as lágrimas da mãe não eram lágrimas de tristeza, mas de pura emoção perante uma declaração pública de amor entre duas pessoas.

Talvez fosse essa a causa da sua tristeza, saber que os casais desse dia não estavam apaixonados. As mulheres queriam protecção e segurança, os homens queriam sexo.

Tinha pensado que lhe daria alegria ver Mary sob a protecção de Will. Mas até agora não considerara que isso implicaria que ele seria seu marido em todos os aspectos.

Virou-se bruscamente e afastou-se na direcção dos armazéns. Talvez se arranjasse uma actividade útil com que se ocupar, ultrapassasse esses sentimentos absurdos que o atormentavam. Mary estava com um ar bonito e feliz. Will era um homem razoavelmente decente. Estavam bem um para o outro.

— Há-de ser uma casa bonita quando eu a acabar — disse Will mais tarde nessa noite, ao estender os cobertores na terra dura, ao lado do berço de Charlotte.

Estavam na nova cabana que, de momento, não era mais do que algumas estacas pregadas, com paredes de ramos entrançados e um pedaço de serapilheira preso a um pau a fazer de porta. O telhado ainda não existia e, quando Mary se sentou nos cobertores e levantou os olhos, o céu nocturno, repleto de estrelas, era muito belo. Estavam de barriga cheia, pois haviam sido distribuídas rações reforçadas em honra das cerimónias desse dia e Will conseguira arranjar rum para festejar.

Desde a primeira noite em terra, foram impostas algumas regras. Os homens estavam proibidos de entrar na zona das mulheres e havia guardas de sentinela para garantir o seu cumprimento. Estava também em vigor o recolher obrigatório ao crepúsculo, altura em que todos deviam regressar aos alojamentos. Na prática, não funcionava, os homens conseguiam juntar-se às mulheres, mas pelo menos era de modo dissimulado e as mulheres estavam de acordo.

— Não nos falta ar fresco — disse Will, rindo. — E também consigo estar de pé. É muito melhor que a porcaria do navio ou que uma tenda só de homens. Vá, chega-te aqui e dá um beijo ao teu marido.

Mary não precisou de encorajamento; desde que Will anunciara a intenção de se casarem, descobrira que ganhara estatuto e sentia-se extremamente grata por isso. Até Poll e as duas comparsas dela, três das mulheres mais abjectas que Mary alguma vez conhecera, não escondiam uma admiração reverente por ela ser desejada por um dos mais apetecíveis condenados da colónia.

Havia, apesar de tudo, aspectos positivos ali. Estava calor, a areia na praia era macia e branca, o mar muito azul e límpido e havia centenas de aves maravilhosas. Até as árvores desprendiam uma fragrância agradável que desentupia o nariz. Era bem melhor do que qualquer prisão em Inglaterra.

Mary tinha agora uma casa, bem afastada dos outros, e mesmo que ainda não tivesse telhado nem um único traste e corresse o risco de ruir à primeira tempestade, pertencia-lhes. Will tinha conseguido arranjar nos armazéns uma panela, um balde para transportar água e mais algumas peças de equipamento doméstico para começarem a sua vida de casados.

Já a tinha beijado várias vezes nesse dia e os seus beijos eram meigos. Mary não esperara sentir desejo por ele mas descobriu que sentia; aliás, pela primeira vez em mais de um ano, sentia-se verdadeiramente feliz com a sua sorte.

— És tão franzina — disse ele numa voz rouca, ajudando-a a despir o vestido. Envolveu-lhe os seios com as duas mãos enormes, apertou-os e, deslizando as mãos até às nádegas dela, apertou-as também. — Um bocadinho escanzelada, mas eu também nunca gostei de mulheres gordas.

Levantou-a nos braços e depois pousou-a nos cobertores. Mary estava a contar que ele tirasse a roupa, a possuísse à pressa, e que adormecesse. Mas, para sua surpresa, Will não fez qualquer tentativa para se despir, limitando-se a acariciá-la. Ouvira-o gabar-se uma vez a um marinheiro no *Charlotte* que, quando ia para a cama com uma mulher, ela vinha sempre pedir mais. Agora acreditava, porque estava com medo que ele pudesse parar a qualquer momento. As suas carícias eram seguras e lentas, os seus dedos descobrindo pontos extraordinariamente sensíveis que ela nunca suspeitara que existissem.

Entregando-se às delícias do amor físico com ele, Mary esqueceu o solo duro por baixo do cobertor áspero, a casa tosca e inacabada e até as adversidades por que passara. Quando abria os olhos e via as estrelas no céu, era como se estivesse deitada numa cama de penas numa câmara real e as estrelas não passassem de uma decoração no tecto. Will fazia-a esquecer que não era bonita ou que tinha o cabelo cheio de piolhos; por uma vez, era bela, desejável e amada.

Nunca teria imaginado que podia comportar-se como uma mulher depravada, implorando mais, pedindo-lhe que a ensinasse a dar-lhe prazer e fazendo-o sofregamente. Ao atingir o clímax, ocorreu-lhe a ideia de que valia a pena atravessar o mundo num navio--prisão para experimentar aquela sensação. Não queria saber do futuro, queria apenas que a noite durasse eternamente.

— Estás contente por te teres casado comigo? — sussurrou Will mais tarde, depois de tapar os dois com o cobertor para se protegerem dos insectos.

— Sou a mulher mais feliz do mundo — respondeu ela também num sussurro, as faces molhadas com lágrimas de felicidade.

— Havemos de ter uma vida boa aqui — murmurou ele. — Vamos plantar um jardinzinho e cultivar uma horta. Nunca passaremos fome enquanto eu puder pescar e há-de haver outras crianças para brincar com a Charlotte.

— Vamos voltar a Inglaterra quando a nossa pena chegar ao fim? — perguntou Mary.

— Claro, se é isso que queres — disse ele, com uma gargalhada. — Ou podemos ficar como pessoas livres e ter a nossa própria terra. Tudo é possível.

CAPÍTULO 6

1789

Metida no mar até à cintura, Mary segurava com força na rede de pesca, olhando, como os outros ajudantes, para Will no pequeno barco, à espera do sinal dele para puxarem vigorosamente pela rede.

Estava esfomeada, mas as pontadas de fome e as tonturas que as acompanhavam eram apenas agora mais um facto da vida. Ao fim de um ano inteiro em Port Jackson, já não se lembrava sequer do que era não ter fome.

Estava muito mais magra do que quando viveu no *Dunkirk*, a pele curtida e morena da constante exposição ao sol e ao vento, as mãos calejadas como as das mulheres que amanhavam peixe em Fowey. Mas não pensava muito na sua figura; garantir a sua sobrevivência e a de Charlotte era bem mais importante.

Will deu o sinal e todos os que seguravam na rede começaram a puxar e a recuar para a praia. O coração de Mary saltou ao ver a abundância de peixe que se contorcia na rede. Não era frequente terem tanta sorte.

A colónia estava a ponto de morrer de fome. As rações haviam sido sistematicamente reduzidas porque ainda não tinham chegado mais mantimentos de Inglaterra. Grande parte das provisões que haviam trazido com eles estragara-se e a esperança inicial de, no espaço de um ano, estarem já a cultivar os seus próprios alimentos gorara-se. Se tivessem trazido animais de tracção e arados, juntamente com homens experientes em lavoura, talvez o solo pudesse ter sido rapidamente lavrado e cultivado. Mas ninguém considerara essas necessidades. O clima e a falta de forragem não tardaram a dizimar os animais, os cereais murcharam na terra e as hortaliças não medraram.

A primeira prioridade fora o trabalho de construção, casas para os oficiais, para os soldados e por fim para os prisioneiros. Mas, além da falta de carpinteiros, um surto de escorbuto, aliado a dezenas de outras doenças, impediu os homens de trabalhar e as obras avançaram assim a um ritmo aflitivamente lento.

Com a redução das rações, cresceu o risco de roubo de alimentos. O crime era punido com o açoitamento mas, como cem chicotadas não constituíam factor de dissuasão, o capitão Phillip aumentou o castigo para quinhentas e finalmente para mil. Quando se provou que também não resultava, foi instituída a forca. Ainda na semana anterior, Mary e Will tinham assistido ao enforcamento de Thomas Barrett, um rapaz de apenas dezassete anos, no cadafalso recentemente construído, por ter roubado dos armazéns manteiga, ervilhas secas e carne de porco salgada. Mary não foi sequer capaz de chorar pelo rapaz, pois tinha sido preso por gatunagem aos onze anos e considerou que a morte era preferível ao género de vida que ele levava.

— Anda, Mary, põe alma nisso — gritou-lhe Will do pequeno barco.

Mary soltou uma gargalhada, pois Will não queria realmente dizer que ela não estava a esforçar-se: o grito era o seu código secreto para indicar que iam comer em condições nessa noite.

— Não sei onde é que está a graça — disse rispidamente a mulher ao seu lado enquanto transportavam a rede para a praia. — Se fosse eu, estava a chorar.

— Porquê? — Mary perguntou.

Mary não confiava em nada em Sadie Green. Sabia que a única razão pela qual a mulher tinha vindo ajudar era a esperança de roubar algum peixe. Era uma das londrinas, desbocada, matreira e mandriona. E guardava um rancor azedo contra Mary por vê-la passar melhor do que ela.

— O Will não há-de tardar a deixar-te — disse Sadie, os olhos cor de lama a cintilar de maldade. — Está sempre a dizer aos outros homens que não está legalmente casado contigo.

— Ai sim? — retorquiu Mary num tom carregado de sarcasmo. Will já lhe dissera que não acreditava que o seu casamento fosse válido, como seria um casamento pela igreja em Inglaterra, mas de qualquer maneira magoava-a que ele tivesse comentado o facto junto dos outros homens ao ponto de chegar aos ouvidos de pessoas como Sadie. Mas não tencionava mostrar essa mágoa.

— Mas não fiques à espera dele, Sadie, és capaz de ter de esperar eternamente — disse ela com uma gargalhada forçada.

Viu a cara da mulher crispar-se de fúria. Sadie só conseguia atrair os condenados mais desesperados. Embora só tivesse vinte e quatro anos, possuía o aspecto cinzento da carne estragada e cheirava ao mesmo. Nunca penteava o cabelo ralo cor de palha e muito menos o lavava e tinha a pele entranhada de sujidade. Não havia beldades na colónia, o sol e a fome encarregavam-se disso. Mas Sadie provavelmente nascera já feia e uma vida de prostituição completara a obra.

— Puta arrogante! — rosnou ela, mostrando os cotos enegrecidos dos dentes. — Que é que te faz pensar que és melhor que nós? Tens uma filha bastarda que não é do Will.

Mary hesitou. Sentiu-se muito tentada a bater em Sadie mas era precisamente isso o que a mulher queria para poder dizer que Mary tinha começado a briga e fazer com que ela fosse castigada.

— Deixa-me em paz, se sabes o que é bom para ti — respondeu Mary num tom enfastiado. — Este sítio já é suficientemente mau sem nos metermos em brigas.

— Mas para ti não é, pois não? — Sadie pôs as mãos nas ancas e fulminou Mary com o olhar. — Tens uma cabaninha toda catita, o Will tem o melhor trabalho e aposto que também arranja mais comida. O tenente Tench anda sempre de roda de ti. Aposto que é o pai da bastardinha.

Mary foi salva pela chegada de um oficial que vinha verificar a pescaria. Sadie lançou um olhar ameaçador a Mary e, sorrindo afectadamente ao oficial, abandonou o seu lugar na rede e afastou-se de forma teatral.

Uma hora mais tarde, Mary estava de volta à cabana, depois de ter ido buscar Charlotte à sua vizinha Anne Tomkin, que olhava pela menina enquanto Mary ajudava nas redes.

A cabana estava agora muito aperfeiçoada. Graças ao estatuto de Will, tinham-lhes dado tábuas da serração para o telhado e para as paredes. A mobília era extremamente básica: uma cama de confecção tosca, com corda atada a todo o comprimento como uma cama de rede, uma pequena mesa feita de um tronco de árvore com uma tábua pregada em cima e dois bancos criados com caixotes de madeira. O chão era terra compactada, embora Will tencionasse assentar brevemente algumas pranchas e a única decoração consistia numas quantas conchas bonitas numa prateleira. Noutra prateleira estavam as poucas panelas, pratos, canecas e uma tigela de metal para lavar. Contudo, por mais primitiva que fosse, era o paraíso de Mary, um lugar de relativa paz e segurança para ela e para Charlotte.

Com dezassete meses, Charlotte era uma menina adorável, de faces rosadas, cabelo preto aos caracóis e pernas e braços rechonchudos. O seu grande e alegre sorriso valia todas as riquezas do mundo para Mary, a cuja vida a filha dava razão de ser. Mas, ao mesmo tempo, velar pela segurança e saúde de Charlotte nas condições terríveis em que se encontravam era uma tortura lenta.

Quando ainda era uma bebé de colo e mamava, era relativamente fácil mas, quando começou a gatinhar e mais tarde a andar, Mary começou a ver perigo em todo o lado. Para além das coisas mais óbvias — insectos, cobras, o mar e as fogueiras — havia os riscos ocultos. Sabia-se lá o que estava enterrado na areia onde Charlotte brincava, que ela podia pegar e engolir. As outras mães da colónia eram muito mais despreocupadas em relação aos filhos, deixando-os à solta, sem mostrar grande ansiedade se apanhassem uma insolação, se caíssem ou se comessem alguma coisa que lhes fizesse mal. Mas Mary não conseguia reagir assim, tinha de ter Charlotte permanentemente debaixo de olho. Amarrava-lhe uma corda à cintura para a manter por perto quando estava a consertar redes e dava a Anne peixe ou parte das suas rações para olhar por ela quando tinha de ajudar a trazer as redes para terra. Mesmo à noite, depois de Charlotte adormecer na cama que os três partilhavam, Mary não ia mais longe do que a porta da cabana mesmo quando outras mães saíam para visitar amigos.

Enquanto esperava que Will voltasse para casa com as suas rações e, com sorte, algum peixe, Mary enchia a bacia de água, tirava o vestido a Charlotte e começava a lavá-la. Não queria pensar muito no facto de o vestido já não passar de farrapos, presos por meia dúzia de fios. Ou que tivesse de ser lavado à noite para vestir novamente de manhã por ser o único. Como não queria nada que lhe lembrasse que não tinha amigos para visitar.

Naquele lugar, estaria sempre condenada ao fracasso.

Casar com Will fora uma decisão acertada. Ele protegera-a dos outros homens, construíra-lhes a cabana e ganhara amor a Charlotte como se ela fosse sua. Mas Mary não previra que os seus talentos para a pesca o tornassem tão importante na colónia e fora isso que lhe causara problemas.

Quando desembarcaram, os condenados de Londres e de outras cidades desconfiavam do peixe e recusavam-se a comê-lo. Era compreensível, tendo em conta que, nas localidades de onde eram originários, o peixe chegava pelo menos com uma semana de atraso e cheirava mal. Mas, quando as rações foram drasticamente reduzidas e o espectro da fome se tornou real, não tardaram a ultrapassar as suas objecções. Will foi catapultado ao estatuto de herói porque era o homem que não só lhes dera a conhecer um alimento saboroso e nutritivo como também o fornecia.

Contudo, enquanto Will se comprazia no calor da admiração e do reconhecimento, Mary perdera a posição forte que já detivera junto das outras mulheres do *Charlotte*. Com Mary Haydon e Catherine Fryer a envenenar os ouvidos das zaragateiras dos outros navios, não tardou muito que a maior parte das mulheres começasse a desconfiar dela. Até Bessie e Sarah, com quem Mary pensara que podia contar para sempre, se tinham virado contra ela. Chamavam-lhe «dissimulada», como se fosse culpada de alguma traição, quando a verdade nua e crua era que tinham inveja dela.

Maria compreendia a razão. Quase todas dormiam às seis numa cabana enquanto a sua era resistente e impermeável, bem afastada do barulho e da confusão no acampamento principal. Comia melhor nos primeiros dias porque Will era autorizado a guardar uma parte da pescaria para si. Tão-pouco precisava de trabalhar como criada de um dos oficiais como as outras mulheres. A acrescentar a isso, as mulheres consideravam Mary uma «delatora» porque os oficiais conversavam com ela.

Tench aparecia muitas vezes para saber como ela e Will estavam a desenvencilhar-se e gostava de ajudar na pesca à noite. Constava que até o capitão Phillip comentara que os Bryant eram uma família modelo, diligente, discreta e limpa.

Nos primeiros tempos da colónia, Mary fizera amizade com Jane Randall, que viajara no *Lady Penryn*. Também ela dera à luz durante a viagem embora a criança tivesse nascido quando estavam fundeados na Cidade do Cabo. Inicialmente foi por Charlotte e Henrietta terem a mesma idade que Mary e Jane se tornaram amigas; sentiam as mesmas ansiedades em relação às filhas e ajudavam-se mutuamente. Jane possuía bom coração, era uma companhia divertida e tinha a mesma determinação em tirar o máximo partido da sua estadia ali.

Depois, o capitão Phillip decidiu estabelecer uma nova colónia na ilha de Norfolk, a 1600 quilómetros de distância. Ao que parecia, o clima era melhor e o solo mais fértil e, assim, alguns dos condenados, incluindo Jane, foram mandados para lá a fim de combater a escassez de mantimentos. Mary continuava a sentir imensas saudades dela. Jane nunca se mostrara invejosa da sua situação, regozijando-se por a sorte ter bafejado a amiga.

Mary era da opinião de que muitas das suas antigas amigas podiam ter a mesma sorte que ela, se usassem a cabeça. A princípio, tentara levá-las a ver pelo menos a lógica de transmitir uma imagem de diligência. Era muito fácil, os oficiais só vinham espreitar quando havia problemas e, a seu ver, os soldados eram, na maioria, cretinos. Do mesmo modo, andar limpa e arranjada e não correr atrás dos homens e da bebida, granjeava privilégios e respeito.

Mas infelizmente, uma a uma, as antigas amigas haviam sucumbido à apatia e tinham-se deixado influenciar por algumas personalidades fortes que achavam que davam provas de dureza, lutando e roubando. Nada estava a salvo dessas mulheres que recrutavam novos membros para o grupo, oferecendo bebidas obtidas através do furto ou da prostituição.

Mary compreendia por que razão Sarah enveredara por esse caminho. Fora violada nessa primeira noite e mais tarde descobriu que estava grávida. O bebé era um nado-morto e essa desgraça reacendeu a dor dos dois filhos deixados em Inglaterra. O álcool era a única coisa que lhe tornava a vida um pouco mais suportável.

Mas a maioria não tinha uma desculpa tão boa. Haviam-se transformado em mulheres desmazeladas e imundas que negligenciavam os filhos, perseguiam as mais fracas e se entregavam a qualquer homem que lhes desse umas gotas de rum.

Mary funcionava quase como a consciência delas. Escarneciam dela porque ela tomava banho no mar todos os dias, limpava a cabana e nunca largava Charlotte de vista. Mas Mary sabia que o seu rancor e desprezo se devia, em grande medida, ao facto de ela ter o homem que todas queriam.

Will era atraente sob todos os aspectos. A sua figura, altura e corpo musculado quase teriam bastado mas era, além disso, um homem bom com um feitio jovial e atrevido que o tornava querido de toda a gente. Era também forte e competente a trabalhar com as mãos e por isso não era de admirar que todos, desde o capitão Phillip até ao mais humilde prisioneiro, o tivessem em alta estima.

Mas o que não sabiam e Mary nunca divulgaria era que, no fundo, Will era bastante fraco. Podia saber ler e escrever mas não usava a cabeça e tinha pouca imaginação. Entregue a si mesmo, seria como os outros homens, a viver na esqualidez, a embebedar-se sempre que pudesse e a lamentar a sua má sorte.

Era Mary quem possuía força de vontade e astúcia. Era ela quem compreendia a importância do peixe para sobreviverem e convenceu Will a considerar a sua habilidade como o trunfo que melhoraria a sua vida naquele lugar. O facto de ter conseguido uma cabana numa boa posição, o uso do único pequeno barco e uma parte de cada pescaria para si mesmo, tinham sido obra dela. Em contrapartida, Mary tornara a cabana mais acolhedora para que ele sentisse prazer em lá estar e lisonjeava a sua vaidade para que ele se sentisse importante.

Só queria que ele lhe tivesse dado ouvidos quando foi instituída uma nova regra que determinava que toda a pescaria fosse levada para os armazéns. Mary quis que ele fosse imediatamente falar com o capitão Phillip, não só para fazer finca-pé e insistir em preservar os seus direitos iniciais, mas também para discutir o plano dela com o capitão. Consistia na construção de um barco maior que fosse capaz de navegar mais longe para apanhar pescado em quantidade suficiente para alimentar toda a gente em condições. Sugeriu ainda que usassem os excedentes de peixe como fertilizante para a terra, um método que ela conhecia bem da Cornualha.

Mas Will recusou-se. Podia gabar-se junto dos amigos que as ideias de Mary eram suas, pois fazia-o parecer mais astuto do que eles, mas na realidade o seu receio de perder a popularidade junto dos oficiais era demasiado para levantar a voz. Assim, decidiu recorrer ao roubo do peixe de que precisava.

Mary soltou um profundo suspiro quando Charlotte começou a procurar o seu seio debaixo do vestido. Restava-lhe agora pouco leite e, sempre que as rações eram reduzidas, temia que Charlotte adoecesse como acontecera a muitas outras crianças.

Eram os muito novos e os muito velhos que morriam em números cada vez maiores todas as semanas. O edifício hospitalar estava agora sempre cheio, a vereda para o cemitério tão usada que já ninguém reparava quando havia um funeral.

Ao ouvir gritos e conversa lá fora, Mary sentiu alguma apreensão. Pela janela, que haviam tapado com galhos entrançados em lugar de vidro, reparou que o sol estava muito baixo e Will já devia ter voltado para casa. Levantou-se e, com Charlotte ao colo, dirigiu-se à porta.

O alvoroço tinha lugar mais adiante na praia, próximo do acampamento principal. Pareceu a Mary vislumbrar o cabelo louro de Will e, embrulhando Charlotte num pano, foi verificar.

Não tinha andado mais de duzentos metros quando avistou Sarah.

O seu rosto outrora bonito estava descarnado. O cabelo louro avermelhado enriçado e imundo, os olhos azuis mortiços do álcool, e perdera os dois dentes da frente numa rixa. O vestido pingão ainda tinha manchas de sangue do parto e estava rasgado de um lado, expondo a sua coxa escanzelada.

— O teu Will foi apanhado a roubar — gritou ela. — Agora é que vão ser elas.

O coração de Mary começou a bater descompassadamente. Comera avidamente o peixe que Will trouxera para casa, claro, e para impedir que fosse detectado, fizera o saco de serapilheira onde ele o metia. Will pendurava-o num gancho no flanco do barco abaixo da linha de água e retirava-o mais tarde, depois de o resto da pescaria ser pesado e levado para os armazéns.

144

Parecera um plano infalível, mas Mary imaginou que Will andava a roubar mais do que lhe dissera, vendendo o excedente a outros ou trocando-o por mercadoria.

— O meu Will não é nenhum ladrão — respondeu Mary rispidamente. Não era capaz de considerar que fosse um roubo... afinal, o peixe era de graça para quem o apanhasse.

— Não me parece que seja essa a opinião do capitão Phillip — disse Sarah, com um sorriso levemente perverso. — Há-de dizer que vocês nos têm andado a roubar a todos.

Mary olhou para a sua antiga amiga. — O Will é um dos poucos homens aqui que consegue comida para todos — disse. — Se não fosse ele, quase nenhum de nós teria forças para ser maldoso.

Doía-lhe que Sarah se tivesse virado contra ela. Mary não conseguia esquecer como haviam sido íntimas no *Dunkirk* e como Sarah a ajudara com o nascimento de Charlotte durante a viagem. Mas nunca fora uma amizade unilateral. Mary tivera sempre o cuidado de guardar comida para Sarah, confortara-a depois da violação e até lhe dera algum do peixe que Will apanhava. Mas talvez o horror da violação tivesse matado qualquer coisa dentro de Sarah.

Durante o caminho para a povoação, as pessoas chamaram por Mary. Alguns, como James Martin, Jamie Cox e Samuel Bird, os melhores amigos de Will, ofereceram ajuda e palavras de solidariedade, mas dos outros quase só recebeu comentários venenosos. Mary recordou como, nos primeiros tempos, todos se teriam mantido unidos se alguma coisa assim acontecesse. Mas a fome e a privação transformara-os. Já não havia qualquer noção de honra, as pessoas denunciavam praticamente qualquer um a troco de bebida ou comida. E compraziam-se em assistir à queda de alguém que consideravam privilegiado.

Continuou de cabeça levantada e ignorou toda a gente mas um misto de medo e fome apertava-lhe o estômago. A povoação não compreendia muita coisa, apenas duas filas de pequenas cabanas esquálidas para os condenados, cabanas ligeiramente maiores, numa posição mais recuada, para os soldados e famílias, e os armazéns vigiados. Mas o olhar de Mary foi atraído para o cadafalso. Recordava-se perfeitamente do aviso de que quem fosse apanhado a roubar não seria perdoado.

Watkin Tench saiu de detrás de um dos armazéns, surpreendendo Mary, que o julgava ausente em Rose Hill, uma nova colónia no interior onde o solo era mais produtivo. Tench fora incumbido da sua administração e estavam também a construir ali uma nova Casa do Governo.

— Mary! — exclamou ele, o seu rosto bronzeado e magro crispado de preocupação. — Calculo que já sabes.

Até ele, que sempre fora elegante e escorreito, exibia um ar desgastado. As suas botas já raramente se apresentavam bem engraxadas, a casaca vermelha estava puída e os calções cobertos de nódoas. Mas a compaixão continuava presente nos seus olhos escuros.

Mary assentiu com a cabeça. — É verdade? — perguntou.

— Foi apanhado em flagrante — disse ele, encolhendo os ombros. — Infelizmente, pouco posso fazer para o ajudar, por mais vontade que tenha. O governador terá de o tratar como a qualquer outra pessoa apanhada a roubar comida.

— Não o vão enforcar, pois não? — Mary sentia-se agora sem forças e a sua voz pouco mais era que um sussurro.

Tench olhou em volta para ver se alguém estava a observar e depois aproximou-se. — Espero bem que não — disse. — Seria uma loucura perder um trabalhador especializado.

A sua primeira reacção à notícia, ao chegar de Rose Hill a cavalo, fora de fúria contra Will. Will era mais afortunado do que qualquer outro prisioneiro, fazia um trabalho de que gostava, possuía privilégios e uma cabana decente. E estava casado com Mary. Tench sabia perfeitamente que Will não andava a roubar peixe para si e para a família, roubava-o e em grande quantidade para trocá-lo por rum. Esse facto enfureceu-o pois não significava apenas a destruição da própria estrutura da comunidade mas um acto de traição para com Mary; sem dúvida, ela desconhecia a dependência que o marido tinha do álcool.

— Posso falar com o capitão Phillip? — pediu Mary, desesperada.

Tench ficou sem saber o que responder. Não podia fazer-lhe ver o género de homem que Will era na realidade. — O capitão Phillip provavelmente já tomou uma decisão — disse, após uma hesitação momentânea. Depois, vendo o terror nos olhos de Mary, cedeu. — Mas talvez se te vir com a Charlotte ao colo, possa ser persuadido a alterá-la.

— Leve-me junto dele, por favor — suplicou Mary, estendendo a mão e agarrando-lhe no braço. — O Will não merece morrer só por querer alimentar a família. Qualquer homem faria o mesmo.

Tench olhou para ela por um momento. Houvera tantas ocasiões em que desejara nunca lhe ter sugerido o casamento com Will, pois sabia agora que Will era fraco, facilmente influenciável e demasiado fanfarrão. Imaginava que Mary se sentia mortificada sempre que lhe chegava aos ouvidos que Will alegara que não eram legalmente casados. Ou que tencionava ir no primeiro navio de volta a Inglaterra, assim que acabasse de cumprir a pena.

Desejava também conseguir afastar Mary do pensamento. Esperava que a colocação em Rose Hill ajudasse. Mas agora, confrontado com a sua angústia, sabia que os sentimentos que nutria por ela não diminuíram em nada. — Qualquer homem faria o mesmo por ti — disse ele, colocando a mão sobre a dela por breves momentos.

A casa do capitão Phillip ficava a uma certa distância da povoação, numa colina. Com os seus dois andares e alpendre ao longo da fachada, sobressaía como a residência do homem mais importante na nova colónia, não por ser grandiosa mas por possuir uma aparência robusta em comparação com as restantes estruturas construídas.

Quase tudo o resto era feito de argila e madeira pois, muito embora não houvesse falta de pedra na área e houvesse um forno para fazer tijolos, não havia cal para preparar argamassa. Mary, como muitas das mulheres, fora encarregada de recolher conchas, triturá-las e queimá-las para fazer cal. Imaginava que as muitas centenas de baldes que apanhara mal teriam chegado para construir os alicerces da casa de Phillip, pelo que demoraria muitos anos até que a cidade que ele planeava, com a sua igreja, lojas e ruas pavimentadas, pudesse ser construída.

Enquanto seguia Tench colina acima, Mary ia de cabeça erguida, ignorando os comentários grosseiros e os olhares. Will sempre afirmara que nunca ninguém o denunciaria, mas isso não passava de mais uma das suas imperfeições, uma convicção estupidamente

147

presunçosa de que era especial. Provavelmente gabara-se de que se apropriava de peixe junto de alguém e não lhe ocorrera que, quando a inveja se impunha, a amizade e a lealdade se eclipsavam.

Mary teve de esperar no alpendre enquanto Tench entrava para tentar que Phillip a recebesse. Charlotte estava agora a choramingar de fome e Mary embalou-a nos braços para a reconfortar, olhando para trás na direcção da povoação.

Anoitecera durante o caminho e a povoação tinha um ar excepcionalmente bonito, iluminada apenas por muitas fogueiras. Mary distinguia as silhuetas das mulheres a cozinhar sobre elas e as chamas destacavam as árvores e projectavam um halo tremeluzente e alaranjado sobre o mar atrás.

Suspirou pois, embora sempre tivesse dito a quem lhe perguntasse que estaria no primeiro navio de volta a Inglaterra quando a sua pena chegasse ao fim, a verdade é que começara a gostar daquela terra nova e estranha. Detestava, claro, aquilo que ela representava, um lugar onde todas as pessoas degeneradas, desesperadas e pérfidas de Inglaterra eram despejadas. Mas possuía alguns aspectos positivos. O calor no Verão era, por vezes, excessivo mas havia sempre o mar tépido para se refrescar. Adorava os areais. O Inverno não tinha nada da severidade do Inverno inglês e, por estranhas que as árvores parecessem, agradava-lhe o seu aroma pungente. Havia ainda as aves extravagantes. Quando via passar bandos das cinzentas com peitos rosados vinham-lhe as lágrimas aos olhos. Havia também as catatuas amareladas que se empoleiravam nas árvores grasnando o que soava a insultos. As aves ali tinham todas as cores do arco-íris, tão vívidas que lhe custava a crer que fossem reais. Ainda não vira o animal a que Tench chamava canguru nem o grande pássaro corredor; talvez fossem demasiado tímidos para se aproximarem das pessoas e fosse necessário penetrar mais no interior.

Mas, quer preferisse ou não a terra a que pertencia, Mary era realista. A fome em Inglaterra era exactamente igual à fome ali, com a diferença de que era melhor ter fome e calor do que ter fome e frio. A não ser que se desse um milagre, nunca seria mais do que uma criada em Inglaterra. Ali tinha uma hipótese. Quando fosse livre, poderia reivindicar um lote de terra e o desafio de construir qualquer coisa do nada seduzia-a.

Muitas vezes, à noite, pensava em ter alguns animais, em cultivar fruta e legumes e sentar-se num alpendre à noite com Charlotte e Will, contemplando a sua propriedade. Will sempre se rira dessas ideias, queria viver numa aldeia piscatória com uma taberna em pleno centro. Mas, como ela respondia sempre, podia ter a taberna dele ali.

— Podes entrar agora, Mary — disse Tench suavemente atrás dela. — Devo avisar-te que o capitão Phillip está muito zangado e desiludido. Não me parece que consigas dissuadi-lo de condenar o Will à forca.

Mary sabia que Tench teria feito tudo ao seu alcance por ela e por Will porque as adversidades daquele lugar, que eram quase tão duras para os oficiais como para os condenados, não haviam mudado o seu carácter essencialmente bondoso. Continuava a sentir o mesmo desejo por ele, que o casamento com Will não mitigara. Num ano ali, vira muitos oficiais a quem, noutro tempo, teria repugnado levar condenadas para a cama, ceder à tentação. E, no seu âmago, sabia que, se Tench tivesse um momento de fraqueza, o casamento não a impediria de fazer tudo para estar com ele.

Mas, por qualquer razão, sabia que Tench nunca o faria. Sentia afecto por ela, isso percebia-se sempre que passava pela sua cabana ou a procurava entre um grupo de mulheres e pelos modos ternos com que apaparicava Charlotte. Só o facto de saber que ele se preocupava com ela ajudava. Era algo de bom com que podia sonhar à noite, uma razão para continuar limpa e arranjada, mais uma razão para sobreviver.

Instilava-lhe igualmente coragem para enfrentar o capitão Phillip e a mesma veia provocadora que a impedira de chorar quando ouviu a sua sentença de morte surgiu dentro dela ao entrar na casa. Não tencionava assistir ao enforcamento de Will enquanto lhe restasse um fio de vida no corpo.

Quando entrou na sala, o capitão Arthur Phillip estava sentado à secretária com uma pena na mão.

— Obrigada por se ter dignado receber-me — começou ela, fazendo uma pequena vénia.

Corria o rumor na povoação de que o interior da casa de Phillip era esplêndido, repleto de bela mobília e de pratas. Mas, para surpresa de Mary, não tinha sequer a grandiosidade da casa do pároco em Fowey. Havia a secretária, a cadeira em que estava sentado e dois cadeirões junto da lareira mas, tirando uma fotografia num porta-retratos de prata de uma senhora que era quase certamente a mulher, pouco mais havia, nem sequer um tapete nas tábuas expostas do soalho.

Fisicamente, o capitão Phillip também não era nada de especial, cinquentão, magro e baixo, tendo perdido todo o cabelo no cocuruto da cabeça. Mas os seus olhos eram escuros e bonitos e Mary achou que o uniforme da Marinha lhe assentava bem.

— Calculo que vens pedir clemência para o teu marido — disse ele friamente.

— Não, venho pedir clemência para todas as pessoas nesta colónia — disse Mary sem hesitar. — Porque, se enforcar o Will, está a condenar toda a gente à morte, incluindo o senhor.

Ele ficou espantado com aquela afirmação, arregalando os olhos escuros.

— Sem o peixe que ele apanha, morreremos todos à fome — continuou Mary, levantando mais Charlotte nos braços e rezando para que ela não chorasse. — Não há mais ninguém com as capacidades do Will. Se não lhe tivesse negado o direito de levar algum peixe para casa, isto nunca teria acontecido.

— Era inevitável, era uma situação de emergência — disse Phillip secamente, irritado com a audácia dela de questionar as suas ordens. — E o teu marido não pegou só em um ou dois peixes. Pegou em muitos. Tem andado a trocá-los por provisões roubadas dos armazéns. Sempre que alguém rouba provisões de lá, está a privar o resto da colónia. É um delito extremamente grave.

— O senhor não faria o mesmo se a sua mulher e família corressem o risco de morrer? — perguntou Mary, olhando de relance para a fotografia da mulher dele.

— Não, não faria — respondeu ele com firmeza. — As provisões são racionadas equitativamente. As minhas rações não são superiores às vossas.

Mary duvidava, mas não se atreveu a dizê-lo.

— De que serve então enforcar o Will? — perguntou. — Eu fico a criar esta criança sozinha, as pessoas que roubam dos armazéns vão continuar a roubar e todos nós vamos passar ainda mais fome.

Phillip olhou para Mary, reparando que, apesar de tão andrajosa como as outras mulheres condenadas, apresentava-se limpa. Até os seus pés descalços estavam apenas cobertos de pó e não encardidos como vira em muitas das outras mulheres.

O tenente Tench falara muitas vezes dela, que considerava inteligente e franca e que, segundo afirmava, exercera uma boa influência sobre as outras mulheres do *Charlotte*. Não houvera queixas a respeito da sua conduta, aliás, ele próprio comentara que os Bryant eram prisioneiros exemplares.

— Vai para casa agora — disse ele. — Amanhã ele será julgado. Hoje fica na casa da guarda.

Mary encaminhou-se para a porta mas, antes de sair, virou-se e lançou a Phillip um olhar penetrante. Ele viu um medo e desespero profundos nos olhos dela quando ela estendeu a criança na sua direcção.

— Por favor — suplicou ela —, olhe para a minha filha. Agora é bonita e saudável mas sem o Will não vai decerto continuar assim. Eu garanto que não o deixo mais prevaricar. Por favor, por amor de Deus e desta criança, poupe-o!

Nesse momento saiu, eclipsando-se na noite como um gato.

Phillip permaneceu algum tempo sentado a reflectir. A mulher tinha razão. Enforcar Bryant só teria como resultado antecipar o espectro da fome.

— Malditos idiotas em Inglaterra — murmurou. — Onde é que estão as provisões requisitadas? Como é que querem que eu torne esta colónia auto-suficiente quando nem o equipamento mais básico ou os homens com as competências certas me deram?

Sentia-se profundamente apreensivo a respeito de todas as facetas daquele empreendimento: o solo improdutivo, os mantimentos que se esgotavam a olhos vistos, o comportamento dos criminosos e os nativos. Era previsível que os criminosos não quisessem trabalhar, era mais forte que eles. Eram, no geral, gente da cidade, mais habituados a segurar uma caneca de cerveja do que um arado. Não tinham moralidade — dezenas de mulheres tinham dado à luz ou estavam grávidas e saltavam de cama em cama como se nada fosse. Preferiam ficar a dar à língua em lugar de trabalhar, preferiam roubar legumes a cultivá-los. Phillip compreendia-os, afinal tinham

151

sido mandados para ali justificadamente. Mas sentia-se muito desiludido com os indígenas.

Estava convencido de que, se fossem tratados com bondade e cordialidade, responderiam na mesma moeda. Infelizmente, não parecia ser esse o caso; nos últimos meses, vários prisioneiros em trabalho longe do acampamento haviam sido brutalmente assassinados. Continuava a querer encontrar uma maneira de comunicar com aquela gente, de descobrir onde ficavam os grandes rios e as terras férteis, de conhecer os animais e as aves nativos, mas todos os seus esforços haviam sido vãos.

Na verdade, no primeiro aniversário da colónia, Phillip era um homem extremamente preocupado. Tinha a colónia da enseada de Sydney, a da ilha de Norfolk e agora também Rose Hill, mas os condenados demonstravam muito pouca propensão para se emendar, os soldados passavam a vida a resmungar e a situação com os nativos parecia agravar-se e não melhorar. Sem mais alimentos e medicamentos, a mortalidade aumentaria ainda mais drasticamente. A ansiedade não o deixava dormir à noite e ele não via nenhuma solução.

Mary mordeu os dedos quando o juiz Collins se levantou, na casa da guarda, para informar Will sobre a sua pena. Tal como esperara, alguém denunciara Will e ela calculava que tivesse sido Joseph Pagett, um homem que passara pelo *Dunkirk* e pelo *Charlotte*. Dera sinais de inveja durante a viagem e ela recordava-se de ele ter lançado um olhar ameaçador a Will no dia em que se casaram.

Charles White, o médico do *Charlotte*, falara a favor de Will mas, mesmo assim, Mary tinha a certeza de que iam condená-lo à forca. Sabia que Will pensava o mesmo porque o seu rosto estava branco como a cal e ele mordia o lábio, esforçando-se por não tremer.

— Condeno-te a cem chicotadas — disse Collins. — E a perderes a chefia da pesca e do barco. E a seres despejado da cabana onde estás agora, juntamente com a tua mulher e família.

Will lançou um olhar a Mary, a sua expressão registando algum alívio mas também ansiedade pela reacção dela com a perda da cabana.

Mary não era capaz de pensar nisso agora. Apesar de aliviada por Will não ser condenado à forca e por cem chicotadas serem um castigo leve comparado com alguns a que assistira, continuava a ser um castigo terrível e ela sentiu um aperto no estômago.

— Levem-no para ser açoitado — disse Collins.

Todos os prisioneiros foram reunidos para assistir ao açoitamento de Will, incluindo as crianças. Ocuparam os seus lugares num semicírculo, diante do grande cavalete de madeira onde, de cada lado, estava postado um soldado que tocava tambor. À frente do cavalete estava o soldado que administraria as chicotadas. Este despira a camisa e limpavao suor da testa com as costas da mão, pois era mais um dia de calor tórrido. Na outra mão segurava o «gato de nove caudas», o chicote com cordas entrançadas e embebidas em alcatrão.

Os soldados começar a tocar os tambores e Will foi conduzido para o centro do círculo. Os guardas despiram-lhe a camisa e depois ataram-lhe as mãos à parte superior do cavalete. Houve um momento de silêncio em que não se ouviu um murmúrio de um amigo preocupado nem o choro de uma criança. Toda a gente estava profundamente concentrada na atrocidade que se preparava para ver.

O castigo de Will foi mais uma vez anunciado e um dos soldados que o trouxera da casa da guarda deu o sinal para começar a contar.

Mary já assistira a trinta ou quarenta açoitamentos, tanto de mulheres como de homens, e sempre se sentira horrorizada, mesmo quando considerava que a vítima merecia o castigo. Algumas recebiam mil chicotadas, quinhentas num dia e as restantes adiadas para quando as suas costas sarassem. Havia quem morresse antes de chegar a metade e os que sobreviviam exibiriam as cicatrizes até ao fim da vida. Mary sentiu-se agoniada ainda antes de o soldado erguer o braço para a primeira chicotada. Acariciara aquelas costas largas e morenas, conhecia todos os nódulos da espinha de Will tão intimamente como conhecia as suas próprias mãos.

Will não se retraiu à primeira chicotada, tentou mesmo sorrir a Mary como que a demonstrar que não doía. Mas só essa única vergastada deixara um vergão vermelho e o seu sorriso, por mais corajoso que fosse, não a enganou.

A contagem era lenta, meio minuto entre cada açoite, e ao oitavo Will começou a sangrar. Já não conseguia sorrir, o seu corpo sacudido com cada vergastada, e estava a morder os lábios para reprimir os gritos.

As chicotadas continuaram, as moscas pousando no sangue fresco que brotava pelas costas todas de Will como água através de uma peneira. À vigésima quinta vergastada, Will agarrara-se ao cavalete, o seu rosto bonito deformado pela dor. Mary encostou a cara de Charlotte ao peito, fechando os olhos sempre que o tambor soava. Mas continuava a ouvir o chicote a rasgar o ar e o som das botas do soldado no chão ao rodar para imprimir mais força à chicotada. Sentia também o odor do sangue de Will e ouvia o zumbido das moscas a banquetear-se nele.

Demorou ao todo mais de uma hora, muitos dos espectadores quase desfalecendo sob o sol escaldante. À quinquagésima chicotada, já Will perdera a sensibilidade, os tendões brancos nas suas costas expostos sob a pele lacerada. Estava suspenso pelas cordas amarradas aos pulsos, as pernas frouxas como as de um bêbado.

Mary chorava agora, odiando o sistema que ordenava castigos tão brutais e desprezando os soldados que tinham muitas vezes conversado e gracejado com Will e eram agora os seus carrascos.

O rufar e a contagem acabaram. Will foi desprendido do cavalete e deixou-se deslizar para o chão. Os seus calções e botas estavam encharcados em sangue e já uma coluna de formigas levava pequenas películas da sua pele.

Mary correu para ele, suplicando a alguém que fosse buscar panos e água salgada para lhe lavar as costas. Will estava inconsciente, o rosto ainda deformado de dor, e ela acocorou-se ao seu lado, sempre com Charlotte ao colo.

— Deixa que eu pego na Charlotte — disse uma voz familiar.

Mary levantou os olhos e ficou surpreendida ao ver Sarah com um balde de água e panos. Tinha a cara suja manchada de lágrimas e parecia que o sofrimento de Will e a angústia de Mary haviam despertado nela a velha amizade.

— Deus te abençoe, Sarah — disse Mary, reconhecida, passando-lhe a filha. Lavou primeiro a cara de Will e olhou de novo para

Sarah. — Tenho de tirá-lo do sol mas não tenho para onde o levar agora que nos confiscaram a cabana.

— Vamos levá-lo para a minha — disse Sarah, baixando-se e dando uma palmada no ombro de Mary. — Espera aí, vou chamar alguns homens para ajudar.

Enquanto Sarah se afastava com Charlotte ao colo, Mary debruçou-se e encostou os lábios ao ouvido do marido. — Estás a ouvir-me, Will? — sussurrou.

Ele não respondeu, mas pestanejou. — Juro-te que havemos de fugir daqui — sussurrou ela, o ódio pelo capitão Phillip e por todos os responsáveis crescendo-lhe dentro do peito. — Havemos de arranjar maneira, vais ver. Nunca mais vou deixar que isto aconteça.

Foi mais tarde nesse dia, acocorada ao lado de Will na pequena cabana, lavando-lhe suavemente as costas, que Mary reflectiu sobre a sua velha promessa de fugir. Não se lembrara dela uma única vez desde que chegara e agora parecia-lhe inacreditável que tivesse começado a aceitar aquele lugar terrível e até a apreciá-lo. Mas não aguentava mais. Havia de arranjar maneira de sair dali com Will e Charlotte, o mais rápido que fosse humanamente possível.

CAPÍTULO 7

— C hega-te para lá, Mary — sibilou Sarah no escuro. — Já não estás na cama com o Will.

Mary esboçou um sorriso, desejando estar na cama com Will, na cabana deles. Mas, por mais apertada que a cabana fosse com mais cinco mulheres, além de Charlotte, sentia-se extremamente grata a Sarah e às amigas por as deixarem ficar. Em momentos de cinismo, atribuía a bondade delas ao facto de estarem de novo ao mesmo nível. Mas quase sempre preferia pensar que Sarah, pelo menos, apanhara tal choque ao ver Will açoitado que recuperara a sua velha noção de compaixão e generosidade.

Will estava noutra cabana com James, Samuel e Jamie, e Mary não tivera muitas oportunidades de estar com ele desde o dia do castigo porque, no dia seguinte, ele fora mandado para os fornos de tijolo trabalhar. As suas costas ainda não tinham sarado. Mary sentia-se enraivecida com a crueldade acrescida de mandar um homem executar trabalho físico violento com as costas num estado miserável. Fora ter com ele depois desse primeiro dia e chorara quando o vira. Ele andava de rastos, a camisa ensopada em sangue, o rosto contorcido de dor. Foi tomar banho no mar, com esperança de que sarasse mais depressa, mas mal conseguia mexer os braços e empalideceu de tal modo que Mary pensou que ele ia desmaiar outra vez. As costas não saravam devido aos movimentos repetidos de se baixar e levantar pesos e a terra e o pó entranhavam-se nas feridas e causavam infecções. Will estava agora marcado para toda a vida, física e mentalmente.

157

Mary tinha a sensação de se encontrar num túnel escuro sem qualquer réstia de luz ao fundo. Fora separada do marido e perdera a sua cabana; as rações tinham sido novamente reduzidas, o número de pessoas doentes aumentava e todas as semanas a mortalidade crescia.

Noutro tempo, era tradição o trabalho ser interrompido para um funeral e toda a gente assistir mas esse costume acabara, caso contrário o trabalho não era feito. A morte era agora um lugar-comum, tão banal como um furto ou um acidente. Corria a notícia de que Jack, Bill ou Kate tinham morrido, mas o único interesse era saber quem ficaria com os seus pertences. Isto é, se ainda não tivessem sido roubados ainda antes de o homem ou de a mulher morrer. A morte das crianças tinha ainda menos impacto; para todos, excepto para a mãe, era simplesmente menos uma boca para alimentar.

Mary fora destacada para a lavagem da roupa no dia a seguir ao castigo de Will. Embora lavar a roupa dos oficiais e dos soldados não fosse um trabalho especialmente duro, a vigilância necessária era fatigante. As camisas eram valiosas e se ficassem a secar sem vigia, as outras mulheres roubavam-nas. Mas era sempre a lavadeira que era castigada se desaparecesse uma camisa, mesmo que não descobrissem nenhuma em sua posse.

Agora, somente a ideia de escapar mantinha Mary viva. Ocupava-lhe o pensamento do nascer ao pôr-do-sol, distraindo-a da fome, dos funerais e da depravação à sua volta. Quatro mulheres tinham fugido para o mato mas não tardaram a ser apanhadas; outras que escaparam foram mortas por indígenas ou morreram por não terem encontrado comida nem água; em alguns casos, os corpos foram descobertos mais tarde. Muitas mais limitavam-se a voltar com o rabo entre as pernas, sendo novamente acorrentadas.

Mary sabia por Tench, que havia explorado extensivamente as terras do interior, que não havia naquela zona nada que merecesse a fuga, apenas quilómetro atrás de quilómetro de mato estéril. Algum tempo antes, um pequeno grupo de homens tinha roubado um barco mas, não sendo marinheiros, viraram-no e foram capturados num instante.

Mas Mary estava familiarizada com barcos e com a sua manobra. Sabia que precisaria de um sextante, de provisões abundantes e de cartas marítimas locais. Acima de tudo, precisava de saber onde ficava a região habitada mais próxima e de arranjar um barco apropriado para mares tempestuosos.

Dissera tudo isso a Will alguns dias antes mas ele só se rira dela. — Um barco, um sextante e cartas marítimas! Porque é que não pedes também a lua, meu amor? — disse ele.

Mary tinha perfeita consciência das dificuldades envolvidas mas discordava que não fosse viável só porque mais ninguém tinha tentado. Sabia que o capitão Phillip e os oficiais dele haviam tentado comunicar com os nativos sem sucesso mas ela própria fizera tentativas nesse sentido e obtivera resultados.

Atribuía o facto a Charlotte. Embora os homens de uniforme pudessem intimidar os indígenas, uma criança pequena, quase tão despida como as deles, não os assustava. Enquanto caminhava pela praia até à enseada seguinte para apanhar lenha para uma fogueira, Mary tomara consciência de que estava a ser observada por um grupo de nativas com os filhos. Sentou-se com Charlotte ao colo e cantou-lhe algumas canções e, para seu deleite, ouviu uma voz a fazer coro com ela. Era de outra rapariga pequena e, quando Mary se virou e lhe sorriu, a criança aproximou-se mais.

Durante três dias consecutivos, Mary fez o mesmo e, ao quarto dia, a rapariguinha foi sentar-se ao seu lado, a mãe deixando-se ficar um pouco atrás a ver. Não tardou muito que outras crianças aparecessem e, ao fim de mais alguns dias, todas sabiam a letra das canções de Mary.

Mostrou às nativas folhas de «cipó-doce», a planta trepadeira que os condenados usavam para beber. Era a coisa mais parecida que tinham com uma panaceia. Parecia aliviar as pontadas da fome, reconfortava e revigorava e acreditava-se que afugentava doenças pois aqueles que não bebiam mais nada pareciam sofrer menos de disenteria. Os condenados tinham esgotado todas as fontes da planta nas imediações do acampamento e Mary esperava que os nativos lhe indicassem onde havia mais. E eles assim fizeram, levando-a lá com tal velocidade que ela teve de correr para se manter a par, e até a colheram para ela.

Em geral, os condenados detestavam os nativos. Em parte, era por serem pessoas livres enquanto eles tinham de trabalhar, mas era sobretudo porque os consideravam seres inferiores. Os condenados estavam habituados a ser encarados como a mais baixa ralé e, aos seus olhos, os nativos eram-no ainda mais. Desagradava-lhes que os oficiais dessem presentes àqueles selvagens e insistissem para que fossem tratados com deferência ao passo que os condenados eram sujeitos a actos de crueldade, sem consideração alguma pelas suas necessidades.

Mary nunca partilhara essa atitude embora não considerasse que os indígenas fossem um povo bonito. Na sua opinião, o cheiro a óleo de peixe entranhado neles, os seus narizes achatados e largos e as bolhas de ranho eternamente presentes por cima dos grossos lábios superiores tornavam-nos a todos, à excepção das crianças, feios como trovões. Mas era suficientemente inteligente para compreender que eles provavelmente também consideravam os brancos criaturas feias e, além do mais, aquela era a terra deles, a que estavam perfeitamente adaptados. O seu interesse por eles fora ainda mais fomentado pelo entusiasmo de Tench, que estava convencido de que a maneira correcta de colonizar o território era aprender a compreender o seu povo. Mary, todavia, não queria compreendê--los para se instalar ali; alimentava a esperança de que a ajudassem a fugir.

Persistiu nas suas tentativas de conquistar a amizade deles. Com um sorriso caloroso e mostrando-se interessada nos seus filhos, não teve dificuldades. Disse-lhes como se chamava e eles fizeram o mesmo. Tocaram-lhe no cabelo e na pele e, rindo-se, puseram os seus braços negros ao lado do dela para mostrar a diferença. Mary desenhou figuras toscas de animais nativos na areia e eles disseram--lhe os nomes. Desenhou a figura de um dos barcos e depois uma longa linha ondulada para lhes mostrar a distância que os brancos haviam percorrido para ali chegar. Desejou poder ilustrar como a sua terra natal era diferente da deles, mas era demasiado difícil. Interrogou-se também se eles faziam alguma ideia da natureza da colónia do homem branco e do que queria dizer a palavra «condenado».

Como Tench sublinhara, até à chegada dos brancos, os nativos nem sequer teriam compreendido a ideia de roubo. Não eram pessoas possessivas e deixavam as suas ferramentas, canoas e outros objectos em qualquer lado. Muita da sua hostilidade devia-se ao facto de os brancos se apropriarem dos seus haveres e quem podia censurá-los quando reagiam com violência?

160

Mary continuou a cultivar, dia após dia, a relação com o pequeno grupo de nativos. Pareciam ser saudáveis e alimentar-se bem e, embora ela soubesse que grande parte da sua dieta consistia em peixe, que pescavam em canoas, calculava que a suplementavam com outras coisas. Queria saber quais eram, pois eles não cultivavam nem criavam nada. Achava que esse conhecimento lhe seria útil na fuga.

Ficou chocada quando as mulheres lhe mostraram vermes e insectos que desenterravam de tocos de árvore apodrecidos. Embora o estômago de Mary se tivesse revolvido perante a simples ideia desses bichos, encheu-se de coragem e provou alguns, concluindo que não eram assim tão maus como esperava.

Uma chuva torrencial impediu-a de ir falar com os indígenas durante quase uma semana e, quando por fim se aventurou até à enseada adjacente, não encontrou ninguém. Ficou perturbada pois, embora soubesse que aquela gente não se fixava em acampamentos permanentes, vagueando ao sabor da vontade, tinha consciência de que aquele era um local de pesca favorito.

Caminhou mais do que o normal até que um zunido de insectos e um bando de aves em cima a fez parar. À frente, viu qualquer coisa caída junto dos arbustos sobranceiros à praia e, horrorizada, apercebeu-se de que era um nativo morto, coberto por um enxame de formigas. Agarrando em Charlotte nos braços, voltou o mais velozmente que pôde para o acampamento.

Ainda estava a correr quando viu Tench. Ele devia ter regressado de Rose Hill na noite anterior. Lançou-lhe um sorriso afectuoso. — Estás cheia de pressa — disse. — Passa-se alguma coisa?

— Está um cadáver na enseada seguinte — balbuciou ela.

— Alguém teu conhecido? — perguntou ele a brincar.

Mary não foi capaz de rir pois receava que o corpo pertencesse a um dos nativos com quem se relacionara. — Acho que é um dos nativos — disse. — Não me aproximei o suficiente para ter a certeza. Não é possível que deixem os mortos deles por enterrar.

— Também me parece que não — disse ele, mostrando-se preocupado. — Espero que seja uma morte natural e não um ataque de um dos nossos, já temos sarilhos que cheguem sem isso. Mas vou já ver o que se passa.

Depois de aconselhar Mary a não se tornar a afastar tanto do acampamento, partiu.

Passaram vários dias até Mary ter nova oportunidade de falar com Tench. Vira-o fazer-se ao mar com um grupo de soldados, no dia depois de ela lhe contar do corpo, mas podia estar a dirigir-se para o posto de vigia nos promontórios na ponta da baía.

Estava ela a sair dos armazéns com as suas rações e as de Charlotte quando viu Tench a descer a colina, vindo de casa do capitão Phillip. Pareceu-lhe muito preocupado e em desassossego.

— Que se passa? — perguntou quando ele se aproximou. — Não lhe levou nenhum presente?

Era uma piada antiga entre os dois. Nos primeiros tempos, Tench levava normalmente um presente de comida quando a visitava, a ela e a Will. Nunca era nada de especial, talvez um ovo para Charlotte ou alguns legumes mas, quando a situação começou a agravar-se e ele deixou de lhes levar presentes, pedia sempre desculpa e mostrava-se embaraçado. Mary metia-se então com ele e dizia que não podia esperar ser bem recebido sem um presente.

Desta vez, Tench não lhe dirigiu mais do que a sombra de um sorriso. — O capitão não ficou satisfeito com as minhas notícias — disse ele. — Há dezenas de nativos mortos e moribundos por toda a baía. Exactamente como o que tu viste.

Instintivamente, Mary apertou mais Charlotte contra o peito.

Tench reparou no medo dela e pousou-lhe uma mão no ombro. — Não te aflijas, o Dr. White não tem aqui casos semelhantes. Deve ser qualquer coisa que só os afecta a eles. Mas mantém-te afastada, à cautela. O capitão Phillip vai mandar lá alguém para ver o que pode fazer ou descobrir.

Dizer a Mary que não se afligisse era como pedir ao sol que não brilhasse. Aterrada com a possibilidade de a epidemia se alastrar ao acampamento e matar Charlotte, todo o seu ser a instigava a escapar agora, custasse o que custasse.

Poucos dias antes, o *Supply*, o navio mais pequeno da frota original, regressara da ilha de Norfolk com a notícia de que vinte e seis dos vinte e nove condenados ali haviam congeminado um plano para conseguir fazer a tripulação sair do barco e zarpar nele. Segundo constava, esse plano fora extremamente bem preparado e ter-se-ia saldado num êxito se não tivessem sido denunciados. Se, por um lado, isso significava que a ideia de Mary era exequível, por outro indicava que as medidas de segurança iam ser agora reforçadas e os castigos por quaisquer ofensas seriam mais severos do que nunca.

A prova veio alguns dias mais tarde, quando seis soldados foram enforcados por terem roubado dos armazéns. Aparentemente, andavam a roubar há meses, tendo feito chaves para as fechaduras e, quando um deles estava de sentinela, deixava entrar os amigos para a pilhagem.

A maioria dos prisioneiros regozijou-se ao ver o capitão Phillip usar de mesma severidade com os seus próprios homens. Mas a Mary sugeria que Phillip estava a entrar em pânico, pois sabia que as reservas de mantimentos não iam durar até chegarem reforços de Inglaterra.

Como habitualmente, quando tinha lugar um castigo, todos tinham de estar presentes. Ao ver a corda ser passada ao pescoço de cada homem e ao ouvir o som da plataforma do cadafalso a ser retirada de debaixo dos seus pés, deixando-o pendurado no vazio, Mary nunca sentiu tanto medo e desespero.

Para ela, aquele lugar não tinha nada de positivo — guardas corruptos, mulheres que recebiam trinta chicotadas só por brigarem e uma morte lenta à fome. Tinha a impressão de estar presa no inferno na companhia de várias centenas de lunáticos.

No entanto, em Abril, a situação começou a melhorar ligeiramente para ela e para Will quando a escassez de mantimentos obrigou o capitão Phillip a deixar Will retomar a pesca, embora vigiado. Mary sorriu tristemente consigo mesma pois tivera razão, não podiam passar sem ele. Sem a sua habilidade, a pescaria fora irrisória e, embora Will detestasse ser vigiado, pelo menos provara que era indispensável e a cabana foi-lhes devolvida.

Fosse qual fosse a epidemia que vitimara metade da população nativa na baía, não se propagou à nova colónia. Só um branco pereceu, um marinheiro do *Supply*. O Dr. White parecia ser de opinião de que se tratava de varíola, mas a sua origem era um mistério. Se a tivessem trazido nos navios, já se teria manifestado há muito tempo.

Depois, no princípio de Maio, a tristeza que reinava em toda a colónia foi momentaneamente atenuada com a chegada do *Sirius* da Cidade do Cabo. Embora transportasse sobretudo farinha e não provisões substanciais como carne, trouxe a boa notícia de que vinham mais navios a caminho e correio há muito esperado para os que tinham a sorte de ter amigos e família que sabiam escrever.

Contudo, a visão do navio ancorado ao largo da baía pareceu ter um efeito negativo em Will. Em várias ocasiões antes de ele sair para pescar, Mary foi dar com ele na praia à tarde, a contemplar o *Sirius*. Quando tentava falar com ele, ele respondia-lhe torto e, quando não estava a trabalhar, não ia ter com ela e com Charlotte como antigamente.

Um dia, ao princípio da tarde, Mary estava a carregar com a roupa lavada para as casernas, tendo deixado Charlotte a brincar com outra criança, quando ouviu a voz ribombante de Will na cabana de James Martin. Mary calculou que tinham obtido rum em qualquer lado.

Mary tinha opiniões contraditórias a respeito de James, o ladrão de cavalos irlandês. Ficara deliciada ao reencontrá-lo, juntamente com Sam Bird, pois as amizades forjadas no *Dunkirk* eram aqui a base de uma espécie de família. James era um homem muito divertido e encantador, inteligente e lúcido, que sabia ler e escrever. Mas era um beberrão e um mulherengo inveterado.

Mary reconhecia nele o tipo de pessoa que metia as outras em complicações mas que normalmente conseguia, à custa de falinhas mansas, não ser inculpado. A lealdade não era um conceito que o movesse; em primeiro lugar, James Martin tratava da sua vida. Ela considerava-o uma péssima influência sobre Will.

Por natureza, Mary não se metia na vida dos outros mas Will preocupava-a quando bebia, pois tornava-se fanfarrão e muitas vezes bastante agressivo. Por outro lado, queria saber como é que ele e James tinham conseguido a bebida; se ele andava a roubar peixe para a obter, queria saber antecipadamente.

Não vendo ninguém nas imediações, Mary contornou furtivamente a parte de trás da cabana de James. Se aparecesse alguém, faria de conta que acabara de sair dos arbustos onde fora fazer as suas necessidades.

James estava a falar de alguns homens que andavam atrás das mulheres nativas. Na sua opinião, um homem que fazia isso não regulava bem da cabeça.

— Acho que se corre menos riscos com uma das velhas bexigosas daqui — disse Will com uma gargalhada estrondosa. — Foi por isso que eu escolhi a Mary, sabia que ela era limpa.

Mary ficou sem saber se havia de considerar aquelas palavras um elogio ou não. Havia nele uma certa ambiguidade.

— Ela é boa mulher — disse James num tom quase de censura. — És um felizardo, Will, por várias razões.

— Hei-de ser mais felizardo ainda assim que sair deste maldito lugar — respondeu Will. — E quando cumprir a pena desando no primeiro navio.

— Não esperas pela Mary? — perguntou James, num tom ligeiramente malicioso, levando Mary a desconfiar que afinal não estavam a beber juntos. Talvez Will o tivesse visitado depois de ter bebido noutro sítio qualquer.

— Era o que faltava — explodiu Will. — Para já nenhum navio me aceita com uma mulher e uma criança e depois tenho mais futuro que ela.

Para Mary, foi como se lhe tivessem dado um soco na barriga. Uma coisa era Will dizer aos outros que não se considerava legalmente casado, outra muito diferente era dizer que tinha mais futuro do que ela. Deu meia-volta e fugiu, fazendo um esforço enorme para não chorar.

Como Will não regressou à cabana antes de sair para pescar nessa noite, Mary cozinhou um pouco de arroz no fogo, desta vez pelo menos sem reparar nas larvas que subiram à tona quando a água começou a ferver. Não tinha nada para lhe acrescentar pois já comera a diminuta ração de carne de porco salgada no princípio da semana. Mas não tinha apetite, estava só a cozinhar por causa de Charlotte. Sentia-se sem forças e desanimada por saber que Will tencionava abandoná-la.

Charlotte sentara-se ao pé do fogo, o que acontecia sempre que a mãe cozinhava, os seus olhos escuros nunca largando a panela. Isso angustiava Mary ainda mais, pois uma pequena dose de arroz não chegava, nem de perto nem de longe, para uma criança crescer saudável. Já entrevia na filha os sinais reveladores da subnutrição que observara em crianças de famílias desesperadamente pobres na Cornualha: a barriga dilatada, as faces encovadas e os olhos e o cabelo baços.

165

Se Will a deixasse e partisse para Inglaterra, a fuga seria praticamente impossível. Podia planeá-la, obter todo o equipamento necessário e manobrar um barco sem problemas, mas era Will quem entendia de navegação. Não havia um único homem em todo o contingente de deportados capaz de o substituir.

A ideia de ficar ali sozinha aterrorizava-a. Perderia a cabana, as mulheres escarneceriam dela, os homens assediá-la-iam. Não seria capaz de proteger Charlotte da depravação que a rodeava. O melhor que poderia esperar seria tornar-se uma «mulher condenada», a amante de um dos soldados ou oficiais. Mas essa situação acabaria quando também ele voltasse para Inglaterra.

As emoções de Mary eram um misto de desespero, medo e agora raiva mas, depois de Charlotte devorar o arroz e se virar sonolenta para o peito da mãe, já tinha um plano. Tal como planeara friamente arranjar um amante entre os oficiais do *Dunkirk* a fim de sobreviver, ia agora mais uma vez usar os poucos trunfos de que dispunha.

Quando Will voltou para a cabana, era quase alvorada. Estava enregelado até aos ossos e encharcado pois começara a chover e, por volta das dez horas da noite anterior, a temperatura descera consideravelmente. Estava também exausto e transido de fome pois haviam passado a noite a pescar e o único fruto da sua árdua labuta era uma dúzia de peixes. Ele já passara por tudo aquilo um milhar de vezes antes, quer ali, quer na Cornualha, mas o que o desalentara terrivelmente nessa noite fora a atitude dos dois soldados encarregados de o vigiar.

— Cabrões — murmurou, cuspindo ostensivamente na areia. Se não fosse o medo de outro açoitamento, tê-los-ia atirado à água. Como se atreviam a sugerir que, se não havia peixe, era porque ele não percebia tanto de pesca como alardeava? E que estava bêbado quando entrara no barco. Tinha realmente bebido um pouco de rum mas continuava lúcido. Pura e simplesmente não havia peixe na baía. Se eles se tivessem disposto a passar para lá dos promontórios como ele pretendia, teriam apanhado milhares.

Ao aproximar-se da cabana, ficou muito surpreendido quando viu uma fogueira e Mary debruçada sobre ela.

— Para que é a fogueira? A Charlotte está doente? — perguntou, chegando junto dela.

— Não, está a dormir — respondeu Mary. — Pensei que estarias com frio e com fome e preparei-te o pequeno-almoço.

Will animou-se. Estava à espera que Mary estivesse carrancuda por ter ido pescar sem estar com ela antes. Se ela tivesse descoberto que ele comprara rum em lugar de qualquer coisa para comerem, teria ficado ainda mais furiosa.

— Pequeno-almoço? — perguntou, incrédulo.

Mary levou a mão à sua camisa molhada. — Tira isso e põe-na a secar — disse ela, com uma expressão de preocupação afectuosa. — Embrulha-te no cobertor para te aqueceres. Só consegui fritar-te um pouco de pão, não arranjei mais nada.

Cinco minutos depois, sentado à porta da cabana, com uma chávena de chá doce numa mão e um grande naco de pão frito na outra, Will sentia-se muito melhor. Os primeiros raios de sol despontavam no céu e a vista da baía era esplêndida, com um manto de neblina sobre a água. Era a sua hora do dia favorita, os pássaros começando a acordar para chilrear, a fealdade do acampamento ainda obscurecida. Podia ser Inverno mas era tão quente como uma manhã de Primavera em casa. Aliás, olhando até ao *Sirius* envolto em bruma, com os tons cinzentos e verdes mais além da baía, quase conseguia ter a ilusão de estar no porto de Falmouth a olhar para St. Mawes.

Tinha imensas saudades da Cornualha: das ruelas empedradas sinuosas, das casas aninhadas umas contra as outras, da claridade ofuscantemente luminosa do Verão, das grandes lareiras a arder na taberna numa noite de Inverno. Quando pensava nos riscos que os habitantes corriam a fazer contrabando, vinha-lhe um sorriso aos lábios. Debatendo-se furiosamente com os remos contra vagas da altura de casas, atentos às lanternas acesas nos penhascos, que alertavam para a chegada da guarda fiscal — era um jogo a altas paradas e só aqueles capazes de velocidade, coragem e força ousavam jogá-lo. Mas os vencedores celebravam com copos de conhaque francês, pescadores, mineiros e trabalhadores rurais em pé de igualdade com a fidalguia, se tivessem desempenhado o seu papel com competência.

As raparigas também eram bonitas: faces rosadas, seios grandes e sorrisos tímidos e doces. Da primeira vez que vira Mary, através da grade do *Dunkirk*, ela também era assim. Agora estava escanzelada, com as faces encovadas e raramente sorria.

Mas tinha-se levantado para acender uma fogueira e lhe fritar pão. Era limpa e não andava atrás de outros homens.

— Em que estás a pensar? — Mary sobressaltou-o, aparecendo por detrás e passando-lhe os braços pelo pescoço.

— Em nada de interessante — disse ele a rir. — Mas digo-te na mesma. Estava a pensar na Cornualha, no contrabando e nas tabernas.

— Queres saber em que é que eu estou a pensar? — perguntou ela, beijando-o no pescoço.

— Diz lá — disse ele.

— Metemo-nos na cama e eu aqueço-te como deve ser.

Will sorriu e sentiu-se reconfortado. Já antes do castigo, com a fome e o cansaço, era raro fazerem amor. Mas desde então nunca mais tinham feito; as suas costas laceradas, o trabalho no forno de tijolos e as rações ainda mais reduzidas haviam matado os últimos vestígios de paixão.

— Excelente ideia, meu amor — disse ele, virando-se para a agarrar e beijar. — Já tinha saudades.

Mais tarde nesse dia, Mary sorriu consigo mesma enquanto lavava roupa à beira-mar. Quase se esquecera de como Will era capaz de fazê-la sentir-se especial. Valia a pena levantar-se tão cedo, conseguira mesmo esquecer a fome.

No princípio de Setembro, Mary não teve qualquer dúvida de que estava novamente grávida. Ficou entusiasmada, não só porque atingira o seu objectivo e descobrira uma maneira de impedir Will de deixá-la ali sozinha, mas porque ele ficara genuinamente feliz por vir a ser pai. Contudo, como sempre na colónia, qualquer momento de felicidade parecia desmoronar-se perante uma ocorrência terrível. Desta vez, foi um soldado que violou uma criança de oito anos. O facto intensificou a consciência de Mary da vulnerabilidade

168

de Charlotte. Até então, mal considerara o que o futuro reservava à filha; mantê-la viva ocupava o seu espírito a todas as horas. Mas, quando o soldado não foi sequer enforcado mas despachado para a ilha de Norfolk, deu por si a soluçar de raiva.

— Não reajas assim, Mary — disse Will, tentando confortá-la. — Pelo menos, está longe daqui.

— Mas também há lá crianças — recordou-lhe ela. — Incluindo a pequena Henrietta, a menina da Jane. Explica-me porque é que nós somos açoitados só por sermos insolentes e molestar uma menina pequena não é sequer considerado um crime.

— Não sei — disse Will, abanando a cabeça. — Como não sei porque é que continuam a mandar dois homens para me vigiar enquanto pesco. Se não fossem eles, saía da baía e apanhava peixe a sério.

— Temos de voltar a pensar em escapar — disse Mary com veemência.

— Como é que isso é possível com um bebé a caminho? — respondeu ele, dando-lhe uma palmadinha terna na barriga.

— É por causa deste bebé — retorquiu ela. — Não queres uma vida melhor para ele?

Em Novembro, toda a colónia entrou em alvoroço com a notícia de que o tenente Bradley e o capitão Keltie do *Sirius* haviam capturado dois nativos por instrução do capitão Phillip.

Os homens capturados chamavam-se Bennelong e Colbee e descobriu-se que não tinham mulheres nem filhos. O tenente Bradley, o oficial responsável pela sua captura, conseguiu que um rapaz nativo órfão, que fora recolhido pelo Dr. White, explicasse aos homens que ninguém lhes ia fazer mal.

Mary assistiu a todo o processo, espantada. Sempre pensara que raptar alguém contra vontade era o mesmo que fazer mal. Tinha também a certeza de que os dois nativos ficariam ainda mais amedrontados quando fossem obrigados a lavar-se, a barbear-se, a vestir-se e fossem acorrentados para não fugirem.

Alguns dias mais tarde, circulou a notícia de que os dois homens tinham conseguido libertar-se dos grilhões. Colbee conseguiu escapar mas Bennelong foi apanhado. A maioria dos prisioneiros achou a situação altamente divertida. Não viam Bennelong como uma pessoa com sentimentos mas mais como um animal que tinha de ser enjaulado. Mas Mary sentiu-se revoltada — o homem negro, alto e bem constituído tinha qualquer coisa que a comovia. Imaginava perfeitamente a sua confusão com o mundo estranho para onde o tinham arrastado. O seu povo vivia em liberdade. O lar era o tecto temporário de uma caverna ou de uma choupana de argila e casca. Não havendo príncipes nem reis nas suas tribos e sendo todos os homens iguais, como era possível que ele compreendesse as distinções de classe do homem branco e a sua avidez por riqueza, poder e bens materiais?

Mary considerava que Bennelong se encontrava numa posição muito semelhante à sua e, por isso, podiam tornar-se aliados. Ocorreu-lhe que, se o ensinasse a usar o seu cativeiro em proveito próprio, talvez em troca ele se deixasse convencer a ajudá-la a escapar com Will e Charlotte.

As semanas iam passando lentamente, aumentando o desespero de Mary. Ali, ao contrário do *Charlotte*, não havia rações extra para as mulheres grávidas e ela tinha tanta fome que muitas vezes ia à procura de vermes e insectos como os indígenas a haviam ensinado. Durante os meses de Dezembro e Janeiro, o calor era sufocante; Mary acordava bem cedo com o sol a bater no telhado da cabana e não havia um momento de alívio durante todo o dia até ao pôr-do--sol.

A sua única esperança advinha da relação que estava a forjar com Bennelong. Usando palavras na língua dele, que aprendera com as crianças com quem fizera amizade, conseguiu sugerir-lhe que, se cooperasse com o capitão Phillip, as correntes ser-lhe-iam removidas das pernas e ele podia tornar-se importante para o homem branco. Bennelong pareceu compreender o que ela queria dizer; numa ocasião, mostrou-lhe meia garrafa de rum que lhe tinham dado e abriu-se num sorriso. Parecia não se importar de permanecer na colónia desde que o filão não se esgotasse.

Mary sabia que era demasiado cedo para tentar obter a sua ajuda num plano de fuga. Além disso, esta tornava-se inviável num estado tão avançado de gravidez. Por outro lado, não havia possibilidade de conseguir comida e armazená-la, e além disso, não havia navios fundeados no porto. Tanto o *Sirius* como o *Supply* haviam partido, levando para a ilha de Norfolk noventa e seis homens e vinte e cinco mulheres prisioneiros, juntamente com vinte e cinco crianças, num esforço de fazer durar um pouco mais as rações. O *Sirius* seguiria então para a China para tentar arranjar os mantimentos tão necessários.

Quando partiram de Inglaterra, transportavam víveres suficientes para dois anos e esse período tinha agora chegado ao fim. Embora a quinta em Rose Hill tivesse produzido uma boa colheita de trigo, só havia mantimentos para alguns meses mais e as rações foram mais uma vez reduzidas. Toda a gente, desde o capitão Phillip ao mais abjecto criminoso, estava ansiosamente à espera da chegada de um navio com mais alimentos. Todos os dias as pessoas se arrastavam para Dawes Point, onde distinguiam a custo o mastro da bandeira no promontório sul, na ponta da baía. Se a bandeira fosse descida, queria dizer que estava a chegar um navio, mas dia após dia voltavam desapontadas.

O medo de morrer à fome era agora extremamente real. Estava estampado no rosto de todos os condenados, na desolação do seu olhar, nas suas faces encovadas e na lentidão dos seus movimentos. Com tantas pessoas do contingente inicial transportadas pelas tropas para a ilha de Norfolk e com as inúmeras mortes durante os dois anos, a enseada de Sydney parecia uma cidade fantasma e as cabanas devolutas estavam a ser distribuídas a pessoas que anteriormente as partilhavam. Com mais um corte nas rações, ninguém tinha a força física necessária para trabalhar um dia inteiro. Foi emitida uma ordem de que só tinham de trabalhar até ao meio-dia; as tardes podiam ser passadas a cultivar os seus próprios jardins. Por fim, Will foi autorizado a pescar sem vigilância porque não havia simplesmente recursos humanos para destacar para o serviço da pesca.

Mary sentiu as primeiras dores de parto ao princípio da noite do dia 30 de Março. Inicialmente não as reconheceu como dores de parto, presumindo que eram simplesmente pontadas de fome. Will andava a pescar e chovia tão torrencialmente que o solo era um mar de lama vermelha e viscosa. Deitou Charlotte e ela própria meteu--se na cama mas as dores persistiam, o suficiente para não a deixar dormir.

Durante toda a noite, ficou ali deitada a fixar a escuridão e a ouvir o gotejar constante da água a entrar pelo telhado. Nessa altura, já compreendera que o bebé estava a nascer mas, no seu estado enfraquecido, sentia-se incapaz de se levantar e de se arrastar na lama e à chuva em busca de auxílio.

Pela primeira vez na vida, Mary desejou morrer. Estava exausta da luta diária pela sobrevivência e sentia-se incapaz de responder às exigências adicionais que um novo bebé representaria. Nem os gemidos de Charlotte a dormir penetravam na sua consciência. Esperava que, ali deitada, ignorando os esforços da criança para vir ao mundo, tudo se desvanecesse e ela também.

Mas, fechando os olhos e esforçando-se para passar para o vale negro da morte, a cara da mãe veio-lhe ao pensamento. Mary fizera os possíveis por esquecer os pais e a irmã. Há muito que desistira de procurar recordar os seus rostos e o som das suas vozes ou de pensar se alguma vez falariam sobre ela. Criara mesmo uma carapaça que lhe permitia não pensar na Cornualha nem compará-la com aquele lugar.

E, contudo, aí estava ele agora, o rosto da mãe, tão nítido como se estivesse à sua frente, à luz do dia. Os seus olhos cinzentos estavam carregados de preocupação, a boca ligeiramente crispada, como que a censurá-la, farripas de cabelo grisalho escapando da sua touca de linho. Recordava bem aquela expressão, que ela punha sempre que repreendia Mary por se comportar como uma maria-rapaz. Recordou então que a mãe sempre fora forte, nunca revelara a sua ansiedade a Mary e a Dolly nos dias em que o barco do pai não regressava quando era esperado. De algum modo, conseguia sempre pôr comida na mesa e manter a lareira acesa.

Parecia-lhe que a mãe estava a tentar enviar-lhe uma mensagem, dizendo-lhe que devia lutar pela vida, para bem dos filhos.

Com grande dificuldade, levantou-se da cama, procurou no escuro, aos apalpões, um pedaço de serapilheira para pôr à volta dos ombros e saiu para a chuva.

A cabana mais próxima ficava apenas a vinte metros mas as contracções eram demasiado violentas para estar de pé. Mary, transida de dor, rastejou de gatas pela lama em busca de ajuda.

*

Os primeiros raios de sol estavam a entrar pela porta aberta quando o bebé de Mary conseguiu finalmente emergir pela mão pouco segura de Anne Tomkin.

— É um rapaz! — exclamou Anne com mais cansaço do que júbilo, levando o bebé até à porta para o examinar. — E parece são.

A declaração foi confirmada por um grito vigoroso e zangado. Foi Mary quem teve de dizer a Anne que embrulhasse o filho num pano e atasse e cortasse o cordão umbilical. Anne não tinha filhos e o marido Wilfred, que fora buscar ajuda mais competente, ainda não voltara.

Todavia, pegando no filho ao colo, Mary esqueceu a dor, a fome e até o corpo coberto de sangue e lama já secos. Deus dera-lhe o rapaz que desejava, poupara a sua vida e isso tinha de significar que a esperança de dias melhores existia.

— Vou pôr-lhe o nome de Emmanuel — disse ela em surdina consigo mesma.

CAPÍTULO 8

— É lindo — disse Will num tom reverente, com o filho nos braços. Acabara de chegar de uma noite inteira de pesca e, apesar de estar molhado, exausto e cheio de frio, ficou encantado quando viu que Mary lhe dera um rapaz. — E trouxe-nos sorte! Tenho um salmonete estupendo para nós.

Quando Mary lhe lançou um olhar ansioso, Will sorriu. — É legítimo. Deram-mo por causa do bebé. Acho que a nossa vida agora vai melhorar.

Mary descontraiu novamente e sorriu. Will sempre fora afectuoso para com Charlotte desde o princípio mas agora o seu rosto iluminou-se de prazer contemplando o bebé. — Gostas do nome Emmanuel? — perguntou ela.

— É um belo nome — disse ele, olhando ternamente para o filho e depois para Mary. — Um nome cheio de esperança e hei-de ensiná-lo a escrevê-lo também.

Foi um dia auspicioso para Mary. Parou de chover, o sol apareceu e Will levou-a até ao mar para a lavar. Houvera muitos momentos de afecto entre ambos no passado mas nunca aquele grau de ternura e cuidado. Ele instalou-a confortavelmente numa cama improvisada à sombra de um eucalipto, ao lado da cabana, enfiou Emmanuel no antigo berço de Charlotte e depois cozinhou o salmonete na fogueira com duas batatas que conseguira noutro lado. Mais tarde, levou Charlotte a passear para informar o Dr. White do nascimento do bebé e deixou Mary na cabana para que ela pudesse dormir.

175

Ela não dormiu, apesar de reconfortada com a comida. Will não era o tipo de homem que falasse de amor mas as suas acções manifestavam bem os seus sentimentos. Houvera momentos durante a gravidez em que se sentira culpada por estar a prendê-lo mas, agora que vira a sua felicidade por ter um filho, esse sentimento de culpa dissipara-se. Eram agora uma família completa e, o que quer o futuro lhes reservasse, podiam enfrentá-lo juntos.

Tench visitou-a mais tarde nesse dia.

— Soube que o teu bebé tinha nascido — disse ele, olhando para Mary que embalava Emmanuel à sombra da árvore. — Dou graças a Deus por estares bem e de boa saúde.

— Não é o bebé mais bonito do mundo? — perguntou Will, balançando Charlotte no joelho. — Nunca vi bebé mais robusto.

Tench riu-se e baixou-se para afagar a cabeça da criança. — Parece-se contigo, Will. O mesmo cabelo louro e constituição robusta. Cuida bem dele.

— E de mim também — disse Charlotte, indignada. Todos se riram pois era claro que se acabara de aperceber de que o lugar dela podia estar prestes a ser usurpado.

— Eu hei-de cuidar sempre de ti — disse Will, pegando nela e atirando-a ao ar. — Tu és a minha princesinha.

— Não dês demasiada importância aos rumores de que o Will te vai abandonar quando a pena dele chegar ao fim — disse Tench a Mary quando Will se afastou para se ir vangloriar do filho junto de mais alguns amigos. — Não me parece que ele tenha coragem para te deixar.

Mary não ficou surpreendida por Tench ter ouvido os rumores. As pessoas ali não recuavam perante nada para transmitir informações. Interrogou-se sobre o que ele pensaria dela se soubesse que o bebé era o seu plano secreto para prender Will.

— Eu não dou ouvidos ao que as pessoas dizem — disse ela num tom firme pois sentia-se tão feliz hoje que nada mais parecia importante.

— Quando o Will cumprir a pena, podem pedir um talhão de terra — disse Tench.

— Que é que fazíamos com ela? — respondeu Mary com um sorriso. — Não somos agricultores. O Will só gosta de pescar.

— Pode construir um barco dele e iniciar um negócio de pesca. E tu talvez possas abrir a primeira peixaria na Nova Gales do Sul!

— Talvez — redarguiu ela. Desejava poder acreditar, como Tench, que um dia nasceria ali uma verdadeira cidade. Ele parecia pensar que, quando os problemas actuais fossem resolvidos, o território atrairia colonos livres, para cultivar a terra e viver do comércio, como acontecera na América. — E é possível que chegue amanhã um navio com animais, arados, sementes, árvores de fruto, mantimentos para todos, medicamentos e fazendas para confeccionar roupa — acrescentou com uma inequívoca ponta de sarcasmo.

— Os navios hão-de chegar brevemente — disse ele, como sempre dizia, mas desta vez a falta de convicção na sua voz era evidente. — Não posso acreditar que a Inglaterra nos deixe aqui a morrer.

Emmanuel foi baptizado alguns dias mais tarde, a 4 de Abril, à sombra da mesma grande árvore onde Mary e Will haviam casado. Como era hábito naquelas ocasiões, toda a gente compareceu.

Mary achara-se mal vestida no dia do seu casamento mas esse vestido cinzento há muito que se desfizera com o uso e fora transformado em guardanapos para Charlotte. O seu substituto, um «saco» informe de algodão grosseiro, distribuído pela Marinha, estava quase tão gasto como o anterior. Uma das mulheres mais caridosas de um soldado dera-lhe uma fita vermelha para o cabelo e um pedaço de flanela de algodão para fazer um vestido para Emmanuel; sem ela, o bebé teria sido embrulhado num trapo.

Passando os olhos pelas pessoas reunidas, Mary reparou como todos tinham mirrado desde a chegada. Nessa altura, eram, de um modo geral, saudáveis, os olhos brilhantes de excitação e maldade; havia exuberância e esperança mesmo quando se queixavam exaltadamente. As suas vozes eram fortes, discutiam, brigavam e riam, empurrando-se e atropelando-se como crianças impacientes. Mary recordava-se de ter pensado então que nunca seria capaz de aprender os nomes todos.

Mas agora era fácil conhecer os nomes de toda a gente. A morte levara muitas pessoas e o recente despacho de mais umas dezenas para a ilha de Norfolk significava que não deviam restar mais de cento e cinquenta. Só o número de crianças e bebés aumentara mas o seu estado era lastimoso, com os seus enormes olhos tristonhos em rostos pálidos e ossudos, pernas e braços escanzelados, quase todos a chupar nos dedos com a fome.

Já não se viam olhos brilhantes em rosto nenhum, nem entre os oficiais. Já não havia empurrões e atropelos, nem vozes excitadas, mas apenas rostos macilentos e apáticos, drasticamente envelhecidos pelo sol e pela malnutrição. Raramente se ouvia rir porque quem conseguia arranjar de beber já não procurava a folia mas o esquecimento. Até as cores garridas do vestuário haviam desaparecido — as melhores roupas que alguns haviam exibido no primeiro dia há muito transformadas em andrajos sem cor.

Mary pensou que todos se tinham tornado como aquela terra selvagem. Tão desolados e áridos como o mato rasteiro, com os seus arbustos cinzento-esverdeados, tão enfezados e desesperançados como os legumes que haviam tentado cultivar.

Gostaria de atirar as culpas aos oficiais mas até eles estavam mais magros e exaustos. Quanto aos soldados, sentia mesmo pena deles e das mulheres e famílias, pois tinham as mesmas rações dos prisioneiros, os seus uniformes eram andrajosos e estavam a morrer ao mesmo ritmo.

Watkin Tench partiu para Dawes Point muito cedo na manhã seguinte, para verificar o mastro da bandeira no promontório sul. Dormira mal porque o baptizado de Emmanuel Bryant, no dia anterior, o perturbara profundamente. Embora fosse bom ver a felicidade de Mary e Will com o filho, um momento de ânimo num período desesperadamente negro em tudo o mais, se a criança não sobrevivesse, Mary ficaria desolada.

Tench desejava não sentir tanta afeição por ela. Dissera a si mesmo um milhar de vezes que aquilo que o ligava a Mary não passava de amizade mas a verdade era que, sempre que a via, os seus sentimentos intensificavam-se. O seu coração batia mais depressa ao vê-la. Sentia-se impotente perante a sua extrema necessidade de alimento e de roupa decente. Mary era uma pessoa orgulhosa, não implorava favores e dava pouca importância às privações por que passava. Aliás, tirava o máximo partido do pouco que tinha.

Chegara mesmo a esperar que o castigo de Will o endurecesse como havia endurecido outros homens, que se tornasse num perfeito desordeiro e Mary deixasse de lhe ser leal. Mas, em lugar de criar um fosso entre eles, parecia ter tido o efeito inverso, e o bebé Emmanuel era prova disso.

Só queria conseguir acabar com aquelas fantasias fúteis em que levava Mary consigo para Inglaterra quando a sua comissão acabasse. Se confidenciasse a alguém o seu sonho de arranjar uma pequena casa de campo, bem longe de Plymouth, onde pudessem viver, explicando aos amigos e à família que ela era a viúva de um soldado ali estacionado, rir-se-iam dele.

Mas eram esses os seus devaneios. Imaginava Mary de novo a florescer, bem alimentada, deitada todas as noites nos seus braços numa cama de penas. Quando atingia este ponto nas suas fantasias, dava por si excitado, imaginando-se a beijar os pequenos seios, que tantas vezes vislumbrara quando ela dava de mamar a Charlotte.

Tench interrompeu bruscamente o devaneio ao ver que a bandeira fora descida no mastro. Significava que um navio estava fundeado na enseada ou que fora avistado no mar.

Numa grande excitação, correu para o observatório onde fora montado um telescópio astronómico e apressadamente apontou-o para o mastro da bandeira. Distinguiu apenas um homem a deambular junto do mastro e, para seu profundo desapontamento, compreendeu que não podia ser um navio de Inglaterra senão a agitação seria muito mais febril. Devia ser o *Sirius* a regressar da ilha de Norfolk antes da viagem para a China.

Voltou a correr para comunicar o facto ao capitão Phillip e, quando o governador disse que iria de barco ao encontro do navio, Tench pediu para o acompanhar pois era, pelo menos, uma distracção da rotina normal e das reflexões sobre Mary.

Estavam a meio caminho dos promontórios quando viram o bote a remos do *Supply* a avançar na sua direcção. Tench reconheceu o capitão Ball, que estava a gesticular freneticamente, e sentiu um baque no coração.

— Capitão — disse ele a Phillip —, prepare-se para receber más notícias!

*

Will correu praia fora na direcção de Mary, que estava a lavar roupa. Ansiosa, ela levantou os olhos ao som dos seus passos apressados. — O que foi? — gritou, esperando desesperadamente que fosse a notícia de um navio carregado de provisões.

— O *Sirius* naufragou — respondeu ele.

Will demorou algum tempo a recobrar o fôlego para explicar o que ouvira no porto. O *Sirius* acabara de descer os botes, carregados de provisões na baía de Sydney, na ilha de Norfolk, quando encalhou nuns rochedos submersos. O capitão Hunter tentou evitar um desastre, largando a âncora, mas era tarde de mais. Antes de a corrente da âncora se retesar, o navio embateu no recife de coral que se estendia paralelamente à praia. Quando o mar começou a entrar nos porões, a tripulação cortou os mastros para aligeirar o navio e este poder flutuar livremente mas por essa altura já poucas esperanças havia.

— Lançaram cordas para puxar os homens para terra — disse Will, ofegante. — Ouvi dizer que trabalharam até deixarem de ver, quando anoiteceu. Na manhã seguinte, salvaram os restantes.

Mary ficou profundamente chocada. A perda do *Sirius* era um golpe mortal para a colónia. Como iam agora conseguir provisões na China?

— Estão todos a salvo? — perguntou. Algumas mulheres e crianças que haviam sido despachadas para a ilha eram pessoas a quem ganhara afeição.

Will indicou que sim. — Podemos dar graças a Deus por essa pequena benesse. — Nesse momento, abriu-se num sorriso. — Mandaram alguns prisioneiros ao navio para trazer o resto dos animais. Eles encontraram grogue e resolveram acender fogueiras e festejar.

— Oh, Will — suspirou Mary. — Isso não tem graça nenhuma!

— Temos de rir senão vamo-nos abaixo — respondeu ele, indignado. — E há outra história engraçada. O tenente Clark foi atirado da jangada quando um prisioneiro caiu ao mar. O prisioneiro não sabia nadar, o Clark salvou-o e trouxe-o para terra. Depois deu-lhe uma data de pauladas por ter posto em perigo a segurança dele.

Mary soltou uma gargalhadinha. Na sua opinião, era uma atitude típica do tenente Ralph Clark, de quem nunca tinha gostado. O homem era um hipócrita mesquinho que passara a maior parte do primeiro ano aqui a chamar prostitutas às prisioneiras e a matar de tédio Tench e os outros oficiais com histórias de Betsy, a fantástica mulher que deixara em Inglaterra. Mas tivera o desplante de se envolver com uma condenada depois de tudo o que dissera sobre elas! Foi até absurdo ao ponto de dar à criança nascida dessa relação o nome de Betsy, em honra da mulher amada. Fora destacado para a ilha de Norfolk para assumir aí o comando e, quanto a Mary, quantas mais dificuldades encontrasse, melhor.

— Mas que é que nos vai acontecer agora? — perguntou a Will.

— O *Sirius* era a nossa única hipótese de recebermos mais provisões.

Will franziu o sobrolho. — O Phillip convocou todos os oficiais para uma reunião especial às seis horas.

Mary sabia por Tench que Phillip não tinha o hábito de fazer confidências a ninguém. Mantinha a sua distância a todo o custo, pelo que devia estar extremamente preocupado para reunir os seus homens.

— Esperam-nos ainda mais adversidades, é mais que certo. — Mary suspirou, desalentada. — Mas vamos encarar as coisas com optimismo, Will. Se não chegar em breve um navio de Inglaterra, o Phillip torna-se ainda mais dependente daquilo que tu pescares. É tempo de insistires outra vez em ficar com uma parte da pescaria. As tuas capacidades hão-de ser a única coisa que mantém toda a gente aqui viva.

O capitão Phillip estava realmente muito preocupado quando se apresentou diante dos seus oficiais reunidos às seis horas. Vivera muito tempo na esperança de que chegasse um navio de Inglaterra para resolver os problemas da colónia, mas agora via-se obrigado a encarar a realidade de ter de tomar outras medidas drásticas ou assistir à morte em massa pela fome.

— Vai ser necessário cortar novamente às rações — começou, numa voz ligeiramente trémula porque sabia que uma ração diária de pouco mais de um quilo de farinha, um quilo de carne de porco rançosa, um quartilho de ervilhas secas e um quilo de arroz intragável, divididos por sete pessoas, não era suficiente para sobreviver. — Temos de complementar isto com mais peixe e carne para não morrermos. O meu plano é requisitar todos os barcos particulares para a pesca e formar grupos de caça.

Os oficiais entreolharam-se, consternados, sabendo que Phillip esperava que oferecessem os seus serviços. À excepção de Tench, todos consideravam desagradável supervisionar tais expedições, pois não gostavam de trabalhar com os condenados.

— Capitão, está a sugerir que vamos dar armas a alguns dos prisioneiros? — perguntou um dos oficiais superiores com uma expressão horrorizada no rosto vermelho.

— Estou — disse Phillip, num tom cansado. — Alguns são bons atiradores. Estou convicto de que, se demonstrarmos confiança neles, responderão com um verdadeiro esforço pelo bem comum.

Continuou, declarando que não tinha outra alternativa senão mandar o *Supply* para a Batávia, nas Índias Orientais Holandesas. O capitão Ball fretaria aí outro navio para transportar provisões na volta. Phillip King, o anterior governador da ilha de Norfolk, partiria igualmente no navio para levar para Inglaterra despachos e o relatório do capitão Phillip sobre a situação na colónia.

Os oficiais ficaram ainda mais preocupados ao ouvir aquilo porque o *Supply* era um navio pequeno de apenas cento e setenta toneladas e seria perigoso navegar sozinho em águas desconhecidas. Além disso, se se perdesse no mar, ficariam sem nenhuma embarcação para transportar mantimentos dali para a colónia da ilha de Norfolk.

Um murmúrio de discordância percorreu a assembleia mas Phillip silenciou-os com um olhar severo.

— Não temos alternativa — disse sem rodeios. — Seja como for, não há mantimentos para mandarmos para a ilha de Norfolk e deixar um navio no porto, à espera de ajuda de Inglaterra que pode nunca mais chegar, seria catastrófico. Peço a todos que me dêem o vosso apoio.

O medo instalou-se na colónia depois de o *Supply* zarpar em Abril. Os oficiais temiam pela segurança do pequeno navio e tornaram-se agressivos. As tropas receavam um ataque dos nativos agora que havia escassez de munições. E os prisioneiros sentiam-se aterrorizados com tudo.

Antes da partida do *Supply*, circulou o rumor de que os oficiais e os soldados iam partir nele, deixando os condenados por sua conta. Todos sabiam que não durariam muito tempo.

Apesar de os melhores atiradores terem sido despachados em expedições de caça, não abateram mais do que três cangurus muito pequenos. Com todos os barcos e homens adicionais e a absoluta necessidade de apanhar mais peixe, a safra melhorou durante algum tempo mas depois começou novamente a escassear. Os oficiais voltaram a apoderar-se dos seus pequenos barcos e, num gesto de puro desespero, o capitão Phillip autorizou Will a usar o seu próprio cúter.

Mary nunca fora pessoa para deixar passar uma oportunidade sem tentar aproveitá-la.

— Pode ser a nossa grande oportunidade — insistiu com Will, uma noite, na cama. — Com esse barco, podemos escapar.

— Não sejas parva — disse Will num tom fatigado. Sentia-se tão fraco da fome e tão exausto do esforço de tentar trazer alimento suficiente para todos que não estava disposto a ouvir as ideias loucas da mulher.

— Não estou a dizer agora — disse ela, sentando-se ao lado dele e debruçando-se para o beijar. — Não podemos fugir sem instrumentos, cartas e uma reserva de provisões. Mas tu, entretanto, podes ganhar a confiança do governador. Levar o barco cada vez para mais longe mas voltar sempre. Ele já confia em ti agora, imagina a confiança que não há-de ter se deres a impressão de estar a alinhar no jogo dele!

— Não acho que sirva de nada — disse Will, irritado. — Mesmo que conseguisse levá-lo a confiar em mim o suficiente para não ser vigiado, não sabia qual era o melhor rumo para encontrar um porto.

— O Tench falou-me das Índias Orientais Holandesas no outro dia. Há um porto movimentado chamado Kupang — disse Mary. — Ele disse que ficava do outro lado do mar, na outra ponta desta terra.

Will soltou uma espécie de gargalhada. — Do outro lado do mar, na outra ponta desta terra! — troçou. — Que raio de direcções são essas? Ele sabe quantas léguas são? Alguém já lá chegou de barco? Não digas disparates, rapariga!

Mary deixou-se cair na cama, zangada com a zombaria dele. — Ainda não sei, mas tenciono descobrir — disse com firme determinação. — Temos de fugir, Will. Se não fugirmos, o Emmanuel e a Charlotte morrem.

— Não, Mary — disse ele, virando-lhe as costas com desprezo. — Não morrem nada, hão-de chegar alimentos, vais ver.

— Talvez sim — disse ela, passando um dedo pelas profundas cicatrizes das chicotadas nas costas dele. — Talvez as crianças até tenham a sorte de sobreviver a todos os surtos de febre, de evitar a mordida de uma cobra e de não serem corrompidas pelos outros prisioneiros. Mas esperemos que nenhum de nós viva o suficiente para ver o Emmanuel amarrado ao cavalete para ser açoitado.

Sentiu o corpo de Will retesar-se sob os seus dedos. Sabia que ele ainda tinha pesadelos com os açoites.

— Se alguém tentasse açoitá-lo, matava-o — disse ele.

— Nessa altura, já não terias forças para isso — disse ela com ternura. — Hás-de envelhecer antes de tempo com a luta pela sobrevivência. E eu também. É por isso que temos de partir depressa enquanto ainda somos capazes de proteger as crianças.

Will soltou um profundo suspiro. — Vou pensar nisso — declarou.

— E, enquanto pensas, faz o que eu disse e conquista a confiança do governador — disse Mary. — É meio caminho andado.

Mary permaneceu acordada muito depois de Will adormecer. Observava e escutava constantemente, ao passo que Will vivia de olhos e ouvidos fechados. Ele podia pensar que ainda havia nos armazéns provisões suficientes para muitos meses mas ela conhecia a realidade. Quando jantavam com o governador agora, os oficiais tinham de levar o seu próprio pão e a comida em casa do governador não era muito melhor do que a sua. Uma noite, tinham jantado carne de cão!

Poucos dias antes, um prisioneiro idoso morrera enquanto estava a receber a sua ração nos armazéns e, quando o Dr. White examinou o seu corpo, descobriu que tinha o estômago completamente vazio. A única razão por que Mary ainda tinha energias para lutar e leite no peito para Emmanuel era o peixe que Will trazia para casa da pescaria do dia e os vermes e bagas que os nativos lhe haviam dado a conhecer.

Bennelong conseguira finalmente escapar da colónia quando a comida e o rum a que se habituara começaram a escassear. As hortas, incluindo a do próprio governador, eram constantemente pilhadas, na busca de legumes, apesar do severo açoitamento que resultava se o culpado fosse apanhado. Não eram apenas os condenados que o faziam, um marinheiro do *Supply* e um dos soldados foram apanhados. Will fora obrigado a cavar um buraco debaixo da cabana deles para guardar em segurança as suas parcas rações. Fez uma cova semelhante às que os contrabandistas na Cornualha faziam, forrada com madeira e com um chão falso por cima.

Contudo, Mary resistia e conseguia alimentar a família porque se recusava a ceder ao desespero como alguns dos outros. Como disse a Will, era apenas uma questão de aguentar, de ser prestável e simpática com os oficiais para que ela e Will, quando os navios chegassem, como mais cedo ou mais tarde aconteceria, gozassem de uma posição de confiança. Desse modo, podiam criar oportunidades para obter aquilo de que precisavam.

Os dias foram avançando, a calamidade da fome agudizando-se cada vez mais. A temperatura também arrefeceu substancialmente, o vento agitando as folhas secas dos eucaliptos de forma arrepiante, e todos os trabalhos públicos foram suspensos pois já não havia ninguém com saúde suficiente para os realizar.

Agora, os condenados limitavam-se a arrastar-se de um lado para o outro, os rostos descarnados ilustrando a natureza da verdadeira fome. Muitas vezes, à noite, as lamúrias das crianças pequenas que gemiam de fome chegavam até Mary. Era o pior som que alguma vez ouvira.

Aparentemente, Will dera ouvidos ao conselho de Mary pois foi-se tornando cada vez mais popular entre os oficiais e os soldados pela sua diligência a pescar. Esta era recompensada com uma porção da safra e a autorização de escolher os ajudantes. James Martin, Jamie Cox e Sam Bird, os seus amigos mais leais, acompanhavam-no com frequência, e embora também houvesse normalmente um ou dois soldados, isso nem sempre acontecia. Will pescava frequentemente nas águas para lá dos promontórios, por vezes afastando-se várias milhas no alto mar. Fez igualmente amizade com alguns nativos que pescavam em canoas. Muitas vezes eram eles quem lhe indicavam cardumes mais abundantes.

Will via por vezes Bennelong a navegar no porto. Ele saía na canoa e, de tempos a tempos, subia a bordo do cúter para dois dedos de conversa. Mary tinha a certeza de que, se ela e Will conseguissem deitar a mão a bebidas alcoólicas, seria muito simples suborná-lo para que ele os ajudasse a escapar.

Precisamente quando parecia que tinha morrido toda a esperança de salvação, na tarde do dia 3 de Junho, a bandeira foi descida no promontório sul. Quando soou o grito de que estava a chegar um navio, rebentou o pandemónio. Os homens pousaram as ferramentas, entre aclamações, e as mulheres saíram a cambalear das suas cabanas, abraçando-se umas às outras.

Watkin Tench, juntamente com o Dr. White e o capitão Phillip, pegou no seu barco e afastou-se no porto. Estavam os três excitados e comovidos como o resto da colónia, apesar do incómodo da chuva torrencial e de um vento cortante. Ao aproximarem-se dos promontórios, vendo o grande navio ostentando a bandeira inglesa, Phillip passou para um barco de pesca para regressar, deixando a Tench e White a tarefa de ir recolher boas notícias do país natal.

— Olhem para aquela palavra mágica na popa — disse White, apontando para as letras pintadas da palavra «Londres». — Já começava a duvidar que alguma vez tornasse a ver tal coisa.

O navio era o *Lady Juliana* e, por causa dos ventos fortes, foi obrigado a fundear na enseada de Spring, do lado interior do promontório norte, mas Tench e White puseram-se a par e saudaram os oficiais do navio.

— Não imaginam como são bem-vindos — gritou Tench. — Pensámos que nunca mais íamos receber as provisões de que tão desesperadamente precisamos. Podem dizer-nos o que trazem para podermos levar a boa notícia à colónia?

— Duzentas e vinte e cinco criminosas, todas elas prostitutas — foi a resposta gritada de um dos oficiais.

Tench soltou uma gargalhada, pensando que era piada. Mas parou abruptamente de rir quando um grupo de mulheres de cabelos louros apareceu de súbito no convés, a gritar obscenidades.

— Também trazem provisões? — bradou White, notando que Tench ficara demasiado pasmado para continuar a fazer perguntas. — E os medicamentos necessários?

— Setenta e cinco barris de farinha — respondeu o oficial do navio. — É tudo. Zarpámos com o *Guardian*, que transportava os mantimentos mas chocou com um icebergue e sofreu um rombo.

Ao anoitecer, já todos os condenados estavam desesperados.

O capitão Phillip regressara ao porto com um sorriso radioso no rosto, confirmando que era exactamente como os pescadores tinham anunciado, um grande navio inglês ancorado na enseada de Spring.

Os prisioneiros esperaram, na expectativa da chegada do tenente Tench e do Dr. White uma ou duas horas mais tarde, ainda mais felizes. Muitos deles apressaram-se a comer o resto das suas rações, convencidos de que, no dia seguinte, receberiam mais do que a habitual quantidade semanal.

Mas Tench e White voltaram com expressões sombrias e silenciosos, dirigindo-se imediatamente para a Casa do Governo sem uma palavra a ninguém. Quando um dos homens que estava no cúter anunciou que vinham mais de duzentas mulheres no novo navio mas nada de provisões, ninguém acreditou. Alguns riram-se, presumindo tratar-se de uma piada. No entanto, ao verem mais oficiais precipitar-se para a Casa do Governo sem que de lá saíssem ruídos de celebração, aos poucos compreenderam que devia ser verdade.

Os homens condenados estavam demasiado fracos de fome para ficarem entusiasmados com o vasto número de novas mulheres que lhes caíam em cima. A sua reacção era apenas de medo de cortes ainda mais drásticos nas rações. Mas, para a maioria das mulheres, era uma calamidade. Apesar de já ser mau terem de dividir as rações com estranhas, a perspectiva de novas mulheres a roubar-lhes os homens era muito pior.

Uma relação com alguém, quer se fosse legalmente casado ou não, mitigava o sofrimento da vida na colónia. Na maioria dos casos, as uniões eram um compromisso, especialmente para as mulheres. No seu país, poucas teriam escolhido os companheiros que tinham ali. Mas a escolha era limitada, as raparigas feias sentiam-se gratas por serem desejadas, as raparigas mais bonitas sentiam-se mais seguras com um protector e, quando da relação resultava um bebé, as suas vidas adquiriam um propósito.

Mary ficou mais nervosa do que a maioria quando ouviu a notícia do *Juliana* e da sua carga de mulheres. Sabia que não era a sua beleza e inteligência que tinham prendido Will durante dois anos. Ele mantivera-se ao seu lado puramente porque havia escassez de mulheres e, quando começou a conhecer melhor as mais atraentes, descobriu que quase todas tinham graves defeitos de personalidade.

A morte e a transferência de homens para a ilha de Norfolk reduzira radicalmente os seus números. Agora não restavam ali mais de setenta homens, muitos deles fisicamente um farrapo. Entre duzentas mulheres, encarceradas num navio durante meses, haveria certamente dezenas que não tardariam a ter Will debaixo de mira.

CAPÍTULO 9

Todas as mulheres da colónia, sem excepção, se viraram para ver as mulheres do *Juliana* a serem transportadas nos botes para terra. À parte o tempo, era quase a reencenação do seu primeiro dia naquele lugar pois ouviam o mesmo tipo de gargalhadas excitadas e comentários obscenos que elas próprias haviam feito. Mas, enquanto eles tinham chegado no início de Fevereiro, que naquele país às avessas correspondia ao Verão, com um sol abrasador, tão quente que muitos correram para o mar para se refrescar, as recém-chegadas encontraram o Inverno. O céu estava cinzento, soprava um vento forte que encapelava o mar e estava muito frio.

Em princípio, os colonos deviam ter manifestado uma preocupação solidária com as novas mulheres. Afinal, haviam realizado uma longa e dura viagem e estavam agora prestes a entrar no inferno. Mas só o aspecto delas, mesmo à distância, bastava para os veteranos esquecerem quaisquer pensamentos benévolos e unir-se na antipatia e no ressentimento. As roupas das recém-chegadas eram de cores garridas, muitas traziam chapéus enfeitados com flores e penas, eram anafadas e sadias e pareciam exactamente uma trupe de actrizes e não de condenadas.

Mary apertou mais Emmanuel contra o peito, receosa. O seu primeiro confronto com os prisioneiros dos outros navios de deportados da frota ficara-lhe indelevelmente gravado na memória. Todos eles lhe haviam parecido muito mais duros, desonestos e implacáveis do que ela. O tempo e as adversidades tornaram iguais todos os sobreviventes mas ela temia que as novas mulheres viessem mudar tudo.

— Muitas senhoras — disse Charlotte, levantando os olhos para a mãe com uma alegria indisfarçável. — E bonitas.

Às palavras inocentes da filha, Mary sentiu uma ponta de vergonha. Afinal eram mulheres como ela. Todas haviam estado acorrentadas e conhecido os horrores da prisão e da separação da famílias e dos amigos. Não queria que Charlotte crescesse num ambiente de azedume e ódio. Decidiu pôr de parte o medo e os ciúmes e dar as boas-vindas às recém-chegadas.

— Pensei que íamos ter de enfrentar algumas brigas — disse o Dr. White a Tench ao jantar, em sua casa, na noite do dia seguinte. — Mas, graças à iniciativa da Mary Bryant, as novas parecem estar a integrar-se bem.

Os dois homens haviam-se tornado amigos no *Charlotte*, apesar de uma diferença de idades de vinte anos. Os seus interesses e antecedentes familiares eram semelhantes e, embora o médico estivesse mais preocupado com a saúde global da colónia e Tench com o desafio de a transformar num sucesso, sentiam-se ambos intensamente fascinados com a nova e ainda inexplorada terra. Tinham partido juntos em várias expedições exploratórias no mato e comungavam da mesma curiosidade a respeito dos indígenas. Experimentavam também compaixão pelos condenados, um sentimento partilhado por poucos dos outros oficiais.

À luz da vela, a sala de jantar de White passaria pela de qualquer médico de província em Inglaterra, com as suas paredes caiadas, toalha de mesa imaculadamente branca, louça simples e prática, prateleiras carregadas de livros e algumas paisagens estimadas nas paredes. No entanto, à luz do dia, a construção tosca tornava-se visível. As paredes eram de cana, revestidas a argamassa, e com chuvas fortes era frequente aparecerem buracos. O chão por baixo de um tapete era de tábuas desniveladas. Mas, fossem quais fossem as suas deficiências, era um paraíso civilizado para White e para os seus convidados.

Apesar de Charles White lamentar com frequência a sua decisão de acompanhar a frota, fazia-o mais por causa da falta de equipamento médico e medicamentos do que de conforto material. Viúvo há mais de dez anos, habituara-se à vida de celibatário e tinha duas condenadas, Anne e Maria, que cozinhavam e lhe olhavam pela casa. Tinha ainda o pequeno Nunburry, o rapaz nativo que adoptara, de quem tratava, e alguns bons amigos. Nessa noite, estava numa disposição alegre. Conseguira arranjar uma garrafa de *brandy* e tinham ambos comido um robalo de primeira, com cenouras e batatas da sua própria horta. Era um verdadeiro milagre que os legumes não tivessem sido roubados mas talvez, tratando Anne e Maria com bondade e dando-lhes alguma comida a mais, tivesse conquistado a sua lealdade.

— A Mary é boa mulher — concordou Tench. — Calculo que se lembrou das dificuldades que teve em adaptar-se quando aqui chegou. Quem dera que todas as mulheres tivessem o sentido prático e generosidade de espírito dela!

Ficara surpreendido e comovido ao ver Mary ajudar na distribuição das cabanas às recém-chegadas. Parecia esforçar-se genuinamente por fazer com que as novas se sentissem bem-vindas. Desejara que a atitude dela fosse generalizada; já lhe tinham chegado notícias do roubo de peças de vestuário e outros bens pessoais.

— Há um bom número de desordeiras entre as novas — disse White, com um suspiro, recordando as duas mulheres engalfinhadas que teve de separar e as obscenidades com fora brindado. — Ao que ouvi dizer, passaram a viagem até aqui a prostituir-se com os marinheiros. Muitas delas estão grávidas. Mas pelo menos são saudáveis, tirando a varíola, claro.

Tench sorriu. White estava sempre a protestar contra a praga das doenças venéreas. Ali, naturalmente, eram frequentes mas, ao contrário de White, Tench não acreditava que o futuro da nova terra estivesse em risco exclusivamente por causa delas.

— Pelo menos o *Juliana* trouxe notícias — disse Tench, animado. — Fiquei espantado ao saber da revolução em França. Quando estive em Paris, confesso que fiquei horrorizado com os excessos da aristocracia. E também a boa notícia de o rei Jorge ter recuperado dos seus acessos de loucura. Que sabe sobre esta doença que o afectou?

— Muito pouco. Não passo de um velho médico. — White encolheu os ombros. — Mas agrada-me saber que o rei agricultor está restabelecido. Como me agradou descobrir que o *Juliana* traz rações suficientes para as suas prisioneiras para dois anos.

Tench sorriu. Essa fora a melhor notícia, um enorme alívio para todos. Só era pena que não tivessem sido imediatamente informados, pois teria havido menos hostilidade para com as recém-chegadas. Agora todos esperavam que o *Justinian* de Falmouth, que aparentemente vinha carregado de provisões e equipamento, chegasse antes do grande influxo seguinte de condenados.

Mas, acima de tudo, Tench estava grato pelas cartas de casa que o navio trouxera. Sentia que resistira extraordinariamente aos desconfortos e privações da colónia mas houvera momentos em que a sensação de isolamento dos amigos e da família quase o levara ao desespero. Aliás, para ser franco, houvera alturas nos últimos dois anos em que temera nunca mais voltar a vê-los.

— Brindemos à luz ao fundo de um túnel muito escuro — sugeriu.

White encheu os copos. — Que a luz expulse a escuridão — disse, com uma risada. — Se bem que, com mais três navios de deportados e mil condenados a caminho, precisemos de muita luz para expulsar a escuridão.

Mary e Will estavam lado a lado no porto, tiritando enquanto olhavam por sobre a baía para o *Neptune* e para o *Scarborough*. Viram as chalupas a serem descidas para transportar os condenados para terra. Mas a pestilência horrível que emanava dos navios bastava para perceberem que aquilo que estavam prestes a ver ia ser absolutamente repulsivo.

Já fora terrível na noite anterior quando ajudaram a levar os doentes do *Surprise* para o hospital. Muitos dos condenados estavam tão debilitados que não conseguiam caminhar, tendo passado grande parte da viagem deitados sobre o seu próprio vómito e fezes. Mas hoje ia ser muito pior.

O *Justinian* chegara a 20 de Junho, animando toda a gente na colónia pois transportava provisões suficientes e o equipamento tão necessário, juntamente com animais. Partira de Inglaterra algum tempo depois do *Surprise*, do *Neptune* e do *Scarborough*, os três navios de deportados que traziam mais mil condenados. Mas ultrapassara-os e realizara a viagem em apenas cinco meses. Mais uma vez foram distribuídas rações completas e o horário de trabalho voltou ao normal. O *Justinian* fez-se de novo ao mar assim que a sua carga foi descarregada para levar provisões para a ilha de Norfolk.

No dia 23, a bandeira foi mais uma vez descida mas o navio cuja chegada fora assinalada só entrou na baía dois dias mais tarde. Era o *Surprise*, transportando duzentos e dezoito homens prisioneiros e um destacamento do recém-criado Corpo da Nova Gales do Sul.

Foi um choque saber que tinham ocorrido quarenta e duas mortes durante a viagem e mais cem pessoas estavam doentes. E, quando o reverendo Johnson subiu a bordo, trouxe a notícia de que os condenados estavam quase nus, deitados nos porões, demasiado enfermos para se mexerem ou tratarem de si.

Mary e Will, juntamente com muitos outros condenados, ofereceram-se de bom grado para ajudar mas o espectáculo e os odores eram tão repugnantes que muitos voluntários deram meia-volta e fugiram. Poucas das mulheres que foram ajudar conseguiam reprimir as lágrimas. Era perfeitamente óbvio que os recém-chegados haviam sido submetidos a um regime de fome e mantidos nos porões durante quase toda a viagem. Muitos jamais recuperariam.

Mal haviam acabado de lavar, dar de comer e agasalhar aqueles homens quando os outros dois navios chegaram. O reverendo Johnson entrou a bordo do *Scarborough*, mas o comandante aconselhou-o a não descer ao porão. A fetidez nauseabunda que de lá emanava foi o suficiente para dissuadi-lo e não tentou sequer subir a bordo do *Neptune*.

Haviam sido montadas apressadamente tendas diante do hospital e havia comida, água, roupas e medicamentos à mão. Na noite anterior, enquanto Mary procurava adormecer, o mau cheiro dos navios ancorados deu-lhe a volta ao estômago. Era cem vezes pior que tudo o que experimentara no *Dunkirk*. Embora se apiedasse das pobres criaturas que sofriam, sentira que não ia ter forças para voltar a ajudar hoje.

Mas, de madrugada, a fúria que a consumia contra os homens que punham o lucro à frente da vida humana instilou-lhe novas energias. Por conversas que ouvira por acaso entre oficiais, o transporte de deportados fora privatizado. Como o governo comparticipava com £17 7s 6d[1] por cabeça para as rações, quanto menos dessem a comer aos prisioneiros, mais alimentos os proprietários dos navios podiam vender assim que ali chegassem. Se os prisioneiros morressem pelo caminho, o negócio era ainda mais lucrativo.

Mary ouviu um oficial comparar desfavoravelmente os proprietários dos navios a traficantes de escravos. Como ele sublinhou, os traficantes pelo menos tinham motivos para manter os escravos em forma e saudáveis pois, quanto melhor fosse o seu estado, mais renderiam. Mas, neste caso, não havia qualquer incentivo idêntico para manter os condenados vivos.

— Consta que o capitão Trail do *Neptune* os manteve sempre acorrentados uns aos outros — disse Will, numa voz baixa e indignada. — Quando um deles morria, os prisioneiros não diziam nada para receberem as rações do homem. Imagina a que ponto deviam estar desesperados por mais comida para viverem ao lado de um corpo a decompor-se.

Mary não lhe respondeu porque sabia, por experiência pessoal, que seria capaz de fazer absolutamente tudo, por mais repugnante que fosse, para sobreviver. Agora que tinha dois filhos por quem olhar, o seu instinto de sobrevivência era ainda mais forte.

Teve início o embarque nas chalupas. Assistiram à descida lenta e hesitante das primeiras pessoas pela escada de corda e, até da praia, viam como lhes custava. Mas aquelas eram as felizardas; não tardou que os marinheiros e os soldados começassem praticamente a atirar pessoas para os botes como se fossem sacos de batatas porque não conseguiam andar e muito menos descer.

Quando a chalupa se aproximou, ouviu-se um suspiro geral pois as pessoas pareciam esqueletos. Os seus rostos não exprimiam qualquer expectativa e baloiçavam-se como se estivessem à beira da morte — aliás, uma delas já chegou morta. Outras duas acabariam

---

[1] Dezassete libras, sete xelins e seis *pence*. (*N. do E.*)

por exalar o último suspiro deitadas no cais onde as haviam pousado.

— Não acredito no que estou a ver — disse Will, com uma expressão de horror nos olhos que a sua voz débil confirmava. — Malditos sejam os homens que deixam que isto aconteça.

— Não são homens — disse Mary numa voz sonora e distinta, sentindo-se capaz de estrangular os responsáveis com as suas próprias mãos. — São bestas.

Arrebatada pela fúria, ignorou o perigo de contágio e a pestilência. Os condenados estavam quase nus, os seus corpos cobertos de fezes e chagas onde as larvas se contorciam. Mary debruçou-se sobre um homem para tentar que ele bebesse água e ele procurou esconder o pénis por ela ser mulher.

— Já vi muitos iguais — disse ela com doçura, comovida por ele ainda se preocupar com a decência, apesar do estado terrível em que estava, praticamente moribundo. — Agora estás a salvo, há comida e bebida, água para te lavares, mas é preciso lutares para ficar bom. Não te atrevas a desistir.

— Como te chamas? — perguntou ele, os lábios gretados rebentando com o esforço de falar.

— Mary — disse ela, limpando-lhe a cara com um trapo molhado. — Mary Bryant. E tu?

— Sam Broome — sussurrou ele numa voz rouca. — Deus te abençoe, Mary.

As imagens agravaram-se ao longo do dia, homens com disenteria tão aguda que os fluidos, enquanto estavam ali deitados, lhes escorriam dos corpos. O Dr. White disse que todos sofriam também de escorbuto e mandou um grupo de homens ao mato colher «bagas ácidas» que possuíam, como descobrira, propriedades antiescorbúticas.

Ao que parecia, duzentas e sessenta e sete pessoas haviam perecido antes de chegarem sequer a Port Jackson e muitas mais haviam morrido desde então. De facto, os corpos dos que morreram depois de passarem os promontórios foram atirados ao mar. Dos sobreviventes, quatrocentos e oitenta e seis estavam desesperadamente doentes e, na maioria dos casos, não se esperava que recuperassem. Enquanto ajudava uma mulher com um bebé pequeno, Mary soube que nem para o parto lhe haviam retirado os grilhões. Ouviu a mesma história várias vezes durante esse dia.

Mais tarde, nessa noite, na sala de estar da Casa do Governo, o capitão Phillip sentou-se com o capitão William Hill do *Juliana*, e falou num tom aceso contra a obscenidade do que vira nesse dia.

— Falei com os capitães do *Neptune* e do *Scarborough* — disse William Hill. — Na minha opinião, deviam ser enforcados.

William Hill era considerado um homem implacável mas tomara providências para que as mulheres prisioneiras do seu navio fossem bem tratadas. Algumas eram idosas e fracas quando embarcaram e ele registou algumas mortes, mas as restantes mulheres tinham provavelmente sido mais bem alimentadas durante a viagem do que alguma vez na vida. Na opinião de Hill, teria sido muito mais humano os tribunais ingleses terem mandado aquelas pessoas para a forca do que terem permitido que canalhas como o capitão Trail do *Neptune* lucrassem com as suas mortes lentas e dolorosas.

— Ao que sei, os prisioneiros do *Scarborough* ameaçaram amotinar-se para se apoderarem do navio — disse Phillip, o seu rosto pequeno vermelho de fúria. — Isso exigiria acorrentar os cabecilhas. Mas as condições no *Neptune* são inacreditáveis. O navio nunca devia ter sido considerado em estado de navegar, deixa entrar água constantemente. Os prisioneiros passaram mesmo parte da viagem mergulhados em água até à cintura. Os alojamentos deles não foram fumigados, não foram autorizados a subir ao convés para fazer exercício e apanhar ar fresco.

— Vou dar conta de tudo isso quando voltar a Inglaterra — disse William Hill num tom veemente, dando um murro na mesa. — Na minha opinião, estes homens são assassinos, uma gente de muito pior espécie do que a que tem aqui nesta colónia.

Arthur Phillip dirigiu-se à janela. Em baixo, a povoação estava tranquila, as fogueiras acesas como pequenos faróis na escuridão. Pensou em todos os condenados deitados no hospital e nas tendas diante deste e interrogou-se quantos mais estariam mortos antes de nascer o dia.

Sentia-se à beira da exaustão total. Aceitara o posto de comandante da frota e depois de governador-geral porque estava convicto de que seria capaz de transformar a colónia penal num sucesso. Alimentara a esperança de poder converter os criminosos a seu cargo em homens e mulheres capazes de agarrar as oportunidades que lhes eram dadas e endireitar as suas vidas.

Infelizmente, parecia ter fracassado. Sabia agora que a oferta de terras, no termo das suas penas, apenas seria aceite por alguns. A maioria era demasiado preguiçosa e incompetente para trabalhar a terra. Os sobreviventes da segunda frota teriam preconceitos contra a colónia desde o princípio e quem podia realmente censurá-los?

Estava novamente a olhar para o abismo. Hoje, soubera que uma terceira frota estava a caminho com mais mil condenados. Muitos dos seus melhores oficiais regressariam então a Inglaterra. Dera o seu melhor, tentara governar de forma humana, mas nem um jardineiro podia esperar cultivar algo de beleza duradoura sem equipamento básico, boas sementes e condições férteis.

— Parece perturbado, Arthur — disse William atrás dele. — Os acontecimentos de hoje não o põem minimamente em causa.

Phillip virou-se para Hill e empertigou-se. — Acho que nos põem em causa a todos — disse, num tom fatigado. — Tanto os que não intervêm e vêem os culpados escapar impunes, como os próprios culpados.

— Estás muito calada esta noite, Mary — disse Will. Era dia de Natal e ele deduziu que ela estivesse a cismar com a Cornualha e a imaginar a família sentada à lareira com a barriga cheia depois de um ganso assado. Ultimamente, ouvira-a falar muitas vezes de Fowey e dos familiares que lá tinha a Charlotte. Com o tempo, parecia pensar mais, e não menos, neles.

— Está demasiado calor para conversarmos — disse ela, mas sorriu-lhe e estendeu afectuosamente o braço, no banco onde estava sentada, para lhe dar uma palmada na coxa. — Não sei como os pequenitos conseguem dormir.

Há semanas que o calor era tórrido; os animais e as aves tinham-se habituado a deitar-se em qualquer sombra ou poça de água que encontrassem. Will dava-se por contente por poder pescar todos os dias, pois na baía soprava sempre uma brisa, pelo menos.

— Pensei que talvez estivesses a pensar na Cornualha — disse ele.

— Em como lá chegar — corrigiu-o ela, sorrindo. — Acho que sei como podemos obter as coisas de que precisamos.

Will revirou os olhos de impaciência. Mary nunca se calava com a fuga. Mesmo quando não falava, ele sabia que estava a pensar nela. Nunca conhecera uma mulher tão obstinada como Mary.

Will sentia-se perfeitamente feliz na colónia, se bem que nunca o admitisse a ninguém, muito menos a Mary. Durante o tempo de fome e privações, teria partido de bom grado mas a colónia recuperara desde a chegada da segunda frota.

A ajuda que ele e Mary deram aos prisioneiros doentes fora notada pelos oficiais e, quando aqueles melhoraram, também se mostraram gratos pelos cuidados que receberam. Não possuíam nada com que pudessem recompensá-lo, excepto a sua admiração e lealdade, naturalmente, mas a Will isso bastava. Fazia-o sentir-se importante.

Tinha plena liberdade de movimentos no interior da colónia. Fazia um trabalho que adorava. Podia servir-se do cúter do capitão Phillip como se fosse seu. Conseguia arranjar praticamente tudo o que queria em troca de peixe. Tinha inclusivamente uma quantia de dinheiro razoável amealhada pois as tripulações da segunda frota estavam cansadas de carne de porco salgada e compravam-lhe peixe de bom grado. Mas acima de tudo gostava do estatuto que gozava naquele lugar: os homens admiravam-no e as mulheres desejavam-no. Will tinha tudo.

— Então onde é que as vais arranjar? — perguntou num tom enfadado.

— Junto do capitão Smith — respondeu Mary.

Will ficou tão surpreendido que quase caiu do banco. O capitão Detmer Smith, um holandês, só ali estava há alguns dias. Era proprietário de um brigue, o *Waaksamheyd*, que o capitão Ball do *Supply* havia fretado na Batávia. Smith chegara a 17 de Dezembro com provisões para a colónia, ao cabo de uma viagem terrível em que dezasseis dos seus tripulantes malaios morreram de tifo.

Estava em curso um jogo de influências, a respeito das provisões, entre o capitão Phillip e Smith, e parecia que nenhum dos oficiais na colónia simpatizava com o holandês. Mas Will simpatizava.

Smith não exibia nada do pedantismo dos capitães ingleses, era afectuoso, franco e amigável.

— És doida? — perguntou Will a Mary.

— Não, só matreira — redarguiu Mary. — O Detmer gosta de nós. E tenciono garantir que goste ainda mais antes de o convencer a dar-me cartas e um sextante.

— Ele nunca fará uma coisa dessas — troçou Will.

— Porquê? — ripostou Mary. — Todos os oficiais o tratam mal, sente-se só e tem saudades de casa. Não é inglês, porque é que havia de se importar de ajudar uns prisioneiros ingleses a escapar?

Will desvalorizava sempre as ideias de Mary por uma questão de princípio. Supostamente as mulheres não eram inteligentes. Mas, no fundo, sabia que a cabeça dela era mais perspicaz que a sua. Uma vez, ela pedira-lhe que a ensinasse a ler e a escrever e ele disse que sem livros não podia. Ela nunca voltou a pedir-lhe e, por qualquer razão, ele sabia que fora porque compreendera a razão. Will não queria uma mulher que soubesse ler e escrever. Rebaixá-lo-ia.

Mas a verdade é que Mary via à transparência a maior parte das pessoas. Observava e escutava, registava coisas em que Will nunca reparava. Talvez até tivesse razão a respeito de Detmer Smith.

Will fez amor com Mary nessa noite e esforçou-se verdadeiramente por lhe dar prazer porque queria que ela esquecesse a fuga. A sua pena terminava em Março e, embora dissesse muitas vezes aos outros homens que partiria no primeiro navio para Inglaterra, não era essa a sua intenção.

Só se tornava nostálgico em relação à Cornualha quando bebia. Recordava as coisas boas, o clima ameno, as charnecas e os bosques, a alegria na taberna, a camaradagem entre pescadores.

Mas, quando estava sóbrio, lembrava-se de que não era bem assim. Sem um barco de pesca seu, estaria dependente do homem que o tivesse, içando redes toda a noite em condições geladas por um xelim ou pouco mais. Também passara lá fome e nenhum lugar era bonito aos olhos de um homem de estômago vazio.

Ali, pelo menos, o tempo era ameno, mesmo no Inverno. Podia ter sentido frio e ficado molhado muitas vezes em dias de mau tempo, mas não era o género de frio que penetrava até aos ossos, paralisando-os.

Constava que seriam oferecidas terras aos homens quando cumprissem a pena. A terra não lhe servia de nada, o que ele pretendia era iniciar um negócio de pesca. Se conseguisse vender o pescado aos armazéns, em breve seria um homem rico. Então, poderia construir uma bela casa para Mary e para as crianças. A seu tempo, Emmanuel poderia fazer parte do negócio.

— Gostaste? — sussurrou Will quando acabou. Estava alagado em suor, tão quente que era quase uma tortura abraçar o corpo igualmente quente de Mary.

— Adorei — murmurou ela contra o seu peito. — Mas está demasiado calor. Vamos dar um mergulho!

Não esperou sequer que ele concordasse, libertando-se dos seus braços, pegando-lhe na mão e puxando-o para fora da cama. Depois, com uma risadinha, saiu da cabana e correu para a água.

Will sorriu. Uma das coisas que mais apreciava em Mary era a sua espontaneidade. Ocorria-lhe uma ideia e queria imediatamente pô-la em prática, sem reflectir primeiro sobre ela. Talvez tivesse sido essa faceta que a metera nos sarilhos que a haviam trazido para ali, mas era uma faceta que Will jamais mudaria.

Era igualmente apaixonada, algo que ele nunca esperara dela, pois exibia um ar inocente e tímido. Tinha sempre vontade de fazer amor, reagindo logo a um simples beijo ou carícia. Fizera-o esquecer a fome inúmeras vezes com carícias sensuais, com o seu desejo de lhe agradar.

A lua estava brilhante, reflectindo-se no seu corpo ameninado e esguio quando ela mergulhou no mar com a graciosidade de um golfinho. Eram poucas as mulheres ali, e até os homens, que sabiam nadar; entravam na água até à cintura, amedrontados, como se pensassem que o mar os ia engolir. Will achava essa qualidade arrojada de Mary tão sensual como seios bem redondos ou uma pele sedosa.

Ela acenou, chamando-o para a água, e Will correu entusiasticamente pela praia fora. Nadaram juntos uma certa distância e depois Mary virou-se de costas e ficou a boiar, o cabelo assemelhando-se a tiras de sargaço à volta do seu rosto.

— Nunca fizemos amor no mar — disse ela, rindo suavemente.

— Aqui tão longe ainda nos afogamos — respondeu Will, mas agarrou-a, nadando sem sair do sítio e mantendo-a à tona enquanto lhe chupava o mamilo.

— O primeiro a chegar aos baixios fica por cima — disse ela, virando-se e começando a nadar para a praia.

Desta vez, Will não tentou vencê-la, gostava que ela ficasse por cima para observar a sua expressão ao atingir o orgasmo.

— Não me parece que o meu zezinho esteja assim tão ansioso — disse ele, nadando até ao sítio onde ela estava e onde a água tinha cerca de meio metro de altura. Achou que aquela noite Mary estava mais bonita do que nunca, os seus caracóis molhados cintilando sobre os ombros nus. Ajoelhou-se e mostrou-lhe o pénis, que mirrara com a água fria, parecendo o de um velho.

— Eu tenho cá os meus métodos para o acordar — disse ela, com um sorriso de dona de bordel. — Quer que lhe mostre, meu senhor?

Will adorava quando ela imitava uma prostituta. Fazia-o sentir-se poderoso e robusto. Presumiu, quando ela lhe levou a mão ao pénis, que ia simplesmente acariciá-lo mas, para seu choque e deleite, ela abeirou-se dele na água e enfiou-o na boca.

Will ouvira outros homens falar de prostitutas caras que faziam aquilo, mas nunca dormira com uma mulher que o fizesse. Quando a boca quente de Mary se fechou sobre ele, soltou um suspiro pois era a mais doce sensação que alguma vez experimentara. Ficou imediatamente erecto e teve um medo terrível que ela parasse mas ela não parou. Prendeu-lhe uma das nádegas, afagando-lhe os testículos com a outra mão e movendo os lábios e a língua para cima e para baixo sobre o membro erecto. Will mal conseguia equilibrar-se de joelhos e, quando baixou os olhos e se viu desaparecer dentro da boca ávida dela, os seus seios nus ondulando contra as suas coxas, quase caiu.

Era a melhor coisa que alguma vez conhecera. De repente, já não estava numa colónia penal, como um homem privado de toda a decência e orgulho, mas sentiu-se transportado para uma ilha tropical banhada pelo luar onde era um homem rico e distinto. Imaginou-se vestido com uma camisa de seda com folhos e calções de veludo pelo joelho com fivelas de prata, e Mary como uma beldade exótica, despida à excepção de uma grinalda de flores, e sua escrava solícita.

— É tão bom — gemeu, agarrando-lhe na cabeça e aproximando-a ainda mais.

— Muito? — perguntou ela, afastando-se dele por um momento e levantando os olhos para ele com um sorriso maroto.

— A melhor coisa do mundo — suspirou. — Não pares agora.

— Ainda não te disse qual é o preço — disse ela.

— Eu pago, seja ele qual for. — A voz de Will tremia agora de paixão.

— O preço é a fuga — murmurou ela. — Estás disposto a pagá-lo?

Will estava disposto a prometer tudo. — Estou — gemeu. — Continua mais um bocadinho.

Mary sorriu consigo mesma e continuou. Tinha-o agora em seu poder. Will podia fazer-se passar por mais rijo e corajoso do que era na realidade, mas ela sabia que ele cumpria sempre uma promessa. Sentiu-se muito grata a Sadie, do *Lady Juliana*, por lhe ter confiado a sua arma secreta para levar os homens a obedecer-lhe. O mais estranho era que Mary estava à espera de achar o acto repugnante mas não achou, sentiu, aliás, prazer em fazê-lo.

CAPÍTULO 10

Ao descer o saco de arroz para o esconderijo debaixo do chão da cabana, Will pensou que devia estar apaixonado. Que outra razão havia para alinhar naquela loucura de Mary quando dentro de um mês seria um homem livre?

Sentou-se de cócoras por um momento, depois de ter voltado a colocar o chão falso. Apesar de apreensivo em relação ao plano, não pôde deixar de sorrir. Quer fosse um homem livre ou não, seria uma doce vingança por todas as injustiças e humilhações zarpar do porto no cúter do capitão, levando não apenas Mary e as crianças mas os amigos também.

As Índias Orientais Holandesas pareciam a Will um excelente lugar, um paraíso tropical onde um homem podia viver como um rei. Claro que a distância era enorme, quase toda ela inexplorada, e era assustador que ninguém, além do capitão Cook, alguma vez tivesse navegado até lá a partir da colónia. Mas, estranhamente, o perigo tornava a viagem ainda mais atraente aos seus olhos, o tipo de proeza de que eram feitas as lendas. Will desejava que falassem dele com reverência mesmo depois da sua morte.

Estavam em meados de Fevereiro e Will sabia que deviam partir até ao fim de Março senão correriam o risco de se deparar com os impetuosos ventos outonais. Mas ainda havia tantos preparativos para fazer, incluindo o pedido de ajuda a Detmer Smith.

Mary estava com Detmer nesse momento, devolvendo-lhe a roupa lavada, e estaria certamente a concentrar todas as suas energias em seduzi-lo. Will não se importava que ela o fizesse, era uma necessidade inevitável, mas não lhe agradava a maneira como ela estava a tentar assumir o controlo total do plano.

Insistira para que ele só convidasse os amigos a acompanhá-lo no último momento. Tinha de perceber que era um inferno não poder desabafar com eles, queria falar sobre o assunto com um homem e não apenas com uma mulher. Mary invocou que um deles podia distrair-se, sob o efeito da bebida, e dar à língua. Todos eles tinham mulheres e o raciocínio de Mary era que elas podiam denunciá-los se soubessem que iam ser deixadas em terra. Por isso, por agora, Will não podia fazer mais do aguentar, reunir as provisões e exercer a sua influência sobre Detmer e Bennelong.

Will continuava a encontrar-se frequentemente com Bennelong quando saía para pescar. Ele andava novamente nu e mostrava com orgulho a Will as novas cicatrizes que adquiria a lutar. Lembrava-se de algum do inglês que aprendera em cativeiro e, com isso e a linguagem gestual, Will conseguia comunicar perfeitamente com ele.

Em Novembro, Bennelong regressara à colónia, vestido com a roupa que o capitão Phillip lhe dera inicialmente. Era aparentemente uma indicação do seu desejo de trabalhar como intérprete, desde que ninguém tentasse acorrentá-lo outra vez, e como tal o capitão deu-lhe uma cabana e comida dos armazéns.

Na opinião de Will, com Bennelong, o capitão Phillip tinha-se metido num problema acima das suas capacidades. Os verdadeiros interesses do homem eram as rixas e as mulheres; a única coisa que queria da colónia era o álcool que os recém-chegados lhe haviam dado a conhecer. Já tinha irritado toda a gente na Casa do Governo por se ter embebedado e descontrolado e, se Phillip achava que, por lhe dar uma casa, ele se tornaria seu lacaio, estava enganado.

Will gostava de Bennelong pelo seu entusiasmo infantil, o seu grande sorriso e a sua curiosidade a respeito dos brancos. Quando o acompanhava na pesca, ensinava-lhe a sua língua e os seus costumes.

Era interessante que, na cultura de Bennelong, se alguém desejasse uma mulher, batia-lhe com um pau e levava-a. A fidelidade a uma única mulher parecia-lhes absurdo, mas Bennelong venerava Mary. O seu rosto iluminava-se quando a via, fazia tudo por lhe agradar e Will tinha a certeza de que, se Bennelong alguma vez o visse com outra mulher, o desafiaria para uma luta.

Mary tivera razão ao supor que muitos dos indígenas eram bons conhecedores da navegação naquelas águas. Podiam não ter mais do que frágeis canoas mas a habilidade com que as manobravam e as velocidades que atingiam eram incríveis. Bennelong tinha também ensinado a Will maneiras de arranjar água e quais as plantas que eram boas para comer. Will não tinha dúvidas de que ele aceitaria de bom grado nadar até ao cúter à noite e trazê-lo para a praia para o grupo embarcar. Não sentia verdadeira lealdade para com nenhum dos oficiais, ao contrário da que sentia por Mary e Will.

Embora soubesse que podia contar com Bennelong, Detmer ia ser mais complicado.

Will e o holandês tinham muito em comum. Eram ambos altos, de olhos azuis e cabelo louro; eram ambos pessoas sociáveis que faziam facilmente amizades. Estavam ambos também, por razões diferentes, numa situação vulnerável.

Desde que as rações completas foram reinstituídas na colónia, muitos dos primeiros prisioneiros pareciam ter-se esquecido que fora Will quem lhes salvara a vida com o produto da sua pesca. Quanto aos novos, muitos tinham inveja da sua liberdade de movimentos e faziam com frequência comentários sarcásticos, dizendo que ele era o «lacaio» dos oficiais.

Detmer estava isolado porque não alinhara nas regras do capitão Phillip. As provisões que havia trazido não eram consideradas importantes, o que lhe valia a desconfiança dos oficiais, e estava agora a pôr condições exageradas para fretar o seu navio. Phillip precisava desesperadamente dele para enviar alguns dos seus homens de volta a Inglaterra e Detmer tentava tirara partido da sua vantagem. Em resultado, os oficiais ostracizavam-no e Mary, sempre astuta e rápida a aproveitar uma oportunidade, não perdeu tempo.

Inicialmente foram sorrisos, uma conversinha agradável, uma oferta para lhe tratar da roupa e, por fim, um convite para jantar na cabana dela e de Will. O marido não punha objecções a que Detmer aparecesse quando estava presente; era boa companhia e trazia sempre uma garrafa de rum. Mas tinha consciência de que as pessoas começavam a falar quando viam Mary a conversar com ele no cais e a ir por vezes até ao navio do holandês.

Ainda nesse dia, alguém sugerira que ela «estava a atirar-se» ao homem. Will era naturalmente ciumento e não lhe agradava a ideia de a mulher estar sozinha na companhia de um homem. Contudo, sabia que Mary tinha mais probabilidades de convencer Detmer a ajudá-los do que ele e, assim, supunha que teria de fazer vista grossa aos métodos que ela utilizava.

Will levantou-se do chão e saiu da cabana. Mary estava precisamente a chegar com Emmanuel ao colo e Charlotte a saltitar ao seu lado.

Achou que constituíam os três uma bela imagem, Mary com os seus caracóis pretos a emoldurar-lhe o rosto e Charlotte, uma versão da mãe em ponto pequeno, levantando a areia com os pés descalços. O *Lady Juliana* trouxera fazendas de Inglaterra. Mary conseguira persuadir Tench a arranjar-lhe uma peça e confeccionara um vestido para si e alguma roupa para os filhos. Will sabia que, pelos padrões da mãe dele, o vestido às riscas azuis de Mary era de confecção rude mas, depois de a ter visto, bem como tantas outras mulheres, vestidas com trapos nos últimos dois anos, achava que ela estava encantadora.

— Demoraste imenso tempo — disse ele, num tom de censura.

— Distraímo-nos a conversar — explicou ela, acenando ostensivamente com a cabeça na direcção de Charlotte, para indicar que não convinha transmitir as notícias que trazia diante da criança.

Mary aqueceu água no fogo e preparou um chá doce, sentando-se depois a amamentar Emmanuel. Assim que Charlotte se afastou um pouco, fez sinal a Will para que se aproximasse.

— Pedi ajuda ao Detmer — sussurrou.

— Falaste-lhe do nosso plano? — Will ficou indignado por ela o ter feito sem ele estar presente.

— Era o momento certo — disse ela, encolhendo os ombros. — Ele tinha tido outra discussão com o Phillip e eu compreendi que era o momento.

— Que é que ele disse? — Will sentiu um calafrio na espinha ao pensar no que lhe podia acontecer se Detmer desse à língua.

Mary não respondeu logo. A verdade era que a primeira reacção de Detmer fora rir-se do plano. Disse ainda que não percebia por que razão Will queria arriscar a vida dele e da família quando tinha tudo a seu favor na colónia. Mary teve de implorar-lhe, explicar que temia que Will a abandonasse quando terminasse a pena. Chegou mesmo a sugerir implicitamente que estava disposta a fazer o que Detmer quisesse a troco da sua ajuda.

A expressão dele ficou-lhe gravada na memória. Os lábios comprimidos num traço cínico mas com um olhar divertido. Estava sentado num rolo de corda, na proa do seu navio, enquanto ela estava encostada à amurada, um pouco virada de lado porque não tinha coragem de o enfrentar. Detmer envergava uma camisa branca lavada e calções castanho-claros que se lhe colavam ao corpo como uma segunda pele, o cabelo louro comprido a esvoaçar com a brisa.

Era fisicamente parecido com Will, com o mesmo tom de pele, a mesma altura e estatura, embora fosse provavelmente dez anos mais velho. Mas Detmer possuía uma figura distinta que Will nunca poderia ter a pretensão de imitar. A sua pele exibia um tom castanho dourado, o cabelo era sedoso e os dentes ainda eram excelentes, brancos e regulares. O forte sotaque holandês também era atraente — dissesse o que dissesse, parecia sempre estar a tentar cortejá-la.

— Anda lá, conta — exclamou Will. — A Charlotte está aí daqui a nada e depois não podemos falar à frente dela. — Charlotte, agora com três anos, era muito faladora e normalmente repetia tudo o que ouvia.

— Ele disse que nos ajudava — respondeu Mary. A verdade era que Detmer tinha perguntado: «Até onde estás disposta a ir para obteres a minha ajuda?»

— A que propósito é que ele nos quer ajudar? — Will semicerrou os olhos, desconfiado.

Mary encolheu os ombros. — Porque gosta de nós. Porque se quer vingar do Phillip. Porque eu consegui convencê-lo. Escolhe.

— Falaste-lhe daquilo que precisamos?

Mary debruçou-se mais sobre Emmanuel para que Will não a visse corar. Portara-se sem vergonha, exactamente como com o tenente Graham no *Dunkirk*. Mas o pior, na sua perspectiva, era o facto de desejar verdadeiramente Detmer e, se não tivesse as duas crianças consigo, era bem capaz de ter ido com ele para a cama ali mesmo.

— Sim, falei e ele vende-nos um sextante e uma bússola — disse ela. — E vai incluir um par de velhos mosquetes, munições e um barril de água. Podes combinar o preço com ele.

— E uma carta?

— Também. Vai arranjá-la. Quer discutir isso contigo.

— Ah, então sempre tenho um papel nesta história? — disse Will com sarcasmo.

Mary teve vontade de lhe bater por querer sempre estar por cima. Se o tivesse deixado organizar a fuga, àquela hora estaria acorrentado porque era incapaz de se calar. Até Detmer, que só conhecia Will há relativamente pouco tempo, ficara preocupado por causa da sua reputação de ter uma língua de palmo. Mas escondeu a sua irritação. Tudo dependia da boa vontade de Will.

— Tu tens o papel mais importante — disse ela, estendendo a mão para lhe afagar o rosto, numa demonstração de afecto. — És o navegador. O Detmer diz que só um navegador competente como tu seria capaz de atravessar os recifes sem fazer um rombo no barco.

Aquelas palavras aplacaram Will. — Esta noite vou surripiar uma das novas redes de arrasto — disse. — Ninguém dará pela falta dela.

Mary olhou para ver onde Charlotte estava e, certificando-se de que ela não podia ouvir, pois estava a fazer bolos de areia, continuou: — Temos de decidir agora quem vamos convidar a ir connosco.

— O James Martin, o Jamie Cox e o Samuel Bird, claro — respondeu Will. — São os meus amigos, estamos juntos desde o *Dunkirk*.

Mary anuiu. Já contava que Will os quisesse levar. A ideia de Samuel Bird não lhe agradava muito porque era um homem extremamente taciturno mas a verdade é que não se esforçara muito por conhecê-lo, desencorajada pelo seu cabelo ruivo e pestanas claras.

— Sim, mas tínhamos pensado que o William Moreton também seria uma boa escolha porque percebe de navegação.

Will franziu o nariz. — Não gosto dele.

Mary também não gostava do homem moreno e de figura de touro. Tal como Will, era um fanfarrão, cheio de importância. Mas sabia dirigir um barco, era forte e capaz de controlar a língua.

— Precisamos de outro navegador — disse ela firmemente. — Tu não podes fazer tudo sozinho.

— Seja, ele que venha e talvez o Wilf Owens e o Pat Reilly.

— O Wilf Owens é um idiota — disse Mary com desdém. — E o Pat Reilly fala pelos cotovelos.

Will mostrou-se ofendido. Pescava muitas vezes com Wilf e Pat e gostava de beber na companhia deles.

— Quem é que te parece então? — perguntou rispidamente.

— O Sam Broome, o Nathaniel Lilly e o Bill Allen — respondeu ela.

— Não podemos levar tantos — exclamou Will, horrorizado. — Além disso, não são nossos amigos, são todos da segunda frota. Mal os conhecemos.

— Vamos precisar de todos quando tivermos de remar — insistiu ela. — Além disso, o barco é grande. E eles sabem manobrá-lo. Que interessa que não os conheças há muito tempo? São pessoas capazes e de confiança.

Will não se importava com Nat e Bill. Nat era outro rapazola novo como Jamie que bebia todas as suas palavras. Tinha o ar de um querubim, com cabelo louro e olhos grandes, e Will apreciava a companhia dele.

Quanto a Bill, chamavam-lhe o Homem de Ferro. Quando foi açoitado por ter roubado dos armazéns, não soltou um único grito e, no fim, afastou-se sem sequer estremecer. Comparado com a maioria dos homens da colónia, era um autêntico criminoso, condenado por um assalto grave e roubo violento. Dizia o bom senso que era uma boa escolha, precisariam de mais homens calejados se tivessem problemas com os nativos.

— Sim, o Bill e o Nat podem vir — concordou. — Mas porquê o Sam Broome? — perguntou, olhando com desconfiança para Mary. Considerava-o um indivíduo estranho, solitário, que não gostava de beber e era magro como um pau de virar tripas.

Mary gostara de Sam desde o dia em que lhe dera de beber quando ele estava às portas da morte no cais. Visitara-o nas tendas de hospital até ele estar em condições de ser transferido para uma cabana e tinham-se tornado amigos. Apreciava os seus modos educados e a sua reserva e sentia-se lisonjeada com a evidente adoração que ele nutria por ela.

Embora ninguém descrevesse Sam como um homem atraente — era demasiado magro e estava a perder rapidamente o cabelo ruivo — possuía um rosto poderoso e os seus olhos castanho-claros revelavam determinação. Era também uma pessoa prática e segura e um bom carpinteiro. Mary precisava dele, como uma rede de segurança, para o caso de Will a desiludir.

Desejava não ter aquelas dúvidas a respeito de Will. Por muitas razões, era o melhor dos maridos. Mas tinha de ser realista e considerar todas as possibilidades. Se chegasse a um porto seguro, e Mary estava absolutamente determinada em chegar, não podia garantir que o sucesso não subisse à cabeça de Will. Ele gostava de beber e tornava-se violento. Precisava de ter um plano de reserva qualquer para essa eventualidade; não tencionava arriscar a sua vida e as dos dois filhos por uma sorte que podia revelar-se pior do que tudo por que passara até agora. Sabia que Sam Broome saltaria em seu socorro se necessário.

— O Sam tem aptidões de que podemos vir a precisar — disse num tom firme. — Não te esqueças que é carpinteiro. Além disso, é um homem calmo e seguro que se há-de dar bem com toda a gente.

Will bufou, indicando a sua discordância, mas não disse mais nada.

Durante os dias que se seguiram, Will convidou cada um dos homens escolhidos para a cabana a fim de lhes apresentar individualmente o plano. Por enquanto, não tencionava dizer a nenhum deles quem eram os outros. Todos ficaram extremamente entusiasmados, reconhecidos por terem sido incluídos, e prometeram contribuir com coisas para as provisões. Mary ficou sentada a ouvir Will explicar todos os pormenores sem o interromper uma vez. Só quando cada homem se preparava para partir é que ela lhes fazia o seu aviso.

— Tens de jurar que não falas disto a ninguém — insistia com veemência. — Nem ao teu melhor amigo, à tua mulher, a ninguém. Porque se falares e o nosso plano for descoberto, mato-te.

Bill Allen e William Moreton achavam que Will era louco por levar uma mulher e duas crianças pequenas numa tentativa de fuga potencialmente tão arriscada mas, apesar de serem ambos o género de homens que levantavam a voz quando não concordavam com alguma coisa, nenhum deles se atreveu a abrir a boca na presença de

Mary. Quando ouviram a paixão na sua voz e viram a assustadora determinação nos seus olhos, logo se aperceberam de que ela não era uma parceira passiva. Sem que ela o dissesse com todas as letras, perceberam que a ideia, o plano era dela e que a sua advertência era muito séria.

Por volta dos finais de Fevereiro, o esconderijo por baixo do chão da cabana estava cheio de provisões. Dois velhos mosquetes, munições, um croque, várias ferramentas, panelas, um barril de água e resina para calafetar alguma fuga que o barco pudesse ter estavam escondidos em vários pontos da colónia. O plano era escapar depois da partida do *Waaksamheyd* para Inglaterra; assim, não haveria mais nenhuma embarcação no porto para lhes dar caça ou informar quem quer que fosse da fuga de um grupo de prisioneiros.

Bennelong concordara prontamente em nadar até ao cúter, na noite combinada, e trazê-lo para a praia. Só faltava agora ir buscar o sextante e a bússola a Detmer e pagar-lhe o dinheiro que Will combinara.

Will não tivera grandes dificuldades em arranjar dinheiro. Tinha feito algumas poupanças desde que chegara pois não havia nada em que gastá-lo. O resto conseguiu do mesmo modo que conseguiu a carne de porco salgada, o arroz e a farinha, vendendo peixe. Não faltavam soldados dispostos a comprar peixe. Tal como Will, também não tinham mais nada em que gastar o dinheiro. Quase sempre trocavam-no por álcool e os oficiais que acabavam com o peixe não faziam perguntas.

Mas Detmer insistiu para que fosse Mary a entregar o dinheiro e a levantar os artigos, alegando que era menos arriscado. Talvez fosse boa ideia esconder o dinheiro na roupa lavada e trazer mais roupa suja com o sextante e a bússola lá metidos. Mas Will não gostou da imagem que podia dar aos outros — era ele, e não Mary, quem detinha o controlo da fuga. Estava com medo que os outros homens em breve pudessem começar a pensar que a ideia era de Mary.

Will cismava no assunto, uma tarde, quando saiu para pescar. Na noite anterior, sugerira que os homens aparecessem na cabana para discutir a fuga. Mary recusou terminantemente. Alegou que tantas pessoas reunidas podiam levantar suspeitas e levar a que a vigilância fosse apertada. Decretou que só deviam continuar a encontrar-se em grupos de três ou quatro.

Até James Martin, o melhor amigo de Will, concordou com Mary. Will ficou ressentido por James tomar o partido de Mary e não o seu.

Estava no cúter, com mais seis homens que receberam ordens para ajudá-lo nesse dia, e preparava-se para partir quando Bennelong apareceu no cais. Vinha acompanhado pela irmã e pelos dois filhos dela, juntamente com Charlotte, que brincava muitas vezes com eles. Quando Bennelong fez sinal de que queria levá-los a todos no barco, a primeira ideia de Will foi recusar. Não lhe agradava ter a bordo tanta gente e, além disso, não estava com disposição para ter companhia. Mas sabia que era boa ideia Charlotte habituar-se ao barco e, além do mais, se recusasse, Bennelong podia ficar ofendido e voltar atrás com a promessa de ajudar na fuga. Não teve alternativa senão concordar.

Estava um dia agradável, muito mais fresco do que ultimamente, e a má disposição de Will abandonou-o assim que se viu na baía. Quando Bennelong, excitado, apontou para uma série de aves marinhas a planar perto da ponta oeste da baía, Will percebeu que ele estava a indicar um grande cardume de peixes desse lado.

Bennelong estava certo e não tardaram a içar a rede de arrasto carregada de peixe. Era a melhor pescaria que registavam nas últimas semanas.

Will ficou deliciado, fartou-se de dar palmadas nas costas de Bennelong e de lhe chamar um «tipo porreiro».

— Tipo porreiro — repetia Bennelong com um sorriso radioso que revelava os seus dentes perfeitos. — Arranjas rum para tipo porreiro?

— Até bebo contigo — disse Will a rir, fazendo sinais a sugerir que fizessem uma farra. Com tão boa pescaria, poderia guardar para si uma grande quantidade e estava cheio de vontade de se embebedar.

Regressavam ao cais com o fundo do barco a fervilhar de peixe vivo, ainda a rir-se e a felicitar-se mutuamente pela sorte que tinham tido, quando um vento forte se levantou de súbito, apanhando Will desprevenido. O barco ganhou velocidade, dirigindo-se a direito para uns rochedos, demasiado veloz para Will poder agir. Ouviu-se um estalido, os ganchos que prendiam as velas partiram, fazendo o barco adornar e começar de imediato a meter água.

Se não houvesse tantas pessoas a bordo, Will teria resolvido o problema mas dois dos prisioneiros, ambos inexperientes, entraram em pânico e subitamente o barco virou e todos caíram à água.

Ao embater na água, o primeiro pensamento de Will foi Charlotte mas John, um dos tripulantes, já a tinha agarrado. Ela estava a berrar com o choque mas parecia estar bem. A irmã de Bennelong também tinha os dois filhos seguros às suas costas e, com um grito ao irmão, começou a nadar para a praia com eles.

— Eu levo a Charlotte — gritou John. — Salva os homens.

Bennelong demorou-se o suficiente para ajudar Will com os outros cinco homens, dos quais só dois sabiam nadar, e depois também nadou para a praia. Ajudando os que estrebuchavam a deitar a mão ao barco virado, praguejou consigo mesmo. Perdera a pescaria inteira, sabia que o capitão Phillip ia ficar furioso e, pior ainda, o resultado provável era que a esperança de fugirem nas duas semanas seguintes estava arruinada.

Enquanto Will esperava no barco, com os outros homens a tossir e a cuspir água, Bennelong chegava à praia e chamava alguns nativos. Poucos minutos depois, estavam a arrastar as canoas pela areia para acudir. Alguns dirigiram-se imediatamente ao barco para salvar a tripulação, outros começaram a apanhar os remos e outro equipamento arremessado do cúter e chegaram dois homens com cordas que Will prendeu ao casco para rebocarem o barco para o cais.

Quando, muito mais tarde, Will voltou para a cabana com Charlotte, viu que Mary já ouvira a notícia. Esperou que ela o invectivasse e estava pronto para responder na mesma moeda mas, para sua irritação, ela mostrou-se mais preocupada com Charlotte.

Tirou-lhe a filha dos braços e envolveu-a num cobertor. — Pronto, pronto — disse ela quando Charlotte começou novamente a chorar. — Vais ver que já passa quando estiveres quentinha. Vou ter de te ensinar a nadar, não vou?

— Isso, consola-a! — disse-lhe Will rispidamente. — Eu não conto! Podia ter sido outra vez açoitado. Agora a fuga acabou-se.

Will percebeu, ainda não tinha acabado de falar, que estava a ser absolutamente irracional. Mas ver todas as suas esperanças arruinadas quando estavam tão perto de partir era mais do que conseguia suportar.

A sua roupa secara rapidamente com o vento mas sentia-se gelado até aos ossos. Sabia também que muitas das pessoas que lhe guardavam rancor pela liberdade de que gozava ficariam exultantes com o seu desaire.

— Não sejas parvo — retorquiu Mary, lançando-se um olhar de desprezo. — A que propósito é que te iam açoitar? Foi um acidente.

As suas palavras ríspidas pareceram sugerir a Will que ela não se importava minimamente com ele. Todo o ressentimento que se vinha acumulando há algum tempo explodiu e ele atirou-se a ela, dando-lhe uma bofetada e derrubando-a juntamente com Charlotte, que estava sentada no colo dela.

— Puta insensível — gritou-lhe. — Só pensas em ti.

Charlotte estava a gritar e Mary apressou-se a pegar nela e a levantar-se. Não tentou correr para fora da cabana mas enfrentou Will, desafiadora, com Charlotte nos braços.

— Vou atribuir essa bofetada ao choque — disse ela com altivez. — Mas se alguma vez te passar outra vez pela cabeça bateres-me, não penses que vou ser compreensiva uma segunda vez.

Will nunca batera numa mulher e, no momento em que se atirara a ela, sentira-se envergonhado. Mas não tencionava pedir desculpa, muito menos quando ela não era capaz de se comportar como uma mulher e chorar. Rodou nos calcanhares e saiu da cabana.

Regressou muito mais tarde, tão bêbado que entrou aos tropeções e estatelou-se no chão. Mary estava deitada no escuro, acordada, mas não se levantou para o ajudar. Desconfiava que ele não voltara de livre vontade mas porque o seu corpo guiava instintivamente os seus passos para casa. Perguntou-se onde ele teria arranjado o álcool e que segredos revelara sob a sua influência.

Não conseguia dormir de tão infeliz que se sentia. Will não parecia ter considerado que, quando ela soube que o barco tinha virado, se convenceu que Charlotte morrera afogada. Só uma hora, pelo menos, depois do sucedido é que soube que John a agarrara. Depois de passar por um tormento desses, uma fuga gorada pouca importância tinha.

Mas, assim que soube que Charlotte estava a salvo, o horror daquele lugar pareceu-lhe ainda mais insuportável. Enquanto esperava no cais, olhara em redor e não tivera ilusões — não passavam de barracas, construídas com o suor de homens que haviam sido desumanizados. Tudo à sua volta era feio, desde a precariedade das construções às pessoas ali aprisionadas, passando pelo cavalete de açoitamento e pelo cemitério sinistro e já sobrelotado. Reinava uma pestilência geral, uma combinação de dejectos e comida podre. A atmosfera era de desespero e opressão.

Não podia criar os filhos naquele lugar. Como podia lutar contra a esqualidez, a degradação, a absoluta desesperança do lugar? Como podia ensinar às crianças que era errado roubar quando era a única forma de sobrevivência? Ou que a fornicação era pecado quando, para a maioria das pessoas ali, era o único pequeno consolo que tinham? Quase todas as crianças eram bastardas, muitas das mães não sabiam sequer com certeza quem eram os pais dos filhos. Em anos vindouros, essas crianças podiam mesmo, inadvertidamente, praticar incesto.

Era um lugar que ofendia os sentidos de Mary. Horrorizava-a assistir às bebedeiras, ao deboche, à preguiça, às doenças e à estupidez total. Todos os dias, os seus ouvidos eram bombardeados com a linguagem mais obscena e os sons da desgraça humana. Os odores provocavam-lhe náuseas. Até o tacto, o mais pessoal dos sentidos, estava ali deturpado. A madeira era rugosa e cheia de farpas, a erva aparentemente macia era afiada como agulhas, a sua própria pele e a de Will era dura e áspera, ardia das picadas dos insectos e muitas vezes irrompia em furúnculos.

Como sentia saudades de tudo o que fazia parte da vida quotidiana em Fowey! Inalar o aroma do pão a cozer no forno, da alfazema, das rosas e das cravinas no pequeno jardim. Ver os morangos, as maçãs e as ameixas ainda reluzentes do orvalho. Um jarro de leite frio, vestir um saiote lavado ainda fragrante de estar a secar lá fora. Ver os seus pés rosados e macios depois de os lavar. Estar deitada na maciez aconchegante de um colchão de penas e ver as cortinas esvoaçar com a brisa.

Somente os filhos a impediam de esquecer o que deixara para trás. A sua pele ainda era sedosa, as suas vozes suaves e melodiosas aos seus ouvidos, o seu hálito doce como água da montanha. Tirando os andrajos, não eram diferentes, na essência, de crianças nascidas em berço de ouro. Mas, tal como não podia esperar que preservassem o seu ar de bebés, também não podia alimentar a esperança de ser capaz de protegê-los contra a corrupção. Em breve, assistiriam aos açoitamentos, à fornicação atrás dos arbustos e às bebedeiras e considerá-los-iam normais. Sem nada de belo ou meritório para lhes mostrar, como saberiam alguma vez distinguir o Bem do Mal?

Eram inocentes de qualquer crime; contudo, o facto de terem uma condenada como mãe tornava-os também condenados. E, a não ser que conseguisse levá-los daqui, esse estigma colar-se-ia aos filhos e aos filhos dos filhos. Não podia deixar que isso acontecesse.

Na manhã seguinte, Mary acordou as crianças, deu de mamar a Emmanuel e um pequeno-almoço de pão frito a Charlotte, sem acordar Will. Ainda estava estendido no chão onde caíra na noite anterior e a cabana tresandava a rum.

A caminho das casas dos oficiais onde ia buscar roupa suja, ouviu soar o tambor de chamada ao trabalho. Apesar de se interrogar se a perda do cúter implicaria que Will devia apresentar-se ao trabalho como os outros homens, não estava minimamente disposta a voltar atrás e acordá-lo.

Levava uma trouxa de roupa ao ombro, Emmanuel equilibrado na anca e Charlotte aos saltos à sua frente, quando ouviu Tench chamá-la. Há semanas que Mary não o via, nem de longe, porque as suas tarefas em Rose Hill o retinham lá. Estava a sair de casa do Dr. White e ela deduziu que passara lá a noite.

— Como está a Charlotte? — perguntou quando ela se aproximou. — Ouvi dizer que estava no barco ontem.

— Já se esqueceu — disse Mary. — Mas eu apanhei um susto enorme enquanto não soube que estava a salvo.

— E o Will, como está? — perguntou ele.

— A cozê-la — disse ela, deixando que Tench adivinhasse se se referia à comoção com o acidente ou à bebedeira. — Ou pelo menos estava quando saí.

— A reparação começa hoje — disse Tench, olhando para o cais. — Ele devia lá estar.

— A reparação? — O coração de Mary saltou.

Tench sorriu, estendendo a mão para acariciar Emmanuel na face. — Claro. O capitão Phillip quer colocá-lo novamente em serviço assim que possível.

— Ele está zangado com o Will? — perguntou Mary.

— Porque é que havia de estar? — Tench franziu a testa. — O capitão Hunter assistiu a tudo e transmitiu o que se passou. Podia ter acontecido a qualquer um, afinal de contas aconteceu ao próprio Hunter com o *Sirius* na ilha de Norfolk. O capitão Phillips também ficou muito sensibilizado pela ajuda que o Bennelong e os amigos dele prestaram no salvamento.

— O Will está a contar ser açoitado — disse Mary, com um leve sorriso.

— Então eu vou falar com ele — declarou Tench. — Não tem que recear se se lançar com afinco na reparação do barco.

Mary acompanhou Tench durante parte do caminho, conversando sobre Bennelong e a ajuda que ele dera, numa ocasião anterior, quando um indígena espetara uma lança no capitão Phillip.

— Tenho esperança de que, dentro de alguns anos, a nossa gente acolha com entusiasmo os nativos no seu seio — disse Tench.

Normalmente, Mary concordava com os pontos de vista do tenente mas hoje, um tanto embotada pelos seus próprios medos e desespero, não pôde deixar de pensar que ele era ingénuo e até ridículo.

— Não vai acontecer — disse Mary. — Na minha perspectiva, há-de chegar uma altura em que o governo vai querer desembaraçar-se dos nativos porque eles não se enquadram nos planos que tem para esta terra.

Tench pôs um ar escandalizado. — Não, Mary, não!

— É o que faz a quem perfilha valores diferentes — disse ela, num tom de desafio. — Os ricos e poderosos são-no porque espezinham os menos capazes. Mesmo quando nós, condenados, cumprirmos as nossas penas, acredita seriamente que o nosso passado vai ser esquecido? Quanto a mim, há-de haver sempre aqui uma sociedade dividida. Condenados, nativos e ex-condenados em baixo, e as pessoas como o tenente no topo.

— Não sei o que queres dizer com «pessoas como eu» — retorquiu ele, indignado. — Todos os homens nasceram iguais. Se singram ou soçobram, é uma questão de escolha individual.

— É bem mais fácil singrar quando se tem educação e uma família rica por trás — disse ela com rispidez. — Mas não é isso que eu quero dizer. Nós, os condenados, pouco mais somos que escravos para as pessoas como o tenente. Quantos mais mandarem para aqui, mas atractivo este país se tornará para as classes endinheiradas em Inglaterra. Imagino que oportunamente vão começar a afluir aqui para se apoderarem de terras, e quem é que vai trabalhar nelas? — Fez uma pausa, esperando que ele lhe desse uma resposta directa. Mas Tench calou-se, mostrando-se simplesmente ofendido.

— Nós, os condenados — disse ela, triunfante. — É quem vai trabalhar nelas. Não negue, tenente, sabe bem que vai ser assim. Pode haver quem se sinta mal por capturar um negro e forçá-lo a trabalhar de graça. Mas ninguém quer saber que um bando de criminosos condenados se mate a trabalhar.

Tench estava pasmado. Durante todo o tempo em que conhecera Mary, ela nunca revelara tanto azedume. — Pensei que te sentias feliz aqui com o Will e os teus filhos — disse num tom débil. Mal pronunciou aquelas palavras, compreendeu que estava a partir do mesmo princípio da maioria dos oficiais: que os condenados não eram capazes de sentimentos subtis.

— Feliz! — Mary soltou uma gargalhada azeda. — Como é que eu posso ser feliz quando a Charlotte chora de fome? Quando temo pelo futuro dela e do Emmanuel? Eles não cometeram nenhum crime e, no entanto, também estão condenados a prisão perpétua.

— Sinto muito, Mary. — Tench falou com uma voz trémula e os seus olhos encheram-se de lágrimas. — Só queria…

— Os desejos não se tornam realidade — disse ela, interrompendo-o. — As preces não são atendidas, pelo menos no caso de mulheres como eu. Tenho de ser eu a criar as minhas próprias oportunidades.

Tench demorou-se um pouco, vendo Mary encaminhar-se para a beira-mar para lavar a roupa. Sentiu-se impotente pois, no mais fundo de si, sabia que o que ela dissera era verdade até à última palavra. Quando o *Scarborough*, o *Surprise* e o *Neptune* chegassem a Inglaterra, quem se importaria com o número de criminosos que haviam morrido na viagem para a Nova Gales do Sul? Ou com todos aqueles da primeira frota que ali tinham morrido? Ninguém, desconfiava. Contudo, haveria milhares aguardando ansiosamente notícias sobre aquele lugar, com a intenção de se apropriarem de terras. Talvez, na sua maioria, viessem a sentir-se desmotivados pelas adversidades envolvidas mas os oportunistas só pensariam na mão-de--obra gratuita e estariam dispostos a correr o risco. Tal como haviam feito na América.

Tench observou Mary a sentar Emmanuel no chão, ao lado de Charlotte, e a ajoelhar-se depois junto à água para começar a lavar. Fez-lhe lembrar a primeira vez que falara com ela no *Dunkirk* quando ela fora protestar veementemente contra a falta de higiene no porão.

Mary era verdadeiramente extraordinária. Desde esse dia lutara corajosamente para tirar o máximo partido da sorte que a vida lhe reservara. Muitas outras mulheres jovens e entusiásticas como ela haviam simplesmente desistido. A amiga dela, Sarah, não passava agora de uma desleixada bêbada, como aliás a maior parte das sobreviventes do *Charlotte*. Sete haviam morrido e só Deus sabia se algumas delas poderiam ter vivido se tivesse havido uma sombra de esperança de a situação aqui vir a melhorar.

Sentia uma profunda compaixão por todas elas mas ouvir e ver subitamente o azedume de Mary, quando ela já fora tão optimista, era intolerável.

Por que razão não se enchia de coragem e lhe dizia o que sentia por ela? Porque não punha de lado todos esses planos nobres para o futuro e insistia com ela para que trocasse Will por ele? Outros oficiais, como Ralph Clark, tinham iniciado relações com condenadas e Clark tinha mulher em Inglaterra, à espera dele, que declarava amar. Não seria muito difícil. Will estava quase a terminar a pena, havia de embarcar de bom grado no navio seguinte sem olhar para trás.

Mas, por mais que Tench desejasse Mary, sabia que não era capaz de ir avante. Estava demasiado vinculado às convenções para tirar uma mulher e os filhos dela a outro homem. Seria errado negar-lhe a segurança do casamento. Tão-pouco seria capaz de suportar vê-la desprezada pelos amigos e pela família, o que decerto aconteceria se conhecessem a sua história.

Além disso, podia estar a iludir-se, pensando que ela sentia o mesmo por ele. Mary nunca dissera nada que sugerisse que sentia por ele mais do que amizade.

Olhou para a sua figura franzina que, debruçada sobre a água, emanava determinação por todos os poros. Ela haveria de encontrar uma maneira de endireitar a vida. Por qualquer razão, sabia que Mary não estava destinada a ser escrava de ninguém.

CAPÍTULO 11

1791

— Tens o dinheiro? — perguntou Detmer no seu forte sotaque holandês.

Mary assentiu e estendeu uma trouxa de roupa lavada. — Está num lenço — sussurrou. Tocou ao de leve na trouxa que ele trazia. — Estão aí?

Estavam a 26 de Março e Detmer partiria dentro de dois dias para Inglaterra, com o capitão Hunter e a sua tripulação do naufragado *Sirius*.

A meio da manhã, o cais fervilhava de actividade e alarido. Os marinheiros de Detmer rolavam barris de água doce para bordo, os soldados patrulhavam, alguns prisioneiros, que construíam um novo barracão, estavam a martelar e a serrar e várias condenadas, que voltavam de lavar roupa em casa dos oficiais, gritavam umas com as outras. Andavam também por ali muitas crianças, sujas, seminuas como crianças de rua, a trepar atrevidamente aos muitos caixotes destinados ao navio. De tempos a tempos, alguém as mandava embora e elas desapareciam como ratazanas num bueiro, voltando a aparecer minutos depois.

O cúter fora reparado, tal como Tench dissera. O acidente acabou por se revelar afortunado porque agora o barco estava em muito melhores condições do que antes.

— Sim, estão aí. Um sextante e uma bússola. Eu não te enganaria, Mary — disse Detmer, com um sorriso ligeiramente reprovador. — Queres vir ao navio beber um copo de despedida?

— Sabe bem que não me atrevo — disse ela, olhando em volta. Tinha consciência de que o navio de Detmer era alvo de vigilância apertada, pois tinham descoberto passageiros clandestinos no *Scarborough* quando este saíra da enseada de Sydney. Apanhados antes de o navio alcançar os promontórios foram imediatamente levados para terra. Mas, desde então, as tropas e os oficiais mantinham-se muito mais vigilantes. Ela viu alguns oficiais a sair da Casa do Governo e achou aconselhável afastar-se do cais o mais rapidamente possível, para não levantar suspeitas.

— Gostava de te poder ajudar mais — disse Detmer, com um suspiro. — Se te tivesse conhecido noutro ponto do mundo, estou certo de que o desfecho teria sido diferente.

Mary corou e baixou os olhos. Nunca sabia como interpretar Detmer e as suas observações muitas vezes pessoais. Havia dias em que tinha a certeza de que ele nutria fortes sentimentos por ela — por que outra razão correria tantos riscos para os ajudar, a ela e a Will? Contudo, noutras ocasiões, parecia-lhe não passar de um peão no seu jogo para irritar o capitão Phillip.

— Olha para mim, Mary — disse ele, num tom doce e insistente.

Ela fitou os seus olhos azul-claros e sentiu a familiar ponta de desejo. Hoje, estava ainda mais atraente, com o cabelo louro aparado, a barba feita e a camisa branca imaculada. Até as botas altas estavam impecavelmente engraxadas e ela interrogou-se se teria sido por sua causa.

Era extraordinário que, mais uma vez, se sentisse atraída por um homem de posição tão superior à sua. Há dois meses que Detmer invadia os seus pensamentos, do mesmo modo que Tench sempre invadira. Mas, enquanto Tench ocuparia sempre um lugar especial no seu coração, e ela sabia intuitivamente que os sentimentos dele espelhavam os seus, no caso de Detmer era puramente carnal.

Aos seus olhos, ele era um homem que nunca prestaria contas a ninguém. Sentia que lhe corria água salgada nas veias e que só era feliz no mar alto a lutar contra os elementos. Era tão profundo como o oceano e talvez igualmente perigoso.

— Assim, sim — disse ele, sorrindo. — Não vou poder estar contigo outra vez antes de partir. Tens de entregar essa roupa a um dos tripulantes.

Mary assentiu, receosa de falar. Fossem quais fossem os motivos dele para a ajudar, fora muitíssimo honrado. Não fizera chantagem para levá-la para a cama e tratara-a como uma senhora e não como uma condenada. Estar-lhe-ia eternamente grata.

— Temo muito por ti e pelos teus filhos — disse ele, baixando a voz num sussurro. — Espero sinceramente que consigam.

— Se a determinação valer de alguma coisa, havemos de conseguir — disse ela mas depois hesitou. Desejava imenso transmitir-lhe o alcance da sua gratidão mas sabia que, se tentasse, seria capaz de começar a chorar. — Deus o abençoe, Detmer — conseguiu acrescentar.

— E Deus te abençoe também — disse ele em surdina. — Nunca te esquecerei. Hei-de indagar para saber o que te aconteceu.

Trocaram as trouxas e, por um instante, a mão dele cobriu a dela.
— Tenho de ir — disse ela, começando a afastar-se. — Amanhã devolvo a roupa.

Às duas horas da tarde do dia 28, Mary e Will estavam na praia a observar em silêncio o *Waaksamheyd* a afastar-se na baía em direcção aos promontórios. Voavam aves marinhas na sua esteira e chegava-lhes o som do vento nas suas velas.

No cais, quase toda a colónia assistia à partida do barco; Mary ouvia as aclamações e as despedidas gritadas à distância. O capitão Phillip estaria entre a multidão e, pela primeira vez, Mary sentiu uma ponta de compaixão pelo homem.

Era quase certo que naquele momento ele desejava ir no barco de regresso a casa com o capitão Hunter. Haviam sido amigos e passado por muitos contratempos juntos. Em muitos aspectos, Phillip era tão prisioneiro como Mary, acorrentado àquela terra sem esperança pelo sentido do dever e da honra. Agora que a sua fuga estava tão próxima, via claramente que ele era de facto bom homem. Fora humano, justo e digno, em todas as circunstâncias, quase sempre em condições impossíveis. Sentia-se mesmo capaz de lhe desejar felicidades.

— Mais sete horas e estaremos a caminho — disse Will com um leve tremor na voz.

Mary sabia que ele estava a pensar no que aconteceria se fossem apanhados. Podiam perfeitamente ser enforcados; seriam sem dúvida açoitados e novamente acorrentados. Por muito bom que o plano fosse, por mais cuidadosos que tivessem sido, havia sempre a possibilidade de alguém rancoroso ter sabido e os denunciar.

Mary enfiou a mão na de Will e apertou-a. Também estava com medo, não por ela mas pelos filhos, pois sabia bem que estava a arriscar as vidas deles.

Mas era um risco que tinha de correr. Se ficassem ali, era muito provável que a próxima epidemia ou o próximo corte nas rações os levasse, como já acontecera a tantas outras crianças. Era certamente preferível correr riscos no mar. Pelo menos, se se afundassem, morreriam juntos. Uma morte rápida e simples.

— O cúter está em excelentes condições agora — disse Will, como que para se tranquilizar. — Até o tempo está a nosso favor.

Mary levantou os olhos para o céu. Estava enevoado e, a não ser que desanuviasse subitamente, encobriria a lua nessa noite. A brisa era muito ligeira mas isso pouca importância tinha pois iam deixar-se levar pela maré para fora da baía — os remos produziriam demasiado ruído e as velas dariam demasiado nas vistas.

— Vamos conseguir — disse ela com determinação. — Eu sei que vamos.

Às seis horas, já anoitecera e, nas duas horas seguintes, os homens começaram a chegar, um a um, e partiram em silêncio, cada um deles com um saco de mercadorias que seria levado para o ponto de partida combinado, mais adiante na praia.

Emmanuel e Charlotte estavam os dois na cama a dormir profundamente. Mary não receava que Emmanuel acordasse quando pegasse nele ao colo mas Charlotte era diferente. Tinha passado o dia maçada, choramingando e fazendo birras. Era óbvio que pressentira que andava qualquer coisa no ar e, se acordasse e desse por ela num barco, era capaz de começar a gritar.

Mary tinha a boca seca de medo ao ver o último saco ser retirado do esconderijo, debaixo do chão, ficando sozinha com as crianças adormecidas. Sam Broome chegaria em breve para lhe dar uma

Embalou Charlotte com ternura, na tentativa de não a acordar, e desejou que os homens fossem um pouco mais rápidos a carregar o barco.

— Eu pego nela agora — sussurrou William Moreton a Mary, estendendo os braços. — Vai para o barco.

Era o momento que Mary mais temia porque a criança acordaria de certeza ao ser transferida para outro colo. Mas sabia que não seria capaz de embarcar com ela nos braços. William, porém, pegou em Charlotte tão delicadamente como se fosse sua filha e fez sinal com a cabeça a Mary para avançar.

Levantando o vestido, Mary entrou silenciosamente na água e, sentando-se, estendeu de novo os braços para Charlotte. William Moreton entregou-lha e entrou a bordo. Seguiu-se Sam Broome, com Emmanuel, e sentou-se ao lado de Mary.

Bennelong estava a sorrir, os seus dentes e globos oculares brilhando como luzes brancas enquanto segurava no barco para os outros homens entrarem com os mosquetes embrulhados em oleado. Will sentou-se ao leme, Nat Lilly e Jamie Cox de cada lado dele; Bill Allen foi o último. Bennelong deu ao barco um forte impulso e começaram a mover-se.

Depois nadou ao lado deles durante algum tempo, empurrando o barco até este apanhar a corrente e começar a vogar lentamente pela baía fora. Em seguida, afastou-se, dirigiu-lhes um aceno de despedida e desapareceu na escuridão tão silenciosamente como um peixe.

Só passado algum tempo é que Mary se apercebeu de que tinha parado de respirar.

Pareceram ter decorrido muitas horas torturantes quando finalmente avistaram os promontórios em frente, como montanhas gémeas negras, embora na realidade não pudessem ter sido mais de três. Todos permaneciam no maior silêncio. Se a sentinela os visse ou ouvisse, daria o alarme e seriam disparados tiros.

De súbito, a água tornou-se mais encapelada, sentiram a corrente aumentar, arrastando o barco pesado em direcção ao espaço entre os promontórios, e Will debateu-se com o leme para manobrar o barco em segurança por entre eles. Charlotte acordou, emperti-gou-se no regaço de Mary e olhou à sua volta, pasmada.

— Iça a vela — murmurou Will. — A liberdade está à vista!

A vela enfunou, apanhada no vento, e começaram de imediato a avançar a um ritmo veloz, a lua surgindo de súbito atrás de nuvens densas como que para participar na sua celebração. James Martin, sempre o mais falador dos homens, soltou uma gargalhada gutural e os outros logo lhe seguiram o exemplo.

— Somos livres — disse Will numa voz trémula, como se lhe custasse acreditar. — Por Deus, somos livres!

Mary não era capaz de falar, só de sorrir. Virou a cabeça para olhar para trás mas não viu nada senão os rochedos negros e a passagem que haviam atravessado.

Não experimentou qualquer tristeza por partir, o arrependimento não fazia parte do seu carácter. O que importava estendia-se à sua frente. Mas uma imagem formou-se no seu espírito, de Tench a dormir na cama dele, e sentiu uma leve pontada de mágoa.

Nunca o vira a dormir, a barbear-se, a lavar-se ou sem roupa. Na sua memória, ele estaria sempre de casaca vermelha, calções brancos e botas impecavelmente engraxadas, caminhando em passos largos pelo cais. Recordaria também os seus doces olhos castanhos e a sensação da sua mão quando tocava na dela. Todos esses pequenos actos de bondade.

Se sentia algum arrependimento era apenas por não se ter despedido, de não lhe ter dito, pelo menos uma vez, que lhe tinha afecto. Mas tais pensamentos eram tolos porque ele nunca teria podido ser cúmplice de uma fuga.

Olhou mais uma vez para trás, enviando-lhe uma mensagem muda no vento, consciente de que jamais o veria. Depois virou-se e soltou um sonoro grito de alegria pela liberdade.

Se bem que não soubesse se seriam capazes de chegar à distante Kupang, bastava a noção de que o plano de escapar do porto fora bem-sucedido. Mary passou os olhos pelos oito rostos jubilosos dos homens e compreendeu que, à sua maneira, obtivera uma vitória. Podia não saber ler e escrever, nem navegar como Will, e talvez nunca nenhum dos homens reconhecesse o seu papel na fuga, mas ela sabia a verdade e, acontecesse o que acontecesse, tencionava fazer tudo para que encontrassem segurança e liberdade para sempre.

Encostou os lábios à fronte de Charlotte, ciente de que nas semanas seguintes teria de estar constantemente alerta em relação aos filhos.

— Não tens nada a dizer sobre o meu plano brilhante, Mary? — gritou Will.

Por um breve segundo, ela pensou em sublinhar que o plano não era dele. Mas, como o pai dizia com frequência: «Uma batalha ganha-se pela estratégia e não pela superioridade de forças.»

— Parabéns, Will — respondeu, sorrindo-lhe com afecto. — És um homem inteligente e corajoso.

CAPÍTULO 12

Ao fim de dois dias no mar, Mary deu por si a sentir o mesmo que sentira na carroça de Exeter para o *Dunkirk*. Agora, tal como então, arrancara com entusiasmo mas não tardara a ficar com o corpo todo moído de passar muito tempo sentada na mesma posição. À noite, gelava até aos ossos, de dia o sol e o vento queimavam-lhe a pele. No entanto, na viagem para Devonport, não tivera crianças para aplacar, distrair e controlar. Enquanto Emmanuel, pelo menos, era capaz de ficar no mesmo sítio, quase sempre no seu regaço, Charlotte não parava quieta.

Mary dormia poucas horas de cada vez, assim que as crianças caíam no sono, mas estava sempre a acordar estremunhada, receosa de que o homem ao leme tivesse também passado pelas brasas e que o barco fosse à deriva em direcção aos rochedos.

Contudo, apesar do mal-estar, uma coisa era certa: não deu por si a desejar estar na enseada de Sydney. O tempo estava bom, com ventos de feição constantes, de nor-nordeste, e os homens continuavam todos bem-dispostos, envolvidos em intermináveis discussões sobre como as diferentes pessoas na colónia teriam reagido à sua fuga.

— O capitão Phillip vai ficar fulo de certeza — disse alegremente James Martin.

— Espero que a Sarah não tenha ficado muito ressentida comigo quando descobriu o meu bilhete — disse James Cox com uma ponta de tristeza.

231

— Fizeste bem em não ceder à tentação de lhe contar antes de partirmos — disse Mary num tom apaziguador. Sabia que Jamie gostava muito de Sarah Young e devia ter-lhe custado abandoná-la.

Embora pensasse que conhecia bastante bem todos os homens antes de terem deixado a colónia, Mary não tardara a descobrir que havia aspectos da personalidade de todos eles que lhe eram até então desconhecidos. James Martin, o feio irlandês, sempre fora divertido, um homem bem-humorado com talento para contar uma boa anedota, mas uma espécie de libertino, sempre atrás de mulheres e bebida e sempre pronto para uma briga. Contudo, descobrira que ele era surpreendentemente paternal, pegando muitas vezes em Charlotte ou Emmanuel para ela poder descansar.

O ruivo e sardento Samuel Bird parecera-lhe um homem muito taciturno e nunca compreendera verdadeiramente por que razão Will o tinha em tão alta estima. No entanto, agora que eram livres, ele ria-se tanto como os outros e, se bem que não falasse muito, ouvia o que eles diziam e respondia.

Bill Allen e Nat Lilly eram os que ela conhecia pior e eram tão diferentes um do outro como a água do vinho. Bill era entroncado e careca, com um nariz achatado que parecia ter levado um bom número de murros. Na verdade, fazia jus à sua alcunha de «Homem de Ferro». Nat, com o seu rosto seráfico, olhos grandes e cabelo louro comprido, não tinha nada de homem duro; Mary achava-o, aliás, um tanto efeminado. Mas adaptava-se bem a qualquer grupo de homens com quem o mandassem trabalhar e toda a gente gostava dele. Era também extremamente leal a Will.

Nat e Bill chegaram de melhor saúde do que qualquer um dos outros homens da segunda frota e Mary nunca descobrira porquê. No caso de Nat, o melhor provavelmente era não perguntar.

Fora aquela capacidade para sobreviver que levara Mary a escolher os dois homens para a fuga. Contudo, agora notava que eram ambos surpreendentemente sensíveis. Na primeira manhã, tinham montado um toldo para proteger as crianças do sol e encarregavam-se de distribuir equitativamente a comida.

William Moreton, sem dúvida, um dos prisioneiros mais inteligentes, era por outro lado, pouco atraente, com uma testa alta e saliente, olhos protuberantes e uma boca fina e estreita. Infelizmente, não estava a aprender com os erros; criticava muito e Mary receava um pouco que ele acabasse por irritar alguém seriamente.

Até Jamie Cox e Sam Broome, ambos homens reservados e pensativos, que haviam parecido não se importar de ser conduzidos pelos outros, se tinham afirmado um pouco. A certa altura, Jamie tivera a coragem de dizer a Will que acabasse com a fanfarronice e Sam Broome mandara James Martin ter tento na língua por causa de Mary e Charlotte. Mary não tinha dúvidas de que, nas próximas semanas, descobriria facetas ainda mais surpreendentes de cada um.

De tempos a tempos, os homens falavam, com um ar sonhador, sobre o que tencionavam fazer quando chegassem a Inglaterra. Todos sabiam que seria imprudente tentar voltar para a sua terra natal, pois podiam ser novamente detidos. Londres era o destino favorito, aí passariam certamente despercebidos e, com um novo nome, podiam recomeçar nova vida.

Mary não era capaz de fazer planos tão adiantados, parecia-lhe que era abusar da sorte. Na realidade, não tinham dinheiro, as suas roupas não passavam de andrajos e iam precisar de uma grande dose de sorte para não recaírem na prática de actos criminosos.

Contudo, apesar das suas dúvidas, por vezes não conseguia evitar cair numa pequena fantasia em que se via em Fowey, a caminhar pela rua empedrada do porto com os filhos pela mão. Imaginava-se sentada à porta de casa, vendo a mãe lá dentro, debruçada sobre a panela ao lume. Virava a cabeça, via-os e quase desmaiava de surpresa e alegria. Era, evidentemente, um devaneio irrealista e fantasioso mas aliviava as dores nas costas de Mary e aquecia-lhe a alma.

O tempo virou ao terceiro dia, com chuva e uma ventania tempestuosa e Will começou a preocupar-se com o facto de o barco ir sobrecarregado. — Temos de arranjar um sítio onde desembarcar e esperar que isto passe — declarou.

Um pouco mais tarde, William Moreton, que estava na proa, gritou de súbito que avistara o que lhe parecia um bom local.

Todos olharam para o sítio para onde ele estava a apontar e viram uma pequena enseada com uma praia de seixos. Will aproximou-se para inspeccionar a possível existência de rochas dentro da água e, não vislumbrando nenhuma, concordou que era ideal.

— Esperemos que haja uma taberna — exclamou James.

O comentário suscitou gargalhadas, inclusive a William Moreton, que até então não parecera apreciar o sentido de humor de James.

Will manobrou o barco o mais próximo possível da praia e James nadou para terra com uma corda para puxá-lo para os baixios.

— Estiveram aqui nativos — disse James, assim que chegaram todos à praia. Apontou para os restos carbonizados de uma fogueira e para uma grande quantidade de espinhas de peixe.

— Pois, mas agora não estão — disse Will, inspeccionando atentamente a enseada. — Além disso, sei falar a língua deles o suficiente para lhes transmitir que vimos por bem.

A chuva parou, o sol voltou a brilhar e Mary perseguiu Charlotte pela praia, entre risos da pura felicidade por passarem uma noite em terra firme. Havia um curso de água doce onde encheram o barril de água e lavaram a cara, já cheia de sal e Mary encontrou uma planta semelhante a uma couve. Enquanto Will, Bill e James levaram a rede de arrasto para pescar, William acendeu uma fogueira, Samuel Bird e Nat apanharam galhos e Sam Broome e Jamie Cox construíram um abrigo tosco debaixo das árvores.

A pescaria foi boa; os homens voltaram com uma quantidade razoável de salmonetes que, cozinhados com parte do arroz que tinham levado e as folhas de couve, constituíram um festim e tanto.

— Se não fosse a terrível falta de cerveja e de umas moças com um belo peito, era capaz de ser feliz aqui — declarou James, deitando-se na praia depois da refeição.

Mary riu-se. Nem sempre aprovara James no passado mas estava a começar a gostar mais dele a cada hora que passava. A sua noção do ridículo agradava-lhe e as suas histórias ajudavam a passar o tempo mais depressa. Sempre o considerara um homem de aspecto estranho, com a sua cara ossuda e torta, as orelhas e o nariz grandes e as sobrancelhas escuras e espessas que se encontravam a meio. A mãe dela sempre dissera que era sinal de que um homem «nascera para ser enforcado» e talvez fosse verdade pois só escapara à forca por uma unha negra. Mas a sua personalidade compensava a falta de atractivos físicos. Agora já não achava tão estranho que muitas das mulheres da colónia andassem atrás dele.

234

Nessa noite, todos dormiram bem, apertados uns contra os outros debaixo do abrigo, perto da fogueira. Ali deitada, esperando que o sono chegasse, com Will enroscado contra as suas costas e as crianças entre ela e Sam, Mary sentiu-se quente, bem alimentada e verdadeiramente feliz. Não era apenas a sensação de liberdade da colónia penal mas de que se libertara qualquer coisa dentro de si.

Em criança, sempre desejara ter nascido rapaz, unicamente para poder ir pescar, trepar aos rochedos e viver aventuras. As raparigas nunca tinham a oportunidade de fazer mais do que imitar as mães e cuidar dos homens. Supôs, quando partiu para Plymouth, que isso ia mudar mas não mudou, claro. Durante todos aqueles anos, desde a sua detenção, tivera de se vergar à superioridade dos homens só para sobreviver. Mas ali estava na companhia de oito homens e sabia, no seu íntimo que nas semanas que se avizinhavam eles iam tornar-se dependentes dela. Já sentia a admiração que lhe dedicavam. Via-a nos seus olhos e na atitude que eles sabiam que quem concebera o plano fora ela, por mais que Will se gabasse do contrário. Quando chegara a sua vez ao leme, aperceberam-se de que ela entendia de barcos quase tanto como Will.

Mas o seu maior trunfo era a determinação inabalável em alcançar Kupang. Os homens podiam estar convencidos de que sentiam o mesmo mas Mary sabia que não os movia uma força tão poderosa como a sua. Essa força advinha-lhe dos filhos e estava disposta a passar por todas as adversidades, a enfrentar todos os perigos para proteger as suas vidas e encontrar segurança permanente. Passou o braço pelos ombros de Emmanuel e Charlotte, confortada com o calor daqueles pequenos corpos, que apenas reforçava a sua determinação.

— Há quanto tempo andamos no mar, Will? — perguntou Nat Lilly uma tarde, num tom cansado e aborrecido. Perdera o seu ar seráfico, o cabelo louro agora emaranhado e baço do sal e a pele clara um massa de bolhas causadas pelo sol e pelo vento. — Parece um ano.

Will mantinha um diário de bordo que actualizava meticulosamente de dois em dois dias e, se não fosse ele, nenhum dos outros saberia em que dia ou mesmo em que mês estavam.

— Há bastante mais de um mês — redarguiu Will, remando com força pois o vento era fraco nesse dia. — Hoje é dia 2 de Abril.

— Então, quantos mais quilómetros tem esta costa? — perguntou Nat, a sua expressão mal-humorada ao olhar na direcção do litoral. Nem uma hora antes, fizera o reparo de que, por mais que avançassem cada dia, quase nunca parecia diferente.

— Não faças essas perguntas idiotas — respondeu Will, irritado. — Como é que eu sei? Ainda não foi explorada, pois não?

— Ora, quem navegou por aqui antes devia saber se tinha mil ou cinco mil quilómetros — disse Nat, abespinhado.

— Imagino que sim mas não se deu ao trabalho de mencionar — disse Will com secura. — Agora cala-te e rema mais depressa.

Mary estava ao leme, com Emmanuel nos joelhos e Charlotte aos pés, a brincar com uma boneca que James lhe fizera com um pedaço de corda. Ouvira a troca de palavras entre Nat e Will, como ouvira, noutras ocasiões, os outros homens perguntar quanto faltava exactamente para chegar a Kupang. Todos precisavam de descansar e ela desejou, embora sem muita esperança, que encontrassem em breve um lugar onde pudessem passar alguns dias.

Desde a primeira paragem no que chamaram Enseada da Fortuna, haviam seguido um padrão: alguns dias a navegar e dois dias de descanso quando encontrassem um lugar com água doce. A tensão crescia constantemente dentro do barco; ficavam doridos, com frio e falavam com maus modos uns com os outros. Mas, assim que acostavam, o ressentimento parecia dissipar-se.

No entanto, Will estava cada vez mais preocupado com o barco pois agora deixava entrar muita água. Por outro lado, William Moreton estava sempre a mencionar as monções, dizendo que lhe parecia que estavam a navegar em direcção a uma. O barco podia ter navegado bem na zona da baía de Sydney mas não fora concebido para uma viagem longa, carregado com tantos passageiros.

Nesse mesmo dia, ao fim da tarde, chegaram a uma grande baía, semelhante a Sydney, e imediatamente todos se sentiram mais animados.

— Temos de tirar o barco da água e calafetar as junções — declarou Will e depois, olhando para Mary, acrescentou. — Tu podes lavar a roupa da malta, menina.

Mary ficou irritada mas não respondeu. Teria lavado a roupa de todos, de qualquer maneira, mas a intenção de Will ao dar-lhe essa ordem era admoestá-la.

Sabia perfeitamente qual era o problema dele; estava a perder o ânimo. Os homens haviam deixado de elogiá-lo por ter organizado a fuga. Talvez estivesse também a remoer o facto de a sua pena estar agora a chegar ao fim, se não tivesse escapado. E, claro, estava preocupado com a capacidade de o barco se aguentar com todos eles até Kupang.

Mary pensou que ele se sentiria provavelmente aliviado se alguém sugerisse que passassem o resto dos meses de Inverno numa baía como aquela. Mas ele próprio não o sugeria por medo de transmitir uma imagem de cobarde. Por outro lado, não lhe agradava a maneira como os homens tratavam a mulher.

Tinha começado com James, que espetara uma farpa de um remo na mão uma semana depois da partida. Mary tirara-lha e ele começou a chamar-lhe «Virgem Maria». Desde então, sempre que alguém se sentia mal, pedia-lhe a opinião. Quanto a Mary, era perfeitamente normal. Afinal era a única mulher e aprendera algumas noções rudimentares de medicina com o Dr. White, tanto no *Charlotte* como na colónia. Mas Will parecia pensar que era por terem segundas intenções em relação a ela.

Tinha igualmente protestado por todos competirem, à excepção de William Moreton e de si próprio, por um lugar ao lado dela no barco e por tomarem conta de Charlotte quando ela estava a amamentar Emmanuel. Mary sabia perfeitamente que nenhum deles o fazia para a seduzir. Era simplesmente uma atitude fraternal e talvez o facto de estarem sentados ao seu lado enquanto ela dava de mamar a Emmanuel lhes recordasse as suas próprias mães. Era igualmente possível que estivessem cansados de se armar em duros o tempo todo como Will. Conversando com ela, podiam descontrair por alguns momentos. Não compreendia por que razão Will via nisso alguma maldade.

Bill confidenciara-lhe que fora muito bruto com as mulheres no passado mas talvez fosse porque o pai sempre maltratara a mãe. Nat admitira que deixara alguns dos marinheiros usá-lo como uma mulher no navio de deportados porque era a única maneira de conseguir comida extra e se libertar dos grilhões. Sam Bird contara a

237

Mary que roubara rações das cabanas de outras pessoas quando a situação se tornara extrema e agora sentia uma vergonha terrível.

A sua opinião sobre os homens não mudava por lhe contarem essas coisas, apesar de condenáveis. Considerava que partilhar confidências os unia ainda mais.

Quando desembarcaram, montaram um abrigo e acenderam uma fogueira, Mary colocou Emmanuel no porta-bebés, prendeu-o à volta do corpo e, deixando Charlotte a brincar na praia onde os homens estavam a puxar o barco, partiu à procura de alimentos.

Descobriu mais folhas de cipó-doce e algumas das bagas ácidas que o Dr. White tanto enaltecia mas, não conseguindo encontrar as folhas semelhantes a couves, voltou para trás.

Viu de imediato um grupo de nativos a observá-la à sombra de uma árvore. Sentiu-se momentaneamente assustada pois estava um pouco distante dos homens mas acenou, coisa que os indígenas em Sydney pareciam interpretar como um gesto amistoso, e sorriu-lhes. Pressentiu que estavam simplesmente intrigados com ela e não eram hostis e, assim, encaminhou-se na direcção dos homens na praia.

No dia seguinte, os nativos aproximaram-se mais. Agacharam-se um pouco mais adiante na praia, observando atentamente os homens a reparar o barco. Mary estava a lavar a roupa e, sempre que se levantava para pôr uma peça a secar num arbusto, sorria-lhes.

— Qual é a tua? — perguntou-lhe Will subitamente num tom ríspido. — Não te chegam oito homens? Ou também queres alguns desses?

— Não sejas parvo, Will — disse ela, numa voz cansada. — Só estou a sorrir para lhes mostrar que não lhes queremos fazer mal, como tu bem sabes.

Will continuou de má cara com ela até ao fim do dia, apesar de terem apanhado peixe suficiente para comer bem nessa noite e salgar mais algum de reserva. Depois de pôr as crianças a dormir, Mary sentou-se junto da fogueira durante algum tempo. Os homens estavam mais uma vez a discutir distâncias, uma conversa em que ela não participou. Sentindo-se extremamente cansada, levantou-se para ir fazer as suas necessidades antes de se deitar.

Estava uma noite esplêndida, de lua cheia, e em lugar de voltar directamente para o abrigo, sentou-se numa rocha a desfrutar da

238

tranquilidade. Momentos de paz eram um luxo raro para Mary. Desde o dia em que foi detida em Plymouth, sempre estivera rodeada de tumulto e algazarra. Mesmo na sua cabana em Sydney, raramente tinha a oportunidade de estar completamente sozinha.

No barco, tudo o que fazia era em plena vista dos homens. Eles tinham a decência de desviar os olhos, quando ela fazia as suas necessidades ou se lavava, mas estavam ali a poucos passos dela. Havia sempre alguém a falar, a cantar ou até a ressonar. Nem o seu corpo lhe pertencia inteiramente: Emmanuel estava sempre a mamar, a subir para o colo dela ou a dormir nos seus braços e Charlotte exigia a sua atenção a quase todas as horas do dia. Até os homens a usavam como uma almofada, encostando-se a ela.

Levantando os olhos para as estrelas, com o mar a marulhar suavemente na praia, podia fazer de conta que estava de novo na Cornualha. Voltou a entregar-se a um devaneio, imaginando-se numa pequena casa rural, as crianças a dormir em segurança numa cama verdadeira no andar de cima e Will ausente a pescar. Via tudo claramente: uma vela a arder, as chamas vermelhas do fogo e pequenas faúlhas formando figuras ao cair na fuligem.

Quando ela e Dolly eram pequenas, entravam sempre em competição uma com a outra para ver a melhor imagem nessas faúlhas. Dolly via coisas como pessoas a irem à missa, dançarinos em redor de um mastro de Maio enfeitado, enquanto Mary via sempre peixes, animais ou aves. Interrogou-se sobre o que Dolly pensaria das histórias que ouvira a respeito desse estranho animal a que chamavam canguru, ou desses grande pássaros que não sabiam voar mas corriam mais velozmente que um homem. E havia ainda milhões de aves bonitas, tão exóticas e de cores tão vivas que lhe cortavam a respiração.

— Ele não vem!

Mary apanhou um susto ao som da voz zangada de Will. Não o ouvira a aproximar-se.

Levantou-se e virou-se, deparando-se com ele a caminhar em passos largos na sua direcção. — Quem é que não vem? — perguntou.

— O Sam, claro, como se não soubesses — respondeu ele com agressividade. — Apanhei-o a escapulir-se para vir ter contigo e arriei-lhe bem.

239

— Eu não vim aqui esperar por ninguém — disse Mary, indignada. — Não achas que já tenho gente que chegue à minha volta todo o dia?

Ele bateu-lhe tão inesperadamente que ela não teve tempo de se mexer ou sequer esquivar-se. A bofetada apanhou-a na face e fê-la cair para trás na praia.

— És a minha mulher — sibilou ele, atirando-se para cima dela e levantando-lhe o vestido.

Já fora um choque terrível ter levado uma bofetada mas, quando se apercebeu do que ele pretendia fazer, ficou horrorizada e cheia de medo.

— Não, Will — implorou. — Assim não.

Tentou debater-se para sair debaixo dele mas Will era demasiado forte e pesado. No momento seguinte, estava a penetrá-la à força, mordendo-lhe o pescoço como um animal selvagem e cravando-lhe os dedos nas nádegas como que para a magoar ainda mais.

Quando terminou, levantou-se e afastou-se, sem pedir sequer desculpa.

Mary permaneceu imóvel durante alguns momentos, demasiado aturdida para se mexer. Mais tarde, encaminhou-se para o mar e lavou-se. Tinha os olhos secos mas por dentro estava a chorar, pois nunca imaginara que Will fosse capaz de um acto tão animalesco. Uma das coisas que havia tornado a vida na colónia tolerável era a relação sexual terna e doce que tinham. Mitigava a fome, a dor física e o desespero da sua situação. Se a desejara nessa noite, bastava-lhe ter dito e ela ter-se-ia esgueirado de bom grado com ele até ali.

Sabia que o que ele tinha feito não era invulgar, vira muitas mulheres com lábios rebentados e olhos negros em Sydney. Sabia, pelas confidências de algumas delas, que o único sexo que conheciam era o sexo à bruta. Mas os homens delas não possuíam a classe de Will, eram indivíduos reles, capazes de roubar comida aos filhos sem qualquer escrúpulo.

Mary ouviu um leve som e virou-se, vendo que Will voltara e estava a uma certa distância. — Anda lá comigo agora — disse ele.

Tinha a mão estendida para ela. Estava demasiado escuro para distinguir a sua expressão mas a sua postura era insegura, como se sentisse vergonha de si próprio.

— Porquê, Will? — perguntou, aproximando-se dele. Não sentia ódio nem tão-pouco raiva, apenas uma profunda onda de desilusão.

— Não sei — disse ele, num tom que era pouco mais que um sussurro. — Acho que fiquei ao rubro por causa do Sam.

Mary não disse nada enquanto se dirigiam juntos para o abrigo. Precisava de tempo para reflectir sobre aquilo.

Quando acordou na manhã seguinte, estava sozinha no abrigo com as crianças, que ainda dormiam. Will já estava a trabalhar na reparação do barco com William e James. Não vendo os outros homens, deduziu que andariam a apanhar marisco.

Cautelosamente, apalpou a cara. Estava inchada e dorida mas a pele estava intacta.

Um pouco mais tarde, quando se ajoelhou para tentar acender uma fogueira, Will aproximou-se dela. Permaneceu de pé ao seu lado por alguns momentos, olhando para ela. Mary ignorou-o.

— Odeias-me? — perguntou ele finalmente.

— É o que esperas de mim? — retorquiu, levantando os olhos para ele. Tinha um ar desgastado. Todos tinham, claro, com a pele queimada do sol e do vento e a falta de sono. Todos os homens precisavam de cortar o cabelo e aparar a barba mas em Will, que normalmente se orgulhava da sua figura, parecia estranho.

Sim, era mais do que isso. Os olhos de Will estavam mortiços e encovados; Mary só se recordava de terem esse aspecto uma vez. Depois do açoitamento.

Ele encolheu os ombros. — Não sei.

— Passámos por muito os dois — disse ela. — Ainda vamos passar por muito mais e, se não estivermos unidos, não vamos conseguir.

— Perdoas-me então? — pediu Will, mostrando-se um pouco confuso.

— Não sei se perdoo, o perdão conquista-se — disse ela rispidamente. — Mas por agora vou esquecer.

Ele fez um gesto de perplexidade com as mãos. — Que tipo de mulher és tu? Não choras, não gritas. Não te compreendo.

241

— Eu compreendo-te a ti — retorquiu ela. — E não choro nem grito porque não se ganha nada com isso.

Mary compreendia-o de facto. Sabia que ele tinha medo que ela estivesse a usurpar a posição que sempre ocupara, a de líder. Violá-la era a sua forma de a obrigar a vergar-se perante ele. Mas ela não tencionava fazê-lo.

Os nativos voltaram durante a tarde. Os homens deram-lhes algum peixe que tinham apanhado e, por seu turno, eles oferece-ram-lhes algumas santolas.

Na manhã seguinte, os nativos apareceram na praia e ajuda-ram-nos a pôr o barco novamente na água, acenando-lhes quando partiram. Seria a última vez que se deparavam com uma reacção amistosa ao chegar a terra.

A sorte que durava há um mês acabou subitamente. O tempo agravou-se, com ventos fortes e chuva torrencial e, embora vissem muitas praias convidativas, a rebentação era demasiado alta para arriscar uma aproximação. O barco continuava a meter água e, quando por fim encontraram uma baía, apareceu de imediato um grupo de indígenas, arremessando lanças para os afugentar. Deses-perados, os homens dispararam os mosquetes sobre as cabeças deles e os nativos fugiram mas, tendo voltado em maior número na manhã seguinte, não tiveram alternativa senão fugir.

Uma tempestade violenta apanhou-os desprevenidos. As vagas eram como montanhas verdes enormes, sacudindo o barco como um brinquedo. Mary manteve Emmanuel preso ao peito e segurou Charlotte com toda a força, com medo que ela fosse varrida pela fúria do mar. Duvidou que algum deles voltasse a ver o sol nascer.

Parecia o pior pesadelo no mar e simplesmente não tinha fim. O céu estava tão negro que mesmo de dia era escuro como de noite. Emmanuel e Charlotte gritavam, aterrorizados, e mais tarde, com-pletamente exaustos, tiritavam apenas, demasiado assustados, enre-gelados e molhados para adormecer.

A água doce estava praticamente a chegar ao fim mas não po-diam ir a terra, receosos de encalhar o barco em rochas escondi-das. Will largou a âncora ao largo e dois dos homens nadaram corajosamente para terra com o barril para o encher mas voltaram a aparecer indígenas armados de lanças que os obrigaram a arrepiar caminho.

Durante os dois dias seguintes, Mary reparou que Will estava a sucumbir a um estado de apatia. Entregava o comando a William Moreton e a James e, por vezes, o vento empurrava-os para tão longe da costa que a perdiam completamente de vista.

— Will, vê se arrebitas — gritou-lhe ela um dia. — Estamos a ir direitos ao recife e ainda fazemos um rombo.

Ele murmurou que precisavam de velocidade para enfrentar a monção, o que Mary achou uma loucura, e assim pegou no leme e voltou para a relativa segurança das águas costeiras. Por essa altura, já o barco estava a meter água, acima e abaixo da linha de água, e corriam seriamente o perigo de se afundar.

Quando tudo parecia perdido, viram a foz de um rio. Nesse momento, Will recobrou o moral, assumiu o governo do barco e manobrou-o habilidosamente por entre baixios onde a água não tinha mais de um metro e meio ou dois metros de altura. Por fim, à beira da exaustão total, conseguiram puxar o barco para a margem do rio.

Havia água doce em abundância mas não conseguiram apanhar nenhum peixe nem arranjar de comer. Contudo, mesmo só com arroz e o resto da carne de porco salgada, bastou-lhes poderem estender-se e dormir.

Na manhã seguinte, os homens lançaram-se mais uma vez na reparação do barco. A resina que haviam trazido tinha acabado mas James, sempre expedito, teve a ideia de usarem sabão. Sabiam que tinham de avançar depressa para encontrar alimento e Mary estava agora extremamente ansiosa pois Emmanuel e Charlotte não pareciam estar a recuperar com a mesma facilidade dos adultos. Apoderara-se deles um estado de letargia. Charlotte não comeu mais que umas colheradas de arroz e voltou a adormecer. Emmanuel estava ao seu colo e não tentava sequer mamar.

— Há-de passar — disse-lhe James, procurando confortá-la. — Estão exaustos. Deixa-os dormir.

Na manhã seguinte, tinham percorrido algumas milhas quando a monção finalmente os apanhou. Caía uma chuva torrencial e o vento soprava mais forte do que nunca. Mais uma vez as vagas eram gigantescas e voltaram a perder a costa de vista à medida que o vento os impelia em frente.

Durante os dois primeiros dias e duas noites, Mary concentrou todos os seus esforços nas crianças, tentando abrigá-las com um oleado, cantando-lhes canções e embalando-as. Mas, vendo os homens perder o ânimo, compreendeu que lhe cabia incutir-lhes um espírito de luta pela sobrevivência.

— Vamos conseguir — gritou-lhes. — Não serve de nada desistir. Pelo menos, este vento está a impelir-nos depressa, vamos aligeirar o barco, desembaraçando-nos do que for supérfluo.

Alijaram roupa extra e objectos pessoais e, vendo que o barco continuava a meter água, Mary pegou no chapéu e começou a deitar a água para fora.

— Vamos — gritou-lhes. — Façam o mesmo, todos. É a vossa vida que está em jogo.

Um a um, juntaram-se a ela, a princípio sem ânimo mas, ao verem o barco subir na água, começaram a trabalhar mais depressa.

— É assim mesmo — bradou ela. — Vamos, Sam, James e William, querem acabar em comida para os peixes? Se quiserem, podem matar-se quando chegarmos a terra, mas não se deixem morrer aqui só porque estão cansados.

Durante um total de oito dias não viram terra. A chuva continuava a cair e Mary continuava a gritar aos homens. Parecia-lhe que os braços estavam prestes a desprender-se das articulações, à força de despejar água, e tinha enrouquecido, mas sabia que estava a ganhar. Nenhum dos homens se atrevia a parar enquanto ela estava a apanhar água e o barco avançava a boa velocidade.

Avistaram novamente a costa quando começou a anoitecer mas a rebentação era demasiado alta para tentarem acostar. Will largou a âncora e usou o croque para prender melhor o barco durante a noite, na esperança de que, pela manhã, o vento tivesse amainado o suficiente para irem a terra.

De madrugada, enquanto procuravam repousar, ouviram o terrível som da âncora a arrastar-se sobre rochedos e o barco começou imediatamente a vogar em direcção ao recife.

— Vai abrir um rombo e vamos afogar-nos todos — gritou Will, histérico por sobre o ruído do vendaval. — Oh, meu Deus, para que é que me meti nisto?

Mary dirigiu-se ao mastro, a custo, e endireitou-se. Olhou para os homens encolhidos e assustados e interpelou-os, furiosa: — Não passa de água, vento e chuva — gritou por cima do vento. — Chegámos até aqui, não vamos agora dar-nos por vencidos. Não sejam agora medrosos, levantem essa âncora e vamos embora.

A alvorada apanhou-os ainda a lutar contra a intempérie e, quando o céu clareou, o vento diminuiu um pouco.

— Continuem a esvaziar — gritou Mary, numa voz agora reduzida a um grasnido. — Havemos de chegar a terra, juro.

— Graças a Deus — murmurou James algumas horas mais tarde, ao entrarem numa baía com areia branca. — E obrigado, Mary, por teres tido a coragem de nos obrigar a batalhar.

Mary dirigiu-lhe um sorriso débil. Estava perdida de fome e quase receosa de olhar para Emmanuel e para Charlotte, debaixo do oleado, não fossem estar mortos e não a dormir. Talvez fosse uma vitória mas, naquele momento, sentia-se completamente derrotada.

Não se recordava de ter desembarcado. A última coisa de que se lembrava era de navegar junto à linha da costa e acordar mais tarde, dando por si deitada na areia macia e quente.

Sentou-se cuidadosamente e olhou em volta, confusa porque o sol estava a oriente. Apalpou a roupa que estava seca mas tesa do sal. Alarmada com o silêncio absoluto, tentou levantar-se mas estava tão rígida que mal conseguia mexer-se.

Virando a cabeça, viu os homens a dormir debaixo do abrigo, Charlotte e Emmanuel aconchegados entre Will e James. Havia as cinzas de uma fogueira com um monte enorme de conchas de mexilhão ao lado e o barril de água estava pousado à sombra de uma árvore, um trilho fundo na areia indicando que fora rebolado até lá depois de ter sido enchido.

Mary compreendeu imediatamente que devia ter adormecido ou perdido mesmo os sentidos, no dia anterior, e que os homens a tinham deixado dormir sossegada enquanto procuravam de comer e beber antes de também adormecerem.

Esse pequeno gesto de bondade encheu-lhe os olhos de lágrimas e instilou-lhe forças para vencer a rigidez, levantar-se, espreguiçar-se e encaminhar-se depois lentamente para o barril de água.

Bebeu sofregamente, caneca atrás de caneca, até sentir a barriga inchada, e depois devorou o arroz frio que estava na panela. Olhando em volta, reparou que haviam chegado a uma bonita baía, com um areal branco, um mar azul transparente e uma vegetação verde e exuberante a toda a volta.

O seu coração pareceu inundar-se de gratidão e, caindo de joelhos, agradeceu a Deus por tê-los salvo da borrasca.

CAPÍTULO 13

Sam Broome e James Martin pararam de procurar marisco nas poças entre as rochas e sentaram-se, fatigados.

— A Mary é uma autêntica tirana — disse James com uma sugestão de riso na voz. — Mas, apesar disso, é uma grande mulher. — Os seus calções estavam agora tão esfarrapados que era inútil usá-los porque tinha as pernas e partes das nádegas completamente à mostra. A camisa e os calções de Sam ainda estavam inteiros mas tão puídos que mais um mergulho no mar provavelmente os levaria.

Sam olhou para trás até ao ponto na praia onde Mary estava a pôr roupa a secar nuns arbustos. Ela insistira para que enchessem o saco de marisco, caso contrário escusavam de voltar. — É, mas é mais exigente com ela do que connosco — respondeu ele. Sabia que Mary não ia descansar durante todo o dia. Quando acabasse a roupa, também haveria de partir à procura de alimentos para complementar as provisões.

James assentiu em concordância. Considerava incrível que Mary pudesse mostrar-se tão calma e controlada depois do que tinham passado nas duas últimas semanas. Ainda na noite anterior, ele próprio tinha acordado de um pesadelo aterrador e o medo fora tanto que não voltara a pregar olho. Até Will, que se fizera ao mar tantas vezes no passado, com o pior tempo com que a Cornualha era capaz de presentear um pescador, admitiu que nunca se deparara com nada de tão mau. James estava convencido de que tinham enfrentado a morte nessa noite quando a âncora se desprendera do fundo

247

do mar e não era de admirar que a maioria dos homens sentisse alguma relutância em fazer-se novamente ao mar.

— Se não fosse a Mary, teríamos morrido todos afogados — declarou Sam, numa voz trémula de emoção. — A coragem e resistência dela envergonham-nos a todos.

James sabia que era verdade mas causava-lhe algum desconforto concordar com Sam.

— É, mas tu sempre tiveste um fraquinho por ela — disse ele, preferindo arreliá-lo. — É melhor guardares para ti o que pensas sobre ela, Sam. O Will pode ser perigoso quando se zanga.

— O que penso sobre ela é perfeitamente inocente — protestou Sam. — Se não fosse ela, não estaria vivo para participar nesta fuga. Estava à beira da morte quando me atiraram para o cais como se eu fosse um saco de arroz. Vi outras mulheres roubar a roupa dos que estavam demasiado fracos para protestar, passaram por mim e nem sequer me deram água por eu estar esfarrapado. Mas ela ajudou-me, Deus a abençoe.

A declaração apaixonada de Sam picou a consciência de James. Não tivera a humanidade de ajudar os doentes da segunda frota e lembrava-se de se ter escondido, com uma garrafa de rum que roubara ao ajudar a transportar mercadoria para os armazéns. Durante a semana seguinte, falara-se muito do afinco com que Mary tratara dos doentes e ele fora insensível ao ponto de lhe dizer que era melhor para todos se eles morressem.

Recuando ainda mais no tempo, recordava o seu reencontro com Will, nesse primeiro dia, em Port Jackson, quando os homens desembarcaram. Will não sabia que Samuel Bird e James tinham viajado noutro navio da frota e ficou radiante por voltar a encontrá-los. James recordava-se de ter falado, entusiasmado, em dividir uma tenda com ele e outros homens do *Dunkirk* mas Will desconcertara-o ao dizer que tencionava casar-se com Mary e construir uma cabana para eles.

James pensou que Will tinha perdido o juízo. Custava-lhe a crer que ele preferisse viver com uma mulher e a filha dela quando podia estar com os velhos amigos e ter uma mulher diferente todas as noites da semana.

Contudo, não tardara que James viesse a sentir inveja de Will. No geral, as prisioneiras eram uma decepção, ou cabras desonestas ou umas desgraçadas patéticas e um homem constantemente esfomeado não podia divertir-se muito.

Mary revelara-se uma escolha inspirada enquanto mulher. Era viva e alegre, andava sempre limpa e arranjada e Charlotte estava sempre impecável. E bastava olhar para o grandalhão do Will, mais saudável e forte do que qualquer outro, para saber que ela olhava por ele de todas as maneiras.

Mas, por outro lado, tal como se enganara no seu primeiro juízo sobre Mary, também se enganara a respeito de Will.

— Não é bom idolatrar ninguém — disse ele, pensando em voz alta. — Oh, não me refiro à Mary — apressou-se a dizer quando se apercebeu da expressão surpresa e indignada de Sam. — Estou a falar do Will. — Achava que nunca se esqueceria de como aquele homem se encolhera de medo na última noite no mar. Ou como Mary gritara a plenos pulmões para os incitar a trabalhar. — É que, desde que o conheci no *Dunkirk*, pensei que ele era indestrutível.

— Um homem que precisa de alardear a sua força ou inteligência é porque não está seguro delas — disse Sam com um sorriso de auto-satisfação. — E um homem que ataca outro só porque suspeita que ele quer a mulher dele é um cretino.

James encolheu os ombros. Podia estar desiludido com o seu velho amigo, mas não tencionava permitir que um recém-chegado qualquer o difamasse. — Cuidado com o que dizes — avisou. — Eu e o Will somos amigos há muito tempo.

— Eu sei — disse Sam cautelosamente. — Mas tu não és nenhum cretino, James. Sabes tão bem como eu que precisamos de um líder mais forte se queremos chegar a Kupang. Não sei se o Will ainda preenche esse requisito.

— Não deves estar a pensar que uma mulher com dois putos nos pode chefiar — retorquiu James. Pessoalmente, admirava Mary mas não fazia parte do seu carácter considerar uma mulher mais dura e resistente do que ele próprio ou outro homem qualquer.

Sam soltou uma gargalhada. — Claro que não. Era meio caminho andado para um motim.

Em Port Jackson, James chamava muitas vezes «o Pastor» a Sam por causa da sua aparência, modos brandos e condenação da bebida. Mas, nas últimas semanas, começara a compreender que ele era determinado e engenhoso. Imaginava que Sam tinha um plano

249

qualquer e achou boa ideia arrancar-lho agora para saber com que linhas se cosia.

— E se o Will sugerir que fiquemos aqui até o mau tempo passar? — perguntou, apalpando terreno. Will falara nessa hipótese por alto e, para ser absolutamente sincero, James achava a ideia interessante.

Sam esboçou um sorriso. Para ele, aquela baía a que tinham posto o nome de Baía Branca era o paraíso. A areia fina, a vegetação exuberante e o bom tempo eram extremamente sedutores. — Ficava de bom grado se tivéssemos mais provisões — admitiu. — Não estou mais desejoso que ninguém de correr o risco de morrer afogado noutra tempestade. Mas, se ficássemos, a farinha e o arroz esgotar-se-iam e há sempre a hipótese de aparecer um navio e nos recambiar para Sydney.

— Podemos pescar e caçar — redarguiu James. — Quanto à chegada de um navio, quais são as probabilidades?

— Não muitas — concordou Sam. — Mas a ideia de escaparmos é recomeçar uma nova vida. Quanto mais tempo adiarmos esse momento, mais frágeis nos tornamos.

— Foi a Mary que te meteu isso na cabeça — troçou James.

— Talvez, mas não é por isso que não é verdade. Na minha opinião, temos de continuar.

— E se o Will não estiver de acordo? — perguntou James.

Sam encolheu os ombros. O gesto implicava que achava que aqueles que quisessem ir tinham todo o direito de pegar no barco e deixar os outros em terra.

James levantou-se e começou a descolar mexilhões das rochas com uma faca. Não o chocava que Sam não tivesse escrúpulos em deixar Will ali, provavelmente faria o mesmo se lucrasse alguma coisa com isso. Para ele, a lealdade não passava de um conceito que os homens abraçavam quando a populaça tinha mais poder do que o indivíduo. No geral, James preocupava-se consigo mesmo e os outros que se arranjassem.

Era também preguiçoso por natureza. Sempre optara pelo caminho mais fácil. À primeira vista, o mais fácil naquele momento parecia ser ficar ali. Mas seria? Não arriscariam a vida, a não ser que aparecesse um grupo de indígenas a atacá-los, mas teriam de construir abrigos em condições ou cabanas e dispunham de poucas ferramentas. Com apenas uma mulher entre oito homens, não tardariam a ter confrontos uns com os outros. Além disso, estava desejoso da vida da cidade, do barulho e da animação, de poder embebedar-se, comer à vontade, andar a cavalo e seduzir as senhoras.

Recordava-se de, no primeiro ano da colónia, um grupo de idiotas desajuizados ter fugido para o mato, convencidos de que chegariam à China se andassem sempre a direito. Rira-se com vontade disso mas fazia então parte de um pequeno punhado de homens que sabiam ler e escrever e estava razoavelmente familiarizado com a geografia mundial.

Sabia por Detmer Smith que podia apanhar um barco para a China, para África ou mesmo para a África do Sul a partir de Kupang. Eram terras onde um irlandês indolente e astuto poderia encontrar uma vida fácil.

William Moreton queria seguir viagem, quanto mais não fosse para provar que era tão bom mareante como Will. Quanto a Mary, não havia dúvida de que queria o mesmo e Nat Lilly tomaria agora o partido de Sam Broome, pois haviam forjado uma forte relação de lealdade. Bill Allen provavelmente queria chegar a Kupang o mais depressa possível, o que deixava apenas Jamie Cox e Samuel Bird que talvez tomassem o partido de Will.

James sabia que havia muito mais a ganhar tomando o partido de Mary do que de Will. A audácia e os recursos de uma mulher como ela podiam ser-lhe extremamente úteis quando chegassem a Kupang.

Nessa mesma noite, estavam todos reunidos em redor da fogueira pois arrefecera depois de anoitecer. William Moreton abordara o assunto de quando deviam continuar viagem. Ele queria partir na manhã seguinte.

— O que é que lucramos em ficar aqui? — disse ele, num tom veemente. — Já descansámos, secámos a roupa e reparámos o barco.

William irritava toda a gente. Não possuía sentido de humor, era pedante e estava convencido de que sabia tudo. Nat, que tinha um lado maldoso, metia-se muitas vezes com ele, perguntando porque é que se deixara apanhar a roubar se era tão esperto. Mas tinha algum poder no seio do grupo, graças às suas aptidões de navegação.

— Eu acho que devemos ficar mais algum tempo aqui — disse Will obstinadamente. — O barco não aguenta outra tempestade violenta.

Todos os homens tinham exprimido a sua opinião mas, até agora, Mary mantivera-se calada. Estava a observar as caras deles, tentando aferir o que cada um verdadeiramente queria. Sam Broome, Jamie Cox e Samuel Bird exibiam expressões quase neutras e ela deduziu que seria por estarem a ponderar as opiniões dos membros do grupo mais dominantes. Depois tomariam o partido de quem lhes merecesse mais confiança.

James Martin era amado por todos. Era óptimo numa situação de crise, o seu humor ajudara muitas vezes a ultrapassá-la, possuía qualidades de liderança, mas não era o mais racional dos homens.

Bill era igualmente um bom líder. Era capaz de remar muito mais tempo do que qualquer outro, rachar lenha mais depressa, acender uma fogueira quase instantaneamente e era compassivo para com os mais fracos. Mas não sabia manobrar um barco.

Um mês antes, todos os homens teriam alinhado cegamente com tudo o que Will decidisse, mas ele havia perdido a sua influência sobre eles desde que o tinham visto amedrontado, sem saber o que fazer.

Entristecia Mary ver o seu afastamento de Will. Todos haviam sentido temor durante as tempestades, cuja violência fora mais do que qualquer ser humano seria capaz de suportar, e achava que Will não devia ser julgado tão severamente por ter perdido a coragem. Se não fosse por Emmanuel e Charlotte, também ela teria entrado em pânico; isso não acontecera graças a um forte instinto maternal de proteger os filhos a todo o custo.

Mary sentia-se dividida. Embora quisesse desesperadamente chegar a Kupang o mais depressa possível para encontrar segurança permanente, um tecto para os filhos e uma vida calma sem ansiedade, Charlotte e Emmanuel não estavam na melhor das saúdes. A viagem, o frio e o facto de estarem constantemente molhados haviam-nos debilitado bastante. Estavam macilentos, amedrontados e magros e não conseguiam reter nada no estômago. Precisavam realmente de mais tempo para recuperar. Mas o leite de Mary estava a secar, o arroz que haviam levado não duraria mais de três semanas e ela não sabia se o organismo de um bebé de um ano seria capaz de aguentar uma dieta quase exclusivamente à base de marisco.

Achava que a maioria dos homens se encontrava no mesmo dilema que ela, não pelas mesmas razões, naturalmente, mas porque tinham medo de se deparar com outra tempestade violenta.

— Concordo com o William — disse Sam Broome. — Devemos seguir viagem o mais depressa possível. Não ganhamos nada em ficar aqui até se acabarem as provisões.

Sam tornara-se popular junto dos outros pela sua calma, sentido prático e capacidade para ouvir mas, desde a noite em que Will o agredira, transformara-se. Embora sempre comedido, tornara-se mais assertivo. Mary imaginava que ele estudara os outros homens e encontrara defeitos na maioria, sobretudo em Will. Não lhe parecia que Sam odiasse Will ou que quisesse que William Moreton passasse a chefiar o grupo. Mas calculava que ele desejava uma nova ordenação do poder, talvez ocupando ele uma posição de segundo comandante.

— Podemos caçar e pescar aqui — argumentou Will, vermelho de raiva porque já ninguém parecia considerá-lo o seu líder. — Não alimentei sempre toda a gente em Sydney?

Os quatro homens da segunda frota não tinham passado pelas condições de fome quase absoluta anteriores à sua chegada e por isso a declaração de Will pouco significado tinha para eles. Somente Jamie Cox e Samuel Bird assentiram com a cabeça, confirmando a verdade das suas palavras.

— E tu, James? — perguntou Sam ao irlandês. — Continuamos ou ficamos?

James não tinha coragem para contrariar abertamente o seu velho amigo. — O que eu queria era umas canecas de cerveja e mulheres — respondeu, num tom forçado de despreocupação. — E ficar aqui à espera não me vai dar isso.

Soaram algumas gargalhadas mas Will pôs o ar de quem sentia que James tinha acabado de lhe espetar uma faca nas costas.

— Pelo que dizes, és a favor de continuarmos viagem — disse Sam, evitando olhar para Will. — Mais alguém se quer pronunciar?

Nat Lilly aclarou a garganta e cuspiu ruidosamente na areia. — Devemos seguir viagem mas desembarcar sempre que o tempo ficar mau.

Jamie Cox mantinha-se de olhos baixos. Era o mais novo do grupo e dissera uma vez a Mary que não teria sobrevivido no *Dunkirk* sem a ajuda de Will. Possuía uma constituição franzina e os seus traços angulosos, que lembraram a Mary uma ave da primeira vez que o viu, eram agora ainda mais angulosos. Claramente, pouco lhe importava que partissem ou ficassem, desde que continuasse com Will.

— Que é que achas, Bill? — perguntou Sam.

— Continuar — resmungou ele, fulminando William Moreton com os olhos como que a adverti-lo que não tentasse assumir o comando.

Samuel Bird continuava a exibir uma expressão neutra.

— Mary! Qual é a tua posição? — perguntou-lhe William.

Mary não contava com a pergunta e hesitou, não querendo contrariar o marido. No entanto, William Moreton fora quem mais alto falara contra a loucura de levarem com eles uma mulher e os filhos. Se ele estava interessado em saber a sua opinião, tinha então o dever de expressá-la.

— Concordo com o Nat — respondeu. — Devemos continuar mas ir a terra se o tempo mudar.

— Ah, então agora temos de dar ouvidos ao diabo duma mulher, é? — explodiu Will. — O que é que ela sabe?

Jamie Cox levantou os olhos, atónito. Bill semicerrou os olhos, olhando de lado para Will. Sam ficou visivelmente irritado.

— Pois eu acho que ela sabe mais que todos nós — observou James, arrastando languidamente a voz. — Se não fosse ela, agora éramos comida para os peixes. Mas acabemos com isto. É melhor votarmos.

William Moreton olhou para Will, esperando talvez que ele fizesse um discurso para reconquistar a lealdade dos seus antigos partidários. Mas ou Will achava isso desnecessário ou já conhecia o resultado porque cruzou os braços, carrancudo.

— Quem é a favor de partirmos amanhã que levante o braço — disse William.

Só Jamie Cox e Will ficaram quietos.

— Aprovada a moção — disse William, sorrindo cheio de importância.

— Depois não se venham queixar a mim se o barco não aguentar — disse Will, encolhendo os ombros. Virou-se então para Mary com uma expressão de pura maldade. — E tu não me atires as culpas, menina, se as crianças morrerem!

Houve momentos, depois de abandonarem a Baía Branca, em que Mary era atormentada pela recordação das palavras de Will, pois foram muitas mais as tempestades que rebentaram tão subitamente que não tiveram a mínima hipótese de acostar. Sempre que olhava para os rostos angustiados dos filhos e ouvia os seus gritos de puro terror, perguntava a si mesma como pudera pôr as suas vidas em risco.

Contudo, a necessidade de os proteger dava-lhe forças para lutar sempre que via os homens desalentados. Jamie, Samuel Bird e Nat eram os piores. Eram todos homens de pequena estatura, muito menos musculados do que os outros, e não sabiam nadar, o que os aterrorizava ainda mais. Mary elogiava-os, implorava, intimidava e picava cada um deles à vez. Invectivava-os quando estava ao leme, gritava com eles para que se livrassem da água e não parassem se não queriam morrer.

Mas quando começava a pensar, como era óbvio que os homens já pensavam, que era apenas uma questão de tempo até a morte os levar a todos, entraram em águas mais calmas. À sua esquerda estendia-se a costa e à direita um enorme recife, e o mar entre ambos era um perfeito lago.

— Graças a Deus — gritou William Moreton, numa inesperada manifestação de emoção. — Cheguei a pensar que não nos safávamos.

Mas nem aquele mar tranquilo deixava de ter os seus perigos, havia dezenas de ilhotas e recifes de coral onde corriam o risco de encalhar. Desembarcaram numa das ilhas, não encontrando água doce, mas cozinharam um pouco de arroz com a água restante e, quando a maré baixou, partiram em busca de mais pelo meio das rochas.

Para seu espanto, viram dezenas de tartarugas gigantes a subir para a praia para pôr ovos. Os homens não hesitaram em matar umas poucas e, quando a maré voltou a encher, transportaram-nas para a ilha onde estavam.

Nessa noite, refastelaram-se com a primeira carne fresca que comiam desde a partida de Sydney. Ao adormecerem de barriga cheia, foram ainda recompensados com o som da chuva a encher as carapaças viradas que, esperançosos, tinham deixado de fora.

Nos dias que se sucederam, enquanto James e Will calafetavam mais uma vez o barco com sabão, os outros apanharam mais tartarugas e defumaram a carne sobre o fogo para levarem consigo.

Quando era novo, Bill caçara ilegalmente com frequência e, sempre que via aves selvagens que faziam ninho no solo, dava-lhes caça, apoiado por Nat. Mary ria-se ao observá-los pois constituíam um par incongruente. Bill, combativo e musculoso, com a sua cabeça careca a reluzir ao sol, agachava-se no chão, fazendo sinais com a mão a Nat, o menino bonito, para que mandasse as aves na sua direcção. Mas faziam uma boa equipa e apanhavam muitas aves e Bill ensinou também a Nat a arte de depená-las.

Mary descobriu mais folhas de couve e frutos. Não sabia que frutos eram mas eram deliciosos e as crianças, ambas num estado apático e enfermiço, começaram a arrebitar.

Ao cabo de seis dias de descanso, fizeram-se de novo ao mar, parando de tempos a tempos em busca de mais tartarugas. Não encontraram nenhuma mas havia marisco e água doce em abundância.

Há muito tempo que tinham deixado de perguntar a Will quando chegariam ao fim daquele interminável continente. Qual seria o seu destino em Inglaterra era igualmente um tópico do passado. Todos sofriam agora de apatia, tendo já perdido a esperança de encontrar qualquer civilização digna desse nome. Quando avistaram os estreitos à sua frente, assinalados na carta de Will, entreolharam-se interrogativamente e depois, quando a certeza de que era realmente aí que se encontravam começou a tomar lentamente forma, irromperam em gargalhadas histéricas.

Assim que passaram os estreitos, entraram no golfo que se lhe seguia, semeado de ilhotas, e concluíram que tinham de desembarcar para encher o barril de água antes da última etapa da viagem através do mar alto. Mas, quando tentavam desembarcar numa delas, um grupo de indígenas, que os observavam em canoas, brandiram lanças e começaram a remar na direcção deles.

Os homens viram-se obrigados a disparar os mosquetes para repeli-los mas, consternados, viram então os nativos pegar em arcos e disparar flechas contra eles. Mary ficou exangue quando algumas flechas, de quarenta e cinco centímetros e com a ponta farpada, se enterraram no barco e os homens não tiveram alternativa senão remar desenfreadamente para lhes escapar.

Estes nativos eram mais corpulentos e negros do que aqueles com que se haviam cruzado até então e deram-lhes caça nas canoas. Mas precisamente quando tudo levava a crer que iam apanhá-los, levantou-se vento suficiente para enfunar as velas e conseguiram escapar, se bem que muito abalados.

— Precisamos de arranjar água antes da travessia do golfo — disse mais tarde Will. — São pelo menos quinhentas milhas e mesmo com um barril cheio vamos ter de racionar a água.

Tinha obviamente razão e Mary ficou contente por vê-lo assumir de novo o comando.

No dia seguinte, aventuraram-se a atracar numa ilha, apesar de terem visto uma povoação de dimensão considerável nas proximidades. Encheram o barril de água e partiram apressadamente e depois acostaram numa ilha desabitada para passar a noite.

Na manhã seguinte, entusiasmados com o sucesso do dia anterior, decidiram ir buscar mais água, assim como procurar fruta e folhas de couve.

A povoação tinha a mesma aparência pacífica do dia anterior mas, ao aproximarem-se da praia, duas enormes canoas de guerra, com trinta ou quarenta guerreiros em cada, materializaram-se do nada, dirigindo-se a toda a velocidade para eles. Nunca tinham visto embarcações daquele tipo: eram de construção robusta, com banquetas de remadores, velas feitas de uma espécie de entrançado e uma plataforma claramente destinada ao combate.

Will deu meia-volta com o barco. — Remem como doidos — gritou aos homens, içando imediatamente a vela mestra.

Mary ia com o coração na boca e mal ousava respirar. As caras e os corpos dos nativos, que entoavam uma canção qualquer, estavam pintados com motivos brancos e Mary não teve dúvida de que a intenção deles era matar todos os intrusos brancos sem excepção.

Estavam agora tão próximos que ela sentia o odor do seu suor e via o ódio nas suas caras. Pior ainda, começaram a surgir mais canoas, juntando-se às primeiras.

Will mostrou a todos como era um marinheiro de primeira categoria. Começou a virar de bordo para apanhar o vento e, quando conseguiu, o barco ganhou velocidade na hora H, antes de os nativos estarem suficientemente perto para disparar mais flechas.

— Agora vamos atravessar directamente o golfo — gritou ele. — Segurem nos chapéus. Vamos deixar esta terra maldita de uma vez por todas.

Os indígenas seguiram-nos durante algum tempo até que perceberam que nunca conseguiriam apanhar o cúter. Quando finalmente deram a volta para voltar para terra, Will soltou gritos de alegria. — Batemos os sacanas — berrou, com um sorriso tão grande como a extensão de água que se abria à sua frente.

Mary fez coro com os homens a cumprimentar Will pela sua habilidade. Sentia-se orgulhosa dele, não apenas pelas suas capacidades de navegador, mas por ver que ele recuperara a boa disposição.

— Foste fantástico — disse ela, indo sentar-se ao lado dele ao leme.

— Não fazias melhor? — perguntou ele, erguendo uma sobrancelha incrustada de sal.

— Nenhum de nós fazia — disse ela com sinceridade, dando-lhe um beijo na face.

— Vamos ter falta de água e comida — disse ele, em tom de advertência.

— Então é melhor racioná-las — disse ela. — Fazes agora alguma ideia de quanto falta para chegar?

Will abanou a cabeça. — Não há nada cartografado a partir de agora. É melhor começares a rezar, minha linda.

Três semanas mais tarde, a meio da noite, Mary estava a olhar para as estrelas e a rezar. As muitas orações que fizera antes para que avistassem terra rapidamente não haviam sido atendidas. Agora estava a implorar a Deus que deixasse os filhos morrer primeiro para poder, pelo menos, abraçá-los até ao fim.

Tinha Emmanuel ao colo, Charlotte estava deitada com a cabeça no regaço da mãe. Estavam tão magros e débeis que já não conseguiam chorar. Limitavam-se a ficar deitados com os olhos mortiços constantemente fixos nela. Mary julgara-se familiarizada com todo o género de sofrimento mas a certeza de que era responsável pela morte lenta e terrível dos filhos era diferente e infinitamente pior.

Tinham comido os últimos alimentos vários dias antes e a água esgotara-se ao meio-dia do dia anterior, altura em que Emmanuel e Charlotte haviam bebido as últimas gotas. Hoje, ninguém tinha falado pois haviam todos sucumbido a uma espécie de torpor, fixando os olhos no horizonte. Já não procuravam sequer avistar terra, limitando-se a evitar olhar uns para os outros, porque a visão da debilidade em que se encontravam eram demasiado angustiante.

Todos dormiam agora à excepção de Mary e Will. William Moreton estava esparramado contra o barril de água vazio, Sam Broome e Nat Lilly enroscados como dois cães na proa e os restantes encostados uns aos outros, frouxos. Nat e Samuel Bird eram os que mais sofriam de insolação pois tinham uma pele clara e as suas caras exibiam um aspecto monstruoso: vermelhas, inchadas e empoladas. Bill estava também queimado do sol na careca, mas nos últimos dias enrolara um trapo na cabeça como um turbante.

Ao observar Will curvado ao leme, Mary viu nele um estranho. Parecia ter encolhido, o seu rosto outrora carnudo agora esquelético, os olhos e a boca parecendo demasiado grandes. Era uma sorte que o vento estivesse de feição, como acontecera desde que haviam deixado o golfo, pois nenhum deles teria forças para levantar os remos e muito menos usá-los.

Mary estranhava que as estrelas e a lua pudessem brilhar tão intensamente numa altura daquelas. Cintilavam nas águas calmas e escuras, como velas num santuário. Era como se lhe dissessem que deixasse as crianças morrer, poupando-as a mais sofrimento.

Levantou Emmanuel mais nos braços, o menino pesava agora muito pouco. Mary lembrava-se de como era pesado quando haviam partido tantas semanas antes. Agora era só olhos que, à medida que a carne ia desaparecendo, se tornavam mais proeminentes. Já não virava a cabeça para o seu peito como antes, como se tivesse finalmente aceitado que não havia lá nada para comer.

— Perdoa-me — sussurrou ela, beijando-lhe a testa pequena e ossuda. Desejou que tivessem vivido para vê-lo dar os primeiros passos, para ouvi-lo falar, para saber que se tornaria tão forte como o pai quando crescesse. Não era justo que a sua breve vida tivesse sido tão dura. Mas, ao mover-se ligeiramente no assento, com a intenção de baixá-lo para a água, sentiu os seus dedos apertar-se num dos seus.

Pareceu a Mary que ele estava a dirigir-lhe uma súplica muda para que não o abandonasse até ao fim. Cingiu-o com mais força, encostou a cara à sua cabecinha e chorou, no seu íntimo, pela sua própria cobardia.

— Mary!

Ela acordou sobressaltada, dando com Will a puxar-lhe pelo vestido.

Os primeiros raios de luz começavam a despontar no céu e o seu primeiro pensamento foi que Will estava a contar com uma tempestade e que ela devia preparar imediatamente as tigelas para apanhar a chuva para beberem.

— Mary, são os meus olhos que me estão a enganar ou aquilo é terra? — perguntou ele, numa voz rouca.

Mary olhou. Parecia realmente terra, uma forma escura e on-dulada no horizonte.

Invadiu-a uma excitação descontrolada. — Podemos estar os dois enganados ao mesmo tempo? — perguntou. — Também me parece terra.

Moveu-se ao longo do assento, sempre a segurar nas crianças, para estar mais perto dele, e pegou-lhe na mão.

— Oh, Will — murmurou. — Pode ser verdade?

Ficaram de mãos dadas pelo menos uma hora, observando e esperando com todas as suas forças que não fosse uma partida cruel da Natureza. Mas a forma escura permanecia imóvel, aproximan-do-se a cada minuto, até finalmente se convencerem de que eram mesmo árvores.

— Estás a ver, minha linda? — disse Will, dirigindo-lhe um sorriso radioso. — Trouxe-te aqui ou não trouxe? Hoje é dia 5 de Junho de 1791 e temos de escrever no diário de bordo que avistei terra. Passaram sessenta e sete dias desde que partimos de Sydney e dou graças a Deus pela nossa salvação.

— Acordo os outros? — perguntou ela. — Ou deixo-os dormir?

— Acorda-os, caramba — disse ele, a sua voz outrora poderosa agora um mero grasnido rouco, uma lágrima correndo-lhe pela face barbuda. — Deus sabe que vale a pena acordar para ver isto.

CAPÍTULO 14

A o fim da tarde desse mesmo dia, Will manobrou o cúter para entrar num porto. Nenhum deles sabia ou queria saber se era Kupang. Tinha edificações e pessoas, o que significava comida e água, e isso era suficiente.

Estavam todos num estado lastimoso. Exibiam roupas esfarrapadas, a pele e o cabelo tesos com o sal, o corpo a esfolar do tempo de exposição aos elementos. Iam curvados nos assentos, demasiado débeis e exaustos mesmo para sorrir perante a perspectiva de salvação.

Mary tinha a língua inchada de sede e mal tinha forças para segurar em Emmanuel nos braços mas, quando viu o ajuntamento de pessoas no cais a olhar com curiosidade para os ocupantes desgrenhados do cúter, espevitou imediatamente.

— Aconteça o que acontecer, não se esqueçam da história — sibilou aos homens. — Se deixarmos escapar a verdade, somos recambiados para lá.

Não lhe parecia que estivessem em Kupang porque Detmer dissera que pertencia aos Holandeses. Não via pessoas brancas, eram todas de pele escura ou amarela, mas pelo menos não se assemelhavam aos nativos selvagens da Nova Gales do Sul.

— Água! — gritou William Moreton. — Água!

O seu grito, quer tivesse sido ou não compreendido, teve um efeito galvanizador sobre os circunstantes. Um homem avançou com um croque e orientou o barco para um atracadouro. Um homem seminu, pequeno e de pele escura, saltou para dentro do barco,

263

pegando na corda e atirando-a para os companheiros no cais. Depois, milagrosamente, foi descida uma selha com água.

Todos se lançaram sobre a selha, fazendo o barco baloiçar furiosamente. Mas Will encheu uma caneca e passou-a a Mary. Ela deixou Charlotte beber o primeiro trago e a menina fê-lo tão depressa que uma grande parte lhe escorreu pelo peito. Emmanuel estava quase inconsciente, pelo que Mary teve de persuadi-lo, mergulhando os dedos na água e fazendo com que ele os chupasse até recobrar forças suficientes para beber. Finalmente, Mary também bebeu e nunca nada em toda a sua vida lhe soube tão bem como a sensação da água fresca a deslizar-lhe pela língua e pela garganta ressequidas e inchadas.

Embora não compreendesse uma palavra do que as pessoas diziam, pressentiu pelos seus gestos frenéticos e pelo tom das suas vozes estridentes que a sua empatia com ela, com as crianças e com os homens era total. Tentou pôr-se de pé mas estava demasiado fraca e voltou a cair e, a partir daí, tudo se tornou desconjuntado e indistinto. Pressentiu, mais do que sentiu, braços a levantá-la. Teve a impressão de ser estendida em solo firme e depois deram-lhe mais água. Encostaram-lhe à cara qualquer coisa que exalava um odor pungente. Ouviu uma confusão de vozes à sua volta e foi então novamente erguida para ser deitada em algo de mais macio, deixando de ver o céu em cima.

— Charlotte, Emmanuel — chamou em pânico.

Uma mulher escura debruçara-se sobre ela, limpando-lhe a cara com um pano fresco e húmido. Falava numa língua estrangeira mas, fosse qual fosse o significado das suas palavras, eram reconfortantes e amigas como o pano e Mary achou que estava por fim suficientemente segura para adormecer.

Acordou algum tempo depois, descobrindo que estava deitada numa esteira, com Emmanuel de um lado e Charlotte do outro. Havia uma vela acesa numa mesa baixa e ela soergueu-se ligeiramente, vendo uma mulher com cabelo escuro e brilhante e pele trigueira a dormir noutra esteira do outro lado do quarto.

Embora a vela projectasse pouca luz, Mary sentiu, pela tranquilidade com que os filhos dormiam, que tinham sido alimentados e lavados. O quarto parecia ser uma cabana, maior do que aquela em que vivera com Will na enseada de Sydney, embora semelhante.

Os seus olhos encheram-se de lágrimas de gratidão. Uma estranha acolhera-os e tratara deles e ela desejou saber falar a língua daquela mulher para lhe agradecer.

Mary passou os dias seguintes como se estivesse perdida num nevoeiro que, de tempos a tempos, levantava o suficiente para compreender que lhe estavam a dar de beber e a alimentar com papas moles. Através do nevoeiro ouvia vozes e latidos de cães; sentia o aroma de comida a ser preparada e havia momentos em que lhe parecia até ouvir Charlotte a rir. Mas não conseguia abrir completamente os olhos e olhar à sua volta.

Finalmente Will arrancou-a àquele estado. Ouviu a voz dele e a de James Martin.

— Ela tem de melhorar — ouviu Will dizer. — O Wanjon quer falar com ela.

— Está completamente exausta — disse James. — Não há pressa, ele que espere.

Mary não tinha qualquer desejo de estar ou falar com ninguém, sentia-se bem no seu pequeno mundo crepuscular onde a dor e a ansiedade não a atingiam. Mas a voz de Will tocou numa corda qualquer dentro de si, recordando-lhe que tinha responsabilidades.

— Will? — murmurou, tentando focar os olhos para o ver.

— Linda menina — exclamou ele, ajoelhando-se ao lado da esteira e tomando a mão dela nas suas. — Pregaste-nos um susto dos diabos. Pensámos que não te ias safar.

As mãos dele eram ásperas e calosas mas a ternura que transmitiam tocou-a no mais profundo da sua alma. — A Charlotte e o Emmanuel morreram? — perguntou.

— Achas que eu estava aqui a sorrir-te se tivessem morrido? — respondeu ele.

Mary apercebeu-se então do sorriso dele, o mesmo sorriso atrevido que a fizera sorrir no *Dunkirk*, mas só momentos mais tarde percebeu o que ele tinha de diferente.

— A barba — exclamou. — Cortaste-a!

Ele massajou o queixo barbeado. — Impunha-se uma mudança — respondeu.

Parecia muito mais novo sem ela e, embora o seu rosto estivesse bastante ossudo e descarnado, estava com muito melhor ar. Os olhos haviam recuperado o brilho que ela vira tantas vezes nos primeiros tempos e, à excepção da pele a escamar, não parecia afectado pelo tormento por que haviam passado.

— Onde estamos? — perguntou ela.

— Em Kupang, onde é que havíamos de estar? Não sou fantástico por te ter trazido aqui?

Mary sorriu debilmente porque a gabarolice dele era a garantia de que não estava a sonhar. — Onde estão as crianças e os outros?

— Estão todos perto daqui, não precisas de te preocupar — disse ele. — O Emmanuel ainda está fraco mas está a melhorar de dia para dia. Tu é que nos puseste para aqui numa consumição.

Mary sentou-se cautelosamente. Baixou os olhos e reparou que estava com uma espécie de camisa vestida, comprida, larga e às riscas.

— Há quanto tempo estou aqui? — perguntou, confusa.

— Há dez dias. Tens acordado e comido e depois adormeces outra vez. Mas agora tens de ouvir. O governador holandês, Wanjon, quer falar contigo.

Will e James ajudaram-na a levantar e levaram-na lá para fora. Mary olhou em volta, completamente surpreendida. Embora não tivesse formado conscientemente nenhuma imagem do espaço para lá das paredes da cabana, presumira pelo barulho que estava numa cidade. Mas, na realidade, era apenas um grupo de cabanas redondas com telhados feitos de folhas largas. Estavam cercadas por árvores altas e arbustos densos que não se pareciam com nada do que conhecia. Cerca de uma dezena de crianças trigueiras, pequenas e nuas brincavam por perto e algumas galinhas, um par de cabras amarradas e um grupo de pessoas idosas sentadas em grupo completavam o quadro de uma aldeia pacata.

— É a selva — disse James, apontando para as árvores. — Por ali — apontou para um caminho bem trilhado — chega-se à praia, linda de morrer.

— Pensei que havia uma cidade. — Mary franziu a testa, confusa. Recordava-se vagamente de armazéns e construções de tijolo no cais. De uma turba de gente, de bulício e agitação.

— E há, mais além. — Will acenou vagamente com a mão. — Foste transportada para aqui com as crianças quando perdeste os sentidos.

Will ajudou Mary a sentar-se num tronco e, sentando-se ao seu lado, ele e James explicaram o que tinha acontecido. Depois de lhes ter sido dado de comer e beber e de uma noite de repouso, foram levados à presença do governador holandês, Timotheus Wanjon. Contaram-lhe a história que tinham ensaiado durante a viagem, de que o seu baleeiro naufragara no recife e que tinham pegado no cúter e navegado até ali.

— E ele engoliu — disse Will com um sorriso. — Como te disse, na qualidade de imediato de um baleeiro, estava autorizado a ter a minha mulher e os meus filhos comigo. Disse-lhe que o capitão e o resto da tripulação iam no outro barco e que é bem possível que apareçam aí dentro em breve. Disse-lhe que me chamava Broad, não podia usar Bryant, não fosse ter-lhe chegado aos ouvidos notícia da fuga de Sydney.

James continuou, dizendo que Wanjon, que parecia ser um sujeito compreensivo e decente, concordara em que precisavam de roupa, comida e um tecto e, como Will era um marinheiro mercante, podia assinar requisições de tudo quanto precisasse e as contas seriam despachadas para o governo inglês para serem liquidadas.

— Este lugar é o paraíso na Terra — cantarolou Will com alegria indisfarçável. — Tudo o que um homem pode querer está aqui à mão de semear.

Por qualquer estranha razão, aquele comentário provocou um momento de inquietação em Mary. Pediu a Will para ir buscar as crianças e, assim que ele se afastou, virou-se para James.

Ele também cortara a barba mas, tirando isso, estava com o mesmo aspecto de sempre, magro, o olhar alucinado e uma expressão travessa.

— Espero que o Will tenha andado a portar-se bem — disse ela.

— Anda inchado como uma rã — admitiu James. — Sobretudo quando já bebeu uns copos.

— Tem andado a embebedar-se?

— Como qualquer tipo rijo que tivesse visto a morte à frente — redarguiu James.

Embora ela já esperasse aquela resposta, sentiu uma leve nota de sarcasmo na voz dele.

— E tem andado a gabar-se?

James encolheu os ombros. — Só entre nós. Deixamo-lo gabar-se à vontade. Sabemos perfeitamente quem nos trouxe até aqui.

Mary corou, sabendo que ele se referia a ela. — Não, foi ele que nos trouxe aqui — disse num tom firme. — Posso tê-lo pressionado mas foram os conhecimentos e as aptidões dele que nos salvaram.

— Esposa fiel até ao fim — disse James, lançando-lhe um sorriso de cobiça. — O Will é um felizardo.

Assim que viu os filhos e voltou a apertá-los nos braços, começou a recuperar. Charlotte parecia mais uma vez uma criança normal de quatro anos, viva, curiosa, travessa e sempre a palrar sobre tudo e nada. Como as mulheres nativas a achavam encantadora, tinha uma vida favorecida, sempre a receber guloseimas, atenções e mimos. Embora ainda muito magra, a cor voltara-lhe às faces e o brilho aos olhos e até o cabelo começava a engrossar e a ganhar lustro. Parecia ter esquecido os tormentos recentes por que passara.

Emmanuel demorou muito mais tempo a restabelecer-se. O seu estômago só tolerava os alimentos mais inócuos e dormia mal. Antes da partida de Sydney, começara a dar os primeiros passos vacilantes, mas a viagem interrompera esta aprendizagem e ele preferia estar sentado a tentar gatinhar ou levantar-se, apoiado a qualquer coisa. Mas era um menino muito feliz, sorrindo sempre a quem lhe fizesse meiguices e toda a gente o adorava por causa do cabelo louro e dos olhos azuis.

Quanto aos outros homens, todos tinham recuperado. Nat e Samuel Bird ainda tinham marcas da insolação e Jamie ficara mais debilitado ainda por ter apanhado disenteria mas começava agora a melhorar. Bill e William Moreton estavam com um aspecto particularmente sadio pois a pele mais escura de ambos adquirira um tom moreno carregado, dando-lhes quase a aparência dos nativos. Sentiam-se também felizes a trabalhar na doca, carregando e descarregando navios de dia e regressando à tranquilidade da aldeia à noite, onde as mulheres nativas se derretiam enquanto cozinhavam para eles.

Mary tinha a impressão de que Deus não só atendera as suas preces e os guiara até à segurança daquele lugar mas estava a cumulá-la de benesses suplementares. O clima em Kupang era perfeito, quente mas não opressivo, havia comida em abundância e os seus habitantes eram felizes e generosos. Além disso, era um lugar muito bonito, com areais brancos, um mar azul cristalino e uma selva verde e luxuriante.

No entanto, muito mais do que a bondade e conforto de que usufruíam agora, havia a admiração e respeito de que Mary era alvo. Correra o rumor de que fora ela quem instilara nos homens a força de vontade para ali chegar e todos, desde Wanjon até ao indígena mais pobre, lhe votavam um carinho especial. Mary nunca fora admirada. Em menina, em Fowey, era constantemente repreendida por ser uma maria-rapaz. Quando partiu para Plymouth, era ridicularizada pela sua falta de experiência do mundo. Depois, quando foi detida, era tratada com total desprezo e crueldade. Mesmo quando Will se tornou uma espécie de herói em Sydney, era vilipendiada por não ser completamente digna dele.

De súbito, conquistara o direito de ser alguém que os outros consideravam corajosa, leal e inteligente. Quando a mulher do vice-governador lhe deu algumas peças de roupa nova, houve mesmo homens que lhe disseram que estava linda. Mary não tinha palavras para expressar o que significava envergar um bonito vestido cor-de-rosa e usar por baixo um saiote macio como penas. Podia ter perdido as cores rosadas da juventude, por causa do sol e do vento, podia ser magrizela como um cão rafeiro, mas já não se parecia com uma criminosa ou uma mendiga.

Agora sentia-se feminina, de algum modo mais experiente e especial. Aquela boa gente que lhe sorria com tanto afecto não sabia que estivera acorrentada e fora obrigada a vender o corpo para sobreviver. E ela própria sentia-se capaz de esquecer isso pois salvara os filhos de uma vida de fome e degradação. O seu plano para fugir da Nova Gales do Sul resultara sem que ninguém tivesse morrido. Conseguira o que a maioria das pessoas consideraria impossível.

Para Mary, Kupang representava tudo aquilo com que sonhara e mais. O concorrido porto tinha muitos pontos em comum com Plymouth na medida em que atracavam aí navios de todos os cantos do mundo. Tratando-se de uma feitoria comercial importante da Companhia Holandesa das Índias Orientais, albergava também um cadinho diverso de nacionalidades e religiões. No alto das colinas, erguiam-se casas grandiosas onde as mulheres dos mercadores ricos se sentavam a conversar em belos jardins exóticos. Havia casas citadinas elegantes onde Mary via criadas trigueiras de olhos amendoados e aventais imaculadamente brancos a polir os batentes das portas e a varrer os degraus. E, se bem que existissem muitos mais barracos toscos para operários do que casas grandiosas, e pensões e bordéis de má fama e bares frequentados por marinheiros, tudo conferia mais cor e animação ao lugar.

Quando via os numerosos mendigos, recordava que, pelo menos, não tinham frio nem andavam molhados como os mendigos ingleses. Podiam sentar-se ao sol, sorrindo a quem lhes atirava uma esmola para as tigelas, podiam dormir na praia num conforto relativo e a fruta crescia em abundância para ser colhida livremente.

Mary apaixonara-se por Kupang por lhe ter restituído a saúde, bem como aos filhos, pela generosidade com que a haviam tratado. Não desejava senão ficar ali para sempre, viver a vida simples dos nativos, a pescar, a colher mel, a nadar e a criar filhos felizes e saudáveis. Sentia-se inebriada com o aroma do sândalo que invadia a aldeia à mais leve brisa. Prendia-se-lhe à roupa e à pele e ouvira dizer que constituía a maior exportação da ilha. Achava que ali tinha um futuro com Will e que podiam viver felizes para sempre.

— Pssst!

Mary estava precisamente a deitar Emmanuel na cabana que lhes fora dada e sobressaltou-se com o chamamento à porta. Virou-se, vendo James Martin a chamá-la com um gesto. — Já vou — disse, presumindo que fosse por decência que ele sentia relutância em entrar. — Foi o Will que te mandou com alguma mensagem?

Nas últimas três ou quatro semanas, Will passara muito tempo ausente. Alegava sempre que era por causa do trabalho no porto mas ela sabia perfeitamente que ele estava num bar qualquer a embebedar-se. Só esperava que James não tivesse vindo dizer-lhe que ele se fizera contratar por um navio e a deixara. Era uma ameaça que ele tinha feito várias vezes.

— Não. Mas chega aqui fora.

Mary baixou-se para beijar Emmanuel e, depois de o aconchegar no cobertor, foi ter com James à porta. O seu sorriso gelou quando viu a expressão de James. Estava com um ar atormentado.

— Algum problema? — perguntou.

— Dos grandes — lançou James e, puxando-a pelo braço, conduziu-a para longe da cabana em direcção ao mato que circundava a aldeia. — Um grupo de marinheiros ingleses acaba de chegar ao porto em botes — sussurrou ele. — Naufragaram nesses estreitos mais para trás por onde nós passámos.

— E depois? — exclamou ela.

James massajou distraidamente a cara com as mãos.

— Não percebes? Assim que forem levados ao Wanjon, ele vai deduzir que é o resto da tripulação do nosso barco supostamente naufragado. Raios partam o Will, nunca foi capaz de contar uma história sem fantasiar.

Mary estremeceu. Tinha ficado zangada com Will quando soubera que ele não se confinara exactamente à história que haviam combinado na viagem. Devia ter dito que o baleeiro naufragou e que eram os únicos sobreviventes. Dessa forma, teria sido tudo simples e claro. Mas, assim que percebeu a atitude compreensiva de Wanjon, Will não foi capaz de deixar de embelezar a história, acrescentando que havia mais sobreviventes noutro barco. Mary não sabia o que o levara a dizer aquilo mas, em resultado, Wanjon sentir-se-ia obrigado, no mínimo, a averiguar a sorte dos homens desaparecidos.

Mary sentiu um baque no coração. James tinha razão, podia muito bem ser a desgraça deles todos.

— Vieram de Port Jackson? — perguntou.

— Não. Do Taiti, num navio chamado *Pandora*. O capitão Edwards, o comandante do navio, andava à procura dos revoltosos do *Bounty*. Ainda tem dez dos que apanhou. O resto naufragou com o *Pandora*.

Mary susteve a respiração. Todos tinham sabido do motim do *Bounty* por Detmer Smith em Sydney e ficaram ainda mais intrigados, quando chegaram a Kupang, ao descobrir que, por coincidência, fora ali que o capitão Bligh e dezoito dos seus homens desembarcaram dois anos antes depois de os revoltosos os terem mandado à deriva num bote.

Embora Mary não tivesse forma de saber se o capitão Bligh merecera essa sorte ou não, uma coisa que sabia era que, se a Marinha inglesa despachara outro navio para capturar os revoltosos, o capitão não seria um paz de alma como Wanjon.

— Vão chamar-nos para nos interrogarem — disse ela, sentindo o estômago revolver-se. — Oh, meu Deus, James! Que é que vamos fazer? É fácil enganar alguém que não fala muito bem inglês mas não vai ser tão fácil com um comandante da Marinha inglesa.

James esboçou um vago sorriso. Uma das facetas que mais apreciava em Mary era a rapidez com que ela compreendia as coisas. — Se mantivermos a nossa história, talvez não aconteça nada. Quatro meses é um período demasiado curto para a notícia da nossa fuga ter chegado a Inglaterra e duvido que este capitão Edwards possa ter tomado conhecimento dela noutro lado.

Mary reflectiu por um momento. Se James se encarregasse da conversa, tinha a certeza absoluta de que ele era capaz de convencer qualquer pessoa de que eram tripulantes de um baleeiro. Mas um comandante inglês ia querer saber de onde o navio era, o nome do armador e muitas mais informações que seriam incapazes de inventar de forma convincente. E depois havia Will!

— E se o Will se embebeda e começa a gabar-se? — perguntou ela.

— Foi por isso que cá vim falar contigo — respondeu James, pondo-lhe a mão no braço. — Mary, tens de o controlar, mantê-lo longe dos bares e do porto também até estes homens zarparem.

— E como é que vou fazer isso? — quis ela saber.

— És uma mulher inteligente — disse ele, com um sorriso. — Hás-de arranjar uma maneira.

Depois de James partir para reunir os outros homens e avisá-los do perigo que corriam, Mary chamou por Charlotte, que estava a brincar com outras crianças, e deitou-a ao lado de Emmanuel.

Começara a anoitecer e ela sentou-se ao lado dos filhos até Charlotte adormecer. Olhando para as suas carinhas serenas, as lágrimas começaram a correr-lhe pelas faces. Obrigara-os a passar por tormentos infinitos, quase os entregara nas garras da morte, e agora avizinhava-se mais uma ameaça à sua segurança.

Estaria amaldiçoada? Ter-lhe-iam rogado uma praga à nascença que implicava que toda a sua vida seria uma sucessão interminável de sofrimento e angústia? Resignara-se ao facto de Will poder deixá-la. Não o desejava porque, apesar dos seus defeitos, sentia amor por ele, mas sabia que seria capaz de aguentar. Compreendera igualmente que seria muito pouco provável que alguma vez regressasse a Inglaterra, com ou sem Will. Mas isso também não parecia importar. A única coisa verdadeiramente importante para ela era garantir a segurança, a felicidade e a saúde dos filhos e mantê-los bem alimentados. Até agora, convencera-se de que podia fazê-lo ali, com ou sem Will, pois sabia que os outros homens, sobretudo Sam Broome e James Martin, a tinham em alta estima.

Era estranho, tendo em conta que não era uma beldade, que exercesse um poder inexplicável sobre os homens: o tenente Graham, Tench, Detmer Smith e Will também, embora ele lutasse contra isso. Seria possível que funcionasse com esse capitão Edwards ou até com Wanjon?

Mais tarde, foi sentar-se lá fora num banco baixo junto à porta. A noite caíra e reinava uma enorme tranquilidade, com algumas pessoas sentadas junto de fogueiras a conversar em surdina. A lua em quarto crescente pairava sobre as palmeiras e Mary ouvia as ondas rebentar na praia à distância. Aquela terra era um paraíso e, até James lhe ter transmitido a notícia perturbante, não se teria importado nada de viver nela para sempre.

Devia ir agora à procura de Will? Olhou para a cabana atrás e decidiu que não. Era demasiado tarde para pedir a alguém que olhasse pelas crianças e, se estivesse bêbado, Will reagiria com insultos.

Interrogou-se se ele teria uma amante no porto, já que havia noites em que não vinha sequer dormir a casa. Pensando agora nisso, Will não fizera amor com ela uma única vez desde que haviam chegado. Seria por ela ter estado doente? Por ter medo de a engravidar outra vez, ou apenas porque ele sentia que perdera importância, pois era a ela que todos admiravam e respeitavam?

Mary nunca tivera escrúpulos em servir-se do sexo para persuadir Will a alinhar nos seus planos mas agora desejava ter outra opção. Porque é que havia de ter de o aplacar só para que ele lhe desse ouvidos? Qualquer homem decente, confrontado com uma situação potencialmente perigosa para a mulher, para os filhos e para os amigos, manter-se-ia sóbrio de bom grado, evitaria dar nas vistas e não abriria a boca enquanto o perigo não passasse.

Algumas horas mais tarde, Mary ouviu-o chegar à aldeia num passo trôpego. Percebeu pelo seu andar inseguro que estava muito bêbado e que seria mais prudente esperar pela amanhã para o abordar. Ele caiu dentro da cabana, estatelando-se no chão, sem conseguir sequer chegar à esteira e, numa questão de segundos, perdeu os sentidos.

O chilrear e gralhar das aves acordou Mary. Mal amanhecera mas havia claridade suficiente para ver que Will estava estendido de costas a poucos passos dela. Tresandava a suor e a rum e tinha a camisa e os calções imundos, talvez, como ele tantas vezes invocava, de descarregar um navio.

Engolindo a repulsa, aproximou-se dele e aninhou-se contra o seu peito, desabotoando-lhe a camisa e passando-lhe os dedos pelo peito.

— Sai daí — rosnou ele. — Já não se pode dormir em paz?

— Tira a roupa e anda deitar-te na esteira comigo — sussurrou ela, beijando-lhe o peito e descendo a mão até aos botões dos seus calções.

— Deixa-me em paz, mulher — disse ele num tom áspero, repelindo-a com violência. — Se quisesse isso, não me faltava no porto.

— Então isto aqui é só um sítio onde dormir? — ripostou Mary, furiosa. — Se não vens para casa para estar comigo e com as crianças, desanda de uma vez por todas.

Ainda não tinha acabado de falar e já sabia que tinha sido um erro. Ele saltou em cima dela, desferindo-lhe pontapés e atirando-a para onde Charlotte e Emmanuel estavam a dormir.

— És um demónio — gritou ele. — A minha sorte acabou-se quando me prendi a ti. O que tu queres é um cãozinho submisso. Mas tira o cavalinho da chuva. Vou-me embora no próximo navio só para me livrar de ti.

A bota dele tinha-lhe acertado nas costelas, provocando-lhe uma dor lancinante mas era a virulência do seu tom que mais a magoava.

— Cala-te e ouve-me — insistiu. — Chegou um grupo de marinheiros ingleses em botes. O James não foi à tua procura ontem para te avisar?

Notando uma centelha de reconhecimento perpassar-lhe pelo rosto, percebeu que James o tinha encontrado mas que Will devia estar demasiado embriagado para registar o que ele dissera.

— Corremos perigo — continuou ela, a voz quebrando-se-lhe com o medo. — Não é altura para ressentimentos. Temos de planear o que vamos dizer. Tens de deixar de beber e manter a cabeça lúcida.

Por um momento, pensou que ele ia acalmar-se mas, pelo contrário, um rubor de fúria cobriu-lhe o rosto. Engordara nos dois meses desde que tinham chegado e parecia um gigante ao fulminá-la com os olhos.

— Estou farto de te ouvir dizer-me o que fazer — disse ele, furibundo. — Podes andar com os outros pela trela como cãezinhos mas comigo não. Não tenho medo do imbecil dum oficial inglês. Ninguém me vai prender com correntes outra vez e muito menos tu.

Rodou nos calcanhares e saiu da cabana, dando à passagem um encontrão ao batente da porta que tremeu com a violência da pancada. Ela ouviu-o tartamudear enquanto descia o caminho para o porto e invadiu-a um desânimo profundo.

Mary passou os dias seguintes num medo atroz, esperando ser chamada a qualquer momento a casa de Wanjon. Este fora extremamente cordial com ela, no único encontro que haviam tido depois de ela se ter restabelecido. Elogiara a sua coragem, mostrara-se preocupado com as crianças e dissera-lhe que podia contar com ele sempre que precisasse de ajuda. Ela considerava-o o género de homem de bom coração que poderia muito bem tê-la protegido agora, se ela tivesse sido capaz de lhe confessar desde logo a verdade da sua situação.

Para agravar as coisas, Will continuava a não aparecer em casa. Os outros homens diziam-lhe que ele andava a beber ainda mais, pavoneando-se pela cidade como se fosse comandante de um navio. James Martin, William Moreton e Samuel Bird tinham tentado chamá-lo à razão e convencê-lo a voltar à aldeia com eles, para não dar nas vistas. Mas Will não lhes dava ouvidos; dizia mesmo que tinha cumprido a pena e que ninguém lhe podia tocar.

— O sacana está-se nas tintas se nos arruinar a todos — admitiu William Moreton a Mary uma noite. — Quem me dera que o tivéssemos deixado na Baía Branca.

Mary olhou para cada um dos homens reunidos à sua volta e sentiu um aperto no coração ao ver as suas expressões amedrontadas. Tinham-se tornado como irmãos para ela, durante o tempo passado no mar, cada um deles tendo-lhe confidenciado alguma história pessoal, sobre a mãe, o crime por que foram condenados ou uma rapariga que amavam em Inglaterra. Haviam-se comportado com a maior dignidade com ela, e Emmanuel e Charlotte procurariam conforto junto de qualquer um deles com a mesma naturalidade com que o procurariam junto de Will. Não eram más pessoas, simplesmente rapazes que se tinham desviado do bom caminho por algum tempo e tinham decerto pago o preço dos seus crimes. Todos haviam estado a morrer de fome, haviam sido açoitados com violência e enviados para a outra ponta do mundo, tendo passado por terríveis adversidades.

Mary sabia que não podia assistir de braços cruzados ao comportamento irresponsável do marido, em teoria amigo deles, que os colocava a todos em perigo. Tinha de lhe pôr cobro.

— Vou tentar falar com ele outra vez — disse ela. — Fiquem aqui com as crianças. Vou dar um salto ao porto.

Mary descobriu Will no terceiro bar onde espreitou. Estava esparramado num banco, com uma garrafa de rum meio vazia na mesa à sua frente e uma barba de vários dias no queixo. Estavam cinco ou seis homens à volta dele mas, do ponto de vista de Mary, que espreitava por uma janela empoeirada, não pareciam amigos mas apenas companheiros de bebida.

Era a primeira vez que ia ao porto depois de anoitecer e o seu coração batia acelerado com o medo, pois já fora abordada duas vezes por marinheiros estrangeiros. Sabia que grande parte das mulheres nas ruas movimentadas, senão todas, eram prostitutas. Estava receosa de entrar no bar porque não podia contar que Will a protegesse.

Respirando fundo e aconchegando o xaile aos ombros, entrou e foi direita ao marido.

— Por favor, Will, anda para casa — suplicou-lhe. — O Emmanuel está doente.

Sabia que ele ia ficar furioso quando descobrisse a mentira mas foi a única desculpa que lhe ocorreu que podia convencê-lo a acompanhá-la sem fazer uma cena desagradável.

Ele olhou para ela, desconfiado, mal conseguindo focar o olhar.

— Que é que ele tem?

— Está com febre — apressou-se ela a dizer. — Por favor, Will, vem comigo, estou preocupada com ele.

Os homens com quem ele estava a beber começaram a rir-se. Mary apercebeu-se de que provavelmente não falavam inglês e por isso talvez pensassem que ela era uma prostituta que se estava a oferecer a Will. — Por favor, Will — implorou —, anda para casa.

Ele fez uma expressão de desdém ao olhar para os companheiros e para a garrafa de rum. Felizmente, ao que pareceu, considerou o filho mais importante porque se levantou tropegamente.

— Eu já volto — disse com ares importantes aos outros homens que sorriram, revelando dentes podres. Um fez um gesto obsceno com o punho.

Lá fora, na ruas barulhentas e apinhadas, Mary estugou o passo para não dar a Will hipótese de a questionar, deixando-o a caminhar pesadamente atrás. Mas quando chegaram ao caminho estreito para a aldeia, Mary teve de abrandar na escuridão total e só então teve medo da reacção dele quando descobrisse que ela o tinha arrancado à bebida sob um falso pretexto.

— Ele vem aí — disse ela ao chegar à clareira onde os homens estavam sentados ao pé da fogueira à espera dela. Os olhos grandes de Nat estavam ainda maiores com o medo, Jamie estava sem cor e até Bill, o durão, mordia os nós dos dedos. Mary fez uma espécie de gesto de impotência com as mãos, na esperança de que eles percebessem que ainda não tivera oportunidade de falar com Will e que não esperava que ele reagisse bem.

— Will — exclamou James quando ele apareceu a cambalear. — Onde é que te tens metido? Precisamos de falar contigo.

— Agora não, o Emmanuel está doente — retorquiu Will, o seu rosto crispando-se ao vê-los ali a todos.

— Ele não está doente — disse Mary calmamente. — Disse isso para te convencer a vir.

— Disseste o quê? — perguntou Will, fulminando-a com os olhos.

— Teve de ser, era a única maneira — redarguiu ela, recuando um passo com medo que ele lhe batesse. — Estamos todos preocupados. Não é só a tua liberdade que estás a pôr em risco, é a nossa também.

— É verdade, Will — concordou James. — Estamos nisto juntos. Pelo menos, era o que pensávamos.

Will passou lentamente os olhos pelo grupo de homens e encolheu os ombros. — Prometi que os tirava da colónia. Cumpri a minha promessa e trouxe-os até aqui. Também querem agora que lhes mude eternamente as fraldas?

— Nenhum de nós precisa que lhe mudes as fraldas — disse Bill, furioso, levantando-se e cerrando os punhos. À luz da fogueira, o seu ar era ameaçador mas Will não pareceu notar. — Andam a fazer perguntas sobre nós na cidade — continuou Bill. — Andas a chamar ainda mais a atenção sobre todos nós com as tuas bebedeiras e a tua língua de palmo. Devias ficar aqui com a Mary e as crianças.

Will virou-se para Mary, a espumar de raiva. — Puta — lançou ele. — Pensaste que me prendias aqui, fazendo com que eles tomassem o teu partido, foi? Não és capaz de meter nessa cabeça estúpida que estou farto de ti? Vais ver se não me vou embora no próximo barco.

Sem tomar fôlego uma vez, Will lançou-se numa injuriosa diatribe. Que não estava legalmente casado com ela, que ela era uma chata, uma meretriz, e que era a desgraça dele. Afirmou que podia ter partido com Detmer Smith mas que não o fez porque prometera pôr os amigos em liberdade. — E pus — rugiu finalmente. — Fui eu que nos trouxe até aqui e tu até isso me tiraste, pretendendo que foste tu que planeaste tudo e não nos deixaste desanimar.

— Eu não nunca disse nada — retorquiu Mary com sinceridade. Estava agora com medo de Will, nunca o vira tão descontrolado.

— É verdade, não disse — falou Sam Broome. — Mas nós sabemos todos o que realmente se passou no mar, Will. Sem ela, nunca teríamos chegado aqui. Pode não ter pilotado o barco mas foi ela que nos incutiu o ânimo para aguentarmos. És um fala-barato, Will. E há-de ser isso que nós vais levar à forca.

Will ergueu o braço e assentou um soco em Sam, atirando-o ao chão. — Ora vamos então ver quem é um fala-barato — gritou ele.

— Se a queres, fica com ela, serve-te à vontade desta bruxa intriguista. Como disse, parto no próximo navio.

Bill e Sam agarraram em Will, os dois tentando desesperadamente segurá-lo até James conseguir chamá-lo à razão. Mas Will libertou-se deles com um sacão e esquivou-se pelo caminho para o porto.

— Não se aproximem mais de mim — ribombou. — Estou farto de vocês todos, andam de roda de mim hoje e amanhã querem desgraçar-me. Posso muito bem desandar daqui, não falta quem aprecie os meus talentos. Vocês não são ninguém sem mim.

Virou-se e afastou-se pelo caminho fora; Bill começou a correr atrás dele. — Não vás — disse Mary, impedindo-o com a mão. — Só fica mais determinado.

— Que havemos de fazer? — perguntou Jamie Cox numa voz trémula.

— Esperemos que vá mesmo no próximo navio — disse Mary, ajudando Sam a levantar-se. — Não vale os problemas que dá.

Foi dois dias mais tarde, pouco depois do nascer do sol, que Mary ouviu o som terrível de botas a marchar em direcção à aldeia.

Acordara mais cedo com uma estranha premonição e, quando ouviu os passos, reconheceu imediatamente que eram de soldados em marcha. Não havia nenhuma outra razão plausível para virem à aldeia senão para prendê-los a todos.

O seu primeiro pensamento foi pegar nas crianças e fugir para a selva mas descartou imediatamente esse desejo, pois só confirmaria a sua culpa. Assim, pôs o vestido cor-de-rosa, enfiou os sapatos que lhe tinham oferecido mas que nunca usara e penteou rapidamente o cabelo. Depois, pegando em Emmanuel, ainda a dormir, ao colo, saiu para receber os soldados com o que esperava ser um sorriso inocente na cara.

CAPÍTULO 15

— Não adianta negar, Mary — suspirou Wanjon, exasperado. — Eu sei que escaparam da colónia penal, o teu marido disse-me.

Ao ouvir as palavras de Wanjon, Mary sentiu-se como se estivesse a cair num abismo negro e sem fundo do qual nunca mais poderia sair.

Ela e as crianças tinham sido separadas dos homens, assim que chegaram à prisão do castelo, e por isso não teve oportunidade de combinar o que haviam de dizer. Também não sabiam se Will fora preso. Mas Mary descobriu que os soldados a tratavam com humanidade, a cela onde estava era limpa e deram-lhe água, pão e fruta, o que lhe instilou alguma esperança.

No entanto, vendo o sol nascer através da janela gradeada que dava para o porto e elevar-se gradualmente no céu, sem que ninguém viesse ter com ela, começou a experimentar uma profunda sensação de desânimo.

— Porque é que temos de ficar aqui, mamã? — perguntou Charlotte. Até então, aceitara pacientemente a situação mas agora começava a inquietar-se. — Não gosto disto, quero ir para casa.

— Temos de ficar porque há um homem que nos quer fazer umas perguntas — explicou Mary, passando distraidamente os dedos pelo cabelo da filha. — Vá, porta-te bem e vamos brincar com o Emmanuel.

Mas Mary não estava com disposição para encorajar Emmanuel a caminhar de uma para a outra, dizendo-lhe que era um menino bonito por conseguir andar sem ajuda. Tinha um medo terrível que a cela, com menos de um metro e vinte de largura e um metro e oitenta de comprimento, viesse a tornar-se a sua casa num futuro imprevisível.

Charlotte era uma menina muito bonita agora, com caracóis escuros a emoldurar-lhe o rosto bronzeado, os braços e as pernas roliços e com covinhas. Fazia-lhe lembrar imenso a sua irmã Dolly, que tinha o mesmo beicinho e nariz arrebitado. Os cuidados e atenções dos últimos dois meses e a companhia das outras crianças haviam-lhe transmitido mais confiança; aprendera até muitas palavras nativas.

Mary achava que Charlotte saíra da primeira infância e era agora uma menina. Ainda alguns dias antes, recusara-se a pôr o insípido vestido cinzento que lhe tinham dado quando chegou e insistira em vestir um de cores garridas que a mãe fizera com um tecido de fabrico local. Mary queria guardá-lo para uma ocasião especial, como o seu próprio vestido cor-de-rosa, mas Charlotte fizera uma cena tal que ela acabara por ceder.

Charlotte já esquecera que, na enseada de Sydney, só tinha um vestido, tão gasto, desbotado e remendado que se desfizera no barco. Era com satisfação que Mary via que a filha parecia não se recordar da colónia nem do estado em que estavam quando ali chegaram, desmaiando com a fome e a sede, a pele e o cabelo infestados de piolhos. Mary também conseguira apagar essas lembranças mas agora, confrontada com a possibilidade de serem recambiados para lá, estavam de novo na primeira linha dos seus pensamentos. Já seria terrível, no seu caso, voltar a viver assim mas como podia Charlotte aguentar, agora que conhecera uma vida diferente? Quanto a Emmanuel, o seu pequeno estômago não seria de maneira nenhuma capaz de aguentar a dura dieta da prisão. Não era uma criança forte e a mais pequena variação na sua alimentação punha-o novamente doente.

Mais tarde, quando ele e Charlotte adormeceram, com as cabeças no seu regaço, Mary, sentada no chão, afastou o cabelo louro de Emmanuel dos seus olhos e reprimiu as lágrimas. Era quase demasiado bonito para ser rapaz, o cabelo de um dourado puro dando-lhe pelos ombros, os olhos de um azul intenso e uma pele clara e translúcida. Salvara-lhe a vida por pura força de vontade no barco mas, se tivessem de ficar na prisão ou se fossem recambiados para a colónia, encontraria mais uma vez essa energia? Sabia que, na Cornualha, ele seria um desses bebés a quem as pessoas chamavam «especial». Significava que a criança tinha a aparência de um anjo e, por conseguinte, não estava destinada a ficar muito tempo neste mundo.

Mary percebeu, pelo comprimento das sombras fora da janela, que deviam ser mais ou menos cinco horas da tarde quando o carcereiro abriu a porta da cela. Era um homem de pele escura, com olhos amendoados, e dirigiu-lhe algumas palavras ininteligíveis, fazendo-lhe sinal para que o seguisse. Com Emmanuel ao colo e Charlotte pela mão, foi finalmente conduzida à presença de Wanjon.

O governador estava numa das salas do andar de cima da prisão, um espaço sombrio e fresco que era presumivelmente o seu escritório pois, juntamente com uma secretária, havia um candeeiro, livros em prateleiras e muitos objectos pessoais, como a pintura de uma senhora que talvez fosse a mulher dele e uma cobra feita de contas a adornar uma taça de fruta em madeira.

O casaco branco que Wanjon usara na ocasião anterior em que Mary se encontrara com ele estava pendurado nas costas da cadeira, a sua camisa branca amarrotada e ele cheirava a suor. Nesse primeiro encontro, ela considerara-o afável e simpático mas agora exibia um ar exausto, acalorado e irritado. Era um homem baixo e robusto, com cabelo preto retinto penteado para trás com óleo e com risca ao meio. Pelo seu nome, olhos amendoados e pele cor de café, Mary presumia que ele era oriundo daquele país mas devia possuir educação, provavelmente recebida na Holanda ou mesmo em Inglaterra, pois falava fluentemente o holandês e o inglês, bem como a língua local.

Começou por lhe fazer perguntas sobre o baleeiro: quantos tripulantes eram, o nome do piloto, onde o barco estava registado e o último porto em que fizera escala antes do naufrágio.

Tinham ensaiado tudo, excepto o local de registo do barco, durante a viagem no cúter. Mas, assim que começou a debitar que o piloto era do Rio de Janeiro, chamado Marcia Consuella, que eram dezoito tripulantes e que haviam zarpado da Cidade do Cabo, Mary compreendeu que nenhuma dessas informações resistiria a um escrutínio mais apertado. Quando Emmanuel começou a chorar, esperou que Wanjon ficasse suficientemente irritado para desistir.

Infelizmente, o único efeito que teve foi levá-lo a não perder mais tempo e a dizer-lhe aquilo em que realmente acreditava.

— Isso tudo não passa de mentiras, Mary — disse, levantando-se e começando às voltas pela sala, de mãos atrás das costas. — Vocês não andavam num baleeiro. Nunca andaram num baleeiro. Roubaram o barco na Nova Gales do Sul. São prisioneiros fugidos.

Mary abanava Emmanuel nos braços ao mesmo tempo que protestava que ele estava redondamente enganado. E foi nesse momento que ele a informou que Will confessara toda a verdade.

Mary levou algum tempo a adaptar-se ao choque. Já tinha perguntado ao guarda se o marido estava ali detido e ele respondera que não. O guarda, claro, não arranhava mais que algumas palavras em inglês e o seu conhecimento da língua dele não era muito melhor, mas ele pareceu compreender a sua pergunta. Will sobressaía em Kupang por causa da sua estatura e cabelo louro e Mary tinha a certeza que, se ele estivesse na prisão do castelo, toda a gente saberia. Tinha começado a pensar que ele era bem capaz de ter cumprido a ameaça de duas noites atrás de se fazer contratar por um navio.

— O meu marido, por mais que me custe admitir, é um fanfarrão — arriscou ela. — Deve ter pensado que era uma história mais interessante do que a verdade.

— Eu vi o diário de bordo que ele registou — respondeu Wanjon, num tom fatigado.

Mary teve dificuldade em reprimir um grito ao ouvir aquilo porque tinha pedido a Will que destruísse o diário, ainda antes de terem chegado a Kupang.

— Tudo isto me deixa numa posição um tanto embaraçosa — continuou Wanjon, sempre às voltas pela sala. — É que, se não fosse a chegada do capitão Edwards, tê-los-ia posto a bordo do primeiro navio que partisse para Inglaterra. Mas o capitão Edwards queria saber mais sobre vocês todos e, por isso, tive de deter o teu marido e ele contou-me tudo.

— O Will bufou? — perguntou ela com incredulidade.

— Bufou? — Wanjon franziu a testa. — Que é que isso quer dizer?

— Denunciou-nos. Depôs contra nós — disse Mary.

— Sim, denunciou-os — admitiu Wanjon. — Há homens que não têm lealdade quando pensam que podem salvar a pele.

Nesse momento, Mary foi-se abaixo, já não conseguiu conter mais as lágrimas. — Por favor — suplicou-lhe —, não nos mande outra vez para lá. O Emmanuel ainda não está bem, a Charlotte só agora se restabeleceu. Se tivermos de voltar, eles morrem.

— Minha querida, este problema está fora da minha alçada — disse Wanjon com um gesto de indiferença. — O vosso oficial da Marinha inglesa, o capitão Edwards, é o único que tem autoridade para decidir o que se há-de fazer convosco.

Abriu a porta e deu uma ordem ao guarda.

— Vais voltar para a tua cela agora — disse ele, virando-se novamente para Mary. — Hão-de levar-te de comer e beber. Eu não sou um homem cruel, Mary. Enquanto aqui estiveres, tu e os teus filhos hão-de ser bem tratados.

Wanjon ficou a olhar pela janela durante algum tempo, depois de Mary ter sido levada, sentindo um aperto no coração. Aceitara a história dos homens sobre a sua chegada a Kupang em resultado do naufrágio do seu barco, puramente por ser semelhante ao que acontecera ao capitão Bligh dois anos antes. Não lhe passou sequer pela cabeça que podiam ter escapado da colónia penal na Nova Gales do Sul. Quem se ia lembrar que um bando de simples condenados conseguisse fazer uma viagem de quase cinco mil quilómetros num barco descoberto?

Até o capitão Edwards, com todas as suas qualidades de marinheiro, tivera dificuldades no estreito de Torres mas, no caso dele, era preciso ver que era um homem obstinado que se julgava capaz de navegar em águas tão perigosas à noite. Era evidente que o homem era desumano pois fechara os catorze revoltosos capturados numa espécie de caixote no convés, deixando-os ali à mercê das intempéries, de pernas e braços acorrentados. Quando o barco estava a naufragar, recusou-se a deixar que os tripulantes lhes tirassem as correntes e foi só porque um deles ignorou a ordem que os dez homens se salvaram.

Wanjon soltou um profundo suspiro. Custava-lhe entregar Mary e os seus companheiros nas mãos de Edwards pois sabia que receberiam dele um tratamento cruel. Mary era uma mulher excepcionalmente corajosa e, fosse qual fosse o crime que ditara a sua deportação, já pagara um alto preço por ele. Quanto a essas crianças inocentes, estavam às portas da morte quando chegaram a Kupang. Que direito tinha um governo, fosse ele holandês, inglês ou de qualquer outra nacionalidade, de despachá-los para um lugar onde o único desfecho só podia ser uma morte prematura?

Passara mais de uma semana quando Mary voltou a ver os homens. Um dos guardas, que falava um pouco de inglês, disse-lhe que estavam detidos numa cela, incluindo Will.

Wanjon cumprira a palavra dada a Mary. Foi muito bem alimentada, assim como os filhos, e foi-lhe inclusivamente levada uma esteira para dormir, um cobertor e água para se lavar. Era conduzida diariamente ao pátio com as crianças para apanharem ar fresco e fazerem exercício. Por vezes, ela sentia-se mesmo inclinada a crer que o governador holandês interviria e a libertaria. Um homem capaz de tal bondade para com ela e as crianças não permitiria decerto que ela fosse mandada ao encontro da forca e as crianças ficassem órfãs.

Assim, quando o guarda lhe disse que podia visitar os homens na cela, não pôde deixar de pensar que era o primeiro passo para a libertação. O capitão inglês não a visitara, até podia ser que já tivesse partido de Kupang.

A cela dos homens ficava num nível da prisão muito mais baixo que a sua, um espaço amplo, escuro e húmido, com uma janela estreita demasiado elevada para permitir uma vista do exterior. Juntaram-se à volta dela, abraçando e beijando as crianças e perguntando como estava a ser tratada, e Mary demorou uns momentos a reparar em Will, que ficara sentado num banco de costas para ela.

— Não queres ver o Emmanuel e a Charlotte? — perguntou ela.

— Ele não merece voltar a vê-los na vida — vociferou Bill. — Denunciou-nos.

Mary olhou atentamente para os amigos, contente por ver que ainda estavam com bom aspecto e que a sua roupa estava limpa.

286

Mas os olhares que deitavam a Will eram malévolos. Mesmo Jamie Cox e Samuel Bird, que há tanto tempo lhe votavam uma lealdade cega, davam a impressão de odiá-lo.

Mary tivera tempo para reflectir sobre o que Will devia ter feito e chegara à conclusão que era pouco provável que ele se tivesse dirigido a Wanjon de propósito para os denunciar. Saberia decerto que também ele seria considerado culpado como os outros e, embora talvez não fosse enforcado por ter fugido, dado que já cumprira a pena, o roubo do cúter do capitão Phillip continuava a ser punível com a pena de morte.

— No fundo, não acredito que o Will tenha feito isso — disse Mary, aproximando-se dele. Ele ainda não se tinha virado para a encarar. — Diz-me. Denunciaste-nos?

— Eles acreditam que sim — respondeu ele em voz baixa. — Mais vale acreditares também.

Mary agarrou-o pelo queixo e rodou-o com um gesto violento para poder olhar para ele. Susteve a respiração. Will apanhara uma tareia terrível, dos outros homens, presumiu. Os seus olhos estavam tapados pela pele roxa e inchada, o lábio estava cortado e a camisa coberta de manchas de sangue.

— Mereces isso por teres ignorado os meus avisos para não dares nas vistas — disse ela rispidamente. — És um canalha, Will Bryant, um fanfarrão, um convencido, um estupor inútil. Mas continuo a não acreditar que nos tenhas traído.

— Não traí, juro que não — disse ele numa voz rouca. — Embebedei-me, apareceram uns marinheiros ingleses no bar e começámos a trocar histórias.

Mary assentiu com a cabeça, imaginava a cena perfeitamente. Os outros homens tinham falado sobre os tormentos que haviam sofrido no bote depois do naufrágio e Will tinha de levar a melhor e gabar-se que tinha passado por muito pior.

Mesmo assim, estava furiosa com ele — se o tivesse encontrado no dia a seguir à sua detenção, tê-lo-ia matado com as suas próprias mãos. Mas o tempo e a convicção de que Wanjon poderia ainda interceder por eles acalmara-a o suficiente para tentar, pelo menos, compreender como e porquê Will os metera naquilo.

— Então quando é que foste trazido para aqui? — perguntou ela.

— Nessa mesma noite — respondeu ele num fio de voz. — Ia a sair do bar e os guardas agarraram-me. Levaram-me ao Wanjon logo de manhã, no dia seguinte. Ele disse que vocês já vinham todos a caminho. Já tinha tirado o meu diário de bordo do sítio onde eu estava a dormir. Não tive outro remédio senão dizer a verdade, ele encostou-me à parede.

Mary fechou os olhos, num esforço para se acalmar. Sentia-se confusa, com sentimentos contraditórios. Sempre nutrira uma grande afeição por Will e era trágico vê-lo humilhado daquela maneira. Embora ele devesse ter calado aquela boca indiscreta, sabia igualmente que nenhum deles teria resistido a um interrogatório longo e apertado. A história combinada estava cheia de buracos.

Mas também não censurava os outros por lhe terem batido. Tanto James como William tinham dito que ele devia destruir o diário de bordo e ela sabia exactamente por que razão ele não o fizera. Considerava-se um herói e queria que toda a gente o reconhecesse como tal. Mesmo que não o tivesse alardeado ali quando se embebedava, mais tarde ou mais cedo acabaria por se descair. O diário era prova da sua incrível proeza. Provavelmente até esperava ganhar algum dinheiro com ele.

— Porque é que não te contentaste com o que tínhamos? — perguntou ela amargamente. — Estávamos em segurança, o Emmanuel estava a recuperar. Éramos felizes, valha-me Deus. Mas tu querias mais. Bebida, outras mulheres…

— Não fui com outras mulheres — interrompeu-a ele.

Mary soltou uma gargalhada forçada. — Aposto tudo em como andavas a dormir com uma prostituta qualquer. Deve ter sido ela que entregou o diário ao Wanjon ou a um dos guardas por mais dinheiro do que tu lhe deste a ela.

Ele desviou a cabeça e ela percebeu que não se tinha enganado. A dor foi tão aguda que teve vontade de vomitar.

— Posso não ser a mulher mais bonita e mais inteligente do mundo — disse ela, a voz embargando-se-lhe — mas nunca te enganei, Will. Mesmo quando passámos fome na colónia, nunca tiveste de recear que eu te roubasse rações ou dinheiro. Tirei o melhor partido do que havia e teria matado para te proteger e proteger as crianças.

— Sinto muito — sussurrou ele.

— Os teus sentimentos vão ajudar a Charlotte e o Emmanuel quando formos enforcados? — perguntou ela, o rosto deformado pela angústia.

— Ninguém vai ser enforcado — disse ele.

— Vamos, se formos recambiados para Inglaterra — retorquiu ela. — E se formos recambiados para a Nova Gales do Sul, vamos ser açoitados e acorrentados outra vez.

Mary afastou-se dele, incapaz de suportar a imagem dos castigos evocados. Preferia ter morrido no mar a ver o marido colocar uma vida de fama e riqueza à frente dela, dos filhos e dos amigos.

A 5 de Outubro, Mary, Charlotte e Emmanuel foram tirados da cela para embarcarem com os homens no navio holandês *Rembang*. O capitão Edwards fretara esse navio para os transportar, com os seus dezoito tripulantes do *Pandora* e os dez revoltosos sobreviventes, rumo à Batávia. Mary não fazia muito bem ideia de onde ficava a Batávia, sabia apenas que era outra ilha nas Índias Orientais Holandesas com um grande porto. Dava ideia de que o capitão Edwards planeava arranjar aí outro navio para a Cidade do Cabo e depois para Inglaterra.

Durante os dois meses em que estiveram presos no castelo de Kupang, Mary agarrara-se à esperança de que Wanjon pudesse deixá-la ficar lá com os filhos. Sabia que ele se condoía dela pois, por vezes, deixava-a sair da prisão, bem como aos outros homens; embora saíssem sempre aos pares, significava que Mary podia ir à aldeia, deixar as crianças brincar na praia e falar livremente com quem a acompanhasse.

No entanto, nunca era autorizada a ir com Will, talvez porque Wanjon considerava que seria um risco excessivo. As únicas ocasiões em que estava com Will eram no pátio da prisão e os seus intermináveis pedidos de desculpa só serviam para a irritar ainda mais. Ele já não era o homem que ela conhecera tão bem. Ostracizado pelos outros, sobretudo por James Martin, Jamie Cox e Samuel Bird, outrora os seus melhores amigos, tornara-se circunspecto e dado a explosões emotivas e muitas vezes disparatadas. Assustava as crianças, abraçando-as com demasiada força e, quando Charlotte fugia dele ou Emmanuel se escondia atrás das saias de Mary, Will chorava como uma criança. Dizia a Mary que sempre a tinha amado e implorava-lhe perdão. Fatigada, ela dizia-lhe que já lhe tinha perdoado mas sabia, no fundo da sua alma, que jamais conseguiria. Muitas vezes, desejava ser capaz de ignorá-lo mas a piedade levava sempre a melhor.

Só os informaram alguns dias antes da partida do *Rembang* que viajariam nele. Tendo encontrado uma ou outra pessoa que falava um pouco de inglês, quando era autorizada a sair da prisão, Mary só podia encarar o facto com redobrada consternação.

Soubera da temível reputação do capitão Edwards. A história sobre o «caixote» do *Pandora*, onde os revoltosos foram aprisionados e onde quatro tinham morrido, era do conhecimento geral. Ao que parecia, o *Rembang* tinha uma coberta adicional. Não era preciso um grande rasgo de imaginação para perceber que essa estrutura, sem vigias nem escotilhas, mas unicamente pequenos orifícios no tecto, era outro «caixote». E era aí que o capitão Edwards tencionava encarcerá-la com os homens.

Também lhe haviam dito que Wanjon pedira ao capitão Edwards que honrasse as inúmeras contas relativas a alimentos, alojamento e vestuário assinadas por Will. Edwards recusara e Wanjon disse-lhe que não lhe daria provisões para a viagem de um mês, caso não pagasse. Mary sabia que isso implicava que Edwards lhes guardaria ressentimento desde o primeiro dia.

Feitas as contas, Mary sabia que a viagem para a Batávia seria exactamente como estar no navio-prisão em Inglaterra, com pouca comida, na escuridão e acorrentada. Acertou em todas essas suposições. A coberta adicional fora dividida em três zonas, a da frente para os prisioneiros fugitivos, a do meio para a tripulação do *Pandora* e a da ré para os revoltosos. Contudo, ainda mais assustadoras do que a escuridão eram as grilhetas corrediças, presas a uma longa estaca fixa no chão e aos seus tornozelos, tolhendo-lhes completamente os movimentos.

Mary deitou um último olhar ao porto antes de ser empurrada para a nova cela. Chovera durante a noite e a cidade reluzia à luz do sol. Viu mulheres da aldeia com bebés ao colo, a acenar-lhe do cais, onde as barracas exibiam pilhas de frutos e legumes. Havia pescadores com enormes cestos de peixe fresco e o rapaz com quem ela tentara tantas vezes conversar, empurrando um carrinho carregado de cocos, chamou por ela. Pairava no ar a fragrância do sândalo, como uma nuvem aromática e invisível, e os seus olhos encheram--se de lágrimas ao despedir-se do lugar que se tornara tão precioso para ela.

— Porque é que ele te está a pôr isso, mamã? — perguntou Charlotte quando um dos tripulantes do navio apertou os grilhões em volta dos tornozelos de Mary. — Como é que vais conseguir andar agora?

Mary não foi capaz de responder, arrasada pela impossibilidade de olhar pelos filhos em semelhantes condições. Mas as perguntas de Charlotte foram interrompidas quando a porta se fechou com uma pancada e foi aferrolhada, deixando-os mergulhados na mais completa escuridão. A criança soltou um grito lancinante e, trope-çando contra a estaca no escuro, caiu no regaço de Mary, em cima de Emmanuel.

— O comandante tinha uma cabina para ti e para as crianças na popa do navio — disse Jamie Cox da outra ponta da escuridão da cela. — O sacana do Edwards disse que tinhas de ficar aqui con-nosco. Quer a todo o custo compensar o facto de não ter apanhado os revoltosos todos do *Bounty*.

— Eu não me importo nada de ir parar à forca para lhe fazer o jeito — rosnou James Martin e, passado um momento, dirigiu-se a Will. — É, finalmente conseguiste o teu barco, grandalhão — disse ele com sarcasmo na escuridão. — Que tal a cabina? É bom teres a tua senhora e os teus filhos contigo?

A agonia daquela cela escura aumentava de dia para dia. Quan-do o sol brilhava lá fora, o calor era tão insuportável que tinham a sensação de serem assados vivos: quando rebentava uma tempesta-de, ficavam completamente encharcados. Era-lhes dado o mínimo absoluto de comida e água para não morrerem e a forma como esta-vam acorrentados significava que não podiam sequer mexer-se para fazerem as suas necessidades. Mary gritava por misericórdia, pelo menos por Charlotte e Emmanuel, mas se alguém no navio a ouvia ignorava-a. Nas raras ocasiões em que a porta era aberta, via a regressão da saúde dos filhos, depois das melhoras registadas em Kupang. Passavam o dia sentados a chorar de perplexidade, cober-tos de sujidade seca à sua volta, e poucos dias depois Emmanuel adoeceu com febre.

Os homens praticamente não falavam. Os seus olhos, quando Mary via as suas caras, tinham uma expressão atormentada. Nat e Jamie gemiam durante o sono, Bill dizia palavrões e James parecia constantemente acordado, os seus olhos brilhando no escuro. Sam Broome era o único que fazia de conta que ia tudo acabar em bem mas Mary sabia que era só para tranquilizar as crianças.

Depararam-se com um ciclone e a água não parava de entrar, ameaçando afogá-los. Enquanto o navio baloiçava e sacudia, ribombavam trovões e os relâmpagos iluminavam por momentos os seus rostos aterrados. Mary rezou para que o navio naufragasse e pusesse fim ao seu sofrimento.

Ouviram os tripulantes do *Bounty* a gritar e a praguejar, ajudando os homens do *Rembang*. Muito mais tarde, Mary soube que muitos dos tripulantes holandeses foram para uma das cobertas inferiores jogar cartas enquanto os ingleses se debatiam para impedir o navio de colidir com os rochedos.

Will também adoeceu com febre, chamando pela mãe no seu delírio. Mary nada podia fazer para ajudá-lo. Não podia mexer-se e tinha os dois filhos nos braços. Jamie esqueceu a sua fúria contra o velho amigo o suficiente para lhe dar a beber goles de água mas os outros homens continuavam a guardar rancor a Will.

— Morre a pensar no que nos fizeste — gritou William Moreton em várias ocasiões. — Espero que ardas no inferno, cabrão.

O *Rembang* chegou à Batávia a 7 de Novembro. Um mês inteiro no mar pareceu-lhes um ano. À parte as condições degradantes em que estavam acorrentados, que se agravavam de dia para dia, e a fome e a sede, era quase como se também estivessem de olhos vendados pois não haviam conseguido um único vislumbre do exterior. Não sabiam se tinham passado por outras ilhas, por grandes extensões de terra ou se navegavam apenas no mar alto. Tinham todos perdido a noção do tempo e da distância.

Hamilton, o médico do navio, fez uma visita-relâmpago ao porão, tapando o nariz com um lenço contra o mau cheiro mas vomitando mesmo assim. Mal olhou para os homens mas ordenou que Emmanuel fosse levado para o hospital e que Mary o acompanhasse.

Os restantes condenados e revoltosos deviam ser transferidos para um navio de guarda até se conseguir um navio com destino a Inglaterra.

— A Charlotte também tem de vir comigo — implorou Mary, receosa de que a filha ficasse aprisionada noutro navio sem a sua protecção. — Sem mim, adoece.

Hamilton era um homem de traços duros com uma barba farta. — No hospital adoece ainda mais depressa — disse ele. — Chamam a esta terra a Gólgota da Europa e o hospital é um buraco malcheiroso. Mas leva-a contigo se quiseres.

Mary não compreendeu então o sentido das suas palavras pois imaginara que a Batávia se assemelharia a Kupang. Um mês de viagem por mar significava certamente que não se situava muito longe e ouvira dizer que a Batávia era o centro de operações da Companhia Holandesa das Índias Orientais. Mas não tardaria a descobrir a diferença. A primeira imagem que teve quando foi levada ao convés foi de cadáveres a boiar na água, o que a fez vomitar sobre a amurada.

Kupang era um lugar onde os empregados da Companhia Holandesa das Índias Orientais se consideravam afortunados em ser colocados. Podia ser barulhenta e transbordar de gente de todas as nacionalidades, mas o ar era puro e revigorante e o clima perfeito. Além disso, a paisagem fora dos limites da cidade era magnífica, com selva, montanhas e praias idílicas.

Mas na Batávia respirava-se uma atmosfera asfixiante, quente e húmida. Os holandeses haviam construído canais por toda a cidade e a água pútrida e estagnada gerava doenças que matavam os europeus sem quartel. Mary viu que os tripulantes do navio estavam relutantes em desembarcar, um sinal inequívoco de que era uma terra insalubre. Ouviu por acaso um dos marinheiros ingleses, que já ali tinha estado, dizer que mesmo a tripulação mais saudável seria dizimada pelo tifo numa questão de semanas.

Ao ser conduzida por dois guardas, com Emmanuel ao colo e Charlotte atrás, Mary olhou para trás para os amigos no convés e os seus olhos encheram-se de lágrimas.

Estavam todos imundos e descarnados. O único toque de cor no grupo era o cabelo ruivo de Samuel Bird mas mesmo esse estava esbatido pela sujidade. Nat Lilly e Jamie Cox, os dois mais pequenos, pareciam rapazinhos. Bill Allen estava a esforçar-se por mostrar um ar duro e James Martin a esfregar os olhos com os punhos. Sam Broome e William Moreton amparavam-se um ao outro. Depois estava Will, afastado de todos eles, a vacilar sobre as pernas com a febre.

Mary sentiu um baque no coração. Tinham todos um ar tão doente que se convenceu de que nunca mais ia ver nenhum deles. Mas os guardas arrastaram-na e ela sentiu-se ainda mais desmoralizada pois as hordas de nativos que circulavam por ali, de baixa estatura e pele escura, exibiam um ar ainda mais enfermiço.

Recordou as palavras do médico a respeito da Batávia ao ver barracas de construção tosca, em lugar de belas casas. O calor pegajoso, os odores pestilentos e as moscas que a perseguiam causaram-lhe náuseas e medo pelos filhos.

A sua primeira impressão do hospital de dois andares foi que os empreiteiros tinham suspendido a construção a meio. Havia algumas janelas com portadas mas as restantes não passavam de buracos. Uma fogueira que exalava um cheiro fétido ardia em combustão lenta no pátio da frente, e pelo menos uma centena de pessoas estava sentada ou deitada cá fora. Muitas tinham ligaduras imundas e manchadas de sangue na cabeça ou nos braços e nas pernas, as moscas refastelavam-se nas que estavam demasiado fracas para enxotá-las e o som dos seus gemidos e protestos era terrível. Charlotte ia agarrada ao vestido da mãe, a choramingar de medo, mas os guardas empurraram Mary para dentro do edifício, o que lhe sugeriu que as pessoas no exterior estavam em melhores condições do que as internadas.

O cheiro lá dentro fez Mary recuar de horror. Era absolutamente pestilento, tão forte que mal conseguiu respirar. Nesse momento, compreendeu que só um milagre impediria Emmanuel de morrer. Já no navio ele desistira de chorar e, deitado nos seus braços, limitava-se a fixá-la. Apesar de ela tentar constantemente que ele bebesse, o filho não retinha nada no estômago. Ora ardia de tal maneira que se podia fritar um ovo na sua testa ora tremia violentamente de frio.

Uma freira idosa, com um avental imundo sobre o hábito branco, veio ao seu encontro. Os guardas disseram-lhe qualquer coisa em holandês e ela espreitou para Emmanuel, fazendo um som desanimador com a língua e indicando que Mary a seguisse.

Passando por várias enfermarias, Mary viu que havia trinta ou quarenta doentes adultos em cada, deitados em esteiras, mas foi conduzida a uma sala, no outro extremo do hospital, onde só havia bebés e crianças pequenas sob os cuidados das mães.

A freira saiu depois de indicar onde estavam as esteiras livres, as bacias para se lavarem e os baldes. Não explicou onde se podia arranjar água, se viria algum médico ou onde seria servida comida.

Mary pôs duas esteiras num canto, pousou Emmanuel e sentou Charlotte ao lado dele, dizendo-lhe que não saísse do sítio. Depois, pegou num balde e perguntou por gestos à mulher mais próxima onde podia arranjar água.

Quando anoiteceu, Mary deitou-se ao lado dos filhos. Fora buscar água a um poço lá fora para lhes lavar a sujidade do navio e descobriu uma cozinha encardida onde podia obter uma refeição diária de arroz. Tudo o resto teria de ser comprado a uma mulher nativa de aspecto aterrador que chefiava a cozinha, ou trazido do exterior.

Ouviu o familiar som de ratazanas a passarinhar pela enfermaria, mesmo por sobre os gemidos e os gritos dos moribundos e passou os braços à volta de Charlotte e Emmanuel, num gesto protector. A última coisa em que pensou antes de adormecer de exaustão foi como um doente sem amigos nem parentes podia arranjar comida e água e se algum médico alguma vez visitava o hospital.

Obteve as respostas no dia seguinte, observando e comunicando por gestos com as outras mães. Aparecia um médico de tempos a tempos mas só examinava os que tinham dinheiro para lhe pagar. Umas poucas freiras holandesas faziam o que podiam mas, confrontadas com os vastos números de doentes, era o mesmo que tentar esvaziar um lago com um dedal.

Não tardou a tornar-se claro a Mary de que estava numa casa de isolamento e não num hospital. As pessoas eram para ali mandadas numa tentativa de impedir o contágio. Os que se encontravam lá fora no pátio sofriam de ferimentos e não de doenças e, muitas vezes, tinham de esperar uma semana para serem tratados. A maioria dos internados morria sem nunca lhes ter sido dirigida a palavra, e muito menos sem terem sido examinados, e muito poucos se restabeleciam. As mães mantinham a enfermaria das crianças razoavelmente limpa mas um relance para as dos adultos revelava um espectáculo atroz. Havia vomitado e fezes espalhados pelo chão tosco de madeira e as paredes estavam salpicadas de sangue e pus. Os gritos, o alarido geral e o delírio dos doentes eram ignorados.

Ao terceiro dia ali, Mary vendeu o seu vestido cor-de-rosa para comprar sopa e leite para Emmanuel e para juntar um pouco de carne e legumes ao arroz para ela e para Charlotte. Pensou em fugir, pois seria fácil escapulir-se e misturar-se com a multidão lá fora. Mas não encontrou coragem para sujeitar Emmanuel à caminhada sob o sol abrasador e ali, pelo menos, era mais fresco e havia água em abundância. Tinha de tornar os seus últimos dias o mais confortáveis possível.

O isolamento era o pior aspecto do hospital. Havia tantas nacionalidades quantas as de Kupang, mas não se deparara até então com ninguém que falasse inglês. Não havia ninguém a quem pedir ajuda. Crianças moribundas eram um facto recorrente ali, ao que parecia, e nem a aparência etérea de Emmanuel suscitava dó. Ela banhava-o em água para o refrescar, envolvia-o em cobertores quando ele tremia, espremia água para dentro da sua boca gota a gota, mas ele enfraquecia de dia para dia.

Desejava desesperadamente desabafar com alguém sobre a ansiedade que sentia a respeito do menino. Aterrorizava-a pensar no que aconteceria a Charlotte se também adoecesse com tifo. Não era um local saudável para ter uma criança — todos os dias, Charlotte era submetida a imagens que fariam até um adulto perder a cor. Não era justo que ela tivesse de passar todo o dia rodeada de crianças desesperadamente doentes. Sob muitos aspectos, era pior do que estar no navio onde, pelo menos, tinha os homens que lhe contavam histórias e lhe cantavam canções.

Por vezes, Mary julgava-se capaz de enlouquecer com os ruídos, os cheiros, o calor e a imundície. Pensava ainda no que faria quando o dinheiro da venda do vestido cor-de-rosa acabasse. Só conseguia culpar Will e jurar a si mesma que, quando saísse dali, o mataria.

Por volta dos finais de Novembro, uma das freiras que falava algumas palavras de inglês disse-lhe que Will também fora levado para o hospital. Mesmo que quisesse vê-lo, Mary não podia porque

Emmanuel estava demasiado doente. Tinha começado a pagar a uma das outras mães para lhe trazer arroz e água porque não ousava sair de ao pé dele.

No dia 1 de Dezembro, Emmanuel morreu nos braços de Mary. Ela estava a embalá-lo e a cantar-lhe uma canção quando ele simplesmente parou de respirar.

— O que foi, mamã? — sussurrou Charlotte, vendo as lágrimas correr pelas faces da mãe.

— Ele partiu — foi tudo quanto Mary conseguiu dizer, numa voz embargada. — Foi viver com os anjos.

Mary estava à espera da morte do filho. Convencera-se de que estava preparada. Vira-o definhar, de dia para dia, até se parecer com um macaquinho mirrado mas, mesmo na doença, os seus pequenos dedos procuravam os dela. Agora, de súbito, esses dedos estavam inertes e frios e ela teve vontade de gritar a sua dor.

Não sobrevivera sequer para ver o seu segundo aniversário e, no entanto, no curto tempo que vivera enchera-a de felicidade e esperança. Não era justo que toda a sua vida tivesse sido ensombrada pelo sofrimento e que tivesse morrido num lugar tão feio e sujo.

Uma das freiras levou o corpo dele, para ser enterrado juntamente com os outros que haviam morrido nesse dia numa vala comum. Mary estava à espera que a chamassem quando começasse o serviço fúnebre. Mas não houve qualquer serviço, disse-lhe uma freira mais tarde. Morriam demasiadas pessoas ali para isso.

No dia seguinte, Mary mandou Charlotte para o pátio, recomendando-lhe que esperasse aí por ela. Estava dominada pela raiva e queria encontrar Will para lhe dizer que o considerava responsável pela morte do seu único filho antes de ter de voltar para o navio de guarda.

Foi encontrá-lo numa enfermaria no outro extremo do hospital. O cheiro lá era tão nauseabundo que ela teve de tapar o nariz e a boca para entrar. Havia pelo menos cinquenta homens lá dentro, muitos mais do que em qualquer das outras enfermarias que Mary vira e, de tal maneira apertados, que estavam deitados sobre o vomitado e as fezes uns dos outros. Os gemidos e os sons dos vómitos eram tão horríveis que se preparava para se ir embora quando avistou Will. Era o único que não estava deitado.

Estava praticamente um esqueleto, encolhido num canto, vestido apenas com um par de calções. O seu cabelo e barba louros estavam empastados de sujidade, os seus olhos azuis outrora brilhantes descorados e inflamados da febre. Tinha vinte e nove anos mas parecia um homem muito velho.

Mary dissera a si mesma que se riria, se ele estivesse a morrer, que apressaria a sua morte, descompondo-o pelo que lhe fizera. No entanto, quando ele olhou para ela, interrogou-se por que razão não se sentia apaziguada ao vê-lo num sofrimento tão evidente.

Assaltou-a a recordação do dia em que ele carregara com ela até ao mar para a lavar, depois de Emmanuel ter nascido. Fora extremamente terno e meigo, fazendo-a esquecer que era uma prisioneira. Nesse dia, como em muitos mais, sentira-se igual a qualquer esposa e mãe respeitável em Inglaterra.

Tornara-se muito fácil acreditar que Will era um homem mau. Mary esforçara-se por esquecer que ele a salvara da violação, que casara com ela para a proteger e que as suas competências e capacidade de trabalho a pescar a haviam poupado à inanição. Muitas vezes dera a Charlotte parte da sua refeição, fazendo de conta que não tinha fome. Sentira-se orgulhosa por estar casada com ele e, apesar de Will ter ameaçado que ia embarcar no primeiro navio para casa quando acabasse de cumprir a pena, a verdade é que não o fizera.

Percebeu imediatamente que tinha de tratar dele. Talvez não fosse capaz de lhe perdoar inteiramente mas, por tudo o que haviam sido um para o outro no passado, ele merecia melhor do que morrer como um cão sem ouvir uma palavra amiga.

Mary avançou cautelosamente por cima da sujidade e dos corpos até ao canto onde ele estava.

— Sou eu, Will — disse em voz baixa ao chegar junto dele.

Estava indignada por um homem corpulento e robusto poder acabar assim. Fez-lhe lembrar o estado em que se encontravam os prisioneiros da segunda frota quando desembarcaram do *Scarborough*.

— Mary! — disse ele num fio de voz, tentando levantar a cabeça. — És tu?

— Sim, sou eu, Will — disse ela, inclinando-se sobre ele. — Vim tratar de ti. Primeiro, vou-te buscar água e depois vou levar-te para outro sítio menos sujo e apinhado.

Ele agarrou-lhe na mão. — O Emmanuel! Como é que ele está?

Mary sentiu-se comovida que o seu primeiro pensamento tivesse sido o filho de ambos.

— Morreu ontem — disse ela abruptamente.

— Não — gemeu Will, apertando-lhe mais a mão. — A culpa é minha.

Uma parte dela queria concordar, para mitigar a sua própria dor com o rancor, mas uma parte muito maior sentiu-se mais calma por ter alguém com quem partilhar a dor.

— Não — sussurrou. — Foi a crueldade desse capitão Edwards, este lugar nauseabundo e o azar.

Will abriu mais os olhos e as lágrimas correram-lhe pelas faces. — Como és capaz de dizer isso depois da maneira como te tratei?

Mary não se sentiu segura para responder à pergunta. — Vou buscar água — foi tudo o que conseguiu dizer.

— A Charlotte! Onde é que ela está? — perguntou ele, angustiado.

— Está bem. Mandei-a esperar lá fora enquanto te vinha ver.

— Graças a Deus — disse ele, benzendo-se.

Mary foi buscar água para Will beber, ajudou-o a deslocar-se para uma enfermaria mais limpa e depois lavou-o. Horrorizada ao ver o seu corpo outrora grande e forte tão magro, obrigou uma das freiras a dar-lhe uma camisa lavada para lhe vestir, para que lhe restasse, pelo menos, alguma dignidade.

Mary sabia que ele ia morrer; a estadia de três semanas naquele lugar ensinara-lhe a interpretar os sinais. Mas garantiu-lhe que ia melhorar, afagou-lhe a fronte até ele adormecer e depois esgueirou-se para ir buscar Charlotte.

Ao sair para o pátio junto do poço, deteve-se por um breve instante, subitamente consciente de que era um momento perfeito para escapar, antes de a morte de Emmanuel ser comunicada e o capitão Edwards mandar os guardas buscá-la. Podia vender as suas botas boas, comprar provisões e fugir depois para a selva com

Charlotte. Fizera amizade com os nativos em Kupang e era capaz de fazer o mesmo ali. Talvez dentro de alguns meses, com um nome falso e uma história plausível, pudesse embarcar num navio e abandonar aquela terra.

Mary deu alguns passos na direcção de Charlotte, que estava sentada no chão a fazer bolos na terra molhada em redor do poço. A filha estava suja, magra e pálida e os seus movimentos eram apáticos. Não estava assim em Kupang e o coração de Mary apertou-se ao ver o efeito que o regime de prisão no navio tivera nela. Era outra boa razão para fugir agora, enquanto ainda era possível.

— Falaste com o homem? — perguntou Charlotte, levantando os olhos.

A perguntou apanhou Mary desprevenida. Limitara-se a dizer à filha, quando a mandara esperar, que «tinha de falar com um homem». Se Charlotte soubesse quem o homem era, também teria querido vê-lo. Há algum tempo que perguntava, por vezes mais do que uma vez por dia, quando iam ver o papá.

Will sempre tratara Charlotte como se fosse sua filha. Depois de Emmanuel nascer, nunca fizera distinção entre as duas crianças. Mesmo quando discutiam, ele nunca usara a paternidade de Charlotte como uma arma. Will amava Charlotte e isso fora mais uma vez evidente há pouco, quando, doente como estava, quis saber se ela estava bem.

Como podia fugir agora e abandonar aquele homem a uma morte solitária?

Desceu o balde no poço, encheu-o e puxou-o novamente para cima.

— Deixa-me lavar-te — disse ela, tirando um trapo do bolso. — Vamos ver o papá.

O calor parecia aumentar de dia para dia e Will estava cada vez mais debilitado. Mary vendeu as botas para comprar comida para os três mas ele nunca conseguia engolir mais de duas colheradas antes de voltar a adormecer.

Quando estava acordado, permanecia deitado a olhar para Mary, exactamente como Emmanuel. Custava-lhe demasiado falar mas sorria quando Mary lhe contava histórias sobre os seus antigos vizinhos de Fowey, histórias de contrabando que ouvira do pai e descrevia o porto e as pessoas que lá trabalhavam.

Todos os dias, pelo menos duas pessoas morriam na enfermaria e os seus lugares eram rapidamente ocupados. Quando Will estava a dormir, Mary lavava os outros e dava-lhes água. Não lhe fazia a mais leve diferença que fossem nativos, chineses ou holandeses, todos tinham a mesma expressão lastimosa e infantil nos olhos e, pelo menos, quando exalavam o seu último suspiro não estavam sós.

As freiras encaravam Mary como se a achassem louca. Mas, por vezes, traziam um ovo ou alguma fruta a Charlotte, o que parecia indicar que também se condoíam da prisioneira inglesa que arriscava a sua própria saúde ao ficar num inferno daqueles para cuidar do marido.

— Já estamos no Natal? — perguntou Will, uma noite, quando começou a escurecer.

— Faltam três dias — respondeu Mary.

— A minha mãe fazia sempre um bolo de ameixa — disse ele.

Mary sorriu, pois visualizava ainda a sua própria mãe a misturar ingredientes numa grande tigela à mesa da cozinha.

— A minha também — disse ela.

— A minha mãe dizia-nos que pedíssemos um desejo enquanto mexíamos a massa — disse Will em pouco mais que um sussurro. — Se pudesse pedir um agora era ter-te dito que casei contigo porque te amava.

Mary sentiu as lágrimas nos olhos e desejou poder acreditar nele.

— Estou a falar a sério — disse ele. Os seus olhos estavam injectados e encovados da febre e tinha um aspecto envelhecido e macilento, nada que lembrasse o homem grande e atraente com quem se casara. — Apaixonei-me por ti no *Dunkirk*. Nem que tivesse à minha frente todas as beldades de Inglaterra para escolher, continuavas a ser tu.

As lágrimas de Mary começaram a cair descontroladas. Se era verdade, porque é que não lho dissera antes?

— Sou um parvo — suspirou ele, como se soubesse o que ela estava a pensar. — Pensei que, se te dissesse, deixavas de me dar valor. Era por isso que estava sempre a dizer que ia embarcar no primeiro navio para casa. Queria que dissesses que não podias viver sem mim.

— Oh, Will. — Suspirando, Mary pegou-lhe na mão e beijou-lha. Agora sabia que era verdade, Will não ousaria morrer com uma mentira na consciência.

Nesse momento, ele voltou a perder a consciência; o esforço de falar era claramente demasiado. Mary deitou-se ao lado dele e segurou-lhe na mão durante algum tempo, reflectindo sobre as suas palavras.

Quando era nova, sempre imaginara aquilo a que as pessoas chamam amor apanhá-la de surpresa como uma maçã madura a cair-lhe na cabeça. O seu desejo louco por Tench confirmara essa ideia. Mas seria verdadeiramente amor? Não seria mais provável que só tivesse experimentado esses sentimentos por Tench porque ele fora bondoso e se interessara por ela numa altura em que precisava que algo de belo a fizesse esquecer a realidade? Teria continuado a sentir essa paixão por ele se tivessem podido unir as suas vidas para sempre?

As circunstâncias que levaram ao seu casamento com Will pouco tiveram de romântico. No entanto, apesar de convicta de que fora puramente uma união de conveniência, faziam amor de modo apaixonado, a sua relação era afectuosa e natural, podiam falar sobre tudo um com o outro e havia muitos momentos de alegria. Eram amigos.

Pensou que a maioria das pessoas inteligentes definiriam isso como amor.

Os primeiros raios de luz entravam pela janela quando Mary sentiu Will a mexer-se e a virar-se. Tocou-lhe na testa, constatando que estava novamente a arder em febre mas, ao mesmo tempo, a tiritar de frio.

— Estou aqui — sussurrou, sentando-se e pegando no trapo e no balde de água para o refrescar.

— Perdoa-me o que te fiz — disse ele, quase sem voz.

— Já não tem importância — respondeu, também num sussurro, pousando-lhe o pano molhado na testa e afagando-lhe o cabelo. — Já te perdoei.

Nesse momento, compreendeu que perdoara. Como o amor, o perdão despontara na sua alma sem que tivesse dado conta.

— Não deixes que aconteça nada à Charlotte — conseguiu ele dizer com imenso esforço.

Mary compreendeu que tinha chegado o fim.

— Casei contigo porque te amava — disse ela, beijando-lhe os lábios quentes e gretados. — Ainda te amo e não quero viver sem ti.

Não sabia se ele ouvira as palavras que sempre desejara ouvir pois voltou a perder a consciência. Mary continuou ao seu lado, abraçada a ele, a cabeça tão próxima do seu coração que o sentiu parar de bater uma ou duas horas mais tarde.

CAPÍTULO 16

Decorreram quase quatro meses, após a morte de Emmanuel e Will na Batávia, até o *Horssen*, um navio holandês, entrar na Cidade do Cabo com Mary e Charlotte a bordo.

— Acho que é o navio que nos vai levar para casa, Mary — disse Jim Cartwright por cima do ombro, apontando na direcção do porto. — Anda ver! A vista de um dos navios de Sua Majestade há-de animar-te.

Mary sorriu debilmente. Jim era um dos tripulantes do naufragado *Pandora*. Nas últimas semanas da viagem da Batávia, quando ela e Charlotte adoeceram com febre, ele fizera os possíveis para tentar animá-la. Por vezes, era com frutos ou nozes diferentes mas a maior parte das vezes era com anedotas ou conversa. Mary sentia-se extremamente grata pela bondade de Jim, mas os seus receios pela filha levavam-na muitas vezes a ter dificuldade em responder.

Deixando Charlotte deitada numa esteira no convés, Mary dirigiu-se à amurada para olhar. Era animador voltar a ver a Cidade do Cabo pois guardava boas recordações do baptismo de Charlotte ali. Claro que nessa altura ainda tinha esperanças, tornar-se pioneira na Nova Gales do Sul parecera-lhe mais uma aventura do que uma punição.

Mas a sede de aventura morrera há muito. Agora só esperava que Charlotte se restabelecesse e fosse tratada com humanidade na última etapa da viagem para Inglaterra.

No entanto, apesar das suas opiniões negativas, não podia deixar de sentir alguma emoção ao ver o navio inglês. O *Gorgon* era gracioso, o seu convés bem limpo e quase branco, as cordas bem enroladas e os metais a reluzir ao sol. Recordava a Mary navios semelhantes que admirara em Plymouth — os navios estrangeiros nunca pareciam tão asseados e polidos. Tendo Table Mountain como pano de fundo, não conseguia imaginar visão mais bonita. Todavia, por mais encantador que o *Gorgon* fosse, o mais certo era vir a suportar as mesmas adversidades a bordo que experimentara na viagem até ali.

Assistiu ao enterro de Will e ouviu rezar uma oração por ele, apesar de ter sido numa vala comum e de não ter compreendido a oração por ter sido rezada em holandês. Mas, no momento em que estava a juntar os poucos haveres que possuía e a pensar novamente em escapar, apareceram os guardas. Acorrentaram-na, ali mesmo no hospital, e levaram-na com Charlotte para o navio de guarda onde os outros homens se encontravam detidos.

A dor de Mary pela morte de Emmanuel, que achava que conseguira dominar enquanto cuidava de Will, agudizou-se assim que foi novamente encarcerada. James e os outros ficaram devastados com a morte da criança mas não mostraram a mesma compaixão em relação a Will. Estar mais uma vez presa com eles, em condições asfixiantes, durante quase um mês, com a água racionada a dois quartilhos por dia, e ouvi-los censurar constantemente Will pela situação adversa em que se encontravam, acabou por ser mais do que era capaz de suportar. Entrou numa depressão tão profunda que chegou mesmo a desejar a morte.

Animou-se um pouco quando soube que ela e Charlotte iam ser transportadas no *Horssen* até à Cidade do Cabo, juntamente com a tripulação do *Pandora*. James e os outros, com o capitão Edwards e os revoltosos do *Bounty*, viajariam no *Hoornwey*. Apesar dos fortes laços que criara com os amigos, sentiu-se aliviada por poder estar finalmente sozinha com Charlotte, longe do azedume deles.

Mas o tifo insinuara-se a bordo dos navios, juntamente com as provisões para a viagem, sem fazer distinções entre prisioneiros, oficiais, as suas mulheres e filhos, e a tripulação. Quase todos os dias, Mary recebia a notícia de que mais um homem, mulher ou criança morrera. Pouco depois, também ela e Charlotte sucumbiram à doença.

Felizmente para Mary, o comandante do *Horssen* era um homem humano e suficientemente corajoso para desafiar as ordens do capitão Edwards de que todos os prisioneiros permanecessem acorrentados, no porão, durante toda a viagem. Quando soube que Mary e Charlotte estavam doentes, mandou desacorrentar Mary para que ela pudesse cuidar da filha.

Só nessa altura, tocada por esse gesto de bondade, é que Mary começou a preocupar-se com a sorte dos amigos no outro navio. Todos eles estavam com um aspecto medonho no navio de guarda e era extraordinário, depois de aprisionados no porão durante semanas em condições pestilentas, que ainda não tivessem sucumbido à febre. Sabia que o capitão Edwards não demonstraria clemência para com nenhum deles e temia desesperadamente que nem todos sobrevivessem até à Cidade do Cabo.

— Hás-de ir para casa com os teus amigos — disse Jim alegremente. — Vá, anima-te e mostra lá esse teu lindo sorriso.

Mary interrogou-se sobre o que aquele marinheiro de palmo e meio e cabelo ruivo teria na cabeça pois, por mais afectuoso que fosse, parecia não compreender a gravidade da situação. Charlotte estava extremamente doente com febre tifóide e estavam de regresso a Inglaterra, onde Mary seria enforcada e Charlotte ficaria órfã. O homem acreditaria de facto que ela devia encarar a última etapa da viagem como uma espécie de festa?

— És sempre assim tão alegre? — perguntou ela, esperando que ele não se apercebesse do sarcasmo do seu tom.

— Jim Alegre, era como a minha mãe me chamava — respondeu ele a rir, considerando claramente a pergunta como um elogio. — Vá, agora é melhor juntares as tuas coisas porque não tarda nada estamos a embarcar no *Gorgon*.

Mary podia ter levado menos de um segundo a juntar o pouco que possuía. Mas fez render o tempo, examinando cada objecto, um a um, apesar de nenhum ter o mais pequeno valor. Um vestido de algodão azul que lhe fora dado em Kupang. A peça de tecido colorido com o qual tencionara confeccionar outro vestido para

Charlotte mas que usara antes para envolver Emmanuel quando ele estava no hospital. Levou-o à cara, na esperança de ainda sentir o cheiro dele, mas este já desaparecera, como o próprio Emmanuel, e as cores estavam esbatidas das inúmeras lavagens. Um colar de contas azuis de madeira que James Martin lhe oferecera em Kupang. Um anel do cabelo louro de Emmanuel, metido num pedaço de papel castanho dobrado. O cobertor que Watkin Tench lhe dera na Cidade do Cabo para Charlotte.

Nesse tempo, era branco e fofo mas agora estava castanho devido ao uso, tão puído que lembrava uma teia de aranha, mas só o facto de pegar nele encheu-a de recordações dos dois filhos. Havia algumas conchas bonitas, apanhadas na praia de Kupang e, por fim, o saco com folhas de cipó-doce.

No fundo, não sabia por que razão as guardara tanto tempo. Eram as últimas das que apanhara na colónia. Estavam agora castanhas e quebradiças e ela duvidava que ainda tivessem qualquer sabor. Mas não podia deitá-las fora pois traziam-lhe demasiadas boas recordações. Imaginava-se sentada ao pé da fogueira com Will, diante da cabana, bebericando chá quente enquanto planeavam o futuro. O chá fizera-os esquecer a fome, aquecera-os quando sentiam frio, reconfortara-os nos momentos de desespero.

Poria o vestido azul; apesar de esfarrapado, estava limpo. Usara-o constantemente no hospital da Batávia. Desejava ter ainda o vestido cor-de-rosa e as botas elegantes ou mesmo o xaile e o chapéu de fitas pois, com eles, ter-se-ia sentido muito melhor ao embarcar no novo navio. Mas, se não os tivesse vendido, talvez já não estivessem vivas.

Charlotte possuía ainda menos, apenas uma combinação e o vestido de cores garridas, agora desbotado em tons pastel e a descoser nas costuras. Ela deixara de se queixar de andar com o cinzento liso no hospital. Agora que pensava nisso, Mary apercebeu-se de que ela deixara de se queixar do que quer que fosse desde então, mesmo quando lhe faltara comida e água e tão-pouco quando adoecera.

Mary olhou para a filha. Estava deitada na bancada onde dormiam, enroscada como um cachorrinho, a cabeça pousada sobre as mãos. Tinha o rosto pálido e fatigado, estava aflitivamente magra e os seus olhos apresentavam uma expressão esgazeada.

— No novo barco vai ser melhor — disse Mary, afastando-lhe ternamente os caracóis escuros da cara. — Vais ficar boa outra vez.

Charlotte limitou-se a suspirar. Era um som de incredulidade e magoou Mary mais do que uma resposta torta.

Jim Cartwright não se enganara a respeito do navio que os transportaria de volta a Inglaterra mas sim a respeito da brevidade da transferência. Continuaram fundeados durante mais de duas semanas. A tripulação foi a terra mas Mary permaneceu a bordo. Não foi novamente acorrentada mas fechada no porão com Charlotte e foram-lhe mesmo negadas as duas horas diárias no convés para apanhar ar fresco e fazer exercício.

Charlotte enfraquecia de dia para dia, a arder em febre, e Mary não podia senão molhá-la, tentar obrigá-la a beber e amaldiçoar um sistema que permitia que uma criança inocente sofresse tal crueldade.

Com Charlotte nos braços, praticamente inconsciente, Mary subiu a prancha de embarque do *Gorgon*, demasiado fraca para reagir sequer ao som de vozes inglesas.

Jim dissera-lhe que o *Gorgon* chegara de Port Jackson e que o navio estava completamente cheio de plantas, arbustos, peles de animais e até um par de cangurus. Ele próprio estava ansioso por ver tais maravilhas. Mas Mary estava mais interessada em reencontrar os seus companheiros desertores, como eram agora rotulados, do que em pensar se estaria a bordo alguém seu conhecido.

Sentia-se tonta de febre e do calor. Os gritos, pancadas, guinchos e estrondos martelavam-lhe nos ouvidos e doíam-lhe terrivelmente as pernas. A luz intensa do sol na água feria-lhe os olhos e os odores das especiarias, do peixe e do suor humano causavam-lhe náuseas.

As tonturas agravaram-se subitamente quando passou da prancha de embarque para o convés, que estava apinhado de gente e caixotes. Parecia-lhe ter pernas de borracha e, receosa de deixar cair Charlotte, parou, encostou-se a um caixote e fechou momentaneamente os olhos para recuperar o equilíbrio. Depois ouviu alguém chamar pelo seu nome.

A voz era familiar mas, no seu estado de confusão, não conseguiu identificá-la. Abriu os olhos mas viu tudo desfocado.

— Estás doente, Mary? — ouviu a voz perguntar como que de uma grande distância. — Deixa-me pegar na Charlotte.

Imaginou que teria desmaiado porque quando deu por si estava deitada no convés e alguém lhe limpava a testa com um pano molhado.

— Charlotte! — chamou ela, alarmada, tentando sentar-se.

— Ela está em boas mãos — disse um homem. — Bebe isto.

Era rum e o homem que lho ofereceu devia ser um marinheiro, a julgar pelas calças de brim e pela camisa. Tinha cabelo louro encaracolado e um rosto empolado do sol. Mary estava agora à sombra e a sua visão parecia ter-se normalizado.

— Quem falou comigo e levou a Charlotte? — perguntou.

— Foi o capitão Tench — respondeu o homem.

— Tench! — exclamou ela. — Watkin Tench?

— Nem mais, minha linda — respondeu ele com um grande sorriso. — E tu deves ser a rapariga com quem ele tem andado consumido desde que nos disseram que ias para casa connosco.

Mary estava deitada num beliche com Charlotte a dormir ao seu lado. Perplexa, não conseguia perceber se se encontrava num camarote, com uma vigia aberta, ou se estaria a sonhar.

O camarote parecia perfeitamente genuíno, muito pequeno, apenas com o beliche, uma espécie de lavatório e um par de cabides na parede para roupa. A sua trouxa estava no lavatório e ao seu lado havia um jarro com água. Pela vigia, viu pranchas cobertas de lapas que deviam constituir a parte lateral do molhe.

Se era um sonho, era maravilhoso porque dava-lhe ideia que o marinheiro que lhe deu a beber rum dissera que Watkin Tench estava naquele navio.

Uma coisa era certa, não sonhara com o rum pois sentia-lhe o sabor na boca. Mas talvez o tivesse bebido demasiado depressa porque o que se passara a seguir era uma recordação indistinta. Tench seria um dos dois homens que ouvira falar junto de si? Tinha a certeza de que um deles dissera: «Ela já passou por demasiados

310

tormentos. Quero que a ponham num camarote com a filha. Assim, pelo menos têm uma hipótese.»

Mary soergueu-se um pouco para olhar para Charlotte. A menina respirava com dificuldade, a sua pele escaldante e seca, tão magra que não havia um osso do seu corpo que não estivesse saliente. Não parecia a Mary que ela tivesse qualquer hipótese. Exibia o mesmo ar de Emmanuel perto do fim e os sinais da morte iminente haviam-se tornado demasiado familiares para Mary, durante o tempo que passara no hospital da Batávia, para pensar que fosse uma simples coincidência.

Mais tarde, Mary acordou com uma leve pancada na porta. — Entre — disse debilmente, surpreendida que alguém tratasse uma prisioneira fugitiva com tamanha deferência.

A porta abriu-se e Tench entrou, exactamente com o mesmo ar que ela recordava, esbelto, de rosto enxuto, os olhos escuros carregados de apreensão. Os seus olhos encheram-se de lágrimas. Não tinha sido um sonho afinal! Ele voltara à sua vida para a salvar.

— Mary! — exclamou ele, aproximando-se dela e deixando a porta aberta. — Não imaginas o choque que apanhei quando soube que ias viajar para Inglaterra neste navio. Foi uma coincidência extraordinária.

Para Mary era mais do que coincidência. Só Deus podia ter operado aquele milagre.

— Pensei que estava a sonhar quando ouvi a sua voz — admitiu ela. — Depois dei por mim neste camarote.

— Ao capitão Parker o deves — disse Tench. — É bom homem e, quando teve conhecimento das circunstâncias e da gravidade do teu estado e da Charlotte, emitiu a ordem. O médico deve estar aí a chegar e, embora me sinta desejoso de saber o que aconteceu desde a última vez que falámos, tens de repousar.

— Sabe que o Emmanuel e o Will morreram? — perguntou ela.

Ele assentiu gravemente com a cabeça. — Sinto muito, Mary. Quem me dera ter palavras para te confortar.

A sinceridade na sua voz deu-lhe vontade de chorar. No passado ele confortara-a de muitas formas diferentes, por muitas razões diferentes, e saber que estava de novo ao seu lado quando precisava tão desesperadamente de um amigo era avassalador.

— Foi sempre um bom amigo — disse ela entre lágrimas. — E agora está aqui outra vez.

— Senti muito a tua falta depois de partires da enseada de Sydney — disse ele. — Nunca mais foi o mesmo sem ti. Não imaginas a confusão que causaram.

Mary tentou dominar-se e limpar as lágrimas. — O James, o William e os outros também aqui estão? — perguntou.

— O James Martin, o Bill Allen, o Nat Lilly e o Sam Broome estão — respondeu ele.

A hesitação na sua voz indicou-lhe que havia um problema qualquer. — E os outros três? — perguntou.

Tench desviou momentaneamente os olhos, como que receoso de admitir a verdade.

— Morreram, não morreram? — Mary deixou-se cair sobre a almofada, num estado de absoluto desânimo. — Foi o tifo?

Ele assentiu. — O William Moreton e o Samuel Bird morreram pouco depois de partirem da Batávia — disse ele, estendendo a mão para lhe tocar no braço, num gesto de comiseração. — O Jamie Cox atirou-se à água no estreito de Sunda. Talvez tivesse tentado escapar mas o mais provável é que a febre o tivesse enlouquecido.

Mary olhou horrorizada para Tench. — Oh, não! O Jamie? — disse numa voz rouca. — Não!

Jamie tornara-se como que uma pessoa de família com quem ela e Will haviam partilhado muita coisa. No *Dunkirk* e mais tarde no *Charlotte* e na enseada de Sydney, ele fora como a sombra de Will. Sempre parecera mais um rapaz do que um homem, mesmo quando vivera na mesma cabana com Sarah. Possuía uma inocência terna que o distinguia dos outros prisioneiros. Era horrível imaginar que pusera fim à vida dessa maneira.

— Os outros quatro estão mal — continuou Tench — mas estou convencido de que hão-de recuperar em breve. O James contou-me tudo sobre a fuga e disse-me que é a ti que todos devem a vida. Mandam-te saudades e à Charlotte também. Quando partirmos esperam poder visitá-las.

Mary virou a cabeça para Charlotte que estava a dormir no seu braço. — Não me parece que ela viva até lá e muito menos até chegar a Inglaterra — murmurou.

Tench não respondeu e, quando ela virou a cara para olhar para ele, viu-lhe lágrimas nos olhos.

— O destino tratou-te com uma crueldade tremenda — disse ele em voz baixa — e tu demonstraste uma coragem extraordinária. É preciso traçar um limite. Já sofreste o suficiente.

— Ouvi bem? — perguntou ela. — Aquele marinheiro tratou--o por capitão Tench?

Ele tocou-lhe ao de leve no rosto. — Só mesmo tu, Mary, serias capaz de pensar nos outros no meio do teu próprio sofrimento. Sim, agora sou capitão. Ainda bem que o meu posto superior me dá alguns privilégios, como este camarote para ti.

Dizendo isto, saiu subitamente e Mary apertou Charlotte contra si e chorou. Tench perguntaria por que razão tinham fugido? Ou compreenderia?

Partira da Nova Gales do Sul com oito homens saudáveis e duas crianças. Talvez então não conhecesse muito bem alguns dos homens e tivesse criado maior empatia com uns do que com outros. Contudo, haviam-se tornado uma família, unindo esforços e conseguindo chegar a Kupang. Mas só quatro tinham sobrevivido: o seráfico Nat, o cómico James, o leal Sam e o belicoso Bill. Metade perecera. E uma das crianças. Agora Charlotte estava também fatalmente doente e os restantes seriam enforcados.

Orgulhara-se de ter sido o cérebro por detrás da fuga. Mas a verdade é que os conduzira a todos a uma morte certa.

O *Gorgon* zarpou da Cidade do Cabo a 5 de Abril. Mary tinha a vigia aberta e ouviu as despedidas gritadas do cais, mas estava mais uma vez a molhar Charlotte com água fria e nem sequer olhou lá para fora. O seu único interesse residia em curar a filha.

Desde o princípio da viagem, Mary descobriu que era tratada com extrema bondade. Era-lhe levada comida e água, o médico de bordo visitava-a diariamente e tinha licença para subir ao convés sempre que queria.

Havia muitas caras conhecidas a bordo, para além de Tench, pois eram pessoas que estavam na colónia penal e voltavam agora a

Inglaterra no fim da comissão. Entre elas, encontrava-se o tenente Ralph Clark, o hipócrita que falava com as mulheres condenadas como se fossem lixo mas que se amantizou com uma, e havia ainda dezenas de soldados com as mulheres e as famílias.

Mary sentia-se demasiado combalida para falar com essa gente e perguntar como velhas amigas como Sarah e Bessie tinham passado depois de partir. Via uma espécie de ironia na sua situação. Se se tivesse tornado amante de Tench ou de outro oficial qualquer, em lugar de ter casado com Will, teria ficado em terra quando zarparam. Viúva num sítio ou no outro, qualquer que fosse o caminho que tivesse seguido, teria acabado da mesma forma.

Mary duvidava que Ralph Clark sentisse qualquer compaixão por ela — quando esbarrara com ele no convés, ele desviara deliberadamente o olhar — mas todas as outras pessoas lhe demonstraram simpatia. A mulher do capitão Parker visitou-a uma vez, levando-lhe um vestido às riscas verdes e brancas e uma camisa de dormir para Charlotte. Mostrou-se fria mas Mary também não esperava que uma mulher com o estatuto dela fosse amigável. Bastava que tivesse superado o medo do contágio para lhe levar roupa.

Mary restabelecia-se gradualmente, sentindo-se melhor de dia para dia, mas Charlotte continuava a piorar. Havia dias em que comia umas colheradas de sopa ou fruta esmagada e ficava acordada o suficiente para Mary lhe cantar canções ou lhe contar histórias mas havia outras alturas em que delirava e não conseguia sequer beber água.

Nas duas semanas seguintes, o tempo tornou-se tórrido e o médico disse a Mary que outras crianças, filhos de soldados, haviam adoecido. Quando Mary fez vinte e sete anos, no final de Abril, já tinham morrido cinco crianças, cujos corpos foram deitados ao mar.

Tench visitava-a sempre que podia e a sua profunda preocupação com Charlotte era comovente. Levava muitas vezes mensagens de James Martin e dos outros três homens, que estavam igualmente apreensivos em relação a ela.

— Dá-lhe um beijo meu — disse Tench, lendo uma das mensagens de James. — Diz-lhe que os tios estão todos ansiosos por vê-la.

— Eles estão bem? — perguntou Mary. Uma parte de si queria ver os amigos mas outra temia que eles começassem de novo a falar contra Will. Mas, como não queria abandonar Charlotte nem por um minuto, tinha uma desculpa perfeita.

— Melhoraram muito — respondeu Tench com um sorriso. — Estão a comer como alarves. O James mete-se com as senhoras e lança-lhes piropos. Tem o mesmo sucesso com elas que tinha na enseada de Sydney. Diz também que vai escrever as memórias dele, que devem dar uma leitura interessante. O Bill joga cartas com a tripulação, o Sam e o Nat estão sempre a dormitar.

Mary sorriu. Era bom saber que também estavam a ser bem tratados. Sentia ainda uma grande satisfação por conseguirem esquecer, ainda que temporariamente, o que os aguardava em Inglaterra.

Durante a noite de 5 de Maio, Charlotte desistiu finalmente da sua longa luta e morreu nos braços da mãe.

Mary continuou a embalar o seu pequeno corpo durante mais de uma hora, soluçando de angústia. Enfiou os dedos nos caracóis negros, tão parecidos com os seus, recordando todos os momentos marcantes da sua curta vida. O seu nascimento no *Charlotte*, o seu baptizado, a primeira dentição e os primeiros passos titubeantes. Mas foi no tempo passado em Kupang que Mary mais pensou pois Charlotte fora verdadeiramente feliz aí, livre como qualquer outra criança e adorada por todos quantos a conheciam.

Pelo menos agora, não teria de sofrer a perda da mãe quando fosse enforcada nem de se sujeitar à desgraça de um orfanato ou de um asilo. Juntar-se-ia ao irmão no Céu.

No entanto, apesar de Mary poder invocar uma boa dezena de razões para sentir alegria por a filha ter morrido no mar, o seu coração estava completamente destroçado. Tudo o que Mary fizera fora por ela. Charlotte dera-lhe forças para continuar e, sem ela, não lhe restava nada.

O corpo de Charlotte foi lançado à água nessa tarde, sob o olhar de quase toda a tripulação do navio, dos passageiros e dos outros condenados.

Era um domingo de chuva e Mary permaneceu de cabeça descoberta, com uma expressão petrificada, enquanto o capitão Parker conduzia as orações. Ela própria cosera o pedaço de serapilheira que envolvia o corpo de Charlotte e derramara sobre ele as suas últimas lágrimas. Agora, sentia-se vazia e privada de tudo, sem compreender por que razão o seu coração teimava em continuar a bater.

Nem quando a pequena trouxa deslizou sobre a amurada chorou ou se virou para James ou Sam à procura de consolo. Queria juntar-se à filha num túmulo de água. Mas sabia que, se decidisse largar a correr e atirar-se, alguém tentaria detê-la e o fracasso deprimi-la-ia ainda mais.

Agnes Tippet, uma das mulheres dos soldados, viu Mary afastar-se da cerimónia fúnebre e virou-se para as mulheres ao seu lado. — Não se ralou nada — disse num tom escandalizado. — Nem sequer chorou. Nunca vi ninguém enterrar um filho com uma expressão tão imperturbável.

Watkin Tench ouviu o comentário de Agnes. — Esteja calada, idiota — lançou-lhe, furibundo. — Não faz a mais pequena ideia do que ela passou e do que sente na alma. Dê-se por muito feliz que os seus filhos estejam de boa saúde e não faça juízos sobre os outros.

Ao afastar-se, ouviu as mulheres cochichar e reprimiu lágrimas de tristeza e frustração.

Conhecia Mary muito bem. Ela nunca imporia a sua dor a ninguém e muito menos a ele. Vira a desolação nos rostos de James, Sam, Nat e Bill e sabia que não era apenas pela menina que se haviam habituado a amar mas também pela mãe. Mary salvara-lhes a vida, fora uma amiga, uma irmã e uma mãe para cada um deles e todos sabiam que aquela tragédia final lhe quebrara os últimos resquícios de coragem.

Em Sydney, um ano antes, Tench ficara terrivelmente chocado com a fuga deles. Julgava conhecer Mary o suficiente para perceber que estavam a preparar um golpe daqueles e, contudo, não tivera a mais leve suspeita.

Não tinha grandes esperanças de que conseguissem chegar às Índias Orientais Holandesas pois, como todos diziam, era uma viagem longa e perigosa. Mas compreendia por que razão consideraram que tinham de arriscar e sentia uma tremenda admiração pela sua coragem.

Tivera saudades terríveis de Mary. Não passava um dia em que não pensasse nela. Rezava pela sua segurança e uma pequena parte de si acreditava que tinha sobrevivido porque estava ciente de que o sentiria se ela morresse.

Mesmo quando estava a embalar os seus pertences para partir de Sydney, Mary continuava presente no seu espírito. Via mentalmente o seu rosto pequeno e ansioso, a forma como os seus olhos se iluminavam quando ele a visitava na cabana. Ainda via as suas pernas esguias mas bem torneadas, quando ela arregaçava o vestido para entrar na água e ajudar a puxar a rede de pesca, e o seu cabelo escuro e encaracolado a cair-lhe sobre a face quando lavava a roupa. Mas não era dos aspectos físicos que tinha mais saudades, era do seu espírito curioso, do seu sentido de humor mordaz e do seu estoicismo.

Mesmo que tivesse sabido que ela sobrevivera, nunca teria concebido a possibilidade de reencontrá-la. Quando o capitão Parker lhe disse, na Cidade do Cabo, que transportariam desertores de Port Jackson para Inglaterra para serem julgados e lhe disse os nomes deles, Tench ficou absolutamente espantado, quase incrédulo.

Parecia-lhe que a sua sorte estava ligada à de Mary. Que Deus, na sua infinita sabedoria, sempre desejara uni-los. Essa convicção fortaleceu-se ainda mais quando falou com os outros sobreviventes e soube do que acontecera na viagem e da morte de Will e de Emmanuel na Batávia. Naturalmente que se sentiu angustiado ao pensar que Mary perdera o marido e o filho pequeno mas, segundo os outros homens, Will traíra-os a todos e ele não chegara a conhecer Emmanuel tão bem como Charlotte.

Depois Mary embarcou, tão fraca que desfaleceu, e a pequena e querida Charlotte, a criança que tantos dos seus homens julgavam sua filha, estava gravemente doente. Naquelas circunstâncias, não era próprio confessar a Mary o que lhe ia na alma. A única coisa que podia fazer era garantir que Mary e Charlotte tivessem tudo o que fosse necessário para se restabelecerem e procurar estar por perto quando ela precisasse de um amigo.

Contudo, tornara-se ainda menos apropriado contar-lhe o que sentia depois da morte de Charlotte. Ela sobrevivera aos navios-prisão, à longa viagem para a Nova Gales do Sul e a quatro anos de fome na colónia penal. Tivera a audácia de planear uma fuga espectacular e, por simples força de vontade, chegara ao destino pretendido. Depois fora traída pelo próprio marido e mais uma vez fora presa, enfrentando a execução em Inglaterra.

Tench sabia no mais fundo de si que nenhuma dessas coisas, por mais terríveis que fossem, a quebrara. Não tinha qualquer dúvida de que, se os filhos tivessem sobrevivido, ela teria planeado outra fuga arrojada e tê-la-ia realizado com sucesso. Mas aquelas crianças eram o seu calcanhar-de-aquiles. Quando Emmanuel adoeceu, teve de cuidar dele. O mesmo se passou com Charlotte. Agora que ambos haviam morrido, a liberdade não tinha qualquer valor. Mary subiria ao cadafalso sem medo. A morte era a única evasão que ela agora desejava.

— Não podes abandoná-la — murmurou consigo mesmo. — Tens de arranjar maneira de lhe restituir a vontade de viver.

Alguns dias mais tarde, Tench esbarrou com James Martin e Sam Broome no convés. Estavam sentados, encostados a um armário, aparentemente a apanhar sol e ar fresco. Estavam ambos aflitivamente magros, os horrores por que haviam passado ainda patentes nos seus olhos, e com um ar muito mais envelhecido do que na Nova Gales do Sul. Mas, embora parecessem relaxados, Tench captou uma certa animosidade entre os dois. Calculando que teria a ver com Mary, parou para conversar com eles.

Depois de uma troca de palavras de ordem geral sobre a falta de espaço no convés por causa das plantas e arbustos da Nova Gales do Sul e se os dois cangurus sobreviveriam ou não num clima mais frio, Tench mencionou Mary.

— Viram-na no convés hoje? — perguntou.

— Passou aqui algum tempo — respondeu Sam. — Já não parece querer a nossa companhia.

A sua voz revelou um registo de desânimo genuíno e não de queixume e Tench imaginou que ele estava apaixonado por ela. Sabia que fora Mary quem tratara de Sam e lhe devolvera a saúde, quando ele chegara com a segunda frota, e provavelmente qualquer homem amaria uma mulher por isso. Tench gostava de Sam, pois era um homem calmo, de bom coração e um carpinteiro talentoso, e não podia deixar de pensar que ele talvez tivesse sido melhor marido para Mary do que Will, se tivesse viajado na primeira frota.

— Ela não quer estar com ninguém — disse Tench, procurando confortá-lo. — É assim que algumas pessoas reagem ao sofrimento.

— Ou então só querem estar com pessoas que lhes possam ser úteis — disse James com um leve sorriso sarcástico, lançando um olhar significativo a Tench.

— Ela não é assim — objectou Sam, corando de fúria.

Tench compreendeu imediatamente o problema entre James e Sam. James presumia que Mary era tão calculista como ele.

No fundo, Tench nunca simpatizara muito com o irlandês manhoso. Era um indivíduo divertido e inteligente mas matreiro como uma raposa. — O Sam tem razão, a Mary não é assim — disse ele com firmeza. — Sabes muito bem, James.

— Não estou a censurá-la — respondeu James, encolhendo os ombros, a sua cara feia assumindo uma expressão ligeiramente arrependida. — Se houvesse alguém que eu achasse que podia salvar-me da forca, lambia-lhe as botas se fosse preciso.

Mais tarde, sozinho no seu camarote, Tench deu por si a pensar nas palavras de James. O homem estava enganado a respeito de Mary, claro, ela não queria falar com ninguém, nem para receber conforto nem por qualquer outra razão. Naquele momento, era prisioneira de si própria.

Mas James também tinha razão numa coisa. Mary precisava de alguém influente ao seu lado. Tench estava preparado para fazer tudo por ela mas não passava de um soldado da Marinha, recentemente promovido a capitão, e em Inglaterra não tinha a mais pequena influência.

Reviu mentalmente uma lista de todas as pessoas que conhecia, mas nenhuma delas estava em melhor posição do que ele para a ajudar.

Concentrando-se no seu diário, como era seu hábito quando perturbado, folheou-o, lendo certas passagens ao acaso. A colónia penal na Nova Gales do Sul era uma página da História que se ia escrevendo e o seu desejo era produzir uma obra que constituísse no futuro uma fonte de informação valiosa sobre os primeiros tempos da colónia. Não era sua intenção que se tornasse num relato pessoal do seu próprio papel mas que fosse antes uma visão mais geral.

No conjunto, considerou que fizera um trabalho razoável. Talvez quando se reformasse da Marinha se dedicasse a escrever artigos em jornais sobre o assunto. E então, de súbito, ocorreu-lhe uma ideia. Era isso! Uma forma de conseguir ajuda de peso para Mary. Escreveria um relato circunstanciado sobre ela para os jornais ingleses!

Apesar da sua calma habitual e modos comedidos, sentiu um enorme entusiasmo. Não podia assinar o seu próprio nome, naturalmente, haveria certamente alguma lei que proibia um oficial no activo de divulgar informação. Mas ninguém descobriria que era ele, se escrevesse a história da fuga dos Bryant em termos coloridos e sensacionais. Os jornais ingleses, de lés a lés, devorariam uma história daquelas. Os homens adorariam o arrojo, as mulheres comover-se-iam com a perda do marido e dos filhos de Mary. Ninguém com um mínimo de coração quereria decerto vê-la enforcada depois de ter passado por tamanhos tormentos.

A boca de Tench abriu-se num sorriso rasgado. Era capaz de funcionar. Tinha de fazer com que funcionasse.

Mary estava sentada num recanto abrigado na popa do navio, olhando, com um misto de prazer e inquietude, para a costa de Inglaterra que se aproximava rapidamente. Estava um belo dia de Junho, quente, ensolarado e com vento suficiente para imprimir ao navio um bom andamento. Um tempo perfeito para navegar e ela recordava muitos dias como aquele, a andar de barco com o pai.

Pensara muito nos pais e em Dolly, ao longo dos anos. Teriam sabido o que lhe acontecera? Se não tivessem, talvez pensassem que ela os trocara por uma vida em grande estilo em Londres. Ou supusessem mesmo que morrera! O que quer que soubessem ou pensassem, iam ficar terrivelmente consternados se descobrissem que aguardava julgamento na prisão londrina de Newgate.

Aos dezanove anos, não compreendera o significado de ser mãe. As mães eram pessoas que só se queixavam, que queriam que as filhas fossem refinadas, que cozinhassem e costurassem tão bem como elas e que se casassem com um homem respeitável para poderem sentir alguma satisfação e congratular-se por as terem criado bem.

Não queriam que as filhas se divertissem e tivessem aventuras porque elas próprias não as tinham.

Mas Mary era agora mais sensata. Uma mulher não queria mais do que o bem-estar e a segurança de um filho. As queixas não passavam de tentativas para evitar o mal. De uma forma de demonstrar amor.

Desejava que houvesse uma maneira de dizer à mãe que compreendia isso agora. Desejava também poder garantir-lhe que a morte na forca não a amedrontava. Era o que queria, libertar-se do terrível fardo da culpa pela morte dos filhos.

Todas as pessoas no navio lhe haviam demonstrado simpatia mas teria sido melhor se lhe tivessem chamado assassina pois sabia que era mesmo isso que ela era. Na altura em que planeara a fuga, pensara que era preferível correr o risco de os filhos morrerem afogados, de uma morte rápida e sem dor, do que vê-los morrer lentamente à fome ou de doença na colónia. Continuava a acreditar nisso. No entanto, apesar de todos os seus esforços, tinham acabado por sofrer uma morte muito pior do que alguma vez lhes teria cabido na Nova Gales do Sul. E a culpa por tê-los sujeitado a isso era sua.

Uma sombra projectando-se sobre ela levou-a a erguer os olhos. Era Tench.

— Tão pensativa — disse ele com um sorriso. — Queres partilhar comigo os teus pensamentos?

Mary não podia dizer-lhe que estava a pensar nos filhos e optou por uma saída mais segura. — Estava a pensar na minha mãe.

— Queres que lhe escreva em teu nome? — perguntou ele, acocorando-se diante dela.

Mary abanou a cabeça. — Ela não sabe ler, teria de pedir a alguém.

— Então talvez eu possa visitá-la um dia destes — sugeriu ele.

— Não posso sobrecarregá-lo com isso — respondeu ela, imaginando que opinião teria a mãe sobre um cavalheiro como Tench. Sentir-se-ia embaraçada com a visita dele na sua humilde morada e, por isso, seria brusca com ele, como se não se preocupasse com Mary. Depois passaria dias a chorar quando ele partisse.

— Só espero ser julgada e enforcada rapidamente sem que ninguém saiba. É o melhor para todos os interessados.

— Para mim, não — disse ele, pondo um ar horrorizado. — Estou certo que haverá simpatia pública pelo teu caso e espero que sejas absolvida.

Mary soltou uma gargalhadinha tensa. — Que estupidez. Sabe muito bem que vou ser enforcada ou deportada outra vez. Só espero que seja a forca.

Por momentos, Tench não respondeu. Há tanto tempo que andava num vaivém emocional em relação a Mary que por vezes não sabia ao certo o que sentia na realidade. Hoje ela estava bonita, com o seu vestido verde e branco, o cabelo impecavelmente preso atrás com uma fita branca, as faces rosadas do sol e do vento. Recuperara algum peso desde a morte de Charlotte e não se parecia em nada com a rapariga escanzelada e andrajosa que ele vira na enseada de Sydney.

Mas os seus olhos cinzentos eram agora mortiços, sem faísca, sem chama. Até a sua voz era débil. Era-lhe penoso suportá-lo.

— É difícil encontrar outro assunto de conversa depois de falar na forca — disse ele, receoso de fazer figura de tolo e desatar a chorar.

— Talvez seja porque não há nada mais a dizer — redarguiu ela. — Temos tido uma amizade estranha, não temos? Foi sempre desigual, um com o mundo inteiro pela frente e o outro sem nada.

— Nunca vi assim as coisas — disse ele tristemente, com uma sombra de indignação.

— Antigamente eu também não via. — Suspirou. — Mas agora sou capaz de ver as coisas como elas são.

Tench sentiu-se impotente. Recordava a audácia dela no *Dunkirk*. Tivera perfeita consciência de que ela estava sempre à procura de uma oportunidade, quer fosse a fuga, o trabalho no convés, comida ou roupa extra. Fora esse talento e ousadia que inicialmente o atraíra nela. Não podia acreditar que ela tivesse perdido essas qualidades. Mas talvez se lhe confessasse o que sentia verdadeiramente, uma parte dessa chama voltasse.

— Não me parece que sejas assim tão boa a ver as coisas — começou cautelosamente. — Em particular, os meus sentimentos por ti.

Ela olhou curiosa para ele, o que lhe deu coragem.

— Amo-te, Mary, sempre te amei — disse ele num impulso.

322

— Só queria ter-to confessado há muito e não te ter deixado casar com o Will.

Mary limitou-se a olhar para ele, espantada. Sem incredulidade nem escárnio. Olhou simplesmente para ele como lhe estivesse a ler a alma.

— É a verdade — insistiu Tench. — Quero conseguir que sejas libertada para partilhares a tua vida comigo.

Ela permaneceu em silêncio durante mais alguns momentos e Tench susteve a respiração, esperando pela resposta.

— Eu não sirvo para ti, Watkin — disse por fim, numa voz suave mas firme, e o tratamento informal soou estranho. — Tu queres que eu tenha esperança.

— Claro que quero que tenhas esperança. Num futuro a dois, no casamento, num verdadeiro lar — disse ele, apaixonadamente.

Mary esboçou um sorriso fatigado. Os olhos escuros de Tench emitiam aquela chama com que ela sonhara noutro tempo mas agora era demasiado tarde. — Tenho esperança em ti — disse ela. — Espero que tenhas uma carreira longa e distinta e uma mulher digna da tua posição que te ame do fundo do coração.

— Não compreendes que foi o destino que nos voltou a juntar? — disse ele com veemência, pegando-lhe na mão e apertando-a. — Fomos feitos um para o outro, eu sei que sim.

— Acho que o destino nos juntou apenas para me dar um pouco de consolo por ver mais uma vez um rosto querido — disse ela, pousando-lhe a mão na face. — Foste o melhor dos amigos.

— Só isso? — perguntou ele, com uma expressão de mágoa e decepção.

Mary reflectiu. Não sabia se o feriria ainda mais ou o confortaria com a verdade. Mas a mãe teria dito que a verdade é sempre a melhor opção.

— Eras tu que eu desejava, já no *Dunkirk* — disse, com um suspiro. — A Charlotte devia ter sido tua filha. Guardei esse amor comigo durante toda a viagem para a Nova Gales do Sul, mesmo durante o meu casamento. Se tivesses dito que me querias como amante, acho que teria trocado o Will por ti.

— Então — disse ele triunfante. — Não há nada a interpor-se entre nós agora.

Mary abanou lentamente a cabeça. — Há, sim, Watkin. Já não sou a mesma pessoa — disse, quase com melancolia. — Tenho na cabeça um milhar de imagens abjectas. Estou gasta.

— Não compreendo. — Ele abanou a cabeça, perscrutando-a com os seus olhos escuros. — Se fosses absolvida, tudo isso desapareceria.

— Uma parte talvez — disse ela, as lágrimas assomando-lhe aos olhos pois desejava que aquilo que lhe estava a dizer não fosse a verdade. — Mas tu amas a outra Mary e não seria com ela que casarias.

— Não compreendo — disse ele, num tom implorativo, pegando-lhe na mão e levando-a aos lábios.

— A Mary que amaste era uma rapariga manipuladora — disse ela, meio a sorrir. — Só pensava na sobrevivência, punha coisas em marcha. Mas no fim aconteceram demasiadas coisas. Coisas que nem imaginas. A velha Mary morreu na Batávia. O que vês agora não passa de uma carcaça vazia.

Tench fitou-a nos olhos, viu a desolação estampada neles e compreendeu instintivamente que ela acreditava sinceramente no que dizia. — Deixa-me beijar-te — sussurrou ele, indiferente a que alguém os visse porque estava convicto de que a levaria a mudar de ideias.

Mary concordou. Parecia-lhe correcto pôr fim àquilo com a única coisa com que tantas vezes sonhara.

Ele cingiu-a com os braços e puxou-a para si, o seu coração desesperado por ressuscitar a rapariga marota e ousada que o conquistara e o mantivera tanto tempo cativo. Os lábios dela eram macios e submissos mas o beijo foi decepcionante, um beijo de despedida. Terno, demorado, mas desprovido de paixão, não mais que um adeus. Nesse momento, ele percebeu que não podia fazer nem dizer mais nada que a persuadisse.

Segurou-lhe no rosto com as mãos. — Vou fazer tudo ao meu alcance por ti — disse ele com veemência. — Hei-de escrever e visitar-te.

— Não, Watkin — disse Mary com firmeza. — Não te quero. Foste uma das melhores pessoas na minha vida, guardo na memória uma centena de boas recordações tuas. Se for enforcada, encontrarei ânimo nelas. Deixa que as coisas fiquem assim. Arranja alguém da tua condição social que te faça feliz.

Dos muitos traços da personalidade de Mary com que Tench se familiarizara e que acabara por admirar ao longo dos anos, o mais poderoso era a sua determinação. Sabia que fora isso que a mantivera viva e a ajudara a tirar o máximo partido possível do que lhe calhara em sorte.

Sabia que ela estava agora determinada. Mesmo que, por um milagre qualquer, pudesse arrancá-la a Newgate e ao cadafalso, Mary nunca permitiria que ele manchasse o nome da sua família nem a sua carreira, casando com ela. Tench sabia que nunca conhecera ninguém tão heróico e altruísta.

Levantou-se e dirigiu-se à amurada do navio. Queria encontrar um contra-argumento convincente mas não havia nenhum. — Estamos quase a chegar a Portsmouth — disse por fim, alongando o olhar até à costa. — Tenho de desembarcar aí enquanto tu segues para Londres.

A ideia era-lhe intolerável. Sabia que muito em breve ela voltaria a ser acorrentada, exactamente como quando a conhecera.

— Que Deus te acompanhe — disse ela atrás dele, numa voz trémula. — Estás destinado a grandes feitos, Watkin. E eu hei-de sempre considerar-me afortunada por te ter tido como amigo.

CAPÍTULO 17

A o fim da tarde de um belo dia de sol, no final de Junho, Mary arrastou-se, desalentada, atrás do carcereiro de Newgate, com os quatro amigos atrás. Haviam sido registados e agora estavam a ser conduzidos por um corredor estreito e escuro para a prisão propriamente dita a fim de serem encarcerados até ao julgamento.

Os tornozelos de Mary estavam em carne viva e a sangrar devido aos grilhões que lhe tinham sido colocados, no princípio do mês, quando o *Gorgon* atracou em Portsmouth. Fizera a última etapa da viagem acorrentada até à doca de Londres. Estava também com fome, pois não comera nada desde a alvorada, quando desembarcara com James, Bill, Nat e Sam, agrilhoados uns aos outros, à espera de serem acompanhados para a prisão de Newgate.

Mary sentira-se praticamente como quando deixara a prisão em Kupang para ser transferida para o navio que os transportaria para a Batávia. A diferença era que agora as vozes à sua volta eram inglesas e, o que era mais doloroso, já não estavam quatro dos homens e as duas crianças.

No movimento do cais, quase não falaram enquanto esperavam que a carroça da prisão chegasse. Sentaram-se simplesmente em fila, encostados a uma parede, agarrados aos pequenos sacos com os seus haveres no regaço, cada um deles absorto nas suas próprias reflexões. Mary compreendia por que razão as pessoas que atravessavam o cais olhavam para eles com tanta curiosidade, pois deviam apresentar uma estranha imagem. Os prisioneiros acorrentados eram geralmente andrajosos, imundos e subnutridos, ao passo que eles estavam lavados e tinham um ar sadio. Haviam sido distribuídos calções e camisas de lona aos homens e Mary estava com o vestido verde e branco que a mulher do capitão lhe oferecera. O musculoso Bill, com a sua cabeça calva e feições de pugilista, podia ter a figura de um homem perigoso, mas Nat, com o seu rosto angélico, olhos azuis e cabelo louro a brilhar ao sol, lembrava mais um pajem ou um menino de coro. Quanto a James e a Sam, transmitiam a impressão de dois aristocratas arruinados e magrizelas. James olhava arrogantemente para quem pousasse os olhos nele e Sam estava num mundo só seu, os olhos castanho-claros fixos no horizonte distante.

Não tinham nada a dizer uns aos outros, nenhum comentário a fazer sobre o bulício do cais onde estavam a ser carregados e descarregados montes de mercadorias nos navios. Não reagiram aos barris de vinho e bebidas alcoólicas a serem rolados sobre o empedrado nem aos gritos dos carregadores e dos estivadores e muito menos à meia dúzia de cavalos nervosos que estavam a ser conduzidos para um dos barcos.

A longa viagem da Cidade do Cabo restabelecera-lhes a saúde e os horrores das detenções passadas haviam começado a desvanecer-se. Mas, enquanto esperavam pelo transporte para Newgate, que tinha a reputação de ser a prisão mais dura e cruel de toda a Inglaterra, todos eles se esforçavam por dominar o medo.

A carroça só chegou a meio da tarde e somente quando entraram nela, afastando-se lentamente da actividade frenética do cais, é que Bill quebrou o silêncio.

— Tinha-me esquecido do cheiro da merda de cavalo — exclamou, quando a carroça se juntou a uma série de outras transportando mercadorias por uma rua estreita entre armazéns altos e sujos.

— É o mesmo cheiro que em Dublin — retorquiu James, fungando exageradamente. — Acham que se pedíssemos ao condutor com bons modos ele nos levava a uma cervejaria?

Mary quase sorriu da fanfarronice dos homens. Sabia que estavam tão assustados como ela. Finalmente chegara a Londres, a cidade com que sonhava desde criança, mas não fazia parte do seu sonho vê-la da parte de trás de uma carroça de prisão nem morrer lá, suspensa numa corda.

Mas, apesar de saberem que Newgate era o destino da viagem de carroça, os cinco encontraram muitos motivos de distracção pelo caminho. As ruas, largas e elegantes ou estreitas e sórdidas, estavam apinhadas de gente de todos os estratos sociais. Senhoras de vestidos de seda e chapéus sofisticados, pelo braço de cavalheiros de peruca e sobrecasaca, deambulavam descontraidamente, passando por pedintes cegos, mulheres bêbadas e desmazeladas e garotos de rua descalços. Era um pandemónio, carroças e carruagens circulando a velocidades vertiginosas, vendedores ambulantes estridentes oferecendo tudo desde empadas de carne repugnantes a ramos de flores. Havia tocadores de realejo e homens que tocavam apitos de metal e violino. Mary viu carregadores do mercado com montes de cestos altos e periclitantes à cabeça, uma leiteira de faces rosadas com canados de leite suspensos numa vara sobre os ombros e um homem de pernas tortas a segurar galinhas vivas pelas patas, as aves sempre a bater as asas.

As lojas eram tão variadas como o tipo de pessoas que por elas passavam. Numa só se vendiam artigos de prata, a seguinte exibia grandes presuntos rosados, faisões e coelhos expostos em balcões de mármore branco. Uma chapelaria vendia chapéus que só podiam ser usados pela realeza e a seguir, em absoluto contraste, uma loja com montanhas de botas e sapatos em segunda mão.

Mary mal podia acreditar que houvesse mulheres capazes de sair à rua com vestidos tão decotados, exibindo os seios aos olhos de toda a gente. No entanto, pareciam ser senhoras distintas pois todas eram acompanhadas por uma criada de roupa sóbria ou por um lacaio. Em Plymouth, só uma prostituta revelaria tanta pele.

O alarido, a sujidade e os odores pestilentos deviam ter destruído as ilusões que Mary alimentava há muito de que era uma cidade de milagres. Mas até ver Newgate, algumas horas depois de partirem da doca, continuou agarrada a elas, esperando ser salva a qualquer momento.

Mas não surgiu ninguém a salvá-la. Os cavalos magros ganharam mesmo um pouco de velocidade ao avistarem as ameaçadoras paredes de pedra cinzenta de Newgate, talvez aliviados por poderem agora libertar-se da sua pesada carga.

De súbito, todas as histórias que Mary ouvira na enseada de Sydney sobre enforcamentos públicos em Tyburn Tree, onde se juntavam multidões para assistir como se fosse um espectáculo de feira, revestiram-se de um novo e horrível significado.

Quando o portão se abriu para deixar passar a carroça, o cheiro atingiu-os. Não era unicamente a fetidez familiar de dejectos humanos mas mais a certeza incontornável de que tinham batido no mais fundo dos fundos.

Mesmo James, que gracejara e tagarelara durante quase toda a viagem, perdeu a fala quando a carroça entrou numa pequena área empedrada, lembrando um túnel, com mais portas pesadas. Os dois corpulentos carcereiros que tinham aberto o portão exterior fecharam-no e aferrolharam-no depois de a carroça entrar e, pegando cada um num bastão, plantaram-se nas proximidades enquanto o condutor abria e removia as correntes que prendiam os prisioneiros uns aos outros.

Mary sentiu-se aterrorizada ao serem empurrados para uma pequena sala no pátio. Recordava-se de outras mulheres lhe terem dito na enseada de Sydney que bastava uma pergunta para os carcereiros espancaram um recluso e que as revistas corporais não passavam de um pretexto para humilhar os prisioneiros. Estava também com medo do momento em que seria separada dos homens.

Mas não foram revistados, talvez por terem chegado directamente de um navio da Marinha Real. As únicas perguntas que lhes fizeram foram os nomes, devidamente anotados num registo, e após uma curta espera foram conduzidos por um corredor até outra porta.

Aí, Mary olhou para os homens atrás. Supunha que os iriam separar. Queria dizer qualquer coisa, mas a ideia de aguardar julgamento longe deles era tão aterradora que não encontrou palavras.

O carcereiro abriu a porta e a inesperada baforada de ar quente e luz do sol tirou o fôlego a Mary. Mas, como se já não bastasse a surpresa de sair para um pátio descoberto, a imagem com que se deparou foi de tal modo espantosa que estacou subitamente.

— Nossa Senhora! — exclamou James atrás dela.

Podia ser um pátio dentro dos muros da prisão mas a cena diante deles era mais um circo do que um lugar de punição. Cem pessoas, pelo menos, cirandavam alegremente por ali. O barulho de uma orgia de bebedeira era tão intenso como em qualquer taberna por onde tinham passado pelo caminho.

Mary esfregou os olhos, pensando que devia ser uma alucinação. Não podia ser um cárcere, não via grilhões, não via sinais de fome, muitas das pessoas estavam inclusivamente bem vestidas, homens de peruca a pavonear-se como senhores de distinção, mulheres com o que, pelo menos a Mary, pareciam vestidos de baile, adornadas com jóias. Uma mulher de cetim azul-turquesa, rodeada de homens com casacos de veludo e brocado, estava mesmo a abanicar-se com um leque de penas como se estivesse numa *soirée* privada.

Onde estavam as pobres infelizes acorrentadas com quem contavam? As prostitutas velhas e enfermas, de olhos encovados e andrajosas, as raparigas patéticas desviadas do bom caminho e os brutos cobertos de cicatrizes que tinham finalmente recebido o castigo que mereciam? Aquelas pessoas que se divertiam, bebiam e conversavam não estavam a ser punidas.

— Vamos lá — disse impacientemente o carcereiro, dando-lhe uma pontada com o bastão. — Até parece que nunca estiveste numa prisão.

— Numa assim nunca estive — ripostou Mary, olhando para os homens atrás para ver a sua reacção. Mas eles estavam tão siderados e incrédulos como ela.

Era evidente que o álcool desempenhava um papel de peso nos festejos. Viram pessoas a sair por uma porta com canecas a transbordar. Havia mesmo algumas mulheres a dançar uma jiga, acompanhadas por um homem com uma pala preta num olho, a tocar violino.

O chinfrim chegava de todas as direcções. Mary levantou os olhos para o edifício cinzento da prisão e viu muitas pessoas a esticar o pescoço em pequenas janelas gradeadas e a gritar aos de baixo e das janelas ao lado.

Quando o carcereiro os impeliu em frente, o silêncio abateu-se de súbito sobre a multidão, todos os olhares voltados para Mary e o seu grupo.

— São eles! — gritou alguém. — Um viva para eles!

Saudada por vibrantes e frenéticas aclamações, Mary sentiu-se subitamente como uma noiva que aparecera no casamento errado. Não via razão para alguém os querer aclamar. Era forçosamente um caso de confusão de identidades.

As pessoas estavam a aproximar-se deles com gritos de boas-
-vindas e as mãos estendidas para os cumprimentar.

— É um prazer recebê-los em Newgate. — Um homem com
uma sobrecasaca preta cheia de nódoas fez uma vénia e tirou uma
cartola amassada. — Há aqui muita gente que sabe que vai ser
deportada para a baía de Botany e sentimo-nos moralizados quando soubemos da vossa fuga.

— Sabem o que fizemos — disse Sam, incrédulo, agarrando no
braço de Mary, como se achasse que ela ia desfalecer do choque. —
Santo Deus! Nunca imaginei que nos tornássemos famosos!

Claramente a fama não os poupou ao encarceramento pois não
tiveram oportunidade de falar com ninguém, de perguntar como
tinham ouvido falar deles ou o que quer que fosse. O carcereiro
impeliu-os por dois lanços de escadas sinuosas para dentro de uma
cela, batendo com a porta que aferrolhou logo de seguida.

Temporariamente pasmados com o que tinham visto no pátio e
com a recepção que os outros prisioneiros lhes fizeram, ninguém
falou durante alguns momentos. Os cinco ficaram simplesmente
ali, sem fala.

Mary foi a primeira a recompor-se. A cela era minúscula, a palha estava suja e a única luz entrava por uma janela pequena e
estreita, demasiado alta para permitir olhar para o exterior. Mas
comparada com as condições no *Rembang* e no hospital da Batávia,
era razoável. Para Mary, o melhor de tudo era que continuavam
juntos e não a partilhavam com estranhos.

— Isto é melhor do que eu esperava — disse, quebrando o
silêncio. — Mas gostava de saber porque é que essa gente no pátio
não está acorrentada.

— Isso eu sei, minha linda — disse James com um sorriso. — É
o dinheiro. Nunca ouviste as histórias das pessoas de Port Jackson
que tinham passado por aqui?

— Ouvi, mas não compreendi bem — disse Mary, recordando
como os londrinos, com o seu calão, lhe tinham dado a impressão
de serem de uma terra estrangeira. Quando conseguira aprender o
suficiente para os compreender, tinham deixado de falar das velhas
prisões para falar dos tormentos da nova.

— É, disseram que era preciso pagar pelas chamadas «regalias» — disse James com um encolher de ombros. — Também as havia em Dublin. Unta-se a mão ao carcereiro e ele tira os grilhões. Também se consegue assim comida lá de fora.

Mary assentiu. Recordava-se agora que em Exeter também fora assim com a comida e a bebida.

— Imagino que, com dinheiro suficiente, ou pelo menos qualquer coisa para vender, podemos ter um quarto particular e uma criada para nos servir de comer e beber — disse James com uma gargalhada forçada. — Mas como não temos nada, só podemos contar com isto.

Os homens sentaram-se no chão, desalentados. Nat adormeceu quase imediatamente e Mary relembrou as mulheres no *Dunkirk*. Algumas conseguiam dormir quase dia e noite, era um mecanismo de escape à cruel realidade da prisão.

Mary sentou-se, arranjou os grilhões para não a magoarem e dobrou os joelhos debaixo do vestido. Encostando-se à parede, considerou a situação desesperada dos amigos.

A sua não tinha qualquer importância, desejava a morte para se libertar do tormento mental em que vivia. Podia ter recuperado a saúde física na viagem de regresso mas não podia recuperar da culpa torturante de ter sujeitado os filhos a uma viagem tão perigosa e lhes ter causado a morte. O verdadeiro inferno para ela seria ver-se de novo deportada para a Nova Gales do Sul e, na primeira oportunidade, escaparia, atirando-se à água.

Mas os homens não se haviam resignado à certeza da forca. James tinha uma espécie de fé cega de que se salvaria porque a sua pena inicial tinha agora chegado ao fim. Sam estava convencido de que, se se mostrasse suficientemente arrependido, o absolveriam. Bill e Nat tentavam esquecer a sua sorte, dormindo ou conversando sobre outras coisas.

No entanto, hoje, depois de ter visto Londres, qualquer coisa havia despontado em Mary. Não lhe reavivara a vontade de viver nem mitigara a sua dor mas dera-lhe uma maior consciência do desespero dos homens.

Nenhum deles era má pessoa e já haviam sofrido demasiado. Mary não podia espera vir a salvá-los da forca mas, se lhe ocorresse uma forma de conseguir essas «regalias», talvez as suas últimas semanas fossem muito mais suportáveis.

Reflectiu sobre o assunto durante mais de uma hora e depois, ao descobrir uma solução, sorriu.

— Estás para aí a sorrir de quê? — perguntou James, com curiosidade, abeirando-se dela e acocorando-se.

— Tive uma ideia — disse ela.

— Se implica cordas e limas, esquece — disse ele a sorrir. — Fiz o inventário dos nossos haveres antes de desembarcarmos do *Gorgon*. Nenhum de nós tem uma faca.

— Ainda bem que não perdeste o sentido de humor — disse ela, dando-lhe uma palmadinha afectuosa no rosto ossudo. — É capaz de ser útil para a minha ideia. É que tenho estado a pensar. Se somos famosos, talvez possamos lucrar financeiramente com isso.

Nat continuava a dormir, com um ar de uma criança meiga na luz fraca. Mas Bill e Sam sentaram-se. James limitou-se a levantar as sobrancelhas com cepticismo.

— O Will achava que podia ganhar dinheiro com a nossa história, foi por isso que nunca se separou do diário de bordo — explicou Mary. — Nós ainda temos as nossas histórias frescas na memória. Porque é que não as vendemos?

— A quem? — perguntou ele com sarcasmo.

— A quem quiser conhecê-las — disse ela, sentindo que recuperava um pouco do seu ânimo de sempre, confrontada com um novo desafio.

Nenhuma oportunidade se apresentou a Mary antes de anoitecer mas, na manhã seguinte, quando ouviu o carcereiro percorrer o corredor das celas para poderem esvaziar o balde de dejectos da noite, estava pronta.

Sacudiu a palha do vestido e passou os dedos pelo cabelo quando a chave rodou na fechadura.

— Vá, toca a despejar esse balde — gritou o carcereiro, mais alto do que o necessário. Tinha o mesmo ar que Mary recordava dos carcereiros de Exeter, gordo e enfermiço, com olhos manhosos e dentes podres.

— Quanto custa remover as correntes? — perguntou ela.

Ele inspirou por entre os dentes podres, estudando-a interrogativamente. — Depende.

— Depende de quê?

— De me apetecer ou não — respondeu ele, soltando uma grande gargalhada.

Mary agarrou-o pelo peitilho da camisa engordurada, ameaçadora. — Pois é bom que te apeteça — disse-lhe num silvo. — Nós lutámos contra canibais e matámos feras com as nossas próprias mãos e vamos parar à forca por termos ousado escapar da Nova Gales do Sul. Como vês, não havemos de pensar duas vezes em cortar-te a garganta. Então, como é, queres ser nosso amigo ou inimigo?

Ele revirou os olhos, assustado. Mary não via os homens atrás de si mas tinha de acreditar que estavam com um ar feroz como lhes ordenara.

— Que... que é eu ganho com isso? — gaguejou ele.

— Depende de como te portares — disse ela. Largando-o, sorriu-lhe afavelmente. — Quero que ponhas a correr que estamos preparados para receber visitas. Terão de pagar, é claro. O suficiente para nos serem removidas as correntes, para comida, bebida e água quente para nos lavarmos.

Era um risco. Mary não fazia realmente ideia se alguém na prisão ou que a visitasse de fora se interessaria por eles o suficiente para pagar pelo privilégio de os conhecer.

— Não sei — disse ele, sempre com um ar assustado. — Disseste canibais?

— Disse, tinham setas com pontas de metal deste tamanho — disse ela, abrindo bem os braços.

— Vou ver — disse ele, recuando como se fosse fechar a porta.

Mary pegou no balde dos dejectos. — Despeja isto antes de saíres — ordenou, espetando-lho nas mãos. — Passa-o por água antes de o devolveres — acrescentou. — O cheiro não me agrada.

Ele afastou-se com o balde, tão submisso como uma criança a quem se ordena que vá comprar pão, e Mary virou-se para os homens e riu. — Acho que chegámos a acordo — declarou.

Ao meio-dia já os grilhões haviam sido removidos e eles estavam a comer empadas de carneiro com uma grande garrafa de cerveja fraca à sua frente. O carcereiro, que sabiam agora chamar-se Spinks, era tão cheio de expedientes como de ganância, e já tinham recebido dois grupos de quatro pessoas, desesperadas por conhecer os fugitivos e ouvir o relato dos canibais.

James era o narrador e narrava bem, fantasiando em torno da história verdadeira sobre os guerreiros indígenas que os perseguiram numa canoa de guerra, agora embelezada com uma luta corpo-a-corpo em terra.

— Na aldeia deles tinham dezenas de caveiras humanas espetadas em estacas — mentiu James alegremente. — Vimos montes de ossos humanos. Usavam os dentes para fazer colares e a pele das pessoas para revestir os escudos.

Quando o segundo grupo partiu, Mary e os homens desataram a rir.

— Bem, podiam ter sido canibais — disse James, indignado. — Quer dizer, não nos demorámos por lá o suficiente para saber, pois não?

Mary pensou como sabia bem ouvir o som do riso, coisa que não lhe acontecia desde que foram capturados em Kupang. Mesmo no *Gorgon*, faltara-lhes ânimo e exuberância. Mas sentiu uma ponta de tristeza por Will já não estar entre eles. Teria adorado a oportunidade de contar aquelas histórias e provavelmente elas teriam sido ainda mais emocionantes contadas por ele.

— És um espanto, Mary — disse Sam um pouco mais tarde, lambendo restos de empada dos dedos. — Nenhum de nós se teria lembrado de um plano tão astuto. Quando o James chegou àquela parte de tu teres batido com um remo na cabeça de um canibal, quase me convenci de que tinha sido verdade. Aposto que te lembravas de qualquer coisa para nos salvar se eles nos estivessem a meter no caldeirão.

Mary sorriu. Era bom voltar a ser alvo da admiração dos homens. E melhor ainda vê-los recuperar o alento. — Não podemos exagerar demasiado com as histórias — avisou-os. — Queremos inspirar compaixão e não ser acusados de mentirosos.

Foi no dia seguinte que descobriram como os outros prisioneiros tinham ouvido falar deles. Um ferreiro chamado Harry Hawkins foi visitá-los. Como muitos outros em Newgate, contava ser deportado. Era um personagem manhoso, pequeno e magro, com um nariz bicudo e cabelo comprido estranhamente desgrenhado para um homem que se vestia bem.

— Li sobre vocês no *London Chronicle* — disse ele, apressando-se a prová-lo com um recorte gasto que tirou do bolso.

Todos haviam presumido que a história deles fora transmitida de boca em boca, pois era esse o processo habitual nas prisões. Foi, portanto, um choque descobrir que alguém tinha escrito um artigo sobre eles num jornal.

James leu-o em voz alta e devolveu-o. — Tem algumas imprecisões. Foi o barco do governador que roubámos e não do capitão Smith — disse com desenvoltura.

Mary ficou espantada por James conseguir mostrar-se tão indiferente em relação a um relato elaborado e elogioso da fuga deles.

— Quem foi que o escreveu? — perguntou. Nunca lhe passara pela cabeça que alguém em Inglaterra pudesse simpatizar com a sua causa.

— Não diz — respondeu James, voltando a pegar no recorte. — Mas seja quem for, está bastante bem informado. Pode ter-se enganado no dono do cúter. Mas o resto está correcto.

Os cinco amigos não tiveram então mais oportunidades para discutir a origem da informação porque Harry Hawkins queria conversar sobre a sua situação. Era evidente que pretendia obter informações privilegiadas sobre os oficiais na baía de Botany.

Mary achou uma certa graça ao facto de aquele homem e as outras pessoas que aguardavam a deportação ainda pensassem que a colónia ficava na baía de Botany. Pelos vistos, ninguém ali sabia que o capitão Phillip rejeitara o local. Aliás, parecia que era muito escassa a informação que chegara a Inglaterra sobre a colónia. Mary desconfiava que a maior parte fora deliberadamente ocultada porque o governo não queria divulgar os erros terríveis que cometera, o que tornava a situação ainda melhor para ela e para os amigos.

— Não é como isto aqui — disse ela com um sorriso irónico. — Não se pode comprar uma cabana melhor nem mais rações, a única maneira de melhorar a situação é saber de um ofício que eles precisem.

Hawkins ficou desapontado. — Mas vocês devem ter tido ajuda de dentro ou untado as mãos de alguém — retorquiu.

— Não — disse James, indignado. — Foi a Mary que seduziu o capitão holandês para conseguir os instrumentos de navegação e os mapas.

Hawkins lançou-lhe um olhar incrédulo e Mary corou. Calculou que ele não era capaz de imaginar uma mulher tão desengraçada, de ar tão desgastado, a seduzir ninguém.

— O capitão sentia-se só — disse ela em jeito de explicação. — Eu e o meu marido costumávamos conversar com ele. Às vezes ele vinha jantar connosco.

— Então foi ele que pagou para vocês terem esta cela? — perguntou Hawkins com uma ponta de sarcasmo.

Mary e os companheiros de cela olharam de soslaio uns para os outros.

— Pagou por esta cela? — exclamou James. — Ninguém pagou por ela.

— Alguém pagou, antes de vocês cá chegarem — disse Hawkins, mostrando-se um pouco embaraçado. — Caso contrário, teriam ido parar à ala comum.

Uma hora mais tarde, depois de Hawkins partir, Mary virou-se para os amigos. — Quem podia ter pago a cela? — perguntou-lhes.

Hawkins não se importara nada de lhes explicar o sistema da prisão. Toda a gente, a não ser que alguém tivesse intercedido em seu favor antes da chegada, era posta com os criminosos de delito comum, daí o nome de «ala comum». Essas celas eram imundas, estavam superlotadas e constituíam focos de doenças. Os prisioneiros estavam à mercê dos loucos e dos elementos perigosos e só por sorte se acordava com as botas ainda nos pés. As mulheres novas e os rapazes eram infalivelmente violados na primeira noite e raramente por uma só pessoa.

Hawkins continuou, explicando que, desde que um prisioneiro tivesse algum dinheiro ou objectos para vender, podia comprar uma cela mais limpa e segura e conseguir as regalias que eles próprios já haviam descoberto. A galhofa no pátio era a prova de tudo isso; as pessoas que tinham visto eram ricas ou tinham amigos ricos e influentes. Mas, quando o dinheiro se acabava a um prisioneiro, voltava direitinho para a ala comum.

Hawkins falou do caso de um salteador de estrada que conseguiu ter a cama de penas na cela, água quente para o banho todas as manhãs, a camisa lavada, refeições com bom vinho e, à tarde, a amante visitava-o. Acabou por ser enforcado mas, como Hawkins sublinhou, os subornos não safavam as pessoas de tudo.

— Algum de vocês conhece *alguém* em Londres? — perguntou Mary aos homens, perplexa. Nenhum deles fazia ideia de quem pudesse ser o seu misterioso benfeitor.

— Eu conhecia algumas pessoas — respondeu James. — Mas essas nem uma caneca de cerveja me pagavam, quanto mais uma cela decente.

— Talvez tenha sido alguém que teve pena de nós depois de ler aquilo no *Chronicle* — sugeriu Sam.

— Deve ter sido isso — corroborou Bill, cofiando pensativamente a barba. — Quando eu era pequeno, foi assassinado um homem no Berkshire que deixou mulher e cinco filhos e, quando as pessoas souberam da história, mandaram-lhes dinheiro.

— Até pode ser, mas para começar quem é que foi contar a nossa história? — quis saber James, intrigado. — Aquele artigo tinha quatro ou cinco dias. Ainda estávamos no barco no Canal da Mancha. Como é que podiam conhecer a história?

— Alguém deve ter dado à língua quando o barco atracou em Portsmouth — disse Sam, abrindo-se num sorriso radioso. — O capitão Edwards desembarcou nessa altura e há-de ter informado as autoridades sobre nós. Houve muitas mais pessoas que também desembarcaram aí, qualquer uma delas podia ter falado a um jornal.

Mary imediatamente percebeu que a história só podia ter tido origem em Watkin Tench. O capitão Edwards não sentia qualquer simpatia por eles nem pelos revoltosos que tinha capturado e, por isso, qualquer informação que tivesse dado só os teria denegrido.

Quanto a outros oficiais que haviam desembarcado em Plymouth, os seus relatos nunca teriam sido tão fidedignos.

Tench saberia também como funcionava a corrupção nas prisões do seu tempo no *Dunkirk* e como lhes podia conseguir uma cela em Newgate.

Instantaneamente, Mary decidiu não dizer nada aos outros. Estava um pouco surpreendida por não terem posto a hipótese de Tench mas nenhum deles tivera um envolvimento tão próximo com ele como ela. Confidenciar-lhes agora a sua ideia só levantaria questões a que não queria responder. Além disso, se Tench tivesse procedido secretamente, pretenderia decerto que assim permanecesse — a sua carreira podia estar em risco se se soubesse. Era preferível que continuassem a pensar que fora um generoso estranho.

— A sorte está outra vez a bafejar-nos — disse James com uma gargalhada alegre, não reparando sequer que Mary não tinha feito qualquer comentário sobre o assunto. — Se o dinheiro continuar a entrar, pode ser que acabemos a dormir em camas de penas como o tal salteador.

«Deus te abençoe, Watkin», pensou Mary, vendo-se obrigada a afastar-se dos outros para que não vissem as lágrimas de gratidão nos seus olhos.

Nos dias que se seguiram, receberam muitos visitantes na cela. Alguns queriam apenas ouvir o relato da fuga, mas eram mais os destinados à deportação que queriam saber com o que contar.

Mary sentia-se levemente culpada por estarem a aceitar dinheiro daquela gente. Enfrentarem a separação dos entes queridos era já de si suficientemente terrível, era escusado agravar a sua infelicidade com a ideia do temido cavalete de açoitamento, da fome e do calor incessante. Mas, como disse James, era melhor que gastassem algum do seu dinheiro a preparar-se para o que os esperava do que o esbanjassem em bebida e Mary supunha que ele tinha razão.

A primeira vez em que foram autorizados a sair para o pátio da prisão, Mary teve a sensação de estar a chegar a uma festa elegante. As pessoas cumprimentaram-nos com afecto genuíno, oferecendo bebidas do bar, conselhos e amizade. James e os outros três homens aceitaram tudo aquilo alegremente, sobretudo os galanteios das mulheres. Mas Mary retraiu-se.

Embora soubesse bem ser admirada, e não alvo de desprezo ou compaixão, as suas emoções estavam demasiado vivas para querer conversar com estranhos, por mais bem-intencionados que eles fossem. Só desejava sentar-se sossegada ao sol, mas era impossível porque todos queriam falar com ela.

Algumas pessoas pretendiam informações sobre a fuga, outras queriam notícias de amigos e familiares que tinham sido deportados, havia mulheres que queriam mesmo conhecer as suas experiências ao dar à luz. Havia ainda homens que tentavam cortejá-la ou que faziam sugestões lascivas.

Poucas horas depois, Mary já tinha visto e ouvido o suficiente. Não queria ser artista naquele circo nem sequer parte da assistência.

Nunca até então reflectira sobre os seus sentimentos a respeito do mundo do crime a que pertencia há tantos anos. Quer no navio-prisão, no barco ou na colónia penal, não passava de mais uma condenada a cumprir a pena, fazendo o necessário para sobreviver. Nessa qualidade, era leal para com os seus companheiros de prisão, encobrindo-os e sendo por vezes cúmplice em roubos dos armazéns e noutros delitos, porque era esse o código por que todos se regiam.

Mas a perda dos dois filhos alargara-lhe a visão.

No fundo, nunca se arrependera de ter roubado o chapéu daquela mulher em Plymouth. Lamentava ter sido apanhada, ficara furiosa consigo mesma por ter sido tão imprudente. Mas nunca se pusera na pele da mulher nem imaginara como ela se sentira ao ser atacada e roubada.

Agora, pensando nisso, Mary sentia-se profundamente envergonhada. Na altura, não estava sequer a passar fome, não precisava do chapéu. Recordava as pessoas de bom coração que conhecera na sua infância, como Martha Dingwell, da padaria, que dava o pão por vender no fim do dia aos que não podiam comprá-lo, ou Charlie Allsop, o coveiro, que fazia de graça pequenos biscates para os enlutados, demonstrando-lhes a sua compaixão. Aqueles dois e outros como eles eram, eles próprios, pessoas pobres e não faltara quem se risse deles. Mas Mary compreendia agora que as Marthas e os Charlies deste mundo enriqueciam a vida. Os criminosos só a tornavam assustadora e feia, contaminando tudo com a sua ganância egoísta por dinheiro e por coisas para as quais não haviam trabalhado.

Passando os olhos pelo pátio da prisão, só via pessoas que não pensavam em mais nada senão nelas próprias. Não sentiam remorso por mentirem, enganarem, roubarem ou matarem. O facto de terem dinheiro para se desenvencilharem ali à custa de subornos e alardearem, embriagados, os seus crimes, era apenas uma prova disso.

Eram, pensou, sem dúvida nenhuma, os piores malfeitores e rufiões de Londres, prostitutas endurecidas e ladrões dos mais astutos. Quer tivessem nascido em berços de ouro ou na sarjeta, todos usavam essa gíria do mundo do crime, essa linguagem de bandidos com que se familiarizara na colónia. Pressentia também uma perigosa atmosfera latente, que impregnava o pátio: ciúme, frustração sexual, violência reprimida e velhas contas por ajustar fervilhando enquanto as pessoas bebiam.

Mary não era nenhuma puritana. Sabia que o álcool era um remédio potente para mitigar a infelicidade e o medo. Mas, por mais desesperada que se sentisse, sabia que nunca se venderia por um ou dois copos de *gin* nem consentiria em ter relações sexuais à vista de toda a gente. Era o que algumas mulheres estavam a fazer e perante o olhar dos próprios filhos.

Por várias vezes, durante a tarde, desviara os olhos quando se deparara com homens a fornicar como animais com mulheres tão bêbadas que estavam quase inconscientes mas, ao que parecia, alguns deles também gostavam de crianças. Uma mulher idosa, que foi sentar-se ao lado de Mary por algum tempo, disse-lhe que alguns homens subornavam os carcereiros para que lhes levassem uma provisão constante de crianças da ala comum. Rompera a rir e Mary podia não acreditar, mas mais tarde viu um homem corpulento a acariciar uma rapariguinha esfarrapada que não teria mais de seis anos.

Sentia um aperto no coração ao ver o número de raparigas novas no pátio. Faziam-lhe lembrar ela própria com a mesma idade — a mesma pele rosada, a mesma estranha combinação de inocência e coragem. Estavam demasiado ocupadas a namoriscar com os prisioneiros mais distintos para conversarem com ela. Talvez pensassem que esses janotas as levassem com eles quando conseguissem sair de Newgate à custa de subornos.

Mary sabia que não era assim. Ao fim de uma ou duas semanas naquele lugar, as raparigas teriam perdido a inocência e a coragem abandoná-las-ia nos navios de deportados.

Alguns anos em Sydney e teriam o mesmo aspecto que ela. Um saco de ossos, sem esperança nem alento.

Estavam em Newgate há mais de uma semana quando Spinks entrou na cela e disse a Mary que tinha a visita de um senhor distinto.

Mary forjara uma amizade desconfiada com Spinks. Não podia gostar verdadeiramente dele, pois o homem era demasiado manhoso, sempre à coca de uma maneira de espremer mais dinheiro aos prisioneiros. Contudo, quando soubera da morte dos filhos dela, condoera-se sinceramente. Aparecia muitas vezes, quando ela estava sozinha, levando-lhe uma caneca de chá ou uma peça de fruta, sem lhe cobrar nada, unicamente para passar alguns momentos à conversa. Talvez se sentisse tão só como ela.

Spinks encontrava-a quase sempre sozinha porque, depois de assistir a um esfaqueamento na sua segunda visita ao pátio, Mary decidira que era melhor ficar na cela sombria. Também estava sozinha nesse dia pois os homens haviam saído todos para o pátio.

— Que senhor é esse? — perguntou ela. Spinks chamava «senhores» a todos os homens com dinheiro.

— Chama-se Boswell — respondeu ele com um sorriso satisfeito. — Disse que era advogado.

— Então não é de Newgate?

— Bem, não temos por aqui muitos advogados — retorquiu Spinks, rindo-se da sua piada. — Então, queres falar com ele ou não? A mim é-me indiferente.

Mary suspirou. Não tinha vontade de falar com ninguém mas uma pessoa de fora talvez a distraísse da sua melancolia. — Trá-lo aqui — disse, num tom enfadado.

— Assim é que é falar — disse Spinks, afectuosamente. — Porque é que não penteias esse teu lindo cabelo enquanto lá vou? Olha, até te trouxe uma fita para o atares.

Tirou do bolso uma fita de cetim vermelho, meteu-lha na mão e saiu. Mary sentiu um nó na garganta ao passá-la pelos dedos, recordando-se do pai. Trazia-lhes sempre fita, a ela e a Dolly, quando voltava do mar. Nessa época era uma maria-rapaz e nunca apreciara verdadeiramente esses mimos. Mas desta vez apreciou; precisava de qualquer coisa de garrido e feminino para ganhar ânimo.

— Boa-tarde, Mrs. Bryant.

Mary rodou nos calcanhares ao som da voz melodiosa. Estava tão absorvida a atar a fita na nuca que não ouvira o homem a aproximar-se pelo corredor.

Spinks não se enganara, era realmente um senhor distinto. Talvez com uns cinquenta anos, bastante forte, com uma cara levemente avermelhada, de estatura média e muito bem vestido — um tricórnio verde-escuro, debruado com galão dourado e uma casaca de excelente brocado. Estava também sem fôlego, a respiração ruidosa, da subida das escadas.

— O meu nome agora é Mary Broad — disse ela rispidamente, baixando os olhos para as suas meias imaculadamente brancas e sapatos de fivelas elegantes. — Porque é que quer falar comigo?

— Quero ajudá-la, minha querida — disse ele, estendendo a mão. — Chamo-me Boswell, James Boswell. Sou advogado, se bem que seja mais conhecido graças ao meu livro sobre o Dr. Samuel Johnson, o meu querido amigo já falecido.

Mary reconheceu o sotaque escocês pois havia dois oficiais em Port Jackson que falavam do mesmo modo. Mas a questão do livro sobre o amigo morto não lhe dizia absolutamente nada. Estava mais impressionada com a corrente de ouro do relógio e com o extravagante colete de seda. Parecia-lhe que nem o rei se devia vestir tão bem.

Apertou-lhe a mão, espantada por um homem poder ter uma mão tão macia. Parecia massa quente. — Ninguém me pode ajudar — disse ela. — Mas é muito amável em oferecer a sua ajuda quando eu nem uma cadeira lhe posso oferecer.

Ele sorriu e ela notou que os seus olhos eram escuros e profundos, grandes e quase luminosos. Como ele usava peruca, não lhe podia ver a cor do cabelo mas calculou, pelas fartas sobrancelhas, que já fora escuro como o dela.

— Não acredito que ninguém possa ajudá-la — disse Boswell categoricamente. — Quero defendê-la. Por isso, sugiro que me conte a sua história. Só sei o que li nesse relato extraordinário no *Chronicle*.

CAPÍTULO 18

James Boswell afastou-se em passos largos da prisão de Newgate, um tanto irritado por Mary não se ter prostrado aos seus pés, considerando-o um salvador. Não lhe ocorrera por um momento que a sua oferta de ajuda não seria bem-vinda.

— Diabo da mulher — murmurou. — Pode ser uma heroína mas é claramente uma desmiolada.

Um grande amigo dele afirmara, anos antes, que «Bozzie» era um viciado em causas perdidas. Nesse caso, referia-se à sua paixão por prostitutas, mas era sabido que Boswell se solidarizava profundamente com qualquer pessoa que, aos seus olhos, fosse vítima de um tratamento injusto. Defendera com frequência gente pobre sem cobrar nada e aceitava causas que os seus colegas recusavam.

Na verdade, nada o entusiasmava mais do que um processo que todos diziam que era impossível ganhar ou uma mulher apostada na autodestruição. E Mary Broad era as duas coisas.

O que nenhum dos amigos que troçavam dele entendia é que considerava que tinha muito em comum com os seus clientes e as suas prostitutas. Sabia o que era ser obrigado a seguir, contrariado, uma carreira; era muitas vezes incompreendido, cometia erros de avaliação e era temerário.

O pai, Lord Auchinleck, juiz do Supremo Tribunal da Escócia, insistira em que seguisse a advocacia apesar do seu desejo de se alistar na Guarda Real. Assim que terminou os estudos, Boswell correu para Londres e converteu-se ao catolicismo, o que escandalizou a sua austera família presbiteriana. Aliás, considerou também brevemente a ideia de se tornar monge. Mas um católico não podia tornar-se oficial do Exército nem causídico, ou tão-pouco herdar a fortuna da família, e assim rapidamente abandonou o catolicismo e cedeu, contrafeito, aos desejos do pai, ingressando nos Colégios de Jurisconsultos. Mas, no fundo, não foi uma mudança de ideias genuína, foi mais com o objectivo de poder ficar em Londres e usar a mesada para fazer boa figura na sociedade.

Boswell era o primeiro a admitir que era mau aluno. Passava mais tempo no teatro, nas corridas e a beber e a namoriscar com mulheres do que a estudar. O pai esperava igualmente que ele fizesse um casamento vantajoso mas, nesse aspecto, Boswell decepcionou-o casando com a prima, Margaret, que não possuía fortuna. Mas casou por amor, o que para ele era mais importante que o dinheiro.

Depois, a sua amizade com Samuel Johnson foi mal entendida. As pessoas diziam que ele se insinuava nas afeições do grande homem para se autopromover. Diziam que Boswell era um snobe, um arrivista, um mulherengo, um borrachão e um hipocondríaco.

Era certo que gostava de mulheres e de vinho. Não conseguia resistir a uma bonita criada de quarto ou a uma prostituta, mas isso só demonstrava o seu entusiasmo pela vida. O que os seus detractores não compreendiam era que passava a maior parte da sua vida a planear, a compilar e a coligir material para a sua obra, *A Vida de Samuel Johnson*. Para lhe fazer justiça, tivera de entrar nos círculos em que Johnson se movia, observar, ouvir e ver através dos olhos de Johnson. Tirara prazer disso, naturalmente, e talvez se tivesse servido de alguns dos contactos que estabelecera. Mas nunca usou a amizade de Johnson para promover os seus interesses pessoais; adorava o homem e queria que o mundo inteiro partilhasse a sua sabedoria, inteligência e humor.

No seu íntimo, Boswell sabia que escrevera uma biografia brilhante do amigo e tinha a certeza de que, em anos vindouros, o seu nome equiparar-se-ia a outras grandes figuras literárias. Mesmo que não estivesse a receber todo o louvor extático e adulação de que se julgava merecedor, ganhara muito dinheiro com o livro. Possuía uma casa elegante, numa transversal de Oxford Street, e um guarda-roupa excelente. Comia e bebia bem, tinha um grande número de amigos e os seus adorados filhos eram uma fonte de enorme conforto. Feitas as contas, supunha que era tudo de quanto um homem precisava.

Contudo, ainda sentia o desejo de fazer qualquer coisa de sensacional antes de largar a pena e de pendurar a peruca e a toga. Tinha cinquenta e dois anos, era viúvo, já não gozava de uma saúde férrea e o tempo estava a esgotar-se. Queria ser recordado como «o Maior Biógrafo de Todos os Tempos» mas dar-lhe-ia também imensa satisfação frustrar aqueles que o consideravam um advogado medíocre. Ganhar uma causa importante e dramática era tudo o que desejava; ser encarado como um paladino dos fracos e oprimidos.

Boswell sorriu consigo mesmo, consciente de que era uma atitude um pouco egoísta. No fundo, as suas fortes convicções a respeito do caso de Mary Broad eram absurdas pois, até essa manhã, nada sabia sobre ela e sobre a situação desesperada dos seus companheiros. Para ser rigorosamente verdadeiro, coisa que o pai sempre defendera insistentemente, nunca considerara sequer o bem-estar dos criminosos condenados à deportação.

Na sua opinião, a deportação era uma solução humana e prática pois desterrava os criminosos para um lugar onde não podiam causar mais males à sociedade. Era uma solução muito melhor do que a forca. Quando era novo, assistira à execução pública de uma salteadora de estrada e jovem ladra, chamada Hannah Diego, e o horror dessa visão jamais o abandonara.

E, contudo, naquela manhã, estava a tomar calmamente um café em casa e a ler o jornal, unicamente a matar tempo antes de visitar a sua editora para se inteirar da venda do seu livro, quando se deparou por acaso com um relato da fuga da baía de Botany.

Fora a própria citação das palavras de Mary que havia suscitado o seu interesse. «Preferia ser enforcada a ser recambiada para lá.»

Visivelmente, a baía de Botany não era bem o paraíso tropical que os jornais tinham levado a maioria das pessoas a crer que era. Boswell não pôde deixar de ler até ao fim.

Ficou transtornado quando leu que Mary, oito homens e duas crianças pequenas haviam navegado perto de cinco mil quilómetros num barco descoberto. Mais perturbante ainda era o facto de quatro dos homens terem morrido depois de capturados. Mas foi a morte das duas crianças que verdadeiramente o condoeu. Sendo

347

um homem que adorava os filhos e se sentia feliz por estarem todos próximos dele, não era capaz de imaginar nada de mais trágico do que perder um único deles. A pobre mulher perdera tudo, o marido e os filhos, e agora corria o risco de também perder a vida.

Mentalmente reviu Hannah Diego a debater-se quando foi arrastada em direcção ao nó do carrasco. Sentia o cheiro do medo dela, ouvia os rugidos macabros do público e recordava os pesadelos que tivera durante muito tempo.

Sentiu uma onda de revolta e fúria. Não podia cruzar os braços e deixar que Mary Broad sofresse a mesma sorte. Era bárbaro. Ela já sofrera o suficiente.

Boswell sentia-se igualmente curioso a respeito da personalidade da mulher. Não havia dúvida de que possuía uma imensa coragem e determinação para ter conduzido aqueles homens até à liberdade, uma força tremenda para ter sobrevivido à febre e à fome. Nesse momento, pousou subitamente o jornal, pediu o casaco e o chapéu e partiu para Newgate.

Na sua imaginação, Boswell pintara Mary Broad como uma mulher alta, forte e vigorosa, exactamente como as suas prostitutas favoritas. Ficou surpreendido quando deu com uma mulher miúda, franzina, com uma voz doce. Parecia demasiado velha para a idade, oprimida pela dor, os olhos cinzentos revelando já a sua resignação à morte.

Ela relatou-lhe a sua história com simplicidade, como se estivesse cansada de a repetir. Não fez qualquer tentativa para conquistar a sua compaixão, não entrou em pormenores chocantes sobre as adversidades, privações ou crueldades por que passara. O único momento em que as lágrimas lhe surgiram nos olhos foi quando falou do enterro de Charlotte no mar. Mesmo assim, limpou-as rapidamente e disse então que fora tratada com clemência no *Gorgon*.

Boswell ficou muito comovido, adivinhando os horrores que Mary omitira. Já visitara Newgate muitas vezes e chegara assim preparado para mentiras, exageros e distorções da verdade. Como a maioria dos seus contemporâneos, acreditava na existência de uma classe de criminosos, um estrato de pessoas que estavam predestinadas a corromper uma sociedade decente. Podiam ser facilmente identificadas pelos seus modos rudes, pela sua ociosidade e pela sua falta de princípios. Vira muitas delas no pátio da prisão, pavonean-do-se como se estivessem num clube privado e selecto.

Mary não fazia, de modo algum, parte dessa classe. Tinha mais em comum com os devedores, que se sentavam desconsoladamente em grupos, amargamente envergonhados dos actos que os haviam levado à prisão, privados de esperança e alento.

No entanto, a brilhante fita vermelha no cabelo escuro de Mary, um pouco incongruente quando o seu vestido era pobre e sujo, sugeria que o espírito indomável que a mantivera viva através de tantas adversidades ainda não morrera, mesmo que estivesse agora silenciado. Perguntara ousadamente se ele estava também prepara-do para defender os quatro amigos. Quando ele respondera que só se considerava capaz de defender a causa dela, afastara-se como que a pôr fim à conversa.

— Então não posso aceitar a sua oferta — acabara por dizer. — Estamos todos juntos, eles são meus amigos e eu não tenciono abandoná-los.

Boswell não conseguia conceber que alguém numa situação tão desesperada pusesse a amizade à frente da própria vida. Tentou cha-má-la à razão, explicando que podia ganhar o processo dela pois ela teria a simpatia popular do seu lado por causa dos filhos. O que tam-bém pensava, mas não podia admitir, era que considerava o julga-mento dela como uma espécie de vitrina para expor os seus talentos. Queria-o cheio de carga emocional, imaginava-se a proferir alegações finais dramáticas e comoventes. Mas, se também tivesse de defender os quatro homens, todos eles provavelmente personagens dúbios, a simpatia que conseguiria para Mary podia diluir-se rapidamente.

— Não me resta nada senão esses quatro amigos — Mary limi-tou-se a dizer. — Passámos juntos as penas do inferno e são para mim como irmãos. Prefiro entregar-me à minha sorte com eles.

— Achas que eles fariam o mesmo por ti? — perguntou ele. — Não me parece, Mary, todos eles fariam o que pudessem para salvar a pele sem atender à tua sorte.

— Talvez — suspirou ela. — Houve um tempo em que a minha própria sobrevivência contava mais do que tudo o resto no mundo. Mas isso pertence ao passado. Agora já não lhe dou muito valor.

James ficou impressionado com o seu sentido de honra mas achou que ela perdera o bom senso juntamente com a coragem.

«Como é que vais devolver-lhe o ânimo, Bozzie?», perguntou ele a si mesmo, tirando o chapéu a uma bonita rapariga que acompanhava uma senhora idosa.

Deteve-se e virou-se para olhar para a rapariga, registando a sua cintura fina, o laço empertigado na saia armada do vestido cor--de-rosa e o chapéu de fitas enfeitado com margaridas. Veronica e Euphemia, as suas duas filhas mais velhas, tinham muitos vestidos e chapéus iguais, e nada lhes dava mais prazer do que roupa nova. Talvez uma peça de roupa bonita fosse uma boa maneira de instilar de novo em Mary a vontade de viver.

O ambiente na pequena cela em Newgate estava tenso, os quatro homens fitando Mary com olhos frios e desconfiados.

— Não olhem para mim assim — disse ela, indignada. — Só não lhes falei da visita dele porque ele não nos pode ajudar.

Os homens tinham regressado à cela ao fim da tarde e estavam todos muito bêbados. Se estivessem sóbrios, talvez lhes tivesse falado da visita de Mr. Boswell mas, enquanto eles coziam a bebedeira, chegou à conclusão de que não ganharia nada com essa revelação. Mr. Boswell apenas a queria ajudar a ela e, se lhes dissesse isso, só ficariam magoados.

Infelizmente, não se apercebera de que uma visita do exterior atrairia tantas atenções e especulação entre os reclusos e os carcereiros. Quando os homens ficaram novamente sóbrios e voltaram ao bar, parecia que já toda a prisão comentava o distinto advogado que a visitara.

— Que esquema andas a preparar? — explodiu James, o seu rosto enxuto vermelho de fúria.

— Não é esquema nenhum — retorquiu Mary. — O Spinks trouxe-o aqui, ele estava curioso a nosso respeito mas não suficientemente interessado para nos defender.

— Deixas um advogado chegar e partir sem me chamares? — gritou-lhe James. — Eu conseguia interessá-lo.

Mary encolheu os ombros. — Quando estavas bêbado? Então é que ele perdia a vontade toda de nos ajudar.

— Eu aguento bem a bebida, dou a volta a qualquer pessoa, bêbado ou sóbrio — respondeu James, com maus modos. — Aposto que nem tentaste convencê-lo. Podes estar morta por ter a corda ao pescoço mas nós não.

Mary apelou aos outros três. — É impossível que não saibam que eu faria tudo ao meu alcance para os ajudar. A zurrapa do *gin* já vos corrompeu os miolos?

Todos puseram um ar um pouco envergonhado.

— Mas o James tem razão, devias ter ido chamar-nos — disse Bill, teimoso. — Ele é que tem o dom da palavra. Tu já não queres saber.

— Posso não querer saber de mim mas quero saber de vocês — retorquiu Mary acaloradamente. — E, se querem saber, acho que estão a ficar iguaizinhos a toda a gente aqui, a apanharem bebedeiras de caixão à cova e a foder tudo o que mexe.

— Esse indivíduo vai cá voltar? — perguntou Nat, esperançoso.

— Duvido — disse ela num tom seco. — Não nos pode ajudar em nada.

Ouviram Spinks a aproximar-se no corredor, aferrolhando as celas para a noite. Mary refugiou-se no seu canto da cela e deitou-se, esperando que o anoitecer rápido pusesse fim ao azedume. James e Bill continuaram a falar em voz baixa durante algum tempo. Mary não se esforçou sequer por ouvir porque se sentia exausta e deprimida.

Mr. Boswell fora extremamente simpático. Tirando Tench, mais nenhum homem se mostrara tão profundamente interessado nela. Talvez devesse ter-se esforçado mais por convencê-lo a ajudá-los a todos. Porque não se lembrou de implorar, chorosa, porque não se agarrou a ele ou se lhe ofereceu até?

«Nenhum homem te queria, com o aspecto que tens agora», pensou. Sabia, mesmo sem se olhar ao espelho, que não possuía qualquer encanto. A exposição ao sol tórrido e ao vento e uma má alimentação haviam-na envelhecido prematuramente; perdera as curvas, a sua pele já não era macia. Até Sam, que ela sabia ter nutrido sentimentos de amor por ela, parecia tê-los esquecido desde a detenção em Kupang.

Ouviu uma mulher a gritar à distância. Lembrava a agonia do parto e Mary sentiu um aperto no estômago, de compaixão. Era estranho ouvir aqueles sons, depois das coisas terríveis a que assistira nos últimos anos, as mágoas e as humilhações, ainda sentir a dor dos outros. Deveria estar completamente entorpecida agora, indiferente a que um recém-nascido sobrevivesse ou não. Mas ainda se importava; sempre que passava à porta da ala comum da prisão, sentia-se culpada, sabendo que os desgraçados lá dentro passavam fome, que andavam sujos e sofriam de doenças, enquanto ela podia sair para o ar livre, comer, beber e dormir numa cela decente.

Os gritos calaram-se subitamente. Mary pensou se seria porque a mãe dera finalmente à luz ou porque morrera. Talvez devesse desejar, para bem dela, que a mulher tivesse morrido, pois as suas aflições só se intensificariam se vivesse.

Passaram três dias e, aos poucos, os homens retomaram os seus modos naturais para com Mary. Ao quarto dia, foram conduzidos ao tribunal para se apresentarem ao magistrado, Mr. Nicholas Bond.

Ficaram os cinco extremamente nervosos assim que foram mais uma vez acorrentados. Depois, enquanto a carroça da prisão percorria as ruas apinhadas e ruidosas, o nervosismo transformou-se em terror ante o que os esperava. Os olhos azuis de Nat estavam arregalados de medo, Bill cerrara os punhos de tal maneira que tinha os nós dos dedos brancos, Sam parecia estar a tartamudear uma oração. Até James ia excepcionalmente calado e, quando a carroça foi de súbito cercada por uma horda de pessoas a gritar-lhes, ele agarrou na mão de Mary.

Mary compreendeu imediatamente que a multidão não estava a clamar pelo seu sangue, muito pelo contrário. Gritavam «Bravo!», «Boa sorte» e «Deus vos acompanhe!».

Alguém atirou um ramo de urze branca para a carroça. Mary apanhou-o e sorriu. — Estão do nosso lado — murmurou.

Todos eles se tinham habituado à notoriedade em Newgate mas não lhes tinha ocorrido que a sua história também pudesse interessar as pessoas normais. Tornava-se evidente que sim e que suscitara a sua compaixão para serem tantas as que se deslocaram ao tribunal para mostrar solidariedade a Mary e aos seus quatro amigos.

*

Ao serem conduzidos ao banco dos réus, repararam que a sombria e poeirenta sala de audiências estava superlotada de espectadores. Entre eles, Mary vislumbrou James Boswell.

— Mr. Boswell está aqui — sussurrou ela a James, presumindo que ele e os outros lhe dariam novamente cabo da cabeça se não dissesse nada. — É o homem gordo com o casaco janota.

O magistrado, que tinha um rosto magro e os óculos encavalitados na ponta de um nariz muito afilado, interrogou-os um a um e pareceu extraordinariamente atento às suas respostas. Esse facto, só por si, constituiu mais uma surpresa pois todos eles tinham sido tratados com absoluta indiferença pelos juízes nos julgamentos que determinaram a sua deportação. E todos conheciam pessoas que foram levadas ao tribunal aos empurrões e condenadas sem quaisquer provas nem testemunhas.

Quando chegou a vez de Mary, o magistrado mostrou-se muito mais do que simplesmente atento; era visível que estava sinceramente interessado e empenhado em formar uma imagem clara dos acontecimentos. Apesar de nervosa, Mary encarou-o de frente e falou numa voz distinta. O único momento em que lhe faltou a voz foi quando foi questionada sobre a morte dos filhos.

— A ideia de fugir foi só minha — admitiu. — Planeei tudo e obtive as cartas e os instrumentos de navegação. Convenci o meu marido Will a alinhar e obriguei-o a convencer os outros a acompanhar-nos.

Sentiu os homens a olhar de lado para ela. Estavam claramente surpreendidos por ela se dispor a assumir o papel de instigadora do plano.

— Durante quanto tempo planeaste a fuga antes da partida da colónia? — perguntou o magistrado, perscrutando-a de um modo penetrante.

— Concebi a ideia de escapar quase desde o primeiro dia em que lá cheguei — respondeu ela. — Mas foi quando o meu marido foi açoitado só por ter ficado com dois dos peixes que tinha apanhado que a resolução de partir se tornou real. Passávamos fome, havia gente a morrer à nossa volta e, apesar disso, o meu Will, o único homem que conseguia trazer alimento, levou cem açoites. Não era justo.

353

As perguntas dele continuaram e Mary respondeu a todas com verdade. Por fim, o magistrado perguntou-lhe se estava arrependida do crime que determinara a sua deportação para a Nova Gales do Sul.

— Arrependi-me, sim, Meritíssimo — respondeu ela. — Não passa um dia em que não lamente o que fiz.

Às suas palavras, um murmúrio de aprovação percorreu o tribunal.

— Mas explica-me por que razão decidiste arriscar a vida dos teus dois filhos pequenos numa viagem tão longa e perigosa por mares nunca antes navegados? — perguntou ele.

— Os perigos eram tão grandes como na colónia — disse ela, resoluta. — Considerei que seria melhor morrermos todos juntos no mar do que morrermos lentamente, um a um, de fome ou de uma doença terrível.

O murmúrio de aprovação dos espectadores transformou-se num rugido. Quando o ruído abrandou, o magistrado anunciou que ainda não estava preparado para levá-los a julgamento, pelo que seriam reconduzidos à prisão e levados mais uma vez à sua presença para continuar o interrogatório daí a uma semana.

Ao serem acompanhados para fora do tribunal, os cinco foram bombardeados com mais gritos de simpatia. Foram fechados numa cela, na cave do tribunal, a aguardar o transporte para Newgate.

— É incrível a gente que se juntou — disse James, rejubilante, os seus olhos a brilhar como quando estavam em Kupang. — Estão todos do nosso lado. É impossível que agora nos mandem para a forca.

Mary não disse nada. Para ela, passar muitos mais anos na prisão era uma perspectiva infinitamente pior do que o cadafalso.

— Foste fantástica — disse-lhe Sam, sorrindo de orelha a orelha. — Mas não devias ter arcado com as culpas todas.

Mary encolheu os ombros. — Só disse a verdade, obriguei o Will e convenci-o a envolvê-los a vocês.

— És uma mulher de coragem, não há dúvida — disse Bill, numa voz trémula. — Desculpa se pensámos mal de ti no outro dia.

Antes que Mary pudesse responder, ouviu subitamente o som inconfundível da voz de Mr. Boswell. Estava ao fundo do corredor de pedra, exigindo que o deixassem entrar para falar com ela. Mary sentiu um baque no coração. Se ele tornasse a oferecer-se para a defender diante dos homens, iam considerá-la uma mentirosa.

Nesse momento, ele surgiu do outro lado da grade, resplandecente com um casaco azul-escuro e um colete bordado, o rosto redondo e vermelho abrindo-se num sorriso.

— Mary, minha querida, deste muito boa conta de ti — ribombou, animado. — Derreteste o coração de toda a gente. Dentro de dias, as pessoas em todo o lado vão ler as notícias dos jornais sobre os acontecimentos de hoje e a Inglaterra em peso vai apoiar-te.

— Só a mim não, espero bem — conseguiu ela dizer, esperando que ele tivesse o bom senso de perceber a sua posição junto dos homens. — Estamos nisto juntos e ainda não lhe apresentei os meus amigos.

— Claro, claro. A simpatia das pessoas ali dentro foi com todos — disse ele, estendendo uma caixa com uma quantia substancial de dinheiro. — Houve um peditório para os ajudar com as despesas enquanto estiverem em Newgate. Sinto-me muito feliz por todos.

James apresentou-se e apresentou os outros. — Quer isso dizer que já está preparado para nos defender? — perguntou, pegando na caixa das mãos de Boswell.

— Agora que o público se juntou à Mary a chamar-me à razão, reconsiderei e acho que também os posso defender, isto é, se a Mary também estiver pronta a reconsiderar. — Boswell abriu-se num sorriso, olhando para cada um dos homens, aparentemente sem se aperceber dos gestos frenéticos de Mary atrás. — Espero que saibam apreciar a lealdade da vossa amiga. E agora temos de falar sobre a fase seguinte. Julgo que já não se põe a questão da pena de morte, apenas de prisão. Mas estou apostado em conseguir um indulto para todos.

Não esperou para ver como reagiam àquela notícia, continuando: — Na próxima semana, lá estarei para os defender e, entretanto, vou falar com Henry Dundas, o ministro do Interior. É um grande amigo meu.

Assim que Boswell partiu, James soltou um grito de alegria e abanou a caixa do dinheiro. — Ele conhece o ministro do Interior — rejubilou. — E as pessoas organizaram um peditório para nós. Vamos ser absolvidos!

Sam olhou para Mary, pensativo, o que a fez corar. — Ele quis defender-te só a ti e tu recusaste, não foi? — perguntou ele num tom reverente.

Os outros três homens franziram o sobrolho, sem compreender. Nat perguntou a Sam o que ele estava a dizer.

— Não percebem? — Sam abanou a cabeça perante a estupidez deles. — Esse advogado não apareceu aqui por acaso. Veio falar outra vez com a Mary. A razão por que ela não nos falou da visita dele no outro dia foi porque ele só a queria defender a ela. E ela recusou por nossa causa.

— É verdade? — perguntou Nat, os seus olhos azuis arregalados de incredulidade.

— Santo Deus! — exclamou James. — E nós atirámo-nos a ti!

Mary corou violentamente. — Agora já não importa — murmurou.

— Importa, sim, Mary — disse Sam, passando o braço à volta dela. — Essas pessoas aí fora fizeram um peditório para nós por causa do que tu disseste no banco dos réus. Tenho a certeza de que foi por isso que o advogado mudou de ideias a nosso respeito. Mais uma vez, salvaste-nos a vida.

Mary não conseguiu dormir nessa noite, a sua cabeça fervilhava de dúvidas. E se viessem a passar meses ou mesmo anos na prisão e o público acabasse por perder o interesse pela sua sorte? Nessa altura, nunca mais conseguiriam um perdão. E se Boswell não passasse de um fanfarrão como Will e não conhecesse afinal o ministro do Interior? E se lhe fosse concedido o perdão? Para onde iria e como viveria?

Se a imaginação do público estivesse assim exaltada a respeito da sua situação desesperada, como Mr. Boswell dizia, era mais que certo que a família acabaria por saber. A mãe morreria de vergonha quando visse o nome da filha nos jornais. Mary não podia deixar de achar graça ao facto de se preocupar com isso depois de tudo o que passara. Mas os sentimentos da mãe continuavam a ser muito importantes para ela. E ansiava desesperadamente por vê-la e também ao resto da família.

Na segunda audiência, no tribunal de primeira instância, os cinco fugitivos retornados souberam oficialmente que não seriam enforcados. Receberiam uma pena indeterminada sem julgamento. Os homens ficaram satisfeitos; gozavam de celebridade e tinham dinheiro suficiente para viverem confortavelmente em Newgate, que era um paraíso depois de algumas das outras prisões onde haviam estado. Seria, claro, fantástico se Boswell lhes conseguisse um perdão, mas não estavam a contar com isso.

Mary, porém, não via as coisas do mesmo modo. Queria ser enforcada ou posta em liberdade, os meios-termos não serviam. Podia esperar pela liberdade, mas precisava de saber exactamente quanto tempo lhe levaria a poder caminhar novamente sobre relva, a nadar no mar, a inalar a fragrância das flores e a cozinhar as suas próprias refeições. Não podia passar os seus dias no meio daquele torpor saturado de *gin*, à velha maneira de Newgate.

Boswell tinha razão ao dizer que toda a gente em Inglaterra ouviria falar deles. A história espalhara-se por toda a parte. Mas a fama não dava qualquer prazer a Mary. Todos os dias chegavam pessoas à prisão que queriam conhecê-la. Algumas pertenciam a organizações que se opunham vigorosamente à deportação, outras eram jornalistas, mas no geral eram apenas pessoas curiosas que queriam ver a mulher de que os jornais falavam como se ela fosse um monstro num espectáculo de feira.

Mary não podia recusar-se a receber aquelas pessoas. Sabia que todos eles estavam dependentes da opinião pública para conseguir um perdão. Mas era doloroso estar constantemente a repetir a sua história e ouvir as pessoas remexer num passado que preferia esquecer.

James exultava com o que se estava a passar, sobretudo com as visitas repetidas de senhoras finas. Mary sabia que elas pouco se importavam com o seu sofrimento. Visitar Newgate era uma distracção das suas vidas desinteressantes. James mostrava o seu charme irlandês e entregava-se a jogos de sedução com elas, contando-lhes coisas chocantes que elas podiam repetir em segredo a amigas menos atrevidas, durante o chá da tarde. Em troca, levavam-lhe comida, roupa nova e livros. Começou também a escrever um relato da fuga que esperava vender por dinheiro suficiente para regressar à Irlanda e criar cavalos.

Quanto a Nat, Bill e Sam, pela primeira vez na vida sentiam-se importantes. Também tinham admiradoras e, de dia para dia, pareciam ter menos necessidade de Mary.

Depois havia Mr. Boswell. Mary gostava dele — era um homem inteligente, divertido e muito bondoso — mas não sabia o que ele queria dela.

James Martin tomara a seu cargo descobrir tudo sobre o homem e algumas das informações eram um tanto assustadoras. Embora fosse um escritor famoso e muito admirado, e se desse com a aristocracia, era também um libertino que bebia muito e convivia com prostitutas. Podia ser um pai bom e extremoso para os filhos mas constava que ignorara a mulher ao ponto de não se ter deslocado à sua terra natal, na Escócia, quando ela estava a morrer. Também não era considerado grande advogado.

Mary via semelhanças de carácter entre ele e Will. Transmitia a impressão de um grande talento, de inteligência e ousadia, exactamente como Will. Mr. Boswell era muito mais velho, claro, bem--educado e um senhor distinto, mas se lhe retirasse alguns anos, a erudição e a roupa fina, tinha muitas coisas em comum com Will. Falava de amigos bem posicionados, mas seriam realmente amigos ou apenas conhecimentos superficiais? Vangloriava-se ainda das causas que ganhara em tribunal e dos seus sucessos com as mulheres e afirmava-se descendente de Roberto I da Escócia.

Mas Mary sentia-lhe o cheiro a álcool no hálito, fosse qual fosse a hora do dia a que a visitasse, e a sua pele vermelha era sinal de que bebia de mais. A bebida também fora uma das fraquezas de Will e ela não podia esquecer o papel que desempenhara na sua desgraça.

Contudo, durante as visitas de Boswell, Mary acreditava cegamente nele. Era muito fácil acreditar pois a sua voz melodiosa, com um leve sotaque escocês, era agradável de ouvir. Ele pintava-lhe um mundo novo de jantaradas, vestidos de noite e casas de campo. Fazia-a rir com as suas vívidas descrições das pessoas que conhecia. Todavia, apesar de todo esse exibicionismo, a sua bondade era também evidente. Odiava a injustiça e possuía um verdadeiro entendimento da vulnerabilidade, especialmente das mulheres. Adorava crianças e aspirava a uma sociedade mais justa e a escolas para os pobres.

Quando Mary estava na sua companhia, o espaço parecia tornar--se acolhedor e luminoso, a conversa dele estimulava-a e dava-lhe esperança. Mas, assim que ele partia, as sombras regressavam. O que é que ele queria realmente dela? Por qualquer razão, não era completamente capaz de acreditar que era o seu bom coração que ditava toda essa magnanimidade. Tinha de ter um motivo, as pessoas tinham sempre.

No início de Agosto, pouco mais de um mês depois de terem chegado a Newgate, ele apareceu a visitá-la, desta vez numa pequena sala da prisão em baixo onde havia uma mesa e cadeiras.

— Credo, está um calor insuportável hoje — começou ele, respirando com dificuldade do esforço da longa caminhada até à prisão sob o sol quente e limpando a testa com um lenço. — Amanhã parto de férias. Vou para a Cornualha, minha querida, mas deixei tudo orientado, no que vos diz respeito, e estou convicto de que teremos boas notícias quando regressar.

Lançou-se numa explicação sobre uma carta a Henry Dundas, à qual ainda não recebera resposta. Mary teve a impressão de que a sua invocação anterior da grande amizade que o unia a esse homem fora provavelmente exagerada.

Mas Boswell pousou então na mesa o embrulho castanho que transportava. — Uma lembrança para ti, minha querida. Não é novo mas espero que te alegre.

Mary abriu-o e soltou um arquejo de surpresa ao descobrir que era um vestido, provavelmente uma peça usada de uma das filhas, pensou. Era azul-claro e o decote acentuado estava debruado a renda branca.

— É lindo — observou ela, corando de embaraço. Era de facto o género de vestido com que qualquer mulher sonharia, mas era mais próprio de uma senhora de posição, para o chá da tarde ou para um passeio pelo parque, do que para uma prisioneira de Newgate com piolhos. — Muito obrigada, Mr. Boswell, mas não me parece indicado para mim.

— Os meus amigos tratam-me por Bozzie — disse ele, num tom de censura. — Considero-te uma amiga. E é claro que é indicado para ti, ainda és nova e em breve serás livre. Hei-de gostar muito de te ver com ele vestido.

— Acha mesmo que vou ser libertada? — perguntou ela, pondo o vestido de parte e sentando-se. — E, se for, o que é que vou fazer?

— Não tenho dúvidas de que serás absolvida — respondeu ele num tom firme. — E eu sou teu amigo e, como tal, hei-de arranjar um sítio onde ficares. Terei imenso prazer em mostrar-te Londres como deve ser.

— Não posso aceitar que faça isso — disse ela, um pouco assustada. — Não me importo nada de arranjar trabalho como criada ou costureira.

Ele pousou uma das mãos papudas e flácidas sobre a dela. — Vais precisar de mimos antes de poderes trabalhar — disse ele, lançando-lhe um olhar penetrante. — És pele e osso, precisas de te alimentar, de um tónico para te limpar o sangue. Também vais ter de te familiarizar com os costumes de Londres.

Mary foi assaltada por uma súbita e nítida imagem do tenente Graham. Mr. Boswell julgaria que se ia tornar seu amante?

Embora soubesse que, se ele lhe conseguisse o perdão, a sua gratidão a obrigaria a aceder, a ideia repugnava-lhe. Ele era gordo, o seu hálito cheirava a álcool e Mary achava que não seria sequer capaz de o beijar, quanto mais de dormir com ele.

— Tenho de encontrar o meu caminho sozinha — disse, após uns momentos de reflexão. — Estou-lhe infinitamente grata, Bozzie, mas se sair daqui não vou depender de si.

Ele soltou uma gargalhada e fez-lhe uma festa debaixo do queixo. — Faz lá um sorriso, Mary. És uma mulher bonita quando essa expressão tristonha desaparece. Não tomes decisões precipitadas porque Londres é um lugar hostil quando não se tem amigos.

Mudou então de assunto, para grande alívio de Mary, falando dos planos das suas férias na Cornualha.

Bastou a referência à Cornualha para evocar em Mary imagens vívidas de casa. Haviam passado mais ou menos sete anos desde que embarcara no barco para Plymouth e as palavras de Dolly, *«Podias dar a volta ao mundo que não encontravas uma terra tão bonita como Fowey»*, vieram-lhe à memória.

Agora tinha dado a volta ao mundo e era verdade, nunca visitara nenhum lugar tão bonito. Se fechasse os olhos, conseguia ver o mar a cintilar ao sol estival, cheirar o sargaço, ouvir as gaivotas.

— Nunca estive em Truro, Falmouth ou Land's End — disse ela quando Boswell lhe disse que planeava visitar essas terras.

— Não? — exclamou ele, surpreendido. — A sério?

— Vai compreender porquê quando lá for — disse ela, sorrindo porque, apesar da idade, ele evidenciava um entusiasmo de garoto pela vida. — Podem não ficar muito distantes de Fowey mas as estradas são más, pouco mais que caminhos de cabras.

— Tem havido distúrbios em Truro — disse ele com um suspiro. — O Exército foi chamado para calar os insurrectos. Mas a verdade é que tem havido distúrbios por todo o lado desde que partiste. Desconfio que a Inglaterra foi afectada pela Revolução Francesa, reinam o descontentamento e o desassossego.

Mary sabia que Boswell lia muitos jornais. Uma das coisas que mais apreciava nas suas visitas era a oportunidade de conversar sobre o que se passava fora dos muros da prisão. Podia ter a companhia dos quatro amigos mas a conversa entre eles era muito limitada. Estava cansada de falar sobre a fuga e as pessoas que conheciam na Nova Gales do Sul e tinha ainda menos interesse em falar sobre os outros prisioneiros.

— Quem me dera saber ler — disse ela, contristada. — Sou uma ignorante no que toca ao que se passa no mundo.

Ele voltou a pousar a mão sobre a dela. — Mary, podes aprender a ler se é isso que queres. Mas não digas que és ignorante porque tens muito mais inteligência e sabedoria do que muita gente que se considera inteligente.

Nesse momento, levantou-se. — Agora tenho de ir. Tenta não te afligires e acredita que estarás no meu pensamento durante a minha visita à Cornualha.

Deu-lhe um beijo na face. — Põe esse vestido, Mary, pode ser que ajude a relembrar o tempo em que ainda não conhecias as agruras da vida.

Mary pôs o vestido em muitas ocasiões. E Boswell tinha razão, fazia-lhe realmente evocar a sua meninice. Recordou os momentos em que corria ao encontro de Thomas Coogan em Plymouth, a forma como ele a tomava nos braços e a fazia rodopiar e os seus beijos deliciosamente estonteantes.

Não havia espelhos em Newgate mas, pelos olhares dos homens quando estava com o vestido, percebia que não tinha a aparência cansada e insípida que pensara ter. Saber isso era uma fonte de conforto; deu por si a pensar cada vez mais na liberdade e a desesperar, por vezes, com a sua demora em chegar.

CAPÍTULO 19

— O que te aflige, Mary? — perguntou Boswell, estendendo o braço sobre a mesa, na sala de visitas de Newgate, para lhe pegar na mão. — Quase não falaste comigo hoje!

Mary estava encarcerada há sete meses e era um dia gélido de Fevereiro. Usava um sobretudo de homem, um dos dois que as admiradoras de James Martin lhe haviam oferecido. Estava com meias grossas de lã e luvas sem dedos, mas continuava com tanto frio que lhe parecia que ia morrer. Mas não era apenas o frio que a acabrunhava assim, era a perda de ânimo.

— Alguma vez seremos perdoados? — perguntou ela num fio de voz. — Diga-me sem rodeios se já não vai acontecer, Bozzie. Não posso continuar assim à espera, a alimentar esperanças.

Sempre que Boswell a visitava, dizia-lhe que andara extremamente ocupado com a causa dela e dos amigos. Dizia que andava a incomodar toda a gente, a pressionar Henry Dundas e outras pessoas influentes. Mas à medida que os meses se arrastavam, Mary não podia deixar de suspeitar que as promessas de Boswell eram vãs.

— Passaram sete anos desde a tua primeira detenção — disse Boswell suavemente. — Aguentaste-os com uma força moral extraordinária. Não acredito que não possas aguentar agora um pouco mais. Ou perdeste a fé em mim?

Mary não queria admitir que era esse o caso pois tinha perfeita noção da sua ignorância do mundo fora da prisão e de advogados, juízes e ministros do Interior. Boswell costumava conversar

363

com ela em pé de igualdade, falando-lhe de pessoas famosas que tinha conhecido, de festas a que fora, do teatro ou de concertos, presumindo que ela sabia de quem ou do que estava a falar. Mas como podia saber? Era uma rapariga do campo analfabeta. O que vira de mais parecido com um concerto fora uma fanfarra em Plymouth. Nunca na vida se sentara a jantar a uma mesa posta com talheres de prata e copos de cristal.

Quando Boswell falava de Lord Falmouth, Evan Nepean e Henry Dundas, pessoas junto de quem intercedia por ela, eram apenas nomes. Não sabia quem eram nem o que faziam. Até podia estar a inventá-las para dar a ideia de que não cruzava os braços.

O pai costumava citar o provérbio: «Em terra de cegos, quem tem um olho é rei». Só compreendera o seu significado quando estava em Port Jackson. Lá era mais esperta do que a maioria dos outros prisioneiros, do que muitos dos soldados e, aliás, muitos dos oficiais. Começara a acreditar que era astuta em relação às pessoas e capaz de enfrentar praticamente tudo.

Mas Londres e Newgate eram outra cantiga. Ali todas as pessoas eram matreiras, podiam não ser mais cultas que ela mas eram finórias. Todos, reclusos, carcereiros ou visitantes de fora dos muros da prisão, possuíam conhecimentos e experiência muito mais vastos do que ela.

Podia ter ido até ao fim do mundo e voltado mas, desde que entrara em Newgate, apercebera-se das suas parcas capacidades. Era capaz de pescar peixe, amanhá-lo e cozinhá-lo, mas pouco mais. Depositara todas as suas esperanças em Boswell porque ele era competente e educado, mas talvez tivesse sido uma idiotice.

— Acho que perdi foi a fé em mim mesma — respondeu com um suspiro.

— É perfeitamente compreensível — disse ele, os seus olhos escuros revelando uma expressão doce de compaixão. — Newgate tenta destruir tudo o que transpõe as suas portas. Mas deves lutar contra isso, Mary. Olha à tua volta para as mulheres que se vendem por um copo de *gin*, para os homens que são capazes de roubar as botas de um homem que dorme, e lembra-te de que não fazes parte dessa gente. Graças à tua coragem e perseverança, conquistaste o coração de toda uma nação. Todos os dias as pessoas me perguntam por ti e me metem dinheiro nas mãos para te dar.

— Sim? — disse Mary, surpreendida, franzindo logo os olhos. — Onde é que está?

Boswell soltou uma gargalhada. — Estou a guardá-lo para quando precisares. Não seria prudente tê-lo aqui mas está tudo registado e, quando fores libertada, podes usá-lo em alojamento, roupa, comida e transporte para onde quiseres ir.

Ela assentiu com a cabeça, animando-se por ele ter usado a palavra «quando» e não «se». — Pode dizer-me quantas semanas faltam para eu ter a certeza?

Boswell abanou a cabeça. — Não, Mary. Estou a fazer o que posso para pressionar as pessoas com poder a libertar-te. Mais é impossível.

Depois de Boswell partir, Mary foi ao bar à procura dos homens. Apesar da sua aversão ao sítio, não queria esperar o regresso deles sozinha na cela.

Como sempre, os vapores do álcool barato quase a fizeram recuar, mal abriu a porta. A sala era pequena, uma espécie de cela com paredes de pedra cinzenta que transmitiam uma impressão de frio e humidade. Estava iluminada por uma candeia fumegante e a única mobília era um par de bancos inseguros. Só entrava ar fresco pela porta mas os seus frequentadores habituais pareciam ter-se adaptado ao ambiente poluído.

Não estava tão apinhado como habitualmente, talvez porque o tifo grassava na ala comum. Mas, mesmo assim, estavam presentes dezasseis homens e quatro mulheres, duas das quais Mary pensou que deviam ser recém-chegadas, pois nunca as tinha visto. Uma delas, com um vestido garrido às riscas roxas e azuis, estava sentada nos joelhos de um homem, deixando-o apalpar-lhe os seios enquanto bebia pela garrafa.

Como sempre acontecia quando ali entrava, Mary sentiu o estômago revolver-se. Não era por condenar que as pessoas bebessem naquele ou noutro lugar qualquer — a bebida era um mecanismo para suportar a prisão tão válido como a oração. Mas o bar parecia trazer à luz o pior das pessoas. Gabavam-se, lamentavam-se, falavam mal umas das outras. Os apalpões, muitas vezes acompanhados de comentários do seu autor, eram uma ocorrência normal.

Uma vez, tinha entrado e visto um homem a empurrar uma mulher do colo, depois de terminar o acto sexual, e outro homem a agarrar nela e a aproveitar-se dela também enquanto as pessoas o aplaudiam.

Eram também maquinadas ali intrigas contra prisioneiros impopulares e, como a inveja era geralmente a causa da maioria dos ataques violentos em Newgate, Mary temia muitas vezes pelos amigos e por si própria.

— Mary, meu anjinho! — exclamou James, ao vê-la à porta. — Anda tomar um copo connosco.

James tinha passado por uma mudança radical desde a sua chegada a Newgate. A celebridade, o facto de saber ler e escrever e o seu charme natural haviam-no destacado quase de imediato dos restantes prisioneiros. Mas a sua imagem fora ainda mais beneficiada com o afluxo de senhoras que o visitavam. Envergando roupa nova e elegante, bem barbeado e com o cabelo impecavelmente cortado, apresentava agora a figura de um membro da aristocracia irlandesa. Não poderia ser considerado um homem atraente, por causa da testa e do nariz excessivamente grandes, mas usava a roupa nova com estilo e o seu humor e entusiasmo eram muito cativantes.

Mary sentiu-se desalentada ao ver o seu rosto vermelho da bebida e os seus passos trôpegos ao aproximar-se dela mas muito pior do que a embriaguez era a companhia. Amos Keating e Jack Sneed eram a escumalha da escumalha, tão feios por fora como por dentro. Os dois tinham matado uma viúva idosa e rica à bordoada quando ela os apanhou a assaltar-lhe a casa. Nem agora, à espera de serem executados, demonstravam o mais pequeno remorso, gabando-se mesmo do que tinham feito. Nat, Bill e Sam não estavam na sala e Mary desconfiou que se tinham ido embora porque não queriam misturar-se com gente como Amos e Jack.

— Só queria falar contigo, James — disse ela, começando a afastar-se. — Mas pode esperar.

— A senhora é importante de mais para beber connosco? — Amos, o mais baixo dos dois, lançou-lhe um olhar lascivo, revelando os dentes podres ao sorrir.

Mary hesitou. Não fazia parte da sua maneira de ser virar as costas em silêncio a um comentário daquele tipo.

Mas a sua hesitação foi o que a perdeu porque Jack, o cúmplice de Amos, um brutamontes de um metro e oitenta de altura com uma cara muito vermelha, atravessou a sala em duas passadas e agarrou-a pela cintura.

— Eu gosto delas importantes — disse ele. — Não as há mais apertadinhas.

Levantou Mary, segurando nela com uma força brutal, e tentou beijá-la. Mary assentou-lhe uma estalada na cara mas ele limitou-se a rir.

— Isso, dá-me luta — rosnou ele, contente. — Não gosto das minhas mulheres molengonas.

Mary debateu-se mas ele segurava-a com demasiada força para ela conseguir libertar-se e, instigado pelos comentários ruidosos dos outros, não tencionava largá-la.

— Larga-me — gritou ela, crivando-o de murros. — James, ajuda-me!

Mary viu-o precipitar-se em frente mas Amos apanhou-o pelo pescoço para lhe travar o avanço e, nesse instante, ela compreendeu que corria verdadeiramente perigo.

A maioria dos homens em Newgate, quer fossem reclusos ou carcereiros, estavam convencidos que as mulheres estavam à sua disposição, para se servirem à vontade. Mary sempre se considerara segura, graças ao estatuto importante de que gozava como fugitiva e aos quatro amigos que estavam sempre por perto. Mas Jack e Amos claramente não tinham medo dela e julgavam-na uma presa fácil.

— Uma mulher que deixa quatro homens partilhá-la não se deve importar que um novo se junte ao barulho — sibilou-lhe Jack ao ouvido, antes de a atirar para o chão. Desapertou o cinto e saltou para cima dela, o cheiro pestilento da sua roupa imunda fazendo-a engasgar-se.

Mary voltou a gritar por James e captou um vislumbre fugidio dele enquanto os outros bêbados se juntavam para assistir ao que Jack se preparava para fazer. James estava com uma expressão angustiada mas Mary supôs que Amos ainda o retinha e nada podia fazer.

Mary debateu-se para se libertar de Jack, puxando-lhe pelo cabelo e arranhando-lhe a cara mas ele segurou-lhe nas duas mãos com uma enquanto a outra apalpava freneticamente debaixo da roupa dela. O sobretudo grosso de Mary atrapalhou-o um pouco e ela contorcia-se como uma enguia.

— Sai de cima de mim, porco nojento — gritou, cuspindo-lhe na cara. Tentou desesperadamente apoiar-se no chão com os tacões das botas, na tentativa de afastar o corpo dele, mas a superfície era demasiado escorregadia. Continuou a berrar a plenos pulmões mas isso só parecia inflamar Jack ainda mais, assim como os outros homem que assistiam. Desesperadamente, recordou-se que os gritos em Newgate eram uma ocorrência demasiado banal para que alguém lhe acudisse.

Sentiu a súbita tensão no ar com a excitação crescente dos espectadores e, se Jack conseguisse o que queria, não tinha dúvida de que outros se seguiriam. Mas não tencionava ceder à violação depois de tudo por que passara. Preferia morrer.

Resistiu-lhe com todos os vestígios de força que lhe restavam, libertando de novo as mãos para lhe enterrar as unhas nos olhos e puxando-lhe pelo cabelo oleoso até lhe arrancar um tufo. Quando ele tentou calá-la com um beijo, ela mordeu-lhe o lábio com toda a força.

— Mas que diabinho me saíste — exclamou ele, quase com admiração, parando por um segundo para limpar o sangue da boca.

Mary aproveitou a oportunidade para se empinar debaixo dele e conseguiu desviar-se uns centímetros para a esquerda. Mas Jack reagiu depressa; agarrou novamente nela com força, prendendo-lhe o corpo e o braço direito ao chão e, com a mão esquerda, tirou o cinto.

— Não, filho da puta! — Mary ouviu James gritar e talvez ele tivesse tentado aproximar-se para a ajudar mas ela não conseguia ver. Se tentou, não conseguiu, e Jack estava claramente a tentar usar o cinto para a subjugar através da violência ou para lhe atar as mãos.

De certo modo, a imagem dos espectadores era ainda pior do que aquilo que Jack se preparava para lhe fazer. A luz da candeia era fraca mas mesmo assim ela distinguia perfeitamente o brilho malicioso nas caras das pessoas. O seu terror transformou-se em fúria perante a depravação e fortaleceu a sua determinação em não lhes proporcionar o divertimento que queriam.

Mary sempre fora observadora e, nos últimos sete anos, apurara ainda mais esse talento por necessidade. Em ocasiões anteriores em que ali estivera, reparara que havia garrafas vazias pelo chão.

Estava demasiado escuro para ver se havia algumas hoje mas esticou o braço livre e varreu rapidamente o chão até sentir uma.

Jack já tinha desapertado os calções e o seu pénis projectava-se com a ponta arroxeada. Voltou a arremeter contra ela, com o cinto na mão, e ela calculou que a sua intenção fosse esganá-la para a submeter e calar.

Tentando distraí-lo, gritou novamente, apertando as pernas para que ele, ao tentar abri-las, se visse obrigado a largar uma ponta do cinto. Ele hesitou, sem saber muito bem por onde começar. Mary aproveitou a oportunidade para dar uma pancada seca com a garrafa no chão, deixando uma aresta partida e aguçada, e depois, com um só movimento lesto, espetou-lha no pescoço, imediatamente por baixo da orelha, com toda a força de que foi capaz.

Jack soltou um berro de dor, pondo-se logo de joelhos e levando as mãos ao pescoço. Mary saltou do chão e pôs as mãos nas ancas, ofegante do esforço e olhando com desdém para o seu atacante.

O silêncio abateu-se sobre o bar. Jack ainda estava de joelhos, o sangue a sair-lhe por entre os dedos. Revirava os olhos, aterrado, e da sua garganta saía um gorgolejo horrível.

— Vê se aprendes a lição — disse Mary entre dentes, desferindo-lhe um pontapé que o derrubou.

Virou-se para o resto dos assistentes, com a garrafa partida ainda na mão. As pessoas recuaram um ou dois passos, presumindo, ao verem a sua expressão colérica, que ela também as ia atacar. Momentaneamente não lhe faltou vontade, mas fizeram-lhe lembrar as ratazanas no hospital da Batávia. Como elas, aquelas pessoas tinham feições marcadas e modos furtivos. Perseguiam os mais fracos. Eram ignóbeis e nem o seu desprezo mereciam.

— Se algum de vocês pensar sequer em pôr-me um dedo em cima, mato-o — declarou furiosamente. — Agora, chamem alguém para tratar dele. James, tu vens comigo.

Os outros três homens ainda não tinham chegado à cela apesar de já ser quase noite. James, que se desfizera em desculpas enquanto subiam as escadas, deixou-se cair na palha, e encostou os joelhos ao queixo.

— Até parece que achas que te vou bater — disse Mary brusca-mente. — Se calhar era o que devia fazer por te dares com gente dessa.

— E se ele morrer, Mary? — gemeu James, o rosto branco como a cal na obscuridade.

— Achas que alguém se importa? — exclamou ela, acendendo uma vela. — É um assassino à espera da forca. Mas não vai morrer do que eu fiz, não passou de um ferimento superficial. Se chegar para te manter longe do bar durante uma ou duas semanas, já valeu a pena.

James ficou calado durante algum tempo. Mary sentou-se de costas contra a parede. Sentia-se agora enregelada e trémula, cons-ciente de que fora uma questão de sorte, mais do que força ou inte-ligência, que lhe permitira vencer Jack.

— Odeias-me? — perguntou James passados alguns momen-tos, numa voz fraca e trémula. Mary pensou que o choque dissipara os efeitos do álcool.

— Ora, porque é que havia de te odiar? — respondeu. — Não foste tu que tentaste violar-me.

— Devia ter arranjado maneira de o impedir. Desiludi-te.

— Todos os homens me desiludem — disse Mary, rompendo subitamente em lágrimas. Era a primeira vez que chorava desde que tinham chegado a Newgate. Dissera a si mesma que, depois de per-der os filhos, nada poderia fazê-la chorar. Mas mais uma vez fora obrigada a lutar para se defender e parecia-lhe que toda a sua vida consistira numa longa luta que estava agora demasiado cansada para continuar.

— Não chores, Mary — disse James, aproximando-se imedia-tamente para a consolar. — Não suporto ver-te chorar.

— Porquê? — perguntou ela com azedume, as lágrimas corren-do-lhe pelas faces. — Tens medo que, se eu me for abaixo, estejam todos perdidos?

Mary respondera sem pensar mas, de súbito, apercebeu-se de que era verdade. Desde o tempo do *Dunkirk* que as pessoas dependiam dela, lhe sugavam a energia. Recordava-se de estarem a montar as tendas, em Port Jackson, e de toda a gente lhe perguntar como se fazia isto e como se fazia aquilo. Queriam que ela ouvisse os seus problemas, pediam-lhe ajuda para tudo, desde tratar de uma criança doente a implorar aos oficiais um cobertor ou uma panela. Era uma constante, até à fuga e mais tarde.

Mas a quem é que ela podia pedir ajuda quando as coisas corriam mal? Mary era obrigada a controlar-se para não desesperar pois sabia que não podia contar com ninguém.

— Sem ti íamos ao fundo, é verdade — disse James, tristemente, como se lhe tivesse lido o pensamento. — Mas sabes o amor que eu e os outros te temos, não sabes?

— Não sei se acredito que os homens sejam capazes de amar — disse ela, entre soluços. — Quando os homens são capazes de usar o mesmo acto pelo qual demonstram o seu amor a uma mulher para lhe mostrar o seu desprezo e ódio, não acredito que tenham coração.

James abraçou-a com força e embalou-a contra o peito. — Essa ideia é muito cínica, Mary. Fiz muitas coisas de que me envergonho mas nunca possuí uma mulher pela força. E um homem pode amar uma mulher sem intenção de ir com ela para a cama. Eu, o Nat, o Bill e o Sam sentimos isso por ti, para nós és como uma irmã.

— Mas, se se me têm tanto amor, onde é que se metem todo o dia? — explodiu ela. — Fico para aqui sozinha horas a fio. Deixam-me a receber Mr. Boswell, sou eu que negoceio a comida com o Spinks, que trato de lavar a nossa roupa. Que é que vocês fazem senão beber?

— Deixamos-te a receber Mr. Boswell porque sabemos que é contigo que ele quer falar — disse James, indignado. — Também consegues melhores resultados com o Spinks porque ele gosta de ti. E, se te deixamos sozinha, é porque pensamos que é o que tu queres.

— Ai sim? — retorquiu ela.

— Sabes bem que é assim no caso do Boswell e do Spinks — respondeu James, na defensiva. — Foi alguma coisa que o Boswell disse que te levou ao bar à minha procura?

Mary reflectiu por um momento. Tinha-se praticamente esquecido da conversa com Boswell. — Acho que estava simplesmente transtornada porque ele não tinha notícias sobre o nosso indulto — disse, limpando as lágrimas com as costas da mão. — Começo a pensar que nunca mais seremos perdoados.

— Talvez então seja altura de eu escrever aos jornais — disse

James. — Para lembrar que ainda aqui estamos. Pode ser que alguém se mexa.

Mary tinha consciência de que os homens não se sentiam tão desesperados como ela para serem libertados. Queriam-no, naturalmente, mas haviam-se habituado a Newgate e, desde que o dinheiro para bebida e comida não se esgotasse, estavam contentes. Mas, na opinião de Mary, James vivia num paraíso falso. Quando chegaram, alimentara ambições de escrever um livro e de voltar para a Irlanda para criar cavalos mas agora não fazia mais do que matar o tempo a beber. Não parecia perceber que nenhuma das mulheres que o achava tão fascinante agora havia de querer conhecê-lo ou ajudá-lo quando fosse libertado. Agora tinha de começar a pensar nesse dia.

Endireitou-se e agarrou-lhe na cara com as duas mãos. — Ouve-me, James — insistiu. — Tens de deixar de ir ao bar. As pessoas que lá encontras não te estão a fazer bem nenhum. Por favor, começa a escrever o teu livro, lê, faz tudo menos beber, senão quando sairmos daqui voltas a meter-te em sarilhos e acabas aqui outra vez.

— Não me passes sermões, Mary — disse ele, repelindo-a com um encolher de ombros. — Já sei disso tudo.

— Sabes? — perguntou ela. — Então és muito mais inteligente do que eu. É que eu estou constantemente a reflectir sobre isso e ainda não sei como é que vou viver. Pergunto a mim mesma o que pode uma mulher fazer para levar uma vida honesta quando não sabe ler nem escrever? Gostava de saber onde é que está a pessoa, no seu perfeito juízo, que quer uma ex-presidiária a trabalhar na sua linda casa.

— Há sempre alguém — respondeu James alegremente.

Mary levantou uma sobrancelha, com uma expressão interrogativa. — Ai há? Achas que o fedor da prisão desaparece assim que eu sair do portão? Que está lá fora à minha espera uma pessoa bondosa, pronta a acolher-me em casa e a correr o risco de eu fugir com a prata da família?

James estremeceu. Nunca gostara de ouvir Mary recordar-lhes que eram todos gatunos condenados. — Mr. Boswell há-de ajudar-te. Além disso, há-de aparecer um tipo decente e casar-se contigo; até podes voltar a ter filhos.

Mary soltou uma gargalhadinha áspera. — Pareço um traste velho, James, que homem havia de querer casar-se comigo?

372

— Eu queria — disse ele, pegando-lhe na mão e apertando-a.
— O Sam também. És linda, Mary, és forte, corajosa, boa e honesta. Qualquer homem que não seja estúpido considerava-se um felizardo se casasse contigo.

Por pouco Mary não disse que, se decidisse casar com algum deles, os seus problemas só redobrariam em lugar de se resolverem. Mas compreendeu que a intenção de James fora elogiá-la e seria grosseiro retirar-lhe valor. — A falar assim, és capaz de seduzir a maioria das mulheres londrinas — disse ela com um sorriso esbatido. — Mas a mim não, James, conheço-te de ginjeira.

— Mas não te conheces a ti própria — disse ele, inclinando-se para lhe beijar a face. — Acredita, Mary, és excepcional. Vales muito mais do que pensas.

James Boswell estava de pé, de costas para a lareira da sua sala de estar, a aquecer-se, com um copo de *brandy* na mão. Passava das sete horas da tarde e sentia-se esgotado, mental e fisicamente.

Passara uma semana desde a sua visita a Mary e o desespero dela levara-o o redobrar esforços na sua causa. Desde as dez dessa manhã que andara a bater à porta dos seus amigos e conhecidos mais influentes para conseguir o seu envolvimento. Embora, na maioria, o tivessem escutado e se tivessem condoído ao ponto de lhe fazerem um donativo para o fundo dela, nenhum se deixara comover pela sua tragédia o suficiente para disponibilizar tempo ou conhecimentos com vista à sua libertação.

Dirigiu-se para a poltrona e sentou-se pesadamente. Reclinando-se e bebericando pensativamente o *brandy*, assaltou-o outra imagem de Mary. Os seus olhos grandes e cinzentos que lhe faziam lembrar mares tormentosos. A farta cabeleira, escura e encaracolada, o narizinho arrebitado e os lábios que se reviravam tão espontaneamente num sorriso afectuoso. Era demasiado magra, com uma pele descorada, para ser uma beldade, a dureza dos tempos deixara a sua marca e os elementos haviam-na envelhecido prematuramente, mas possuía ainda assim algo sedutor.

Tinham-se encontrado muitas vezes, tanto a sós como na presença dos outros homens. Boswell conhecia de cor e salteado a história da fuga, o carácter individual de cada um dos envolvidos, incluindo os que haviam perdido a vida depois da captura. Aprendera a captar o que se escondia por detrás das palavras de Mary porque ela simplificava sempre uma narrativa, omitindo, em regra, o seu próprio papel crucial nos acontecimentos. Dissera-lhe em que dia de Dezembro Emmanuel morrera no hospital da Batávia e falara também da chegada de Will ao hospital antes disso. Só um comentário fortuito mais tarde, sobre o momento em que se juntara novamente aos outros homens no navio de guarda, lhe dera a saber que ficara no hospital com Will até ele morrer.

Boswell sabia o que os outros homens pensavam de Will e porquê. Mary também achava que ele os traíra. Quando lhe perguntou por que razão tinha ficado ao seu lado até ele morrer, ela encolheu os ombros. — Era incapaz de deixar quem quer que fosse a morrer sozinho sem qualquer consolo — respondeu.

Para Boswell, era essa a essência do carácter de Mary. Não encarava tal acção como nobre ou generosa, para ela era um acto de humanidade elementar. A maioria das mulheres que tivessem acabado de perder um filho quereria que o pai, mesmo que fosse parcialmente responsável, sofresse. Mary podia perfeitamente ter aproveitado esse tempo precioso para escapar com Charlotte, mas não o fizera. Ficara a cuidar de Will.

Não fora fácil compreender Mary de verdade. Ela era perita em mudar de assunto, dando pouco valor aos incidentes e atribuindo a outras pessoas o mérito que legitimamente lhe cabia. Mas Boswell era tenaz e possuía também uma excelente memória e, encaixando coisas que os homens lhe haviam contado sobre Mary e o que ela própria dissera, a verdade acabara por emergir.

A sua coragem, capacidade de resistência e inteligência eram extraordinárias. Havia um lado decididamente masculino na forma como ela revelava tanta frieza quando sob pressão e, contudo, noutros aspectos, era extremamente feminina. Era arrebatada na sua ansiedade a respeito de bebés nascidos na prisão e da falta de cuidados dispensados às mães. Tão depressa elogiava os coletes janotas de Boswell como os olhos se lhe enchiam de lágrimas, como quando ele lhe oferecera um ramo de campainhas brancas, e mostrava-se genuinamente preocupada quando ele chegava sem fôlego. Não lhe passara despercebida a ternura com que tratava os amigos e como andava limpa e mantinha a cela imaculada. Em Newgate, era quase inédito.

Lá fora, a temperatura era negativa mas a sala de estar de Boswell estava quente e confortável graças ao fogo espevitado na lareira. Portadas e pesados reposteiros de brocado impediam a entrada de correntes de ar, a sua poltrona era perfeita. Bastava-lhe tocar à campainha e a sua governanta levava-lhe tudo aquilo de que precisasse — um prato de fiambre e queijo, uma garrafa de vinho do Porto ou até uma manta para tapar os joelhos. Aquecia-lhe a cama com um tijolo quente antes de ele se deitar e a sua camisa de dormir estaria pendurada à lareira também a aquecer. De manhã, acordava-o com o chá, a lareira já estaria acesa e a água aquecida para se lavar.

Nessa noite, em Newgate, estaria um frio de rachar e era-lhe insuportável pensar em Mary a tentar adormecer enroscada na palha. No entanto, ela nunca se queixava das condições, sentia-se grata, aliás, por ter sido poupada à ala comum da prisão. Só quando evocava a sua Cornualha natal é que ele detectava nos seus olhos uma ânsia por ar fresco, pela imponência do mar revoltoso e pela desolação das charnecas.

A sua própria viagem à Cornualha ajudara-o a compreender alguns dos traços de Mary. Embora, no geral, a tivesse considerado um lugar húmido e tristonho, com mais miséria em certas zonas do que em Londres, nos raros dias de sol em que pudera admirar as paisagens espectaculares, sentira-se pequenino.

A forma como as pequenas aldeias piscatórias se haviam insinuado na protecção dos penhascos não deixava dúvidas sobre a tenacidade dos seus habitantes. Pescavam, desciam ao fundo das minas e lavravam a terra. Por mais pobres que fossem, os habitantes da Cornualha não se vergavam perante os proprietários de terras ricos. Durante o tempo que lá passou, James teve a sensação de que as pessoas comuns teriam a alma e a coragem de se levantar e reconquistar o que era legitimamente seu, se assim o quisessem. Mary era uma mulher da Cornualha dos pés à cabeça, robusta e indómita como um pónei da charneca, tão tenaz como as lapas nas poças entre as rochas e por vezes tão profunda como as suas minas.

Mas, na semana anterior, achara-a desanimada, incapaz de aguentar muito mais tempo o que até então tão heroicamente suportara. Receava que a sua depressão a tornasse vulnerável à doença e que lhe faltassem as forças para lhe resistir.

Talvez, inicialmente, tivesse ambicionado a glória ao assumir a sua defesa mas a verdade era que agora essa ambição estava muito longe dos seus pensamentos. Desejava ardentemente arrancá-la àquele lugar abjecto e vê-la prosperar com uma boa alimentação, roupa bonita e liberdade.

Recentemente, um amigo metera-se com ele, perguntando-lhe se já não havia em Londres prostitutas suficientes que o satisfizessem, sem ter de salvar uma condenada. Noutro tempo, ter-se-ia rido desse tipo de comentário e, no passado, o seu objectivo final teria sido ir para a cama com a mulher assim que ela saísse da prisão. Mas Mary tocara algo de profundo na sua alma onde não havia desejo carnal. Doía-lhe que os amigos não compreendessem isso.

Estava convicto de que Mary era a sua oportunidade de se redimir pela sua negligência passada em relação às mulheres. Amara de verdade a mulher, Margaret, mas descurara-a e fora-lhe frequentemente infiel. Dormira com dezenas e dezenas de prostitutas, criadas e muitas vezes jovens inocentes! Não podia ser acusado de dureza pois muitas delas haviam-lhe conquistado o coração. Mas fora como uma borboleta, bebendo néctar aqui e ali, seguindo em frente quando a doçura se esgotava.

Mas não ia perder o interesse por Mary — pelo menos desta vez, tencionava ir até ao fim, fosse qual fosse o preço que tivesse de pagar. O seu propósito era mais do que conseguir o perdão para ela e para os amigos, desejava igualmente encaminhar Mary numa vida segura e próspera.

Bebeu o resto do *brandy* e pegou no decantador para se servir de mais. Não podia ter escolhido pior altura para lutar pela causa de Mary. Há três anos que o país vivia uma situação de agitação social. Os pobres tinham boas razões para se sentirem descontentes, as Leis dos Enclosures obrigara muitos deles a abandonar a terra e a fugir para as cidades e os artesãos estavam a descobrir que as suas competências já não eram necessárias à medida que eram introduzidos novos processos de fabrico. Exprimiam o seu descontentamento por meio de violentos distúrbios e, com homens como Thomas Paine a incitar à revolta com a sua convicção de que a monarquia devia ser abolida e de que as classes trabalhadoras deviam tomar o poder, o governo estava assustado.

Os revoltosos eram presos, condenados e deportados antes de terem a oportunidade de contagiar outros com os seus pontos de vista inflamados e, embora Henry Dundas tivesse inicialmente concordado em conceder um indulto aos cinco deportados retornados, recentemente, quando James lhe pedira que cumprisse a sua promessa, negara que a tivesse feito e acusara-o de ter uma imaginação fértil.

Boswell virara-se para Evan Nepean, o subsecretário de Estado, que fora o responsável pela organização da primeira frota de navios de deportados e constava que ficara escandalizado ao saber da morte de um número enorme de condenados nos navios da segunda frota. Não havia dúvida de que Nepean se preocupava, em termos gerais, com o bem-estar dos prisioneiros mas defendia a opinião de que o governo já mostrara clemência ao não condenar aqueles cinco à forca e não via qualquer razão para serem perdoados.

James sentia-se agora um pouco envergonhado por ter levado Mary a crer que Henry Dundas era um velho amigo do peito. A única ligação entre ambos era terem andado na escola juntos mas, nessa época, nem sequer simpatizavam um com o outro. No entanto, amanhã voltaria a contactá-lo e escreveria também a Lord Falmouth.

— Não posso nem vou desistir — murmurou James para consigo. — O Bem tem de triunfar se continuar a perseverar.

Enquanto James dormitava, mais tarde nessa noite, diante da sua reconfortante lareira, Mary estava acordada na escuridão, o rosto lavado em lágrimas. Estava tão enregelada que já não sentia os dedos dos pés nem era capaz de tiritar de frio e doíam-lhe todos os ossos do corpo.

Ouvia alguém a chorar à distância. Era um pranto, não de dor mas de puro desespero, e o som replicava os seus próprios sentimentos. Sentia-se tão cansada de lutar que, mais uma vez, a morte lhe parecia a melhor solução. Já não era capaz de se lembrar por que razão, noutro tempo, dera tanto valor à sobrevivência. Haveria alguma coisa por que valesse a pena viver?

CAPÍTULO 20

— Que dia é hoje, James? — perguntou Mary, virando-se no caixote para onde subira para olhar pela janela da cela. Não via mais do que o telhado da secção da prisão do lado oposto mas era infinitamente melhor olhar para as nuvens e para as aves do que para as paredes da cela.

James estava sentado a escrever no chão. Parou à pergunta e levantou os olhos. — 2 de Maio — respondeu. — Há alguma razão especial para quereres saber?

Estavam todos na cela, a meio da manhã, Sam com uma faca a esculpir um animal de um pedaço de madeira. Nat estava ocupado a coser um remendo aos seus calções e Bill atarefado a entrançar palha, dando-lhe formas esquisitas. Chamava-lhes «bonecas de milho» e dizia que, na aldeia do Berkshire onde crescera, eram consideradas símbolos de fertilidade. Por mais de uma vez, James brincara com ele, dizendo que, se se registasse um súbito aumento de partos na prisão, Bill seria o responsável.

Desde o ataque a Mary no bar, todos eles passaram a frequentá-lo muito menos. Jack sobrevivera ao ferimento mas foi enforcado pelos seus crimes duas semanas mais tarde. Desde então, Mary começara a ser tratada pelos outros reclusos com extrema cautela. Mas chegavam prisioneiros novos todos os dias e muitos eram ainda mais perigosos do que Jack e, por conseguinte, os homens tinham seguido o conselho de Mary, mantendo-se afastados.

379

Todos se haviam tornado especialistas em encontrar formas de preencher o tempo durante o dia. Mary estava a tricotar um xaile, jogavam cartas, visitavam outros prisioneiros nas celas e, em dias de bom tempo, saíam ao pátio. Passavam também muito tempo a evocar a Nova Gales do Sul e as peripécias da fuga, pois James estava finalmente a escrever o seu livro. Quando iam ao bar, era apenas por uma ou duas horas à noite.

— 2 de Maio! — exclamou Mary. — Então fiz anos há dois dias e já cá estamos há quase onze meses. — O seu aniversário pouco significado tinha para ela, a não ser o facto de calhar no dia anterior ao Primeiro de Maio, que era sempre uma ocasião especial na Cornualha. Ninguém o tinha mencionado aqui, o que queria dizer provavelmente que os londrinos não o celebravam.

— Dá ideia que estamos aqui há uma eternidade e costuma dizer-se que é falta de educação perguntar a idade a uma senhora — disse James com um sorriso atrevido.

— Tu és mais velho que eu — retorquiu ela, descendo do caixote e sentando-se nele.

— Hoje em dia tenho dificuldade em acompanhar as datas — disse Bill pensativamente, coçando a careca. — Não sei se tenho trinta e dois ou trinta e três anos.

— Eu continuo a ser o mais novo, com vinte e cinco — atalhou Nat.

Mary não queria admitir que tinha agora vinte e oito anos. Dava-lhe a sensação de ser velha. Mas a verdade era que se sentia velha e estava em Newgate há tanto tempo que quase todas as pessoas que conhecera quando ali chegara haviam sido enforcadas, morrido de tifo ou sido deportadas.

— Vem aí alguém — disse Sam, levantando os olhos do trabalho.

Era verdade, ouviram passos enérgicos no corredor. Não era Spinks, que arrastava os pés, e os outros prisioneiros caminhavam lentamente. Mary estranhara o facto, inicialmente, até dar também consigo a andar devagar. De que servia ter pressa quando se estendia à sua frente um dia longo e vazio?

Os passos detiveram-se à porta da cela, que entretanto foi aberta. Era um dos guardas do portão, um homem alto e espadaúdo com uma cara bexigosa. Tinham-no visto no dia da chegada e quando foram transportados ao tribunal.

— Mary Broad! — disse ele, olhando para ela. — A tua presença é solicitada lá em baixo.

Mary trocou um olhar intrigado com os homens. Normalmente, quando algum deles recebia visitas, era Spinks quem ia buscá-los.

— Deve ser o rei — disse James, rindo-se da piada.

Mary pegou no xaile e desceu as escadas atrás do guarda, atravessou o pátio exterior e entrou no pequeno gabinete por onde passara à chegada.

— Mr. Boswell! — exclamou quando o viu à sua espera ali. A sua figura era ainda mais imponente do que o habitual, com um casaco vermelho-escuro, debruado a galão preto, e um penacho de penas vermelhas no tricórnio. — Estava a contar com más notícias. Porque é que o guarda não me disse que era o senhor?

— Porque esta visita é oficial — respondeu ele, olhando de relance para o guarda e abrindo-se subitamente num sorriso de júbilo ao mostrar uma folha de papel que escondera atrás das costas. — Minha querida, tenho aqui o teu perdão!

Mary ficou demasiado atordoada para responder. Pestanejou, agarrou-se à mesa para se amparar e limitou-se a olhar para Boswell.

— Então, diz qualquer coisa — disse ele, a rir. — Ou só acreditas quando to ler?

Aclarando a garganta, esboçou uma grande vénia, como quem se prepara para proferir uma declaração perante um membro da realeza e depois ergueu a folha de papel.

— *Considerando que Mary Bryant, aliás, Broad, presentemente detida em Newgate* — leu em voz alta, fazendo uma pausa para sorrir.

— Continue — sussurrou ela, receosa de desfalecer com o choque.

— *Foi acusada de escapar da custódia das pessoas a cuja guarda estava legalmente confiada, antes da expiração do prazo determinado para a sua deportação, e considerando que nos foram humildemente apresentadas circunstâncias que abonam em seu favor, somos levados a conceder-lhe a nossa Graça e Clemência e a conceder-lhe o nosso gracioso perdão pelo seu referido crime.*

Boswell continuou a ler e terminou, dizendo a Mary que a carta estava assinada por Henry Dundas, por ordem de Sua Majestade. Mas ela mal conseguia digerir a informação: as duas únicas palavras que significavam alguma coisa para ela eram «gracioso perdão».

— Oh, Bozzie — disse ela, ofegante, quando ele chegou ao fim. — Conseguiu! Estou livre?

— Sim, minha querida, estás — respondeu ele, com um sorriso radioso. — A partir deste momento. Podes sair da prisão imediatamente comigo. Passaste a tua última noite em Newgate.

Ela correu a abraçá-lo, beijando-o em ambas as faces.

— É um homem maravilhoso, absolutamente maravilhoso — disse ela, alegremente. — Não tenho palavras para lhe agradecer.

Como a cara de Boswell estava sempre vermelha, era difícil perceber se estava a corar mas pegou-lhe nas duas mãos, apertando-as com força, e viam-se lágrimas de emoção nos seus olhos. Mary nunca o beijara nem tentara abraçá-lo e ele contava que ela recebesse a notícia com a sua habitual frieza. Vê-la tão agitada de felicidade era gratidão bastante.

— Podes agradecer-me juntando rapidamente as tuas coisas e depois vamos celebrar — disse ele.

Mary deu dois passos em direcção à porta e depois estacou abruptamente, virando-se de novo para ele. O seu sorriso dissipara-se, dando lugar a uma expressão de extrema ansiedade.

— E os homens? — perguntou ela num fio de voz. — Também foram perdoados?

Era este o momento que Boswell temia.

— Ainda não — respondeu cautelosamente, com medo que ela pudesse não querer partir sem eles. — Mas o perdão deles há-de chegar. Foi-me dada essa garantia.

Ela hesitou.

— Mary, eles vão ser libertados — insistiu ele. — Tenho a certeza de que vão todos rejubilar com a tua liberdade. Podes fazer mais por eles lá fora do que ficando com eles cá dentro.

Nesse momento, ela saiu mas afastou-se lentamente, a cabeça baixa como que a reflectir.

Mary transmitiu a notícia da porta da cela e começou a chorar quando chegou ao momento de dizer que o perdão só lhe fora concedido a ela e que eles teriam de esperar um pouco mais. Pensou que iam ficar furiosos, magoados e ressentidos e tapou a cara, à espera de um chorrilho de insultos.

James ficou aturdido mas, ao ver o gesto dela, sentiu vergonha por ela estar a contar com uma reacção de inveja pela sua boa sorte. Mary merecia a liberdade mais do que qualquer um deles, pois perdera muito mais.

— Por nós está tudo bem, não é verdade, malta? — disse ele, lançando-lhes um olhar de advertência para que não dissessem nada de mesquinho.

— Mas eu queria que saíssemos todos juntos — disse Mary, lavada em lágrimas. — Como é que posso partir sem vocês?

Os homens levantaram-se ao mesmo tempo, comovidos com a sua inabalável lealdade.

— Não sejas tola — disse James. — Sempre esperámos que fosses a primeira a ir, por isso desanda e goza a liberdade.

— Mereces mais do que qualquer um de nós — disse Sam, o seu sorriso afectuoso suavizando as suas feições descarnadas. Nat deu-lhe uma palmadinha carinhosa no ombro enquanto Bill soltou um grito de alegria e deu um murro no ar.

Mary limpou as lágrimas, tocada por se mostrarem tão felizes por ela e esconderem o seu próprio desapontamento. — Estamos juntos há tanto tempo que não sei se consigo desenvencilhar-me sem vocês — disse ela.

— Desaparece — disse Sam, indicando-lhe a porta com um gesto exagerado. — Vai ser o paraíso sem ti a dar-nos cabo dos ouvidos.

— Vamos transformar esta cela numa esterqueira, vamos passar o dia a beber e vamos trazer para aqui prostitutas — resmungou Bill mas com lábios trémulos.

— Eu fico com o teu cobertor — disse Nat alegremente. — É mais grosso que o meu.

Mary olhou para os seus rostos com olhos marejados de lágrimas. Quatro sorrisos corajosos, quatro corações afectuosos, todos eles, por muitas e diferentes razões, ocupando um lugar especial no seu. Haviam-se conhecido nos melhores e nos piores momentos. Haviam lutado, rido e chorado juntos. Agora tinha de partir e de aprender a viver sem eles.

— Não se embebedem nem se metam em rixas e tu, James, acaba o teu livro — disse ela numa voz débil, recorrendo a conselhos maternais pois sabia que, se tentasse dizer-lhes que os amava, quebraria

383

outra vez. — Hei-de voltar para vos visitar e havemos de festejar juntos quando o vosso perdão chegar.

Despiu o vestido velho e pôs o azul que Boswell lhe oferecera e, sacudindo a palha do saco de linho que trouxera do *Gorgon* e usava como almofada, meteu nele os seus parcos haveres.

James aproximou-se por trás dela para lhe apertar os botões nas costas do vestido e, em seguida, rodou-a para lhe prender uma farripa de cabelo solta atrás da orelha. — Deus te abençoe, Mary — disse ele, a voz embargada pela emoção. Beijou-a na face e abraçou-a com força. — O homem que te apanhar há-de ser um felizardo.

Em silêncio, Mary separou-se de James para beijar e abraçar os outros três, demorando-se um nadinha mais com Sam. — Não andes outra vez por maus caminhos — sussurrou-lhe. — E arranja uma mulher digna de ti.

Deteve-se à porta, olhando para eles pela última vez. Recordava-se de ter achado James torpe e feio quando o vira afastar-se com Will do *Dunkirk* para trabalhar. Ele era o último laço a esse navio-prisão nauseabundo e, no entanto, graças ao seu talento para seduzir senhoras, parecia agora mais um cavalheiro que um recluso.

Nat suscitara-lhe dúvidas quando o conhecera. Notara o seu cabelo brilhante, a sua pele macia, e deduzira de que modo o bonito rapaz sobrevivera no *Neptune*. Entristecia-a pensar que o julgara com base nisso. Não era diferente do que ela própria fizera com o tenente Graham.

Sam não possuía uma figura que pudesse ter usado para obter comodidades no *Scarborough*. Estava às portas da morte quando ela lhe dera água a beber no cais. Lutara pela vida e enfrentara os elementos ao seu lado para chegarem a bom porto sãos e salvos.

Quanto a Bill, ficara impressionada com a sua valentia quando ele se afastara depois de ser açoitado, mas a verdade é que só começara a gostar dele depois de terem escapado. Contudo, o tempo provara que aquela fachada áspera escondia um homem bom e decente.

Não podia sequer afirmar que algum deles entrara na sua vida de repente. Eram apenas quatro homens aparentemente banais que, por desespero, se haviam tornado como irmãos. Todos os aspectos das suas personalidades estavam impressos no seu coração, guardaria cada um daqueles quatro rostos para sempre na memória.

— Amo-os a todos — disse ela com ternura, os olhos novamente cheios de lágrimas. — Por favor, não voltem a infringir a lei,
quero que sejam homens honestos e felizes.

Saiu então apressadamente, as lágrimas correndo-lhe pelas faces.

— Arranjei-te alojamento em Little Titchfield Street — disse
Boswell, instalando-a num elegante fiacre. Notara o seu rosto man-
chado de lágrimas e deduziu que estaria perturbada com a separação
dos amigos. Mas considerava que a separação só podia fazer-lhe
bem. Não estava inteiramente convencido que os homens se tornassem honestos e trabalhadores quando fossem libertados e não
queria más influências junto de Mary, agora que ela era livre.

— Tenho aqui algum dinheiro para ti — disse, tirando uma carteira do bolso para lhe mostrar. — Mais de quarenta libras, um
quantia principesca. Vou pagar o teu alojamento daqui e também
vais precisar de roupa nova. Mas, para já, deves simplesmente gozar
a tua liberdade.

A tristeza de deixar os amigos na prisão foi mitigada pela excitação de estar livre e de ver a cidade de Londres. Boswell sublinhou
que a vista que ela tivera durante a viagem das docas para Newgate
fora de uma zona particularmente esquálida da cidade e que agora
se dirigia para uma área respeitável.

Mary só conseguia olhar em mudo assombro. Estava um dia
luminoso de sol primaveril e as ruas apinhadas obrigavam o condutor do fiacre a levar os cavalos a passo. As rodas de aros de ferro
das carroças sobrecarregadas, fiacres e carruagens produziam uma
chinfrineira sobre o piso irregular das ruas. Os portadores de litei-
ras contornavam agilmente as muitas pilhas de excremento de cavalo e ziguezagueavam por entre o tráfego mais intenso.

As senhoras que andavam nas compras usavam vestidos compridos e bonitos chapéus de fitas de todas as cores do arco-íris, e homens
de sobrecasaca e chapéu como o de Boswell passavam apressados,
como se ocupados com assuntos urgentes. Os vendedores ambulantes apregoavam as suas mercadorias com vozes estridentes. Havia
floristas franzinas com cestos de prímulas, ardinas a vender jornais e
comerciantes corpulentos a descarregar mercadorias de carroças ou
a transportar objectos, desde escadas a peças de mobília.

Mas eram os edifícios que mais absorviam a atenção de Mary. Quer fossem casas particulares, bancos ou outras instituições comerciais, eram todos majestosos. Degraus e colunas de mármore, pedra esculpida como ela nunca vira senão em igrejas, a profusão de estilos, encostados uns aos outros como se os construtores tivessem tido falta de espaço, mas cada um deles procurando eclipsar os seus vizinhos. Alguns tinham um ar muito antigo, casas de tabique precariamente inclinadas sobre as ruas. Seguiam-se-lhes construções elegantes, de três ou quatro andares, com longas e esplêndidas janelas em arco.

Não faltavam tão-pouco as carruagens elegantes. Algumas exibiam vistosas rodas vermelhas, noutras os cavalos graciosos usavam plumas e algumas tinham mesmo lacaios com resplandecentes librés douradas e vermelhas.

Boswell apontava para coisas que achava que podiam interessá-la: homens a transportar peças de carne à saída do mercado de Smithfield, os Colégios de Jurisconsultos onde ele estudara advocacia, Lincoln's Inn Fields, e muitas belas casas pertencentes a pessoas suas conhecidas. Falou-lhe sobre o Grande Incêndio de Londres e como a cidade fora subsequentemente reconstruída.

— Olhe! — Mary interrompeu-o quando ele estava a falar de um café onde costumava encontrar-se com o Dr. Johnson. Apontou para uma mulher a empurrar o que só podia chamar-se um carrinho de bebé pois estava sentada uma criança pequena dentro do esplêndido veículo de rodas largas, agitando excitadamente as mãozinhas. Mary nunca vira nada igual. — As pessoas são assim tão ricas aqui em Londres que transportam os filhos em carros?

Boswell soltou uma gargalhada. Achou que era um traço caracteristicamente feminino mostrar mais interesse numa criança num veículo com rodas do que ouvir falar sobre o seu grande amigo. Supunha ainda que, quando uma pessoa não sabia ler nem escrever, não compreenderia por que razão alguém perderia tempo a escrever um dicionário ou precisaria mesmo de consultar um.

— Vejo amas a empurrar carrinhos de bebé com tanta frequência nos parques de Londres que já nem reparo neles — respondeu.
— Mas desconfio que não é só o seu preço que assusta a maioria das mães, é que são um pouco difíceis de manejar.

— Mas é uma óptima ideia — disse Mary. — Sobretudo para quem tem dois ou três filhos.

— Quer-me parecer que as mulheres comuns com vários filhos preferiam ter água canalizada em casa a carrinhos de bebé — disse ele. — Poupava-lhes imenso trabalho. Há pessoas endinheiradas que têm salas só para tomar banho e basta abrir uma válvula para despejar a água usada.

Mary olhou para ele incrédula. — A sério?

— Sim — respondeu Boswell. — Há ruas inteiras de casas geminadas em que a água chega por canos de ulmeiro e as águas residuais são escoadas por canos de esgoto. Talvez, um dia, quando estas comodidades se estenderem a toda a cidade, as nossas ruas sejam lugares mais agradáveis de percorrer.

Mary começou a rir pois, imediatamente em frente, viu uma criada a despejar o conteúdo de um balde de uma janela de um segundo andar.

— Já tive a infelicidade de ficar assim encharcado dezenas de vezes — disse Boswell tristemente. — Acho que um bom sistema de canalização é uma coisa que o governo devia considerar uma prioridade.

— Nunca pensei que Londres cheirasse tão mal como Plymouth — disse Mary, franzindo o nariz. — Mas cheira.

— Que é se pode esperar com tantos cavalos? — observou Boswell, acenando com a mão para indicar pelo menos trinta animais à vista. — Em dias de chuva, as rodas das carroças e das carruagens esparrinham as pessoas todas com os excrementos deles. Já tentaram proibir os animais de andar pelas ruas da cidade mas não adiantou de nada.

— Pelo menos, os londrinos parecem anafados e saudáveis — comentou Mary.

Boswell suspirou. — Estamos numa zona respeitável da cidade — disse ele. — Há outras zonas como St. Giles que contam uma história muito diferente. Mas não te vou mostrar a miséria e a esqualidez, já tiveste demasiado contacto com isso.

O alojamento a que Boswell conduziu Mary, em Little Titchfield Street, situava-se numa casa estreita mas alta, numa rua de casas geminadas, com um batente de latão reluzente na porta e os degraus mais brancos que Mary já vira. Experimentou um momento de pânico, enquanto Boswell pagava ao condutor, considerando impossível que ele pensasse que uma pessoa como ela podia ficar num sítio daqueles.

Mas a mulher de faces rosadas e touca debruada a renda que abriu a porta e que Boswell apresentou como sendo Mrs. Wilkes não pareceu chocada nem surpreendida com a aparência de Mary.

— Entra, minha querida — disse ela. — Mr. Boswell já me falou muito de ti e acho que nos vamos dar lindamente.

Sem parar para recobrar o fôlego, comentou o tempo magnífico e disse a Mary que servia o pequeno-almoço e o jantar, que não se importava nada de lhe tratar da roupa e que devia sentir-se ali como em casa.

— Pus água a aquecer para o teu banho — continuou, embora baixasse a voz como se se tratasse de um assunto delicado. — Mr. Boswell disse que era o que devias querer. Só te peço que sejas tu a transportá-la para cima porque as escadas são de mais para mim.

Mary não podia senão assentir com a cabeça porque o mais próximo de tão surpreendente conforto e esplendor que alguma vez experimentara fora a espreitar pelas janelas das casas mais chiques de Plymouth. Do estreito vestíbulo com soalho de madeira polida, via um espesso tapete de franjas, cadeiras estofadas e uma mesa de madeira brilhante com dezenas de pequenas bugigangas. Contudo, os olhares que Mrs. Wilkes deitava a Boswell, como que a procurar a sua aprovação, sugeriam que ele estava acostumado a um conforto ainda maior. Mary sentiu-se fraca com o choque, terrivelmente consciente de que devia tresandar a Newgate e que trouxera sem dúvida consigo muitos dos seus pequenos residentes.

— Vou então deixar-te entregue aos bons cuidados de Mrs. Wilkes para te instalares à vontade — disse Boswell, pegando na mão de Mary para lhe dar uma palmadinha. — Agora do que precisas é de outra mulher e de alguma paz e sossego. Volto às seis e meia para te levar a jantar.

Duas horas mais tarde, Mary estava deitada na cama, demasiado excitada para dormir apesar do cansaço.

Dispunha de duas divisões no andar de cima da casa. A que dava para a rua era uma sala de estar, com uma mesa e cadeiras e duas cadeiras de braços em madeira, uma das quais de baloiço.

O seu quarto na parte de trás continha uma cama de ferro, um roupeiro e um lavatório. Comparado com o que vira em baixo, as divisões estavam mobiladas com simplicidade, com peças seme-lhantes às que recordava da sua casa em Fowey. Mas, ao cabo de tantos anos de adversidades e extremo desconforto, era como um palácio e quase tudo o que via lhe dava vontade de chorar.

Carregara de bom grado os baldes de água, rira-se com gosto ao despir a roupa e metera-se na banheira de metal. Não se lembra-va da última vez em que se lavara com água quente, quanto mais mergulhar nela. Tão-pouco se lembrava da última vez em que pudera isolar-se dos outros atrás de uma porta. Enquanto esfregava a pele e o cabelo, procurando libertar-se do cheiro da prisão, sen-tiu-se renascer.

Mrs. Wilkes, assim que se encontraram a sós, foi reconfortante-mente frontal.

— Acho que é melhor queimarmos a tua roupa toda — disse ela. — Mr. Boswell trouxe-te algumas coisas ontem à noite, creio que eram da filha. E dentro de um ou dois dias vamos comprar mais. Hás-de encontrar tudo o que precisas no armário. Mas trata de lavar esse cabelo em condições.

O sol da tarde jorrava pela janela do quarto e, sentando-se na cama para olhar para a sua imagem ao espelho sobre o lavatório, Mary ficou espantada ao reparar que o seu cabelo brilhava como quando era rapariga. Mrs. Wilkes levara-lhe um pouco de água fresca com umas gotas de vinagre para ela o enxaguar. Afirmou que lhe daria brilho ao cabelo embora Mary desconfiasse que era para matar os piolhos que tivessem sobrevivido. Mas, fosse qual fosse a razão, acontecera um milagre e o seu cabelo nunca estivera tão macio nem tivera um aspecto tão bonito.

Teria gostado de ver um rosto mais bonito do que imaginara mas infelizmente isso não aconteceu. A sua pele estava macilenta e áspera, tinha rugas em torno dos olhos e as suas faces eram duas covas. Mas Mrs. Wilkes obrigara-a a engolir uma grande colherada de malte e insistira que, com ar fresco, uma boa alimentação e muito sono, dentro de uma ou duas semanas, Mary estaria irreconhecível.

Mas achou que a felicidade começava já a colorir-lhe as maçãs do rosto. Tivera de pedir ajuda a Mrs. Wilkes, não só para apertar o espartilho mas para lhe pedir conselho sobre a ordem pela qual devia vestir as peças de roupa interior. Primeiro, a camisa delicada e macia que cheirava a alfazema e lhe dava pelo joelho, o seu decote acentuado apertado sobre os seios com uma fita. Seguia-se o saiote, debruado a renda e uma saia de algodão azul antes do espartilho. Mrs. Wilkes teve de lhe mostrar como a parte bicuda do espartilho, à frente, era colocada sobre a saia, com pequenas abas fixas. Por fim, o vestido azul e branco que tinha anquinhas entrava praticamente como um casaco, deixando o espartilho, a camisa e grande parte dos seus seios pequenos a descoberto.

— É a moda em Londres, minha querida — garantiu-lhe Mrs. Wilkes ao aperceber-se da expressão de confusão e ansiedade de Mary. — Pelo menos, acabaram com essas saias armadas ridículas que eu tinha de usar na tua idade. Vá, deixa-me dar-te uma ajuda com o cabelo, não podes usá-lo assim todo revolto como uma cigana.

Mary pousou a mão na colcha e sorriu, deliciada. Era um tecido simples da cor da aveia mas para ela era como se fosse seda. Mrs. Wilkes saberia que ela não dormia numa cama com lençóis e amofadas autênticas desde que saíra de Plymouth oito anos antes? Mesmo aí eram um luxo raro para as pessoas comuns e, no seu caso, fora uma prenda para a mãe do tio Peter, que os trouxera de uma das suas viagens ao estrangeiro. Mrs. Wilkes compreenderia também a que ponto ela estranhava estar num quarto com mobília quando há tantos anos se sentava num chão sujo ou num de pedra coberto de palha?

Mary achava que nem Boswell tinha noção de como tudo seria milagroso, estranho e até assustador para ela durante algum tempo. Como podia? Ela própria não se apercebera disso antes de ali chegar.

*

— Quem é esta criatura deslumbrante? — perguntou Boswell em tom de brincadeira quando voltou para levá-la a jantar. — Deve haver aqui algum engano, minha senhora. O seu nome não pode ser Mary Broad!

— Mas é, meu caro senhor — disse Mary com uma risadinha. — Ao que parece, a água de Londres tem poderes mágicos.

Mary sabia que a sua transformação não era apenas o resultado de um banho e de roupa nova mas do espírito da liberdade. Passara toda a tarde em casa mas a ideia de que podia, se quisesse, sair pela porta de entrada e juntar-se às multidões nas ruas era como um tónico. Estar deitada na cama fofa, sabendo que o quarto arejado e bem cheiroso era só seu, era de tal modo empolgante que achou que podia ali ficar eternamente sem nunca se aborrecer.

Mas Mrs. Wilkes prendera-lhe o cabelo com travessas e uma pequena touca de renda e ela calçara meias azuis e um par de sapatos com fivelas douradas. Agora tinha de sair e pôr à prova a sua liberdade recente.

— Acho que não sou capaz — disse Mary, em pânico, quando Boswell a ajudou a apear-se do fiacre numa rua movimentada, cheia de lojas.

— Não és capaz de jantar? — exclamou ele.

— Aí não — disse ela, olhando para as janelas brilhantes do restaurante onde ele tencionava levá-la. Via uma senhora e um cavalheiro sentados a uma mesa à janela. A senhora estava com um colar de pérolas, a beber requintadamente por um copo. Mary pensou que entrar ali seria como irromper pela casa do capitão Phillip dentro sem ser convidada quando ele estava a jantar com outros oficiais.

— Porque não? — perguntou Boswell, rindo.

— É demasiado chique — balbuciou. — Vou fazer figura de parva e envergonhá-lo.

— Não vais nada — insistiu ele com firmeza e, enfiando-lhe a mão no braço, conduziu-a resolutamente para a porta. — Só tens de sorrir e imitar o que eu faço. Garanto-te que não é nenhum bicho-de-sete-cabeças.

Boswell podia pensar que não era nenhum bicho-de-sete-cabeças entrar num lugar daqueles, com todas as caras, sem excepção, a virarem-se para ela, mas para Mary era mais aterrador do que uma borrasca no mar alto. Compreendeu, pelos olhares curiosos, os sorrisos e acenos de cabeça a Boswell e pelo burburinho das conversas abafadas, que todos sabiam quem era.

Mary sentia-se cada vez mais afogueada. Parecia-lhe ter a cara a arder pois, embora as outras pessoas não tivessem continuado a olhar para ela assim que se sentou, imaginava-as a observá-la pelo canto do olho e a falar sobre ela.

Boswell estava a estudar a ementa e a tecer comentários sobre os vários pratos que já ali provara antes. Não parecia aperceber-se do seu desconforto. — Que é que te apetece comer, minha querida? — perguntou. — O empadão de carne aqui é excelente, mas o coelho e o pato também são.

Mary estava esfomeada antes de saírem de casa de Mrs. Wilkes mas agora já perdera a fome, sentindo-se pelo contrário enjoada. As varetas do espartilho enterravam-se-lhe na carne e os sapatos novos eram demasiado apertados. Mas, ao fim de tantos anos a sentir permanentemente fome, não podia de maneira nenhuma recusar uma refeição.

— Escolha por mim — sussurrou.

Procurou recordar-se que não era a primeira vez que jantava fora, já o fizera em Plymouth com Thomas Coogan. Não fora num restaurante tão chique como aquele, as toalhas de mesa não eram brancas, mas não tinha feito lá má figura e, por isso, agora também não faria. Mas isso passara-se há mais de nove anos e, desde então, habituara-se a devorar tudo o que lhe aparecesse à frente, quer fossem as rações aguadas do navio, servidas numa tigela, ou o que conseguisse cozinhar num tacho. Nunca se pusera a questão da escolha.

A simples ideia de se sentar a uma mesa a comer era-lhe agora perfeitamente estranha. Quando olhou para os talheres de prata, perdeu a cor porque não estava acostumada a mais do que uma colher e uma faca e muitas vezes vira-se obrigada a comer com as mãos.

— Imagino que deves estar a estranhar tudo — disse Boswell atenciosamente, enchendo-lhe o copo de vinho —, mas hás-de habituar-te depressa. Vá, bebe e desfruta da tua primeira noite de liberdade.

Mary, porém, não era capaz de o fazer. Estava mais nervosa do que na primeira noite que passara no hospital da Batávia. Aí tinham sido as ratazanas que a haviam mantido alerta, agora eram as pessoas que a observavam.

O jantar chegou, com um aspecto e um aroma maravilhosos mas parecia que, sempre que conseguia apanhar uma garfada de comida, tentando imitar Boswell, alguém se aproximava da mesa para lhe dar uma palmada nas costas e o cumprimentar pelo seu estrondoso sucesso em conseguir o perdão de Mary.

Era com boa intenção que o faziam, os seus sorrisos eram afáveis e desejavam-lhe uma vida longa e feliz. Mas ela estava de língua atada e tudo o que conseguia era esboçar um sorriso forçado e murmurar palavras de agradecimento.

— Não podes censurá-los por quererem conhecer «a rapariga da baía de Botany» — disse Boswell, depois de acontecer várias vezes. — Toda a gente em Londres fala em ti.

Mary não tinha coragem para se queixar. Achava-se no direito de se orgulhar do que conseguira e de se regozijar com a admiração dos amigos dele. Fingiu-se, portanto, tão feliz como ele e não lhe disse que, no fundo, o seu desejo era voltar para casa.

Quando finalmente saíram, Mary estava ligeiramente trôpega. Bebera muito mais do que comera mas sentia que conseguira aguentar até ao fim sem embaraçar Boswell.

— Boa-noite, minha querida — disse ele quando Mrs. Wilkes lhes abriu a porta. — Dorme bem e saboreia a tua recente liberdade. Amanhã venho visitar-te.

Mary mal pôde esperar que Mrs. Wilkes lhe acendesse uma vela para alumiar as escadas até ao seu quarto. Mas, assim que fechou a porta, teve medo. Durante quase um ano, dividira uma cela com quatro homens, protestando muitas vezes por eles ressonarem ou tossirem de noite. Mas agora aquele quarto bem cheiroso, com a sua cama confortável, parecia extremamente inquietante à luz da vela e demasiado grande para ela dormir sozinha.

«Não sejas parva», disse para consigo. «Não preferes com certeza Newgate a isto.»

CAPÍTULO 21

Um mês depois da sua libertação de Newgate, Mary estava a passear com Boswell por St. James's Park numa tarde de sol.

Visitar os parques de Londres tornara-se um dos maiores prazeres de Mary. Era bom escapar ao ruído e à sujidade das ruas citadinas e ver relva, árvores e flores. Muitos tinham cercados com veados lá dentro e havia também ovelhas e vacas. Achava divertido que as vacas em St. James's fossem conduzidas a Whitehall à tarde para serem ordenhadas e que se pudesse comprar um copo de leite por um *penny*.

Durante a semana, a aristocracia usava os parques para se encontrar com amigos e exibir as suas roupas mais elegantes. No entanto, aos domingos não aparecia pois eram os dias em que o povo comum afluía em massa. Modistas, chapeleiras e empregadas de balcão tinham a oportunidade de desfrutar do seu dia de folga e, quem sabe, de conhecer um jovem escriturário atraente ou mesmo um soldado janota.

St. James's Park era indubitavelmente o favorito de Mary, pois os únicos cavaleiros ou carruagens autorizados a usá-lo pertenciam à Casa Real. Havia patos, cisnes e gansos no lago e os canteiros de flores exibiam cores exuberantes.

— Acho que são horas de arranjar um emprego — disse Mary pensativamente, quando ela e Boswell se detiveram a observar um grupo de crianças a dar pão seco aos patos. — O dinheiro não vai durar eternamente.

Ele deu-lhe uma palmadinha na mão enfiada no seu braço.
— Não, não vai, minha querida mas também não vai acabar já e tu tens de decidir o que queres fazer e para onde queres ir primeiro.

Mary sentiu-se tentada a discutir com Boswell, talvez até a dizer-lhe que não se sentia completamente satisfeita por estar cada vez mais dependente dele. Mas, considerando tudo o que ele fizera por ela, parecia-lhe uma atitude ingrata.

O medo que Mary sentira quando fora libertada parecia-lhe agora absurdo. Acordava todas as manhãs e dava graças a Deus pela Sua misericórdia e por ter posto James Boswell no seu caminho. Mas, durante a primeira semana, muitos momentos houvera em que quase chegou a desejar estar novamente em Newgate.

Era fantástico, naturalmente, sentir-se limpa, ser livre e ter uma cama confortável e uma boa alimentação. Contudo, a liberdade também era assustadora, sobretudo quando Boswell a obrigava a mergulhar de cabeça nela, como nesse primeiro jantar, sem fazer concessões à sua falta de experiência do mundo em que vivia.

Os amigos de Boswell pertenciam todos à aristocracia e, quando ele a levava em visitas a casa deles, apercebia-se de que preferia ficar nos fundos com os criados a ser estudada como se fosse um espécime estranho trazido de terras exóticas.

Mary vivia igualmente com a culpa. Havia muitas noites em que ficava acordada, na sua cama confortável, a pensar em Emmanuel e Charlotte. Não lhe parecia certo que estivesse agora a viver tão bem quando as suas curtas vidas haviam sido tão trágicas. Mesmo agora, um mês mais tarde, não conseguia libertar-se desse pensamento que a assaltava constantemente, fizesse o que fizesse. Relembrava todos os momentos da vida dos filhos, à procura de qualquer coisa que tivesse feito ou não tivesse feito e que tivesse levado à sua morte. E a conclusão era sempre a mesma. Se tivesse ficado em Port Jackson, talvez eles tivessem sobrevivido.

Esses pensamentos não a invadiam unicamente quando estava sozinha. Podia ir num fiacre com Boswell e, ao ver uma mãe com o filho, sentia sempre uma pontada de dor. Quando via na rua meninas esfarrapadas da idade de Charlotte, sentia uma onda de revolta perante uma sociedade que pouco cuidava dos seus membros mais jovens.

Tinha também imensas saudades de James, Sam, Nat e Bill, não só pela sua companhia e pelas recordações comuns que partilhavam mas pela posição que ocupava no seio do grupo. Era a líder, a pessoa cuja inteligência, sentido prático e conhecimentos eram valorizados. Fora de Newgate, não passava de uma curiosidade e as pessoas falavam com ela com ares superiores, como se ela fosse estúpida.

À medida que os dias iam passando, foi-se adaptando gradualmente. Começou a aceitar que teria de aprender a conviver de novo com as pessoas normais, que teria de aprender a fazer conversa de circunstância e a viver dentro dos limites convencionados para as mulheres.

Arranjou coragem para atravessar ruas movimentadas, ziguezagueando por entre as carruagens. Aprendeu a usar um garfo, praticando em casa, e a pentear o cabelo, prendendo-o em cima, como Mrs. Wilkes lhe ensinara. Aprendeu mesmo a apertar o espartilho sozinha.

Mrs. Wilkes era uma mulher afável, de bom coração, com idade suficiente, tendo mais de quarenta anos, para ser maternal mas ainda jovem para compreender como Mary por vezes se sentia inadaptada e apavorada. Admitiu que por vezes achava Mr. Boswell um pouco pretensioso de mais para o seu gosto mas atribuía o facto à sua educação e celebridade como escritor. Preparava um chá, convidava Mary a sentar-se com ela na cozinha e levava-a a falar das suas preocupações.

Mrs. Wilkes explicava-lhe tudo o que Mary tinha vergonha de perguntar a Boswell. Compreendia a razão por que desagradava a Mary que ele a exibisse aos amigos e sugeriu maneiras de ela lhe dar a saber o que sentia. Mas, acima de tudo, sabia como Mary estranhava o facto de se ver catapultada para uma posição social que não era a sua.

— Não te deixes abater por isso — aconselhou ela. — Aprende o máximo que puderes, observando e escutando. Aproveita a tua celebridade sem pensares quanto tempo vai durar. Depois do que passaste, merece-la. Mas acima de tudo, Mary, não percas a coragem, é ela que te torna tão fascinante.

Quando não oferecia chá e conselhos, Mrs. Wilkes enchia Mary de malte, obrigava-a a beber sumo de limão para aclarar a pele e levava-a a comprar roupa nova. Embora Boswell estivesse convencido de que só ele estava a ensinar Mary a ser o que chamava «uma pessoa remediada», um grande passo em relação às raízes pobres mas respeitáveis da sua infância, na verdade era Mrs. Wilkes quem mais lhe ensinava.

Contudo, paralelamente aos momentos dolorosos e desconcertantes, havia muitos mais de alegria e felicidade. Mary estivera na Torre de Londres e vira aí os leões, visitara a Catedral de S. Paulo e o monumento ao Grande Incêndio de Londres, vira os palácios reais e fora pelo rio até Greenwich. Adorava os parques, as concorridas lojas da Strand e os mercados e comprazia-se em admirar simplesmente as casas magníficas. Era quase sempre com Boswell que Mary visitava os locais de interesse mas também adorava explorar a cidade sozinha. Ele podia ter de se deslocar de fiacre porque estava a ficar velho mas ela gostava de andar a pé, de parar a observar as pessoas, as cenas de rua e os edifícios.

Agora, um mês depois de ter sido libertada, talvez já conseguisse levar algumas pessoas a acreditar que sempre vivera assim. Via gente pobre todos os dias, a varrer as ruas, a vender flores e a mendigar nas esquinas e estava plenamente consciente de que a vida folgada em que se via, mais por sorte do que por sua iniciativa, não era segura. Sabia que tinha de encontrar maneira de lhe dar essa segurança.

Era demasiado astuta para pensar que meia dúzia de roupas bonitas lhe granjeariam uma boa posição. As pessoas queriam criadas jovens. Queriam cozinheiras competentes, capazes de se encarregar de grandes festas e jantares, e não alguém cuja experiência consistia em atirar tudo o que fosse vagamente comestível para dentro de uma panela sobre uma fogueira. Uma governanta tinha de entender de tudo, desde tratar da roupa da casa e das pratas à economia doméstica. Mary não sabia nada disso e, por outro lado, não possuía cartas de recomendação. Quanto mais observava, mais se apercebia de que eram escassas as oportunidades de trabalho para as mulheres.

Mesmo Mrs. Wilkes, que Mary julgara pertencer à aristocracia, não tinha alternativa senão gerir uma pensão. Ficara viúva dez anos antes e, quando se esgotara o pouco dinheiro que herdara, conseguira um lugar de governanta e dama de companhia de um senhor de idade naquela mesma casa de Little Titchfield Street. Quando ele morreu, deixando o dinheiro a um sobrinho, Mrs. Wilkes herdou o recheio da casa alugada. Aceitar inquilinos foi a única maneira de conseguir continuar na casa a que se afeiçoara.

A resposta de Mrs. Wilkes aos problemas de Mary era o casamento. Insinuara que Boswell talvez fosse o marido ideal. Afinal, ele era viúvo, nutria por ela uma grande afeição e era um homem de posses.

Houvera breves momentos em que Mary ponderara na ideia. Gostava muito de Boswell. Era bondoso, divertido e generoso. Mas, infelizmente, sabia que nunca teria vontade de dormir com ele. Boswell estava a ficar velho e gordo e tinha os dentes podres. Era também um homem muito inteligente, tinha filhos que adorava, e não ia certamente correr o risco de eles rejeitarem uma ex-presidiária que não dera provas do seu amor e paixão por ele.

— Acho que gostava de voltar a viver junto do mar — disse Mary ao encaminharem-se para a pequena ponte sobre o lago. Londres era emocionante mas ela dava frequentemente por si a ansiar pela serenidade das charnecas, pelo vento fresco do mar e por uma vida mais calma.

— Então talvez seja boa ideia entrarmos em contacto com a tua família — disse Boswell. — Lembras-te com certeza que me encontrei com o reverendo John Baron de Lostwithiel quando estive na Cornualha. Bom homem!

Mary assentiu. Boswell mencionara aquele homem mas, como só estivera em Lostwithiel duas vezes, não o conhecia.

— Se eu lhe pedisse, ele visitaria de bom grado a tua mãe e o teu pai — disse Boswell. — Queres que lhe escreva? Ele mostrou-se muito compadecido de ti.

— Receio bem que eles lhe batessem com a porta na cara — disse Mary com tristeza. Recordava vividamente as convicções firmes da mãe a respeito das pessoas que infringiam a lei. Mary achava que ela devia sentir-se profundamente envergonhada com a triste notoriedade da filha. Não apreciaria que um membro do clero insistisse com ela para que perdoasse e esquecesse. Aliás, era provável que ainda a irritasse mais contra Mary.

— Vale a pena tentar — disse Boswell.

— Não — respondeu Mary com firmeza. — Cabe-me a mim pedir-lhes perdão, é uma cobardia pedir a terceiros que intercedam por mim. Quando os homens forem perdoados, eu vou.

Uma das coisas que Boswell a proibira de fazer era visitar os homens em Newgate. Invocou o perigo de doenças contagiosas mas ela suspeitava que era mais pelo desejo de a poupar a más influências. Como ele fora extremamente bondoso com ela, achava que não podia desobedecer-lhe e assim tinha de se contentar em mandar-lhes mensagens por ele.

— Isso ainda pode demorar algum tempo, Mary — advertiu Boswell. — Já sabes que estou a fazer tudo ao meu alcance por eles mas a justiça é lenta, sobretudo no Verão.

— Nesse caso, espero — disse ela.

Ele sorriu e deu-lhe um apertão no braço. — Óptimo, ainda há muitas coisas em Londres que te quero mostrar. E não te aflijas com o dinheiro. Ainda tens mais que o suficiente.

O resto de Junho, o mês de Julho e as duas primeiras semanas de Agosto foram um período de excepcional felicidade para Mary. A curiosidade das pessoas a seu respeito diminuíra e começou a sentir-se mais à vontade na sua nova vida. Ajudava Mrs. Wilkes em tudo o que podia, indo com ela às compras e encarregando-se muitas vezes de lavar a roupa e preparar o jantar.

Contudo, de tempos a tempos, invadia-a uma estranha melancolia. Pensava em Will, em Tench, em Jamie Cox e em todas as pessoas de quem gostava e que deixara em Port Jackson. Recordava breves momentos que partilhara com elas e dava muitas vezes por si a chorar. Irritava-a que as pessoas em Inglaterra não soubessem nem quisessem saber que a colónia era terrível e mal administrada. Mas, por outro lado, tinha muitas vezes vontade de dizer às pessoas que a Nova Gales do Sul era um lugar belo e intrigante. E interrogava-se como era possível que, depois de tudo o que acontecera, ainda pensasse assim.

Era também apanhada de surpresa pelos enormes contrastes entre a sua nova vida e a antiga. Um dia, Mrs. Wilkes pediu-lhe que deitasse fora uma carne que se estragara. Mary teve de fazer um esforço enorme para não a comer pois a ideia de desperdiçar comida, depois de ter passado fome, era terrível. Parecia-lhe igualmente absurdo que as convenções ditassem que uma senhora fosse fraca, indefesa e delicada quando, no seu caso, tinha apanhado e comido vermes, cortado carne de tartaruga e sido a força motriz de uma viagem de quase 5000 quilómetros num barco descoberto. Uma senhora também não podia mencionar em público as necessidades fisiológicas e muito menos diante do sexo oposto. Mas ela fora perfeitamente capaz de fazer as suas necessidades na companhia de oito homens e, depois de viver intimamente com eles durante tanto tempo, não havia mais mistérios para descobrir a respeito dos homens.

Mas, com o tempo, Mary recordava cada vez menos o passado. Embora os filhos estivessem sempre no seu pensamento, descobriu que outras recordações se desvaneciam e que estava de novo a viver no presente. Estava bom tempo e Boswell continuava a visitá-la com frequência, levando-a a deambular pelos parques, em passeios fluviais e às zonas rurais nos arredores de Londres.

Um dia em Agosto, levou-a de fiacre à aldeia de Chelsea. Mostrou-se muito divertido com poemas sobre eles que circulavam por toda a cidade. Ao que parecia, os seus autores estavam convencidos de que eram amantes e, num dos poemas, iam parar juntos à forca.

— Às tantas devia casar-me contigo, minha querida — disse Boswell em tom de brincadeira. — Então é que esses versejadores simplórios ficavam baralhados.

— Acho que seria um grande desgosto para as suas filhas — disse Mary com um sorriso. — Não sou a madrasta dos sonhos de nenhuma rapariga.

— Continuas a guardar o capitão Tench no coração? — perguntou Boswell, erguendo interrogativamente uma sobrancelha.

Mary falara sobre Watkin Tench em muitas ocasiões mas nunca dera a entender a Boswell o que sentia por ele. Nem os seus quatro amigos em Newgate sabiam o que quer que fosse sobre isso. Ficou, portanto, espantada com a pergunta. — Não tenho coração — respondeu com ligeireza.

— Mentira — retorquiu ele com uma gargalhada. — Descobri que foi ele que pagou a tua cela, Mary. Quando foste perdoada, deixou de pagar e os homens tiveram de tomar outras disposições.

Mary encontrara em Boswell um igual em rapidez de raciocínio. Como a ela, pouco lhe passava despercebido. — E depois? Éramos amigos, ele ajudou-me, mas isso não quer dizer que eu estivesse apaixonada por ele.

— Acho que quer dizer que ele estava apaixonado por ti — disse Boswell sabiamente. — Por norma, os soldados da Marinha não são conhecidos pela sua generosidade. Mas dá-me ideia que é um cobarde por não ter vindo buscar-te a Londres sabendo que és livre. Está agora no *HMS Alexander*, parte da Frota do Canal.

O coração de Mary começou a pulsar mais depressa com aquela notícia. Sempre imaginara que Tench voltara a partir para um lugar distante.

— Ah — disse Boswell, rindo. — Estou a ver um leve rubor. Será por ele ainda estar perto de Inglaterra?

Mary decidiu que não adiantava de nada continuar a fingir.

— É verdade, nutri fortes sentimentos por ele e ele por mim — disse, encolhendo os ombros. — Mas era uma união impossível. E ele não é cobarde nenhum. Fui eu que insisti para que nunca tentasse contactar-me.

Durante o seu tempo em Newgate, Mary esforçara-se por afastar a esperança de que Tench a visitasse. E na prisão era fácil compreender que ele pertencia a um mundo diferente.

Contudo, agora que era livre, aparentando aos olhos do mundo ser uma viúva respeitável, não podia deixar de se entregar a devaneios em que ele a ia buscar a Londres e a levava para uma casa no campo. Havia momentos em que chegava a acreditar que estava tão mudada que seria a esposa perfeita para um oficial.

— Tens razão. Era uma união impossível — concordou Boswell, causando algum desapontamento a Mary. — Já muitas vezes me apaixonei por senhoras que não me serviam e só traz sofrimento a ambas as partes. — Pegou-lhe na mão e apertou-a num gesto de compaixão. — O sofrimento é algo que devemos procurar evitar. Seja qual for a idade ou as circunstâncias.

Embora à primeira vista as suas observações se referissem apenas à relação de Mary com Watkin Tench, ela teve a sensação de que ele queria dizer mais do que isso. A referência anterior ao casamento fora uma brincadeira mas Mary teve a impressão de que ele também estava a sondá-la para determinar se ela contava que ele a pedisse em casamento. Achou prudente tornar claro que não era essa a sua intenção.

— Diga-me então, Homem Sábio — disse ela a brincar. — Que tipo de homem pode fazer-me feliz?

Boswell reflectiu seriamente por alguns momentos. — Possivelmente um embarcadiço — acabou por dizer. — Um marinheiro bem estabelecido na vida. Talvez viúvo pois, nesse caso, o teu passado incomodá-lo-ia muito menos. Trinta e cinco anos de idade no máximo. Suficientemente novo para querer constituir família.

— Por acaso, não conhece ninguém com esse perfil? — perguntou ela a rir pois Boswell falara como se conhecesse exactamente o homem que acabara de descrever.

— Infelizmente não, minha querida — disse ele, com uma gargalhada. — Não passo de um velho tonto e romântico que sonha com um final feliz para ti. Mas, a meu ver, uma das melhores coisas da vida é que nunca se sabe o que nos espera ao virar da esquina.

CAPÍTULO 22

— É o diabo do homem outra vez! — exclamou Mrs. Wilkes, exasperada, ao ouvir as pancadas insistentes na porta da rua. — Ainda ontem tentei dizer-lhe que não estava a fazer nada bem à tua reputação aparecer aqui a todas as horas do dia. E agora já aí está outra vez, a um domingo!

Era dia 18 de Agosto e estava muito calor. Mrs. Wilkes e Mary estavam sentadas na frescura do quintal com trabalhos de costura. Tinham estado a conversar sobre os amigos de Mary ainda em Newgate. Mary estava um pouco chorosa, temendo que nunca mais lhes fosse concedido o perdão e que começassem a pensar que ela deixara de se preocupar com eles.

Mrs. Wilkes, como Boswell, achava que visitá-los era má ideia, dado o risco de contágio, mas ofereceu-se para lhes escrever uma carta em nome de Mary. No momento em que ouviram bater à porta, Mary estava a pensar em tudo o que lhes queria dizer.

Sorriu da explosão da senhoria pois sabia perfeitamente que Mrs. Wilkes adorava que os vizinhos cochichassem sobre as visitas frequentes de Boswell. Ele era, afinal, um cavalheiro famoso e distinto, e o meio-dia, fosse domingo ou não, era uma hora respeitável.

— Eu vou — disse Mary, levantando-se. — Quer que o mande embora?

— Não, claro que não — apressou-se Mrs. Wilkes a dizer. — Deves levá-lo para o salão que eu sirvo lá o chá.

Mas, desta vez, Boswell não vinha sozinho. Estava acompanhado por um homem corpulento, de cara avermelhada, cujo casaco de xadrez berrante, calções a condizer e peruca castanha baça que lhe assentava pessimamente lhe davam o ar de um comerciante.

— Bom-dia, Mary — disse Boswell, tirando o chapéu. Ela achou-o agitado. — Este é Mr. Castel, vidraceiro de profissão e natural de Fowey. Quer dar-te notícias da tua família e insistiu para que cá viéssemos imediatamente falar contigo.

Mary olhou primeiro para o rosto de um e depois do outro homem, reparando no ar afogueado e agitado de ambos. Era evidente que Boswell não estava satisfeito com a insistência daquele indivíduo em vir falar com ela e imaginou que ele suspeitava de algum logro. Houvera várias ocasiões anteriores em que fora abordado por pessoas que afirmavam conhecer Mary e pediam a morada dela. Assim, para Boswell ter levado aquele homem à sua presença, a sua história devia merecer algum crédito.

Mary convidou-os a entrar para o salão e, assim que se sentaram, perscrutou o homem. — É então de Fowey, Mr. Castel? — perguntou. — Não conheço nenhuma família com esse apelido.

— Saí de lá há muitos anos, ainda a menina devia ser pequenina — disse ele calmamente. — Mas conheço muito bem a sua irmã Dolly.

Mary susteve involuntariamente a respiração. — Conhece a Dolly? Como? Onde é que ela está?

— Só a conheço desde que ela veio para Londres — respondeu ele, limpando o suor da cara com um lenço. — Está ao serviço de Mrs. Morgan, em Bedford Square. Conheci-a lá quando estava a substituir uns vidros e pusemo-nos a falar de Fowey.

— A Dolly está aqui em Londres? — Mary mal conseguia acreditar no que estava a ouvir e, embora Boswell estivesse a lançar-lhe olhares de advertência, como se não quisesse que ela ficasse demasiado excitada, era impossível não ficar.

— Ao que parece, Mr. Castel quer a tua autorização para escrever à tua família em Fowey com informações a teu respeito — atalhou Boswell, num tom de voz muito cínico. — Afirma que também conhece um parente teu, Edward Puckey.

— O Ned! — Mais uma vez, Mary susteve a respiração. Ela e Dolly tinham sido damas de honor no casamento do primo Ned.

— Tens algum parente chamado Edward Puckey? — perguntou Boswell.

Mary assentiu com a cabeça. — É meu primo — disse.

Mr. Castel olhou para Mary e a sua expressão carregada indicou que se sentia ofendido. — Dá ideia que Mr. Boswell não confia em mim. Conheci o Ned Puckey quando era rapaz, embora ele seja alguns anos mais novo do que eu. Foi graças a esta ligação que fiquei a conhecer tão bem a Dolly. Só me interessa agora contribuir para o reencontro de duas irmãs e transmitir notícias que podem ser vantajosas para si.

Esquecendo o vestuário de Mr. Castel e a sua peruca mal-amanhada, que sugeriam um gosto duvidoso, Mary achou que ele possuía uma expressão honesta. Olhava-a nos olhos, não lambia os lábios nem se mexia nervosamente. Também não perdera o sotaque da Cornualha.

— Que notícias? — perguntou ela, desconfiada, olhando de relance para Boswell. Este estava tenso, a transpirar abundantemente, e o seu sobrolho franzido sugeria que tinha vontade de calar o homem.

— Que a sua família herdou uma fortuna.

Mary soltou uma grande gargalhada e baloiçou-se na cadeira. — Não acredito nisso mesmo que me sinta inclinada a acreditar que conhece a Dolly — disse.

— É verdade — insistiu ele. — Foi a Dolly que me disse. O seu tio, Peter Broad, morreu quando estava na baía de Botany e deixou uma fortuna à sua família.

De súbito, Mary parou de rir. O tio Peter, irmão do pai, era mestre de marinha, o que significava que era contratado para comandar um barco, ao contrário do pai que não passava de um marinheiro comum. Não conhecera muito bem o tio Peter pois passava longos períodos de tempo no mar. Mas, sempre que vinha a casa, lembrava-se das suas infalíveis visitas com presentes de comida, guloseimas e outros pequenos luxos. Fora o tio Peter que oferecera o tecido de seda cor-de-rosa com que a mãe confeccionara os vestidos que ela e Dolly traziam no dia em que nadaram nuas no mar. Sempre correra em Fowey o rumor de que ele era rico; aliás, sempre que a mãe dizia que queria qualquer coisa fora do vulgar, o pai respondia a brincar: «É melhor aguentares, minha querida, até o Peter voltar.»

— Não sei que diga — exclamou Mary. — Essa notícia deixa-me em estado de choque, Mr. Castel.

— É natural — disse ele. — Mas, acredite, não tenho qualquer má intenção ao dar-lha, só pretendo voltar a unir uma família. É que eu e a Dolly somos amigos. Conhecemo-nos há uns quatro anos e ela disse-me que tinha uma irmã que tinha partido para trabalhar em Plymouth e nunca mais se tinha ouvido falar dela. Disse que os seus pais ainda se afligiam consigo, não sabendo se estava viva ou morta.

— Não souberam do que me aconteceu? — Mary não sabia se havia de se sentir feliz ou triste com isto.

Mr. Castel abanou a cabeça. — Pelo que a Dolly me disse, o seu pai foi à sua procura em Plymouth mas em vão. A Dolly pensou que talvez tivesse vindo para Londres e foi sobretudo por essa razão que aceitou um lugar aqui, na esperança de um dia a encontrar. Mas os anos foram passando e ela foi perdendo a esperança. Desde o primeiro dia em que a conheci que compreendi a importância que tinha para ela. Assim que ela ouviu a minha voz e percebeu que eu era da Cornualha, não descansou enquanto não falou comigo.

Mary fez um gesto de assentimento. Parecia-lhe lógico. Ela própria, se se cruzasse com uma pessoa com um sotaque da Cornualha, sabia que havia de querer falar imediatamente com ela. — Já sabia então onde eu estava?

Castel abanou a cabeça. — Não. Ninguém imaginaria que uma rapariga como a Dolly pudesse ter uma irmã que tinha sido deportada.

— Porquê? — perguntou Mary.

— Enfim, ela é tão... — Calou-se, visivelmente incapaz de encontrar as palavras certas.

— Honesta? — Mary decidiu ajudá-lo. — Nunca imaginou que ela pudesse ter uma irmã ladra.

Castel ficou embaraçado. — Não foi isso que quis dizer — apressou-se a responder. — A Dolly é tímida e trabalhadora. Imaginei que a irmã fosse exactamente como ela.

Mary não teve mais dúvidas de que o homem conhecia Dolly. «Tímida e trabalhadora» era uma boa descrição dela. Mary tinha muitas vezes dito a outras pessoas que a irmã era como um «rato».

— Então porque é que demorou tanto tempo a aparecer? — perguntou Mary. Tinham passado cerca de catorze meses desde que a notícia da sua chegada a Newgate surgira nos jornais. E, posteriormente, a notícia sobre o perdão já datava de mais de três meses.

— Pode acusar-me de ser de raciocínio lento, se quiser — disse ele, com um ar envergonhado. — Porque li tudo sobre «a rapariga da baía de Botany» nos jornais, até reparei que o seu nome era o mesmo da irmã da Dolly. Mas nunca me passou pela cabeça que fosse essa Mary Broad!

— Não? — perguntou Mary, surpreendida.

Ele passou nervosamente os dedos pelo colarinho engomado. — Era uma coincidência demasiado extraordinária. Ninguém que conhecesse a Dolly imaginaria que a irmã dela fosse tão audaciosa. Além disso, Mary Broad é um nome bastante comum e o jornal que eu li não dizia que era natural da Cornualha.

— O que o levou então a concluir finalmente que eu podia ser a irmã dela? — perguntou Mary, curiosa.

— Foi um poema — respondeu ele. Olhou para Boswell como que à espera de apoio mas Boswell não o ajudou.

— Um poema? — disse Mary. Imaginou que ele se referia a um desses poemas que Boswell mencionara, embora ele nunca lhe tivesse lido nenhum.

— Têm-nos afixado por todo o lado desde o seu perdão — disse ele, atrapalhado. — Mas nunca li nenhum com atenção até terem posto um na minha oficina. Não sei explicar exactamente porquê mas fiquei com uma sensação que não desaparecia. Não queria mostrá-lo à Dolly, com medo que ela ficasse transtornada por a irmã ter sido deportada. Ou por o poema sugerir que a sua relação com Mr. Boswell era mais do que uma relação de amizade. Assim, fui a casa dele hoje de manhã para lhe pedir uma opinião.

Mary olhou interrogativamente para Boswell.

— A primeira coisa que ele me perguntou foi se tu eras de Fowey — disse Boswell, encolhendo os ombros num gesto de impotência. — Disse-lhe que sim e ele falou-me então da Dolly. Eu quis vir falar contigo sozinho mas Mr. Castel é um homem obstinado, minha querida. Pois bem, a minha sugestão é que eu verifique a história dele e volte cá quando tiver a confirmação.

*

Mais tarde, nesse mesmo dia, Mary estava a ajudar Mrs. Wilkes a lavar a louça do jantar quando voltaram a bater à porta da rua. — Aposto que é o Boswell outra vez — disse ela com uma expressão preocupada. — Às tantas tem mais informações sobre o Castel.

Mary passara o dia numa grande ansiedade. Queria acreditar em Mr. Castel mas, como Boswell parecera tão desconfiado dele, esforçara-se por não alimentar muitas esperanças.

Atravessou o vestíbulo a correr, enquanto tirava o avental, mas ao abrir a porta quase desfaleceu.

Era mais uma vez Mr. Castel e ao seu lado estava Dolly.

Não teve quaisquer dúvidas de que era a irmã pois era igual à pessoa que, nove anos antes, acenara a Mary no cais antes de ela embarcar para Plymouth. Guardara durante todos aqueles anos a imagem do nariz arrebitado e dos olhos azuis. Mary só foi capaz de suster a respiração e de tapar o rosto com as mãos.

— Mary! — disse Dolly suavemente. — És mesmo tu! Estava com tanto medo que Mr. Castel se tivesse enganado.

Subitamente, Mary viu-se envolvida nos braços da irmã mais velha, permanecendo as duas num abraço à entrada da porta, desfeitas em soluços pelos anos de separação.

— Vá, querem fazer o favor de entrar? — disse Mrs. Wilkes num tom firme, atrás delas. — É uma cena muito comovente mas não quero que dê azo ao falatório da vizinhança.

Uma vez no salão, as duas mulheres limitaram-se a continuar abraçadas e a chorar durante alguns minutos. Depois começaram a rir-se, histéricas, por entre as lágrimas. Na confusão, a meias perguntas seguiam-se meias respostas, numa luta inútil para transpor um hiato de nove anos.

Mr. Castel explicara a Dolly parte do que acontecera a Mary mas a sua versão, retirada da leitura dos jornais, não era exacta. Embora Mary tentasse transmitir a verdade à irmã, era evidente que Dolly estava demasiado chocada e perplexa para digerir tudo.

— Pareço muito mais velha do que tu agora — disse Mary, a dado momento, contemplando a irmã com orgulho.

Sempre tinham sido parecidas, no sentido em que ambas possuíam cabelo escuro encaracolado, como o da mãe, e a mesma constituição robusta e eram um pouco mais altas do que a maioria das raparigas da aldeia. Mas os olhos de Dolly eram azuis e não cinzentos como os de Mary e, claro, o nariz de Dolly era bastante mais arrebitado.

As diferenças eram de personalidade. Dolly sempre fora dócil, prática e obediente. Desde que Mary tinha memória, andara sempre impecavelmente arranjada, o seu cabelo penteado para trás em tranças, o vestido imaculado. Contornava charcos de lama, evitava as silvas e sentava-se sossegadamente na soleira da porta a observar Mary, que se envolvia em jogos violentos com os rapazes e rasgava e sujava a roupa.

Dolly continuava vestida com recato e esmero, como era próprio da sua posição de criada de uma senhora. O seu vestido azul de nervuras tinha uma gola alta com pequenos botões de madrepérola e ela estava com botas de abotoar pretas bem engraxadas e um pequeno chapéu de palha com uma simples fita azul em volta. Mary sabia que ela tinha trinta anos mas parecia mais perto dos vinte pois a sua pele era clara, ainda sem rugas.

— Não passei pelas adversidades por que tu passaste — disse Dolly, os olhos lavados em lágrimas. — Estás tão magra, Mary. Lembro-me de a tua cara ser gordinha e rosada.

Na presença de Mr. Castel e Mrs. Wilkes, era impossível as irmãs conversarem abertamente. Dolly começou a fazer perguntas sobre as duas crianças mas calou-se a meio. Do mesmo modo, Mary queria enchê-la de perguntas sobre a mãe e o pai, saber se Dolly tinha namorado, mas não podia diante de Mrs. Wilkes e Castel.

Depois, no meio daquilo, chegou Boswell.

Mrs. Wilkes abriu-lhe a porta e Mary ouviu-a dizer-lhe que Dolly já lá estava. — Oh, é maravilhoso — disse ela, efusivamente. — Têm estado a chorar e a rir como tolas.

Boswell entrou na sala com um ar irritado. Tinha pedido a Castel da parte da manhã que o deixasse organizar a reunião entre Mary e Dolly. Uma hora antes, deslocara-se a Bedford Square para falar com Dolly, descobrindo que Castel já lá estivera e levara a jovem mulher até ali. Mas, confrontado com a felicidade de Mary, recuperou o seu bom humor natural e pediu desculpa a Castel por ter duvidado dele. Concentrou, de seguida, o seu charme em Dolly, lisonjeando-a com cumprimentos e dizendo que, se dera a impressão

de estar a criar problemas, era simplesmente porque tinha de proteger Mary.

Mrs. Wilkes abriu uma garrafa de vinho do Porto para festejar
e sugeriu que talvez fosse prudente os dois homens deixarem Mary
e Dolly a conversar.

— Mas eu prometi a Mrs. Morgan que acompanhava Dolly a
casa — apressou-se Castel a dizer e, pela adoração com que olhou
para ela, tornou-se evidente para todos que estava apaixonado.

— Infelizmente, também não me posso demorar muito mais —
disse Dolly, virando-se para Mary. — Mrs. Morgan quer que eu esteja em casa até às nove e meia. Mas posso passar a minha folga na
quarta-feira contigo.

— Bem, Dolly, talvez seja boa ideia, antes de ires embora, con-
tares à Mary da herança do vosso tio — sugeriu Boswell. — É uma
impertinência da minha parte pedir mas acho que é um assunto que
a Mary gostaria de ver esclarecido.

— É verdade — disse Dolly, agarrando na mão de Mary como
que receosa de que a irmã mais nova voltasse a desaparecer. — O tio
Peter deixou o dinheiro dele ao pai. Uma quantia substancial. O pai
pediu ao Ned que me escrevesse a explicar tudo e a insistir comigo
para voltar para casa pois já não tinha necessidade de trabalhar.

— Então porque é que não foste, Dolly? — perguntou Boswell.
Não tinha coragem para perguntar frontalmente quanto dinheiro
era, sobretudo na presença de Castel.

Ela corou. — Gosto de Londres — respondeu — e do meu emprego. Sinto-me muito bem com os Morgan. Não queria ser uma
velha solteirona em Fowey.

— Duvido que continuasses muito tempo solteira — disse Boswell, galante.

— A Mary compreende — disse Dolly, procurando apoio junto da irmã.

— Compreendes, Mary? — perguntou Boswell.

— Compreendo — disse ela, dirigindo à irmã um sorriso irónico. — Todos estes anos em que estive ausente, sempre te imaginei
casada e cheia de filhos. Era o teu sonho em rapariga. Mas, seja qual
for a razão por que partiste, tens uma boa vida. Voltar para lá seria
o mesmo que enterrares-te viva.

— Seria exactamente isso — concordou Dolly vigorosamente. — A minha posição social não ia alterar-se só porque o pai tinha dinheiro. Podíamos viver numa casa maior, andar mais bem vestidos e comer melhor. Mas quem seriam os meus amigos? Os antigos são pobres. Iam evitar-me. E as pessoas ricas não me passariam cartão.

Mary acenou compreensivamente com a cabeça. Era bem provável que assim fosse, na sua opinião. Mas também havia o problema dos caça fortunas. Dolly havia de querer um homem que a amasse pelo que era e não por dinheiro. Mary achava que só muito depois do casamento se podia ter a certeza a respeito dos verdadeiros sentimentos de um homem.

— Não tencionas voltar nunca? — perguntou Boswell a Dolly. Interrogou-se se já haveria um homem na sua vida. Era óbvio que Castel alimentava esperanças em relação a ela mas Boswell não achava que a atracção fosse recíproca.

— Talvez dentro de alguns anos — disse ela e, olhando para Mary, sorriu. — Mas acho que a Mary devia ir. Pelo menos, para visitar os nossos pais. Hão-de ficar exultantes quando souberem que está bem e de boa saúde.

Mary perguntou se ela tinha a certeza de que os pais não sabiam o que lhe acontecera.

— Pelo menos, quando tive notícias do pai no ano passado, não sabiam. É que ele falou em ti e disse que esperava que tivesse sido por teres casado e tido filhos que nunca mais voltaste de Plymouth.

Mary reflectiu sobre aquilo por momentos. Parecia quase risível que os pais a tivessem imaginado a uns escassos sessenta quilómetros de distância, em Plymouth, quando na realidade tinha estado do outro lado do mundo. Se voltasse para casa, como seria capaz de explicar tudo o que fizera e vira? Ela própria tinha dificuldade em enfrentar as memórias, os contrastes e as simples distâncias que percorrera na vida. Não lhe parecia que a mãe, que nunca se afastara mais de trinta quilómetros de Fowey, conseguisse compreender.

— Achas que o pai pode ter sabido de mim depois dessa carta que te escreveu? — perguntou.

— É possível — disse Dolly, franzindo a testa. — Mr. Castel disse-me que falaram muito de ti nos jornais. Mas se eu, aqui em Londres, não soube de nada, porque é que eles haviam de saber, lá tão longe?

Mary suspirou. — Talvez seja melhor nunca virem a saber, Dolly. É demasiado chocante.

— É melhor um choque do que passarem uma vida inteira convencidos de que a filha os abandonou ou está morta — insistiu Dolly.

Boswell saiu com Castel e Dolly mais tarde e as duas irmãs combinaram que Dolly voltaria no seu dia de folga. Depois de partirem, Mary dirigiu-se ao seu quarto. Desejava muito estar sozinha.

Sentou-se junto da janela aberta, a contemplar a escuridão lá fora. O ar calmo e quente transportava até ela sons de rodas de carruagens, de conversas, risos, de bebés a chorar e o tinido de um piano distante, como em muitas outras noites desde que residia em casa de Mrs. Wilkes. Eram os ruídos da vida familiar à sua volta e, até àquela noite, sempre se sentira terrivelmente só quando os ouvia porque o destino a separara dos seus.

Por vezes, chegara mesmo a encarar com cinismo a sua liberdade. Pensara que, embora pudesse caminhar livremente pela cidade, ainda estava mentalmente acorrentada pela culpa, pela vergonha e pela dor. Sabia também que dependia completamente de Boswell, o que fazia dele uma outra espécie de carcereiro. De um tipo humano, claro, mas era ele quem decidia tudo, onde ela devia ir, com quem se devia encontrar, e era ele, além do mais, que provia ao seu sustento. Até ali, não vira qualquer maneira de se libertar dessa dependência e de viver a sua própria vida.

Essa oportunidade surgira agora.

«Mas terás a coragem de voltar para casa?», murmurou para consigo. Uma coisa era contar tudo a Dolly, que ainda era nova e não tinha preconceitos firmemente enraizados. Talvez o pai também mostrasse compreensão, pois as suas viagens de barco haviam-no levado a muitos países diferentes e a conhecer gente de todo o tipo.

Mas a mãe era outra história muito diferente. O seu mundo era tacanho, restringido à igreja e aos vizinhos. A sua mente seria suficientemente aberta para aceitar que Mary recebera um castigo muito maior pelo seu crime inicial do que este justificava? Seria capaz de perdoar e de enfrentar a maledicência da aldeia com firmeza?

Mary duvidava muito. Grace Broad nunca fora uma pessoa clemente ou tolerante. Em criança, Mary era considerada esquisita porque gostava de se dar com os pescadores, ia nadar, trepava às árvores e afastava-se de casa. O pai ria-se e dizia que ela devia ter nascido rapaz, mas a atitude da mãe sempre fora de condenação.

Mas agora Mary compreendia porquê. A sua própria maternidade trouxera a explicação de muitas coisas que nesse tempo lhe pareciam estranhas. O papel de uma mãe era educar e proteger, louvar e condenar eram simplesmente formas de orientar um filho com vista à sua segurança. Não tinha agora quaisquer dúvidas de que a mãe se sentira assustada com o carácter obstinado da filha. Talvez sempre tivesse temido que essa obstinação levasse Mary a meter-se em sarilhos. E não se enganara, evidentemente.

Mary duvidava ainda que as más-línguas de Fowey vissem qualquer heroísmo na sua fuga arrojada, como as pessoas em Londres. Concentrar-se-iam nos aspectos dos navios-prisão, dos grilhões e da sombra do cadafalso, murmurariam que passara grande parte do tempo com um bando de homens, vendo nisso a marca de uma mulher depravada.

Uma lágrima correu pela face de Mary. Sabia que fora irresponsável e egoísta em rapariga mas tudo isso pertencia agora ao passado e não havia nada que mais desejasse do que ser de novo acolhida no seio da família. Nunca tivera ninguém a quem falar da agonia de perder os dois filhos mas talvez, se a mãe a envolvesse num abraço, pudesse desabafar com ela. Queria dizer a todos os seus familiares como os guardara no coração durante todo o tempo em que estivera presa. Talvez em adulta pudesse reparar toda a tristeza e aflição que lhes causara.

Sentia também que precisava da paz familiar e dos encantos da sua aldeia para purgar a alma da fealdade aí aprisionada. Podia dispor do perdão do rei e do governo mas esse pouco valor tinha sem o perdão dos seus.

Durante os dias seguintes, os pensamentos de Mary tornaram-se ainda mais confusos. O dia passado na companhia de Dolly foi um dos melhores de toda a sua vida. Conversaram sobre tudo o que acontecera às duas nos últimos nove anos.

Aos olhos de Mary, Dolly sempre fora um modelo de virtude feminina. O seu talento com a agulha, o cuidado com que limpava e lavava, a sua aptidão para preparar refeições apetitosas a partir praticamente do nada e, naturalmente, a sua falta de arrogância e o seu bom coração haviam-se conjugado para que a jovem Mary a considerasse uma companheira desinteressante. Mas, nove anos depois, descobriu que a irmã mais velha possuía um espírito mais vivo do que alguma vez imaginara.

Dolly servira-se da sua posição como criada de uma senhora para se familiarizar com todos os aspectos do estilo de vida das classes altas. Pouco havia que ela não soubesse, desde arranjar o cabelo de uma mulher sofisticada ao governo de uma grande casa. Mas aprendera muito mais do que competências domésticas com os seus patrões. Conhecia os seus segredos, as suas opiniões sobre tudo, desde a religião à política. Obtivera educação com eles e já não era uma rapariga inocente do campo. Podia continuar a ser tímida, no sentido em que não falava a despropósito nem saía sozinha à noite mas tivera dois amantes.

Confidenciou a Mary que um deles era o irmão mais novo do patrão e que essa relação a levara a compreender que uma mulher inteligente podia controlar o seu próprio destino. Disse que não tencionava casar-se com um modesto lacaio, nem tão-pouco com um comerciante como Mr. Castel, e passar o resto da vida a criar os filhos em circunstâncias precárias. Disse que, se não arranjasse um homem distinto com quem casar nos próximos anos, fazia tenções de abrir um negócio seu, talvez uma agência de pessoal doméstico.

Dolly disse que, por razões de segurança, o pai não queria revelar o valor da herança. Na carta que mandara escrever dizia apenas que era o suficiente para viver folgadamente e que, se ela quisesse um «pé-de-meia» para melhorar a sua situação, bastava pedir.

Ouvindo Dolly, Mary não teve dúvidas de que a irmã possuía competência para abrir um negócio. Atrás da sua fachada meiga e calma, havia uma enorme determinação e bom senso. Assim, quando Dolly insistiu para que Mary voltasse para a sua Cornualha natal, sentiu-se inclinada a dar-lhe razão.

Dolly possuía clarividência e imaginação. Disse que com algum capital Mary podia abrir uma pensão na Cornualha. Sugeriu Truro, pois era um local de passagem de muitas pessoas ou até Falmouth, onde podia ter uma clientela de oficiais da Marinha e das famílias deles. Outra ideia era que talvez fosse possível convencer os pais a comprar uma pequena quinta e Mary podia cultivar fruta e legumes para vender.

— Até sou capaz de fazer sociedade contigo se me cansar de Londres — disse Dolly, rindo. — Nunca te podes esquecer, Mary, que não és uma mulher qualquer, és corajosa, forte e inteligente. É mais do que suficiente para singrar. Se ficares em Londres, não podes contar senão com empregos humildes, como criada de cozinha, por exemplo. Não ias gostar. Nunca te vergarias a uma cozinheira rezingona ou a uma patroa ranhosa, já passaste por demasiadas vicissitudes para isso. Sê mais uma vez corajosa e volta para casa.

Setembro anunciou-se com um tempo glorioso e, sempre que conseguia escapar da patroa por algumas horas, Dolly passava-as com Mary. Os momentos de alegria partilhados, o prazer de descobrir o quanto tinham em comum, mitigavam a dor de Mary pela perda dos filhos e ela sentia o seu velho optimismo e energia voltar.

Com a ajuda de Boswell, Mr. Castel escrevera a Ned Puckey, pedindo-lhe que transmitisse as notícias sobre Mary aos Broad. Boswell escrevera ao seu amigo, o reverendo John Baron, de Lostwithiel, pedindo-lhe também ajuda para conseguir que Grace e William Broad acolhessem Mary em casa de braços abertos.

Contudo, muito antes de os Puckey e de o reverendo Baron receberem essas cartas, Boswell recebeu em casa uma carta de Elizabeth Puckey, a mulher de Ned. Aparentemente, a família só soubera do que acontecera a Mary quando ela foi perdoada. Nessa altura, a história sobre a sua deportação e subsequente fuga apareceu num jornal da Cornualha. Agora estavam ansiosos por saber como e onde ela estava. Elizabeth insistia para que Mary voltasse para casa para junto da família que, nas palavras dela, «gozava agora de uma situação diferente graças a uma substancial herança». Dizia que Mary seria calorosamente recebida por todos os membros da família e que William e Grace Broad se sentiam profundamente aliviados e felizes por saberem que a sua filha mais nova sobrevivera às terríveis tribulações por que passara.

Embora a carta tranquilizasse Mary a respeito da afeição da família e lhe incutisse um forte desejo de a voltar a ver, continuava dividida. Gostava de Londres, queria ficar perto de Dolly, Boswell era um excelente amigo e um companheiro estimulante e não podia esquecer Mrs. Wilkes, a quem se afeiçoara muito.

Boswell mostrava-lhe uma vida que não existia na Cornualha. Levava-a ao teatro e a cafés e restaurantes. Com Dolly, relembrava a sua meninice, falavra sobre homens, roupas e as muitas diferenças entre a sua vida actual e o meio em que haviam nascido.

Mrs. Wilkes era como uma mãe e uma tia. Era sensata e bondosa, experiente e refinada. Mary sentia que ela desejava que Mary continuasse com ela e a ajudasse a gerir a pensão. Era uma ideia que seduzia Mary pois sentia-se bem e em segurança mas, como Dolly sublinhou, teria de se ocupar do trabalho duro, esvaziando baldes de dejectos, transportando água quente, lavando a roupa e esfregando o chão. Dolly dizia que ela devia ter outras ambições.

Depois havia os homens ainda em Newgate. Mary não se sentia capaz de deixar Londres enquanto eles permanecessem na prisão. Pouco depois do seu reencontro com Dolly, apesar dos conselhos de Boswell e de Mrs. Wilkes, foi visitá-los. Depois do conforto em que vivia, Newgate horrorizou-a e chocou-a e pareceu-lhe impossível que tivesse suportado condições tão terríveis durante quase um ano. Apesar de saber que Boswell continuava a batalhar pelos amigos, não havia ainda indícios de qualquer perdão.

Sam estava tão desmoralizado que pedira para se alistar no Corpo da Nova Gales do Sul, uma unidade de homens que deviam revezar os soldados da Marinha no policiamento da nova colónia. A sua justificação para essa mudança de ideias era que acabara por compreender que a Inglaterra não tinha nada para oferecer a homens como ele e, na Nova Gales do Sul, como homem livre, ser-lhe-ia atribuído um lote de terra.

James continuava a trabalhar nas suas memórias. Disse que Nat e Bill tinham uma ideia diferente todos os dias sobre o que tencionavam fazer quando fossem libertados. Mas tinha um medo terrível que esse dia nunca chegasse, embora os homens insistissem que havia de chegar, que estavam perfeitamente contentes e que ela devia viver a vida dela sem se prender com eles.

Foi Sam quem conseguiu convencê-la de que devia seguir o seu próprio caminho. Acompanhou-a sozinha ao portão e aproveitou para falar com ela.

— Havemos de ser perdoados — insistiu. — Mas tu não deves esperar por isso, Mary. Nós os quatro não vamos continuar juntos quando formos libertados, foram as circunstâncias que nos juntaram e não uma decisão consciente. Eu quero voltar para a Nova Gales do Sul, o James fala na Irlanda. O Bill vai para o Berkshire e o Nat quer voltar para casa em Essex. Vivemos juntos a maior aventura e as maiores desventuras que se possa imaginar mas, assim que formos livres, tudo não passará de uma recordação, nada mais.

Mary sabia que ele lhe estava a dizer que a adversidade era a única coisa que tinham em comum e que só ela os levara a forjar laços tão próximos. Imaginou também que ele se queria distanciar dos outros pois receava que pudessem tornar-se uma desvantagem. No seu íntimo, partilhava desse receio embora nunca o tivesse exprimido.

— Tu salvaste-me a vida no cais em Port Jackson — disse ele, a sua voz carregando-se de emoção. — Espero um dia vir a falar de ti aos meus filhos. Mas agora vai-te embora e não voltes a visitar-nos. Já fizeste o suficiente por todos nós.

Mary tomou-lhe a cara ossuda nas duas mãos e beijou-o ao de leve nos lábios. — Felicidades, Sam — disse ternamente, recordando como noutro tempo o considerara a sua rede de salvação. Agora sabia que não tinha necessidade dela.

Por volta dos finais de Setembro, o tempo glorioso terminou bruscamente com uma forte tempestade que arrancou árvores pela raiz nos parques e inundou as ruas. Continuou a chover mesmo depois de o vendaval passar e Mary pôde confirmar por si as condições que Boswell descrevera quando fora libertada de Newgate.

As ruas estavam escorregadias, com lama nauseabunda misturada com dejectos humanos e animais, salpicando todos quantos tivessem a imprudência de andar a pé. Houve um surto de tifo nos bairros mais pobres e Boswell disse a Mary que as valas comuns onde os mortos eram enterrados estavam a encher-se rapidamente. Pairava constantemente no ar um cheiro pestilento, juntamente com um nevoeiro sulfuroso que se abatia todas as noites.

Mary estava praticamente aprisionada na casa de Little Titchfield Street e ocorreu-lhe que, se não partisse em breve para a Cornualha, antes de o Inverno chegar em força, ficaria ali até à Primavera. Os pais estavam a envelhecer e nunca perdoaria a si mesma se acontecesse alguma coisa a um deles antes de lá chegar. E havia ainda o chamamento da própria Cornualha, uma sereia que cantava a sua sedutora canção todas as noites quando Mary fechava os olhos, instigando-a a regressar ao lugar a que pertencia.

Imaginava-se em pé na proa de um navio a entrar no porto de Fowey quando a luz do dia começava a desvanecer-se e o sol outonal mergulhava, como uma enorme bola de fogo, lentamente no mar.

Via a pequena vila estendendo-se pela colina acima a partir do cais. Um aglomerado de casas de pedra cinzenta, com vislumbres das ruas empedradas entre elas, onde as crianças se apressavam para casa antes de anoitecer.

No cais, os pescadores estariam a preparar-se para a faina da noite. O taberneiro estaria a acender as candeias e os velhos da vila a dirigir-se lentamente, no seu passo trôpego, para a taberna, tirando a boina às mulheres que pudessem andar ainda pelas ruas.

Mary quase conseguia sentir o cheiro das sardinhas a serem cozinhadas, ouvir o rebentar das ondas contra o paredão, os gritos das gaivotas e o vento nas árvores sobre a vila. Queria encher os pulmões com esse ar limpo e salgado, ouvir essas vozes da Cornualha e mergulhar na simplicidade daquela vida. Londres não era o seu lugar.

— Acho que tenho de comprar uma passagem para a Cornualha — disse Mary a Boswell, uma noite, quando ele a foi visitar.

Ele não falou por alguns momentos, limitando-se a fitá-la com uma expressão interrogativa. — Sim, pois tens — acabou por dizer. — Mas eu não quero que vás.

— Porquê? — perguntou ela, pensando que ele talvez achasse que ela tinha um futuro mais risonho em Londres.

— Porque vou sentir a tua falta — disse ele simplesmente e, para sua grande surpresa, Mary viu que tinha os olhos marejados de lágrimas.

Ficou sem saber o que dizer. Estaria a insinuar que estava apaixonado por ela? Se sim, como devia reagir?

— Não há-de sentir a minha falta. Pode ir visitar todos esses amigos importantes que tem andado a descurar há tanto tempo — disse ela com ligeireza.

— Tenho-os descurado porque são todos superficiais comparados contigo — disse ele, numa voz trémula. — Tu deste um sentido à minha vida, alargaste-me os horizontes.

— É bonito isso que disse — redarguiu ela, um pouco comovida. — Mas eu tenho muito mais que lhe agradecer a si. A mim, devolveu-me a vida.

Ele abanou levemente a cabeça, baixando os olhos para as pernas. — Tenho sido um tolo durante quase toda a minha vida — disse ele, num fio de voz. — Mas sinto-me honrado que o destino me tenha escolhido para te ajudar. Mary, tu és a pessoa mais extraordinária que alguma vez conheci. Aceitaste o que a vida te atirou com coragem e força moral. Nunca te ouvi proferir uma palavra de censura contra ninguém.

— Não *há* ninguém a censurar — disse ela, tristemente. — Só a mim própria por ter errado.

Ele começou a rir. — Oh, Mary — balbuciou —, está aí a tua verdadeira essência. Se todas as pessoas tivessem a tua atitude, viveríamos num mundo melhor. Tenho passado a minha vida rodeado por pessoas que procuram alguém a quem atirar as culpas do seu infortúnio. Eu próprio culpei dos meus falhanços o meu pai, a minha mãe, a minha querida mulher, que Deus a tenha, prostitutas, a bebida, a falta de dinheiro e até de alimento. Quem me dera ser mais novo para poder percorrer a estrada da vida contigo ao meu lado.

Passou-lhe afectuosamente os dedos pelo cabelo e depois, agarrando num caracol, tirou uma tesoura do cesto de costura de Mrs. Wilkes, pousado na mesa ao seu lado, e cortou-lho.

— Uma pequena recordação — disse ele, enfiando-o num pequeno saquinho que tirou do bolso.

— Eu vou guardar todas as minhas recordações especiais de si aqui — disse Mary, cobrindo o coração com a mão. — E faça tudo para conseguir o perdão dos meus amigos senão culpo-o.

— Não há-de demorar — garantiu-lhe ele. — O Henry Dundas está a tratar disso.

*

Na noite de 12 de Outubro, Mary e Boswell estavam em South-wark, no cais de Beals, onde Mary se preparava para embarcar no *Anne and Elizabeth*, com destino a Fowey, que zarpava com a primeira maré do dia.

Estava uma noite ventosa e de chuva e eles correram para uma taberna próxima para se abrigarem. Quando Boswell fora buscar Mary e o baú com os seus haveres a Little Titchfield Street, levara o filho James, então com quinze anos, para a conhecer.

O jovem James Boswell possuía os mesmos olhos escuros e bonitos e os lábios carnudos do pai mas era mais alto, esbelto, gracioso e de pele clara. Mostrou-se compreensivelmente tímido mas estava desejoso de a conhecer. Disse que o pai lhe contara, assim como às irmãs, a história dela e que todos lhe desejavam felicidades para o futuro.

James combinou encontrar-se com o pai mais tarde, nessa noite, e enquanto o fiacre chocalhava pelas ruas molhadas e ventosas em direcção ao Tamisa, Mary ia em silêncio, o seu espírito agitado por dúvidas terríveis. Não se sentia agora tão segura a respeito do regresso à Cornualha e especialmente a respeito de deixar Boswell, seu grande amigo e salvador. Olhou de relance para ele muitas vezes durante a viagem, a mágoa avolumando-se dolorosamente dentro de si. Sabia que ele não gozava da melhor saúde. A sua cor rubicunda e a rigidez das suas pernas indicavam que a enfermidade começava a tomar conta dele.

Voltaria a ver Dolly, talvez também Mrs. Wilkes. Mas tinha a sensação de que as poucas horas que lhe restavam antes de embarcar seriam as suas últimas com Boswell.

Na taberna, despiu a grossa capa de lã verde-escura que Mrs. Wilkes lhe oferecera. Sentia-se quase tão em dívida para com a bondosa mulher como para com Boswell pelo muito que ela lhe ensinara. Ninguém naquela taberna ribeirinha a julgaria uma prostituta ou uma criminosa. Tudo, desde a capa e o chapéu de fitas ao quente vestido de lã e às botas resistentes, transmitia a imagem de uma preceptora respeitável. Contudo, Mrs. Wilkes não só escolhera a roupa por ser quente e prática mas porque também a tornava atraente. O vestido de gola alta tinha um rufo de renda creme, havia mais renda no saiote e as meias eram de um vermelho em voga. Mary tinha muitas mais peças de roupa no baú e tinha dificuldade em imaginar que a mulher bonita que viu reflectida num espelho fosse a mesma desgraçada que já andara esfarrapada e acorrentada com grilhões.

Bebendo rum, sentados lado a lado num sofá diante de um fogo espevitado, envolvia-os uma onda de ternura. Mary desejava conseguir encontrar as palavras certas para dizer a Boswell o que sentia por ele. Boswell, anormalmente calado, mantinha a mão sobre a dela no sofá, um gesto que revelava o seu desejo de não a largar enquanto pudesse.

O sítio fazia lembrar a Mary as tabernas de Fowey e Plymouth, com o seu chão de lajes, molhado das botas dos homens, o ar saturado de fumo, o forte odor da roupa húmida. Mas era um lugar aconchegado e simpático onde os marinheiros trocavam histórias, arranjavam uma mulher disponível e gastavam o dinheiro ganho a custo a beber. Mary achava apropriado que passassem as suas últimas horas num lugar que achava tão familiar. No dia seguinte, Boswell estaria onde devia estar, a jantar em restaurantes chiques, a tomar café com os amigos ilustres ou sentado de novo à secretária a escrever, enquanto o barco dela enfrentava um mar encapelado rumo à Cornualha.

— Tomei providências junto do reverendo John Baron de Lostwithiel para que te dê uma anuidade de dez libras — disse Boswell de súbito, num impulso. Tirou uma nota de cinco libras da carteira e enfiou-lha na mão. — Isto é para os primeiros seis meses e em Abril deves ir ter com ele para que te dê as outras cinco, e não te esqueças de assinar o teu nome como te ensinei.

— Mas, Bozzie — exclamou ela, consternada —, porquê? Não vou precisar e sei que não é um homem rico.

Muito embora Boswell fosse abastado por comparação com o trabalhador comum, Mary descobrira que ele passara a maior parte da vida a saltar de uma crise financeira para outra. Estivera à beira da ruína várias vezes. Somente a sorte e os bons amigos o haviam salvado.

— Dá-te alguma segurança — disse ele. Não acrescentou que era para o caso de as coisas não lhe correrem bem em Fowey. Talvez sentisse relutância em sublinhar que essa possibilidade era real mas Mary sabia que era isso que ele queria dizer.

Agradeceu-lhe, o nó que sentia na garganta impedindo-a de dizer mais. Colocou a nota na bolsinha que Mrs. Wilkes bordara e lhe oferecera como presente de despedida e retirou um pequeno embrulho atado com uma fita vermelha.

— É uma lembrança minha — disse ela, em voz baixa, metendo-lho nas mãos. — Não tem valor nenhum mas foi a única coisa que me confortou durante os tempos difíceis em Port Jackson.

Boswell olhou para ela com curiosidade, reparando nas lágrimas nos seus olhos, e depois abriu cuidadosamente o embrulho. Não continha mais do que algumas folhas secas e esfareladas.

— Chamávamos a isso cipó-doce — explicou ela. — Apanhei essas folhas no último dia antes da nossa fuga. Guardei essas últimas durante toda a viagem, em Kupang e na Batávia, e acompanharam-me até Inglaterra e Newgate. Gostava de poder oferecer-lhe um relógio de ouro com o seu nome gravado atrás mas isto, por modesto que seja, tem um significado maior. Olhe para elas de vez em quando para nunca se esquecer de mim.

Boswell voltou a atar o embrulho e meteu-o ao bolso. — Guardá-las-ei para sempre — disse ele, numa voz comovida. — Mas não preciso delas pois nunca te esquecerei, Mary, tu ocupas um lugar muito especial no meu coração.

Tomou-lhe as mãos e levou-as aos lábios, os seus olhos escuros e luminosos estudando o rosto dela como se estivesse a gravá-lo na memória.

— Jurei amor a tantas mulheres no passado que hesito em fazê-lo mais uma vez por medo de banalizar o que sinto por ti, minha querida — disse ele. — Mas a verdadeira amizade, do tipo mais puro, nasce do amor. Nunca morre, nunca perde o brilho. Continua mesmo para lá da morte.

Subitamente, um ruidoso clamor interrompeu o momento de ternura e Mary e Boswell levantaram os olhos, vendo os homens no bar saudar dois outros homens que estavam a chegar. Um era um homem baixo e forte, com cerca de quarenta e cinco anos, e o outro era alto, de cabelo louro, talvez dez anos mais novo.

— O mais velho é o comandante do *Anne and Elizabeth*, chama-se Job Moyes — disse Boswell. — Conheci-o quando te reservei a passagem. O outro é o imediato. Vou convidá-los para uma taça de ponche. Não devemos passar o tempo que nos resta nesta tristeza.

*

Job Moyes e o imediato, John Trelawney, cumprimentaram calorosamente Boswell e Mary e era evidente que conheciam a história dela.

— Será um prazer tê-la a bordo, Miss Broad — disse Job, com um brilho nos seus olhos azuis. — Sabemos que podemos contar com as suas competências de navegação se nos depararmos com mau tempo.

John Trelawney olhou para Mary com franca admiração. — É muito mais pequena e bonita do que imaginava — disse. — Espero que me relate as suas aventuras durante a viagem.

Mary sentiu-se reconfortada com o elogio. Era um homem muito atraente, com olhos cor de âmbar que lhe faziam lembrar os de um gato, maçãs do rosto proeminentes, dentes muito brancos e cabelo louro e forte atado na nuca. Possuía também uma voz agradável, profunda e ressonante, com um leve sotaque da Cornualha que lhe recordou a sua terra.

O ponche foi colocado na mesa e Boswell propôs um brinde ao futuro de Mary. Enquanto fazia algumas perguntas a Moyes sobre a carga que transportava, John olhava para Mary de um modo que lhe alvoroçou o coração.

Convencera-se de que era incapaz de voltar a sentir-se atraída por um homem e parecia absurdo que experimentasse esses sentimentos agora, na véspera da sua partida de Londres.

— De que parte da Cornualha é oriundo? — perguntou.

— Falmouth — respondeu ele, revelando os seus belos dentes. — Mas já lá não tenho família, os meus pais faleceram há alguns anos e o meu irmão emigrou para a América.

— Então a que é que chama casa? — perguntou ela.

— Ao *Anne and Elizabeth* — disse ele, rindo. — Mas, se tivesse de me fixar em algum lado, escolheria Fowey.

— Não tem mulher nem namorada então? — Mary ergueu interrogativamente uma sobrancelha.

Ele abanou a cabeça. — Nunca conheci uma mulher que estivesse disposta a aceitar que o mar é a minha amante.

Aquela frase despertou algo há muito enterrado na memória de Mary. Olhou para ele com curiosidade.

— Roubei a frase ao seu tio — disse John. — O Peter Broad.

Naveguei sob o comando dele em rapaz. Era um bom homem e ensinou-me tudo o que sei.

Mary susteve a respiração. — Navegou sob o comando do meu tio?

John indicou que sim. — E do seu pai também, Mary. Outra pessoa excelente e é uma honra levá-la para casa, para junto dele.

— Que é que disse? — quis saber Boswell, captando a parte final da conversa.

— Estou a dizer à Mary que naveguei sob o comando do tio e do pai — respondeu John. — Mas o senhor já sabe.

— Bozzie — disse Mary num tom de censura —, foi por isso que insistiu tanto que eu viajasse neste barco?

Boswell esboçou um sorriso travesso. — Eu ia confiar uma carga tão preciosa a qualquer pessoa? — perguntou. — Falei com vários comandantes antes de descobrir o Job. Queria alguém com quem te sentisses à vontade.

Voltaram a encher as taças e Boswell fez os homens rir com um relato extremamente cómico do que chamava a «sua passeata à Cornualha» no ano anterior.

Mary sentia-se feliz só a observar e a ouvir. Agradava-lhe ver como Boswell se animava ao contar uma história. Tinha um talento tão grande para descrever uma cena e as pessoas que a protagonizavam que o ouvinte se sentia parte da história. Ia ter saudades dele mas a sua apreensão com o regresso a casa dissipara-se agora. A Cornualha era o lugar a que pertencia.

Passava das dez horas quando finalmente saíram da taberna para se encaminharem para o barco. John transportou o baú de Mary, caminhando um pouco à frente com Moyes, e Mary seguiu atrás de braço dado com Boswell.

— Deixe-me aqui — disse-lhe ela quando chegaram ao barco. — Não suba a bordo, tem de ir encontrar-se com o James, como prometeu.

O vento amainara e parara de chover. Excepcionalmente, não havia nevoeiro e a lua e as estrelas estavam nítidas e brilhantes, reflectindo-se em luzinhas cintilantes no rio escuro. O som da água a marulhar suavemente contra o casco recordou-lhe de modo pungente essa outra viagem desesperada em que não pensava há muito tempo.

— Ficas bem? — perguntou Boswell, a sua habitual confiança abandonando-o.

— Claro que fico — disse ela, beijando-o na cara. — O mar não me inspira qualquer terror.

Boswell agarrou-a vigorosamente pelos braços, o seu rosto subitamente mais juvenil à luz de um archote aceso junto ao barco. — Se alguma vez precisares de mim, manda-me uma mensagem — disse.

Ela assentiu. — Cuide de si, Bozzie — disse. — E despeça-se por mim do James, do Bill, do Nat e do Sam. Diga-lhes que lamento não poder estar presente para celebrar a liberdade deles.

Mary ouviu Moyes ou John tossir e percebeu que estavam à espera que ela embarcasse. — Adeus, meu querido amigo — disse ela, tornando a beijá-lo, desta vez nos lábios. — Nunca me esquecerei de si. Restituiu-me a vida.

Afastou-se rapidamente, receosa de romper em lágrimas. Ao chegar ao convés, virou-se e acenou uma vez. Ele estava simplesmente de pé, a olhar para ela, os botões prateados do seu casaco e a corrente de ouro do seu relógio reluzindo sob a luz do archote. Tirou o tricórnio e fez uma vénia imponente e, virando-se, começou a afastar-se.

— Vai ter saudades de Londres? — perguntou John ao seu lado.

Mary virou-se para o encarar e sorriu. Teve a impressão de que aquilo que ele estava realmente a perguntar era se teria saudades de pessoas importantes como Boswell e não da cidade.

— Não, acho que não — respondeu com sinceridade. — Sinto-me feliz por tê-la conhecido mas prefiro uma vida simples e pessoas com quem possa ser eu própria.

De súbito, teve a estranha sensação de já ter vivido aquele momento. Perplexa, olhou em volta mas, na escuridão, só conseguia ver o brilho do latão e a brancura da corda enrolada.

— Que se passa? — perguntou John. — Não me diga que uma marinheira nata como a Mary está perturbada com o movimento debaixo dos pés.

— Não, claro que não — respondeu ela, rindo-se porque a pronúncia de John fora o suficiente para lhe despertar recordações. O odor da água do rio e um homem que a atraía completavam a imagem do passado.

Estava no convés do *Dunkirk*, uma rapariga andrajosa e acorrentada, entregando o coração a um oficial com um leve sotaque da Cornualha.

— Deixe-me mostrar-lhe o seu camarote — disse John. — Está a apanhar frio aqui.

De súbito, Mary sentiu-se plenamente liberta, muito mais do que quando foi libertada de Newgate. Ia para um camarote e não para o porão. No dia seguinte, ao alvorecer, far-se-iam ao mar, tomaria as suas refeições com Moyes, John e os outros marinheiros. E podia usar uma colher, se quisesse, porque ninguém aqui se importaria. Beberiam rum e trocariam histórias do mar e ela estaria em pé de igualdade com os homens.

Começou a rir ao descer os degraus íngremes para os camarotes.

John estava ao fundo com o baú dela nos braços e riu-se também. — Está assim tão feliz por estar a bordo? — perguntou, com um brilho nos olhos castanho-claros. — Gosto de a ver assim. Mas imaginámos que se tivesse cansado de navios para a vida inteira.

— Também eu imaginei — respondeu Mary, ainda a rir. — Mas este dá-me a sensação de que já estou em casa.

POST-SCRIPTUM

C onfesso *que nunca olhei para estas pessoas sem piedade e espanto. Tinham fracassado numa heróica luta pela liberdade
*depois de terem enfrentado todos os infortúnios e vencido todas as
dificuldades.*

*A mulher viajara para Port Jackson no navio que me transpor-
tou para lá e distinguiu-se pelo seu bom comportamento. Não podia
senão reflectir com admiração sobre a estranha conjunção de circunstâncias que nos havia mais uma vez reunido, confundindo a
presciência e a especulação humanas.*

Extracto do diário de Watkin Tench, 1792

REFLEXÕES FINAIS

Tive dificuldade em deixar Mary no convés do *Anne and Elizabeth*. Tinha criado laços tão fortes com ela que teria adorado escrever uma narrativa inteiramente ficcional sobre a sua paixão por John Trelawney durante a viagem para a Cornualha. Teria também adorado levar o leitor a testemunhar o seu feliz reencontro com os pais em Fowey e, mais tarde, o casamento com John Trelawney e o nascimento de dois bebés lindos e saudáveis.

Mas a história de Mary é verídica e, embora eu tenha acrescentado a minha própria imaginação à sua personalidade, aos seus amigos e às muitas adversidades por que ela passou tão corajosamente, cingi-me aos factos históricos sobre ela e sobre as outras personagens principais que desempenharam papéis importantes. Assim, seria errado dar uma imagem falsa da sua vida após a partida de Londres.

Infelizmente, nada se sabe do que aconteceu a Mary depois de regressar a Fowey. Sabemos que levantou a sua anuidade junto do reverendo John Baron e que este senhor escreveu também a James Boswell, em nome de Mary, para lhe agradecer a sua bondade, registando que ela estava a portar-se bem. Mas não existem quaisquer registos de casamentos, nascimentos ou mesmo mortes que a situem inquestionavelmente em Fowey.

Mas eu penso que uma mulher tão inteligente e destemida não teria querido ficar num lugar onde era alvo da má-língua. Se o relato de James Boswell sobre a herança da sua família for verdadeiro, e não há qualquer razão para pensar o contrário, acho que ela teria partido de Fowey, que se teria talvez até fixado no estrangeiro.

Acredito ainda que uma mulher que era amada e admirada por todos os homens que lhe eram próximos teria voltado a casar. Espero sinceramente que tenha encontrado um bom homem e tido mais filhos.

James Martin, Sam Broome (também conhecido como *Carniceiro*), Bill Allen e Nat Lilly conseguiram finalmente o seu perdão em Novembro, pouco depois de Mary deixar Londres. Ao saírem de Newgate, foram directamente visitar James Boswell para lhe agradecer a sua bondade.

Sam alistou-se efectivamente no Corpo da Nova Gales do Sul e regressou à Austrália. Nada se sabe dos outros três. Mas agrada-me pensar que James Martin voltou para a Irlanda, tendo ganho dinheiro suficiente com as suas memórias para criar cavalos, ou partiu para a América.

Quanto a James Boswell, infelizmente morreu a 17 de Maio de 1795. A sua família cancelou a anuidade a Mary e, embora ele tivesse anotado no seu diário que escrevera quatro páginas sobre «a Rapariga da Baía de Botany», estas páginas nunca foram encontradas. Mas estou certa de que James descansa em paz, sabendo que *A Vida de Samuel Johnson* se tornou realmente conhecida como a melhor biografia de todos os tempos.

Watkin Tench acabou por se tornar numa espécie de herói. Foi capturado em França e supostamente escapou do campo de prisioneiros de guerra. Chegou ao posto de general-de-brigada. Sorri quando descobri que se casara com Anna Maria Sargent. Sargent era o meu apelido de solteira e o meu pai era soldado da Marinha Real. Watkin e Anna Maria não tiveram filhos mas adoptaram os quatro filhos da cunhada de Tench quando o marido dela morreu nas Caraíbas.

Os diários de Watkin Tench sobreviveram juntamente com os de muitos outros oficiais que partiram para a Austrália na Primeira Frota e não subsiste qualquer dúvida de que era um homem inteligente, compassivo e justo.

Mary nunca divulgou quem era o pai de Charlotte: o tenente Spencer Graham foi uma invenção minha. Há quem pense que o responsável foi Watkin Tench mas eu duvido muito, pois ele teria certamente registado a sua angústia quando Charlotte foi enterrada no mar.

Agrada-me pensar que os bons homens nessa Primeira Frota, fossem eles criminosos, oficiais ou soldados, sentiriam orgulho e satisfação se pudessem ver o maravilhoso país que a Austrália é hoje.

Quem sabe, talvez Mary tenha voltado para lá, com outro nome, e os seus descendentes ainda lá vivam, tão destemidos e engenhosos como ela foi.